Le Guide Vert

D0486984

Lyon et la vallée du Rhône

Ardèche-Velay-Beaujolais

Michelin Éditions des Voyages ne saurait être tenu responsable des conséquences d'éventuelles erreurs qui pourraient s'être glissées dans la rédaction de cet ouvrage et encourage ses lecteurs à se renseigner directement sur place. Cet ouvrage tient compte des conditions de tourisme connues au moment de sa rédaction. Certains renseignements peuvent perdre de leur actualité en raison de l'évolution incessante des aménagements et des variations du coût de la vie. NB : en raison du passage à l'euro, les tarifs sont donnés à titre indicatif.

46, avenue de Breteuil – 75324 Paris Cedex 07
☎ 01 45 66 12 34
www.ViaMichelin.fr
LeGuideVert@fr.michelin.com

Manufacture française des pneumatiques Michelin
Société en commandite par actions au capital de 304 000 000 EUR
Place des Carmes-Déchaux – 63 Clermont-Ferrand (France)
R.C.S. Clermont-Fd B 855 200 507

Toute reproduction, même partielle et quel qu'en soit le support, est interdite sans autorisation préalable de l'éditeur.

© Michelin et Cie, Propriétaires-éditeurs, 2002
Dépôt légal janvier 2002 – ISBN 2-06-100354-0 – ISSN 0293-9436
Printed in Belgium 01-02/5.1

Compogravure : Nord Compo à Villeneuve-d'Ascq
Impression et brochage : Casterman à Tournai

Conception graphique : Christiane Beylier à Paris 12ᵉ
Maquette de couverture extérieure : Agence Carré Noir à Paris 17ᵉ

LE GUIDE VERT, l'esprit de découverte !

Avec Le Guide Vert, voyager c'est être acteur de ses vacances, profiter pleinement de ce temps privilégié pour se faire plaisir : apprendre sur le terrain, découvrir de nouveaux paysages, goûter l'art de vivre des régions et des pays. Le Guide Vert vous ouvre la voie, suivez-le !

Grands voyageurs, nos auteurs parcourent chaque année villes et villages pour préparer vos vacances : repérage et élaboration de circuits, sélection des plus beaux sites, recherche des hôtels et des restaurants les plus agréables, reconnaissance détaillée des lieux pour réaliser des cartes et plans de qualité...

Aujourd'hui, vous avez en main un guide élaboré avec le plus grand soin, fruit de l'expérience touristique de Michelin. Régulièrement remis à jour, Le Guide Vert se tient à votre écoute. Tous vos courriers sont ainsi les bienvenus.

Partagez avec nous la passion du voyage qui nous a conduits à explorer plus de soixante destinations, en France et à l'étranger. Laissez-vous guider, comme nous, par cette curiosité insatiable, qui donne au voyage son véritable esprit : l'esprit de découverte.

Jean-Michel DULIN
Rédacteur en chef

Sommaire

Informations pratiques

Invitation au voyage

Qui, mieux que Guignol, peut incarner l'esprit de Lyon et de sa région ?

Les caves de la vallée du Rhône recèlent bien des trésors.

Villes et sites

Porte de l'aventure et des loisirs, le Pont-d'Arc est connu des vacanciers !

Symphonie de couleurs autour du majestueux donjon de Crest.

Cartographie

Les cartes routières qu'il vous faut

Tout automobiliste prévoyant doit se munir de bonnes cartes. Les produits Michelin sont complémentaires : ainsi, chaque ville ou site présenté dans ce guide est accompagné de ses références cartographiques sur les différentes gammes de cartes que nous proposons. L'assemblage de nos cartes est présenté ci-dessous avec délimitations de leur couverture géographique.

Pour circuler sur place vous avez le choix entre :

• les **cartes régionales** au 1/200 000 n°s 239, 240, 244, 245, 246 couvrent le réseau routier principal et secondaire et donnent de nombreuses indications touristiques. Elles seront privilégiées dans le cas d'un voyage sur un secteur large. Elles permettent d'apprécier chaque site d'un seul coup d'œil et signalent, outre les caractéristiques des routes, les châteaux, les grottes, les édifices religieux, les emplacements de baignade en rivière ou en étang, des piscines, des golfs, des hippodromes, des terrains de vol à voile, des aérodromes...

• les **cartes détaillées**, dont le fonds est équivalent aux cartes régionales mais dont le format est réduit à une demi-région pour plus de facilité de manipulation. Celles-ci sont mieux adaptées aux personnes qui envisagent un séjour sédentaire sans déplacement éloigné. Consultez les cartes n°s 73, 74, 76, 77, 80, 81.

• les **cartes départementales** (au 1/150 000, agrandissement du 1/200 000). Ces cartes de proximité, très lisibles, permettent de circuler au cœur des départements suivants : Ain (n° 4001), Ardèche (n° 4007), Drôme (n° 4026), Isère (n° 4038), Loire (n° 4042), Rhône (n° 4069). Elles disposent d'un index complet des localités et proposent le plan de la ville préfecture.

Et n'oubliez pas, la **carte de France n° 989** vous offre la vue d'ensemble de la région Vallée du Rhône, ses grandes voies d'accès d'où que vous veniez. Le pays est ainsi cartographié au 1/1 000 000 et fait apparaître le réseau routier principal.

Enfin sachez qu'en complément de ces cartes, un serveur Minitel **3615 ViaMichelin** permet le calcul d'itinéraires détaillés avec leur temps de parcours, et bien d'autres services. Les **3617** et **3623 Michelin** vous permettent d'obtenir ces informations reproduites sur fax ou imprimante. Les internautes peuvent bénéficier des mêmes renseignements sur le site **www.ViaMichelin.fr**

L'ensemble de ce guide est par ailleurs riche en cartes et plans, dont voici la liste.

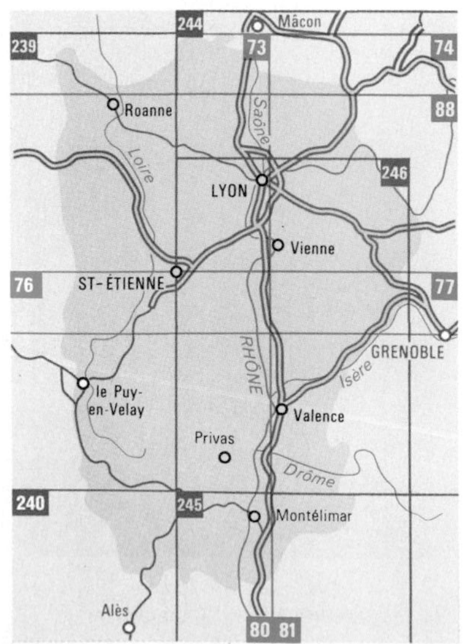

Cartes thématiques

Plans de villes

Plans de sites et de monuments

Cartes des circuits décrits

Légende

Monuments et sites

Itinéraire décrit, départ de la visite
Église
Temple
Synagogue - Mosquée
Bâtiment
Statue, petit bâtiment
Calvaire
Fontaine
Rempart - Tour - Porte
Château
Ruine
Barrage
Usine
Fort
Grotte
Habitat troglodytique
Monument mégalithique
Table d'orientation
Vue
Autre lieu d'intérêt

Sports et loisirs

Hippodrome
Patinoire
Piscine : de plein air, couverte
Cinéma Multiplex
Port de plaisance
Refuge
Téléphérique, télécabine
Funiculaire, voie à crémaillère
Chemin de fer touristique
Base de loisirs
Parc d'attractions
Parc animalier, zoo
Parc floral, arboretum
Parc ornithologique, réserve d'oiseaux
Promenade à pied
Intéressant pour les enfants

Abréviations

A	Chambre d'agriculture
C	Chambre de commerce
H	Hôtel de ville
J	Palais de justice
M	Musée
P	Préfecture, sous-préfecture
POL.	Police
	Gendarmerie
T	Théâtre
U	Université, grande école

	site	station balnéaire	station de sports d'hiver	station thermale
vaut le voyage	★★★	☼☼☼	✻✻✻	⚕⚕⚕
mérite un détour	★★	☼☼	✻✻	⚕⚕
intéressant	★	☼	✻	⚕

Autres symboles

	Information touristique
	Autoroute ou assimilée
	Échangeur : complet ou partiel
	Rue piétonne
	Rue impraticable, réglementée
	Escalier - Sentier
	Gare - Gare auto-train
S.N.C.F.	Gare routière
	Tramway
	Métro
	Parking-relais
	Facilité d'accès pour les handicapés
	Poste restante
	Téléphone
	Marché couvert
	Caserne
	Pont mobile
	Carrière
	Mine
B F	Bac passant voitures et passagers
	Transport des voitures et des passagers
	Transport des passagers
3	Sortie de ville identique sur les plans et les cartes Michelin
Bert (R.)...	Rue commerçante
AZ B	Localisation sur le plan
►►	Si vous le pouvez : voyez encore...

Carnet pratique

20 ch : 38,57/57,17€	Nombre de chambres : prix de la chambre pour une personne/chambre pour deux personnes
demi-pension ou pension : 42,62€	Prix par personne, sur la base d'une chambre occupée par deux clients
6,85€	Prix du petit déjeuner; lorsqu'il n'est pas indiqué, il est inclus dans le prix de la chambre (en général dans les chambres d'hôte)
120 empl. : 12,18€	Nombre d'emplacements de camping : prix de l'emplacement pour 2 personnes avec voiture
12,18 € déj. - 16,74/38,05€	Restaurant : prix menu servi au déjeuner uniquement – prix mini/maxi : menus (servis midi et soir) ou à la carte
rest. 16,74/38,05€	Restaurant dans un lieu d'hébergement, prix mini/maxi : menus (servis midi et soir) ou à la carte
repas 15,22€	Repas type « Table d'hôte »
réserv.	Réservation recommandée
	Cartes bancaires non acceptées
P	Parking réservé à la clientèle de l'hôtel

Les prix sont indiqués pour la haute saison

Les plus beaux sites

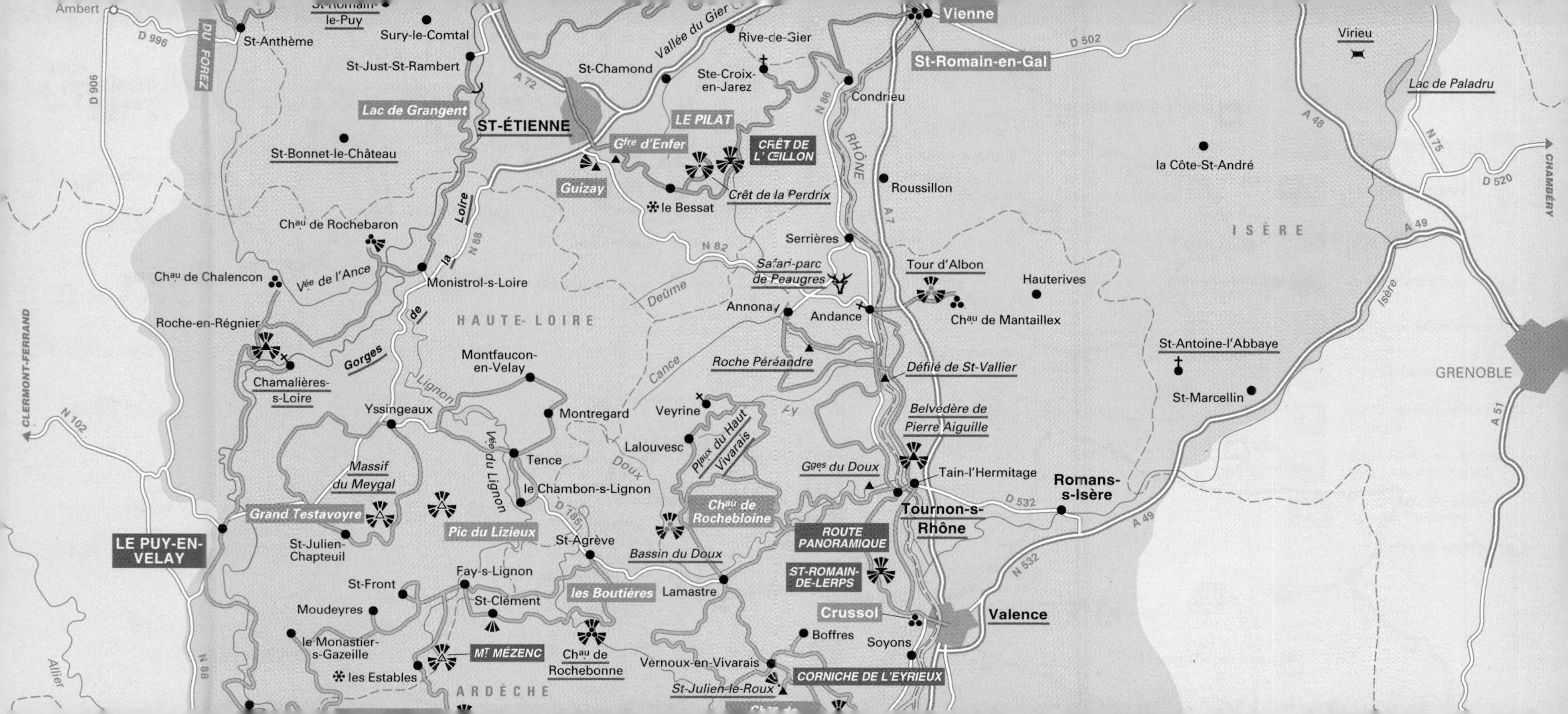
Vienne
St-Romain-en-Gal
Virieu
Lac de Paladru
la Côte-St-André
ISÈRE
GRENOBLE
CHAMBÉRY
St-Antoine-l'Abbaye
St-Marcellin
Hauterives
Tour d'Albon
Chau de Mantaillex
Roussillon
Condrieu
RHÔNE
Serrières
Safari-parc de Peaugres
Annonay
Andance
Roche Péréandre
Défilé de St-Vallier
Belvédère de Pierre Aiguille
Tain-l'Hermitage
Romans-s-Isère
Tournon-s-Rhône
Valence
Ggeˢ du Doux
ROUTE PANORAMIQUE
ST-ROMAIN-DE-LERPS
Crussol
Boffres
Soyons
CORNICHE DE L'EYRIEUX
Rive-de-Gier
Vallée du Gier
Ste-Croix-en-Jarez
St-Chamond
LE PILAT
CRÊT DE L'ŒILLON
Crêt de la Perdrix
Gfre d'Enfer
le Bessat
Guizay
ST-ÉTIENNE
Lac de Grangent
St-Just-St-Rambert
Sury-le-Comtal
St-Anthème
DU FOREZ
Ambert
St-Bonnet-le-Château
Chau de Rochebaron
Chau de Chalencon
Vée de l'Ance
Monistrol-s-Loire
la Loire
de Gorges
HAUTE-LOIRE
Roche-en-Régnier
Chamalières-s-Loire
Yssingeaux
Montfaucon-en-Velay
Montregard
Veyrine
Lalouvesc
Plaux du Haut Vivarais
Chau de Rochebloine
Bassin du Doux
Lamastre
Vernoux-en-Vivarais
St-Julien-le-Roux
Tence
Vée du Lignon
le Chambon-s-Lignon
St-Agrève
les Boutières
Chau de Rochebonne
Massif du Meygal
Grand Testavoyre
Pic du Lizieux
St-Julien-Chapteuil
LE PUY-EN-VELAY
St-Front
Fay-s-Lignon
St-Clément
Moudeyres
le Monastier-s-Gazeille
Mt MÉZENC
les Estables
ARDÈCHE
CLERMONT-FERRAND
Allier
Lignon
Cance
Deûme
Doux
Ay
Isère
A 7
A 48
A 49
A 51
A 72
N 75
N 82
N 86
N 88
N 102
N 532
D 502
D 520
D 532
D 185
D 906
D 996

LYON
Vaut le voyage
Pérouges
Mérite un détour
St-Antoine-l'Abbaye
Intéressant
Annonay
Autre site décrit dans ce guide
La cotation des stations de sports d'hiver et thermales répond à des critères liés à leur activité.
0
20 km
LOZÈRE
DRÔME
HAUTES-ALPES
GARD
VAUCLUSE
MENDE
ALÈS
AVIGNON
ORANGE, AVIGNON
GAP
SISTERON
Arlempdes
Lac d'Issarlès
Plateaux volcaniques
Mazan-l'Abbaye
Forêt de Mazan
Col de la Chavade
Col de la Crx de Bauzon
Gges de la Borne
Labastide-Puylaurent
Corniche
Col de Meyrand
Valgorge
du Vivarais Cévenol
Thines
Chassezac
Beaume
Lignon
Loire
Burzet
Montpezat-sous-Bauzon
Thueyts
Éperon de Pourcheyrolles
Vée de la Bourges
Cascade du Ray-Pic
Vée de la Volane
Neyrac-les-Bains
Haute vallée de l'Ardèche
Massif du Tanargue
Aubenas
Vals-les-Bains
Jastres
Chassiers
Largentière
Joyeuse
Défilés de l'Ardèche
Balazuc
Vogüé
Villeneuve-de-Berg
Mirabel
Rochecolombe
Labeaume
Ruoms
Rocher de Sampzon
les Vans
Bois de Païolive
Pont-d'Arc
GORGES
DE
L'ARDÈCHE
la Forestière
AVEN D'ORGNAC
la Madeleine
Vallon-Pont-d'Arc
Dent de Rez
Plau
Aven de Marzal
des Gras
Bois de Laoul
Hte CORNICHE
St-Marcel
St-Montan
Gge de la Ste-Baume
Pont-St-Esprit
Plaine du Tricastin
Bourg-St-Andéol
Viviers
Alba-la-Romaine
le Teil
Chau de Rochemaure
Pic de Chenavari
Cruas
Plateau du Coiron
Chau de Boulogne
Pourchères
Privas
Pierre-Gourde
Vée de l'Eyrieux
la Voulte-s-Rhône
Crest
Drôme des collines
Marsanne
Forêt de Saoû
Die
Drôme
Panorama de Savasse
Montélimar
la Bégude-de-Mazenc
Jabron
Belvédère N.D. de Montcham
N.D. d'Aiguebelle
Défilé de Donzère
la Garde-Adhémar
Clansayes
St-Paul-Trois-Châteaux
St-Restitut
Barry
Lez
Bollène
Grignan
Nyons
RHÔNE
N 88
D 906
N 102
N 104
D 24
N 102
D 901
D 104
N 86
A 7
D 93
D 111
N 75
D 94
Crussol
Valence

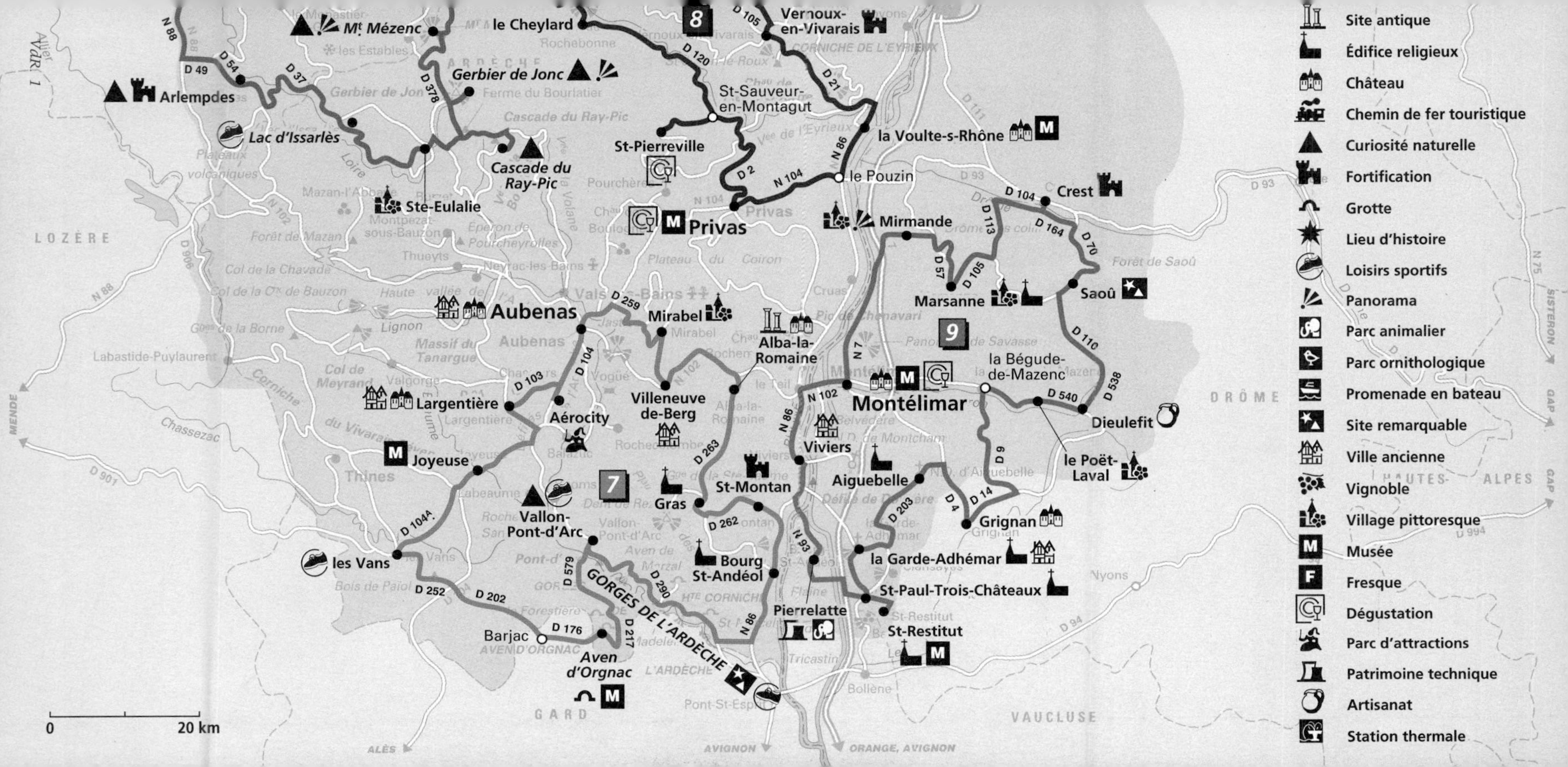
Site antique
Édifice religieux
Château
Chemin de fer touristique
Curiosité naturelle
Fortification
Grotte
Lieu d'histoire
Loisirs sportifs
Panorama
Parc animalier
Parc ornithologique
Promenade en bateau
Site remarquable
Ville ancienne
Vignoble
Village pittoresque
Musée
Fresque
Dégustation
Parc d'attractions
Patrimoine technique
Artisanat
Station thermale
8
9
7
Mt Mézenc
le Cheylard
Vernoux-en-Vivarais
Arlempdes
Gerbier de Jonc
Lac d'Issarlès
St-Sauveur-en-Montagut
la Voulte-s-Rhône
St-Pierreville
le Pouzin
Cascade du Ray-Pic
Ste-Eulalie
Privas
Crest
Mirmande
Saoû
Marsanne
Aubenas
Mirabel
Alba-la-Romaine
la Bégude-de-Mazenc
Montélimar
Dieulefit
Largentière
Aérocity
Villeneuve de-Berg
Viviers
le Poët-Laval
Joyeuse
Aiguebelle
St-Montan
Gras
Vallon-Pont-d'Arc
Grignan
les Vans
Bourg St-Andéol
la Garde-Adhémar
GORGES DE L'ARDÈCHE
St-Paul-Trois-Châteaux
Pierrelatte
St-Restitut
Barjac
Aven d'Orgnac
LOZÈRE
ARDÈCHE
DRÔME
GARD
VAUCLUSE
HAUTES-ALPES
MENDE
ALÈS
AVIGNON
ORANGE, AVIGNON
SISTERON
GAP
0
20 km

Le théâtre des Célestins à la Fête des Lumières de Lyon.

Informations pratiques

Avant le départ

adresses utiles

Ceux qui aiment préparer leur voyage dans le détail peuvent rassembler toute la documentation utile auprès des professionnels du tourisme de la région. Outre les adresses indiquées ci-dessous, sachez que les coordonnées des offices de tourisme ou syndicats d'initiative des villes et sites décrits dans le corps de ce guide sont précisées au début de chaque chapitre (paragraphe « la situation »).

Comités régionaux du tourisme

Rhône-Alpes (Ain, Ardèche, Drôme, Loire, Rhône) - 104 rte de Paris, 69260 Charbonnières-les-Bains, ☎ 04 72 59 21 59. www.rhonealpes-tourisme.com

Auvergne (Haute-Loire) - 44 av. des États-Unis, 63057 Clermont-Ferrand Cedex 1, ☎ 04 73 29 49 49. 3615 Auvergne, www.crt-auvergne.fr. Demande d'informations possible à documentation

Comités départementaux du tourisme

Ain - 34 r. du Gén.-Delestraint, BP 78, 01002 Bourg-en-Bresse Cedex, ☎ 04 74 32 31 30.

Ardèche - 4 cours du Palais, BP 221, 07002 Privas, ☎ 04 75 64 04 66. www.ardeche-guide.com

Drôme - 31 av. Président-Herriot, 26000 Valence, ☎ 04 75 82 19 26. www.drometourisme.com

Isère - 14 r. de la République, BP 227, 38019 Grenoble Cedex, ☎ 04 76 54 34 36. www.isere-tourisme.com

Loire - 5 pl. Jean-Jaurès, 42021 St-Étienne Cedex 1, ☎ 04 77 43 59 14.

Haute-Loire - Hôtel du Département, 1 pl. Mgr-de-Galard, BP 332, 43012 Le Puy-en-Velay Cedex, ☎ 04 71 09 91 43.

Rhône - 35 r. St Jean, 69005 Lyon, ☎ 04 72 61 78 90.

Le charmant village de Saoû.

Internet

Conseil général de la Drôme : www.cg26.fr
Conseil général du Rhône : www.cg69.fr
Mairie de Lyon : www.mairie-lyon.fr
Société historique et archéologique du Forez : www.ladiana.com
Histoire de la Drôme : www.memoire-drome.com
Journal le Progrès : www.leprogres.fr

Villes et Pays d'art et d'Histoire

Sous ce label décerné par le ministère de la Culture et de la Communication sont regroupés quelque 130 villes et pays qui œuvrent activement à la mise en valeur et à l'animation de leur patrimoine. Dans ce réseau sont proposées des visites générales ou insolites (1h1/2 ou plus), conduites par des guides-conférenciers et des animateurs du patrimoine agréés par le ministère. Les enfants ne sont pas oubliés grâce à l'opération « l'été des 6-12 ans » qui connaît chaque année un grand succès. Renseignements auprès des offices de tourisme des villes ou sur le site www.vpah.culture.fr
Les villes et pays cités dans ce guide sont : Le Pays du Forez, Le Puy-en-Velay, Lyon, le Pays du lac de Paladru-Les Trois Vals, Saint-Étienne, Valence et Vienne.

météo

Le service Météo-France a mis en place un système de répondeurs téléphoniques : les bulletins diffusés sont réactualisés trois fois par jour et sont valables pour une durée de sept jours.

Prévisions nationales - ☎ 08 92 68 01 01 (0,34€/mn).

Prévisions régionales - ☎ 08 92 68 00 00 (0,34€/mn).

Prévisions départementales - ☎ 08 92 68 02 suivi du département (☎ 08 92 68 02 83 pour le Var par exemple).

Prévisions pour les massifs montagneux - ☎ 08 92 68 04 04. Bulletins d'enneigement et des risques d'avalanches, ☎ 08 92 68 10 20.

Toutes ces informations sont également disponibles sur **3615 météo** et www.meteo.fr

Quand partir ?

La région décrite est une grande zone de transition climatique où chaque entité conserve ses particularités saisonnières.

Le **printemps** est une période instable. La neige persiste jusqu'à fin avril dans les massifs du Forez et du Pilat, et même fin mai dans le Mézenc. Les cols au Sud du Pilat conservent un enneigement tardif qui peut surprendre l'automobiliste venant de la vallée rhodanienne déjà gagnée par un printemps précoce. Les vallées de la Drôme embaument alors des floraisons fruitières, tandis que la vallée de l'Eyrieux offre une éblouissante féerie rose.

De **juin** à **septembre**, c'est une saison sèche qui attend le touriste avec un important ensoleillement, accentué au Sud de Valence où s'impose la végétation méditerranéenne. En août, les gorges de l'Ardèche connaissent une affluence digne des stations de la Côte d'Azur.

L'**automne** garde un caractère doux le long du Rhône, mais de très fortes averses peuvent marquer la saison dans les Cévennes. En altitude, on assiste aux premières neiges. Les étangs de la Dombes se parent de couleurs fauves à la lumière douce d'octobre.

C'est en hiver que les contrastes régionaux sont les plus accusés : froide, sèche et égayée par de belles éclaircies sur l'axe Saône-Rhône, la saison dépose un épais manteau de neige sur les pentes du Pilat, du Forez et du Mézenc où se retrouvent les adeptes des sports d'hiver et de la randonnée. Sur les plateaux vellaves, cette neige, balayée par la **burle**, peut rapidement former d'importantes congères. Au Sud de Valence, le **mistral** maintient un ciel très dégagé, cependant le domaine méditerranéen n'est pas exempt de redoutables et imprévisibles tempêtes de neige. Lyon conserve sa particularité, avec les brumes épaisses de l'été qu'accompagnent les chaleurs lourdes, et celles de l'hiver qui forment couvercle sur la ville. Le printemps et l'automne restent les saisons les plus agréables pour la découverte du Lyonnais.

transports

Par la route

Informations autoroutières – 3 r. Edmond-Valentin, 75007 Paris, ☎ 01 47 05 90 01 (lun.-ven.). Informations sur les conditions de circulation sur les autoroutes : ☎ 08 36 68 10 77, 3615 autoroute et www.autoroutes.fr

La gare de Lyon-Perrache.

Liaisons ferroviaires

La région est bien desservie par la ligne du TGV Sud-Est et un réseau secondaire assez dense. La liaison Paris-Lyon en 2h par le TGV est en effet un atout majeur pour la ville de Lyon qui a ainsi renforcé sa position stratégique en Europe. Les gares de la Part-Dieu et de Perrache sont à proximité immédiate du centre-ville grâce au réseau du métro lyonnais. Pour tous renseignements sur les horaires, consultez le minitel 3615 SNCF ou le service Information/Vente, ☎ 08 36 35 35 35 de 7h à 22h.

Variété des concrétions de l'Aven d'Orgnac.

Liaisons aériennes

Les aéroports de Lyon-Saint-Exupéry (anciennement Lyon-Satolas) et Lyon-Bron (pour l'aviation d'affaires) assurent des liaisons quotidiennes avec la plupart des villes de France, d'Europe et New York. ☎ 04 72 22 72 21. www.lyon-aeroport.fr

En outre, l'aéroport de St-Étienne-Bouthéon (☎ 04 77 55 71 71) relie les grandes villes françaises et européennes à la métropole stéphanoise.

tourisme et handicapés

Un certain nombre de curiosités décrites dans ce guide sont accessibles aux handicapés. Elles sont signalées par le symbole ♿. Pour de plus amples renseignements au sujet de l'accessibilité des musées aux personnes atteintes de handicaps moteurs ou sensoriels, contacter la Direction des Musées de France, service des Publics, 6 r. des Pyramides, 75041 Paris Cedex 1, fax 01 40 15 35 80.

Les **Guides Michelin France** et **Camping Caravaning France**, révisés chaque année, indiquent respectivement les chambres accessibles aux handicapés physiques et les installations sanitaires aménagées.

Le **guide Rousseau**, édité par l'association France Handicaps (9 r. Luce-de-Lancival, 77340 Pontault-Combault, ☏ 01 60 28 50 12), il donne de précieux renseignements sur la pratique du tourisme, des loisirs, des vacances et des sports accessibles aux handicapés.

Comité national français de liaison pour la réadaptation des handicapés – 236 bis r. de Tolbiac, 75013 Paris, ☏ 01 53 80 66 66. Le **3614 handitel** et www.handitel.org assurent un programme d'information au sujet des transports, des vacances, de l'hôtellerie et des loisirs adaptés, sur toute la France.

Hébergement, restauration

La France des terroirs prend toute sa dimension dans cette région mosaïque qui réunit des traditions culinaires aussi variées que savoureuses. Sa réputation n'est d'ailleurs plus à faire, soutenue par de très nombreux établissements de qualité. À tout seigneur tout honneur, Lyon est sans conteste le royaume de la bonne chère où il est difficile de faire son choix : les bouchons traditionnels offrent d'irrésistibles plats de charcuterie arrosés des crus fruités du Beaujolais, les « mères » rassasient les plus exigeants de leurs fameuses recettes traditionnelles tandis que les grands chefs déclinent avec brio les richesses gastronomiques de la région. Et ce n'est pas le choix qui manque, jugez-en plutôt : les fins poissons de la Dombes, les fruits de la vallée de l'Eyrieux, les marrons des Boutières, le nougat de Montélimar, les succulentes ravioles de Romans, les caillettes d'Ardèche, le cortège royal des côtes-du-Rhône... Vous l'aurez compris, la palette des saveurs est illimitée dans cette terre de passage qui allie les traditions à de multiples influences. Dans le cadre prestigieux du Vieux Lyon, devant la cheminée d'un château féodal, sur une table rustique d'auberge campagnarde, le plaisir est toujours au rendez-vous pour les disciples de Rabelais.

Le petit salé aux lentilles rappelle la proximité de l'Auvergne.

les adresses du guide

Pour la réussite de votre séjour, vous trouverez la sélection des bonnes adresses de la collection Le Guide Vert. Nous avons sillonné la région pour repérer des chambres d'hôte et des hôtels, des restaurants et des fermes-auberges ... En privilégiant des étapes, souvent agréables, au cœur des villes, des villages ou sur nos circuits touristiques, en pleine campagne ou les pieds dans l'eau ; des maisons de pays, des tables régionales, des lieux de charme et des adresses plus simples... pour découvrir la région autrement : à travers ses traditions, ses produits du terroir, ses recettes et ses modes de vie.

Le confort, la tranquillité et la qualité de la cuisine sont bien sûr des critères essentiels ! Toutes les maisons ont été visitées et choisies avec le plus grand soin, toutefois il peut arriver que des modifications aient eu lieu depuis notre dernier passage : faites-le nous savoir, vos remarques et suggestions seront toujours les bienvenues !

Les prix que nous indiquons sont ceux pratiqués en **haute saison** ; hors saison, de nombreux établissements proposent des tarifs plus avantageux, renseignez-vous...

Mode d'emploi

Au fil des pages, vous découvrirez nos carnets pratiques : toujours rattachés à des villes ou à des sites touristiques remarquables du guide, ils proposent une sélection d'adresses à proximité. Si nécessaire, l'accès est donné à partir du site le plus proche ou sur des schémas régionaux.

De nombreux gîtes de qualité vous attendent.

Dans chaque carnet, les maisons sont classées en trois catégories de prix pour répondre à toutes les attentes : Vous partez avec un budget inférieur à 40€ ? Choisissez vos adresses parmi celles de la catégorie « **À bon compte** » : vous trouverez là des hôtels, des chambres d'hôtes simples et conviviales et des tables souvent gourmandes, toujours honnêtes, à moins de 15€.
Votre budget est un peu plus large, jusqu'à 75€ pour l'hébergement et 30€ pour la restauration. Piochez vos étapes dans les « **Valeurs sûres** ». Dans cette catégorie, vous trouverez des maisons, souvent de charme, de meilleur confort et plus agréablement aménagées, animées par des passionnés, ravis de vous faire découvrir leur demeure et leur table. Là encore, chambres et tables d'hôte sont au rendez-vous, avec également des hôtels et des restaurants plus traditionnels, bien sûr.
Vous souhaitez vous faire plaisir, le temps d'un repas ou d'une nuit, vous aimez voyager dans des conditions très confortables ? La catégorie « **Une petite folie** » est pour vous... La vie de château dans de luxueuses chambres d'hôte pas si chères que cela ou dans les palaces et les grands hôtels : à vous de choisir ! Vous pouvez aussi profiter des décors de rêve de lieux mythiques à moindres frais, le temps d'un brunch ou d'une tasse de thé... À moins que vous ne préfériez casser votre tirelire pour un repas gastronomique dans un restaurant renommé. Sans oublier que la traditionnelle formule « tenue correcte exigée » est toujours d'actualité dans ces élégantes maisons !

L'HÉBERGEMENT

LES HÔTELS

Nous vous proposons un choix très large en terme de confort. La location se fait à la nuit et le petit-déjeuner est facturé en supplément. Certains établissements assurent un service de restauration également accessible à la clientèle extérieure.

LES CHAMBRES D'HÔTE

Vous êtes reçu directement par les habitants qui vous ouvrent leur demeure. L'atmosphère est plus conviviale qu'à l'hôtel, et l'envie de communiquer doit être réciproque : misanthropes, s'abstenir ! Les prix, mentionnés à la nuit, incluent le petit-déjeuner. Certains propriétaires proposent aussi une table d'hôte, en général le soir, et toujours réservée aux résidents de la maison. Il est très vivement conseillé de réserver votre étape, en raison du grand succès de ce type d'hébergement.

LES RÉSIDENCES HÔTELIÈRES

Adapté à une clientèle de vacanciers, la location s'y pratique à la semaine mais certaines résidences peuvent, suivant les périodes, vous accueillir à la nuitée. Chaque studio ou appartement est généralement équipé d'une cuisine ou d'une kitchenette.

LES GÎTES RURAUX

Les locations s'effectuent à la semaine ou éventuellement pour un week-end. Totalement autonome, vous pourrez découvrir la région à partir de votre lieu de résidence. Il est indispensable de réserver, longtemps à l'avance, surtout en haute saison.

LES CAMPINGS

Les prix s'entendent par nuit, pour deux personnes et un emplacement de tente. Certains campings disposent de bungalows ou de mobile homes d'un confort moins spartiate : renseignez-vous sur les tarifs directement auprès des campings.

NB : Certains établissements ne peuvent pas recevoir vos compagnons « quatre pattes » ou les accueillent moyennant un supplément, ne les oubliez pas lors de votre réservation.

LA RESTAURATION

Pour répondre à toutes les envies, nous avons sélectionné des restaurants régionaux bien sûr, mais aussi classiques, exotiques ou à thème... Et des lieux plus simples, où vous pourrez grignoter une salade composée, une tarte salée, une pâtisserie ou déguster des produits régionaux sur le pouce.

Moment de détente autour d'une glace à Lyon.

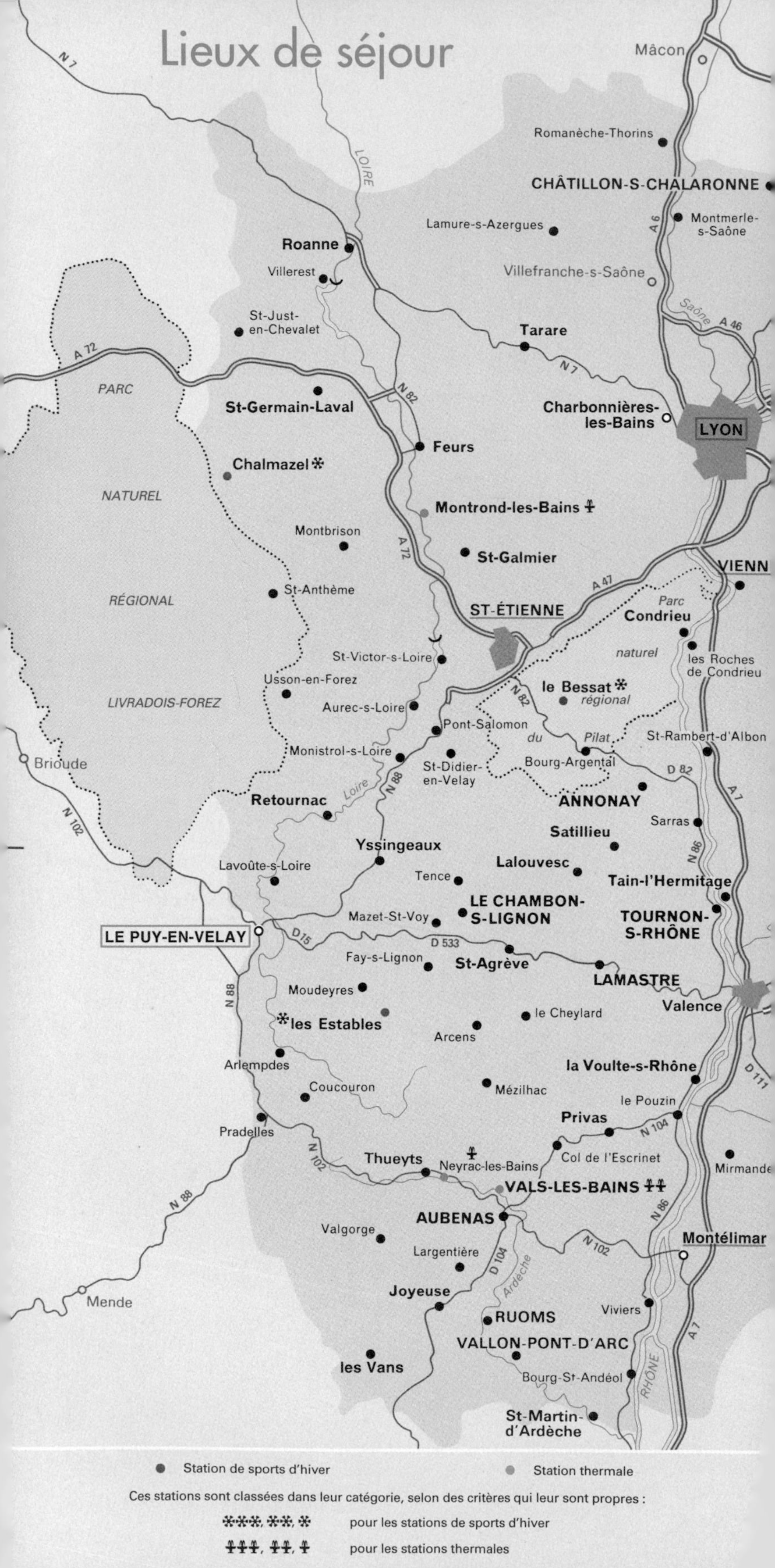

Lieux de séjour
N 7
LOIRE
Mâcon
Romanèche-Thorins
CHÂTILLON-S-CHALARONNE
A 6
Montmerle-s-Saône
Lamure-s-Azergues
Roanne
Villerest
Villefranche-s-Saône
Saône
A 46
St-Just-en-Chevalet
Tarare
A 72
N 7
PARC
NATUREL
RÉGIONAL
LIVRADOIS-FOREZ
St-Germain-Laval
N 82
Charbonnières-les-Bains
LYON
Feurs
Chalmazel
Montrond-les-Bains
Montbrison
A 72
St-Galmier
St-Anthème
A 47
VIENN
ST-ÉTIENNE
Parc
Condrieu
naturel
les Roches de Condrieu
St-Victor-s-Loire
Usson-en-Forez
le Bessat
régional
N 82
Aurec-s-Loire
Pont-Salomon
du
Pilat
St-Rambert-d'Albon
Brioude
Monistrol-s-Loire
St-Didier-en-Velay
Bourg-Argental
D 82
N 88
Loire
N 102
Retournac
ANNONAY
A 7
Sarras
Satillieu
N 86
Yssingeaux
Lavoûte-s-Loire
Tence
Lalouvesc
Tain-l'Hermitage
LE CHAMBON-S-LIGNON
TOURNON-S-RHÔNE
Mazet-St-Voy
LE PUY-EN-VELAY
D 15
D 533
Fay-s-Lignon
St-Agrève
LAMASTRE
N 88
Moudeyres
Valence
les Estables
le Cheylard
Arcens
Arlempdes
la Voulte-s-Rhône
D 111
Coucouron
Mézilhac
le Pouzin
Privas
Pradelles
N 104
N 102
Thueyts
Neyrac-les-Bains
Col de l'Escrinet
Mirmande
VALS-LES-BAINS
N 88
N 86
AUBENAS
Valgorge
Montélimar
N 102
Largentière
D 104
Ardèche
Mende
Joyeuse
Viviers
RUOMS
A 7
VALLON-PONT-D'ARC
RHÔNE
les Vans
Bourg-St-Andéol
St-Martin-d'Ardèche
Station de sports d'hiver
Station thermale
Ces stations sont classées dans leur catégorie, selon des critères qui leur sont propres :
pour les stations de sports d'hiver
pour les stations thermales

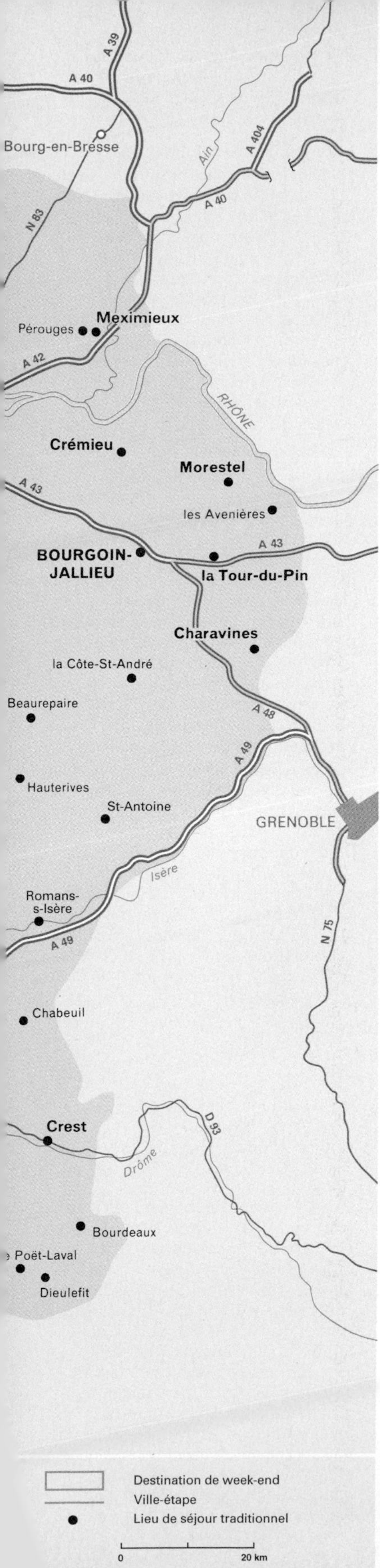

Quelques fermes-auberges vous permettront de découvrir les saveurs de la France profonde. Vous y goûterez des produits authentiques provenant de l'exploitation agricole, préparés dans la tradition et généralement servis en menu unique. Le service et l'ambiance sont bon enfant. Réservation obligatoire !
Enfin, n'oubliez pas que les restaurants d'hôtels peuvent vous accueillir.

... et *aussi*

Si d'aventure vous n'avez pu trouver votre bonheur parmi toutes nos adresses, vous pouvez consulter les Guides Michelin d'hébergement ou, pourquoi pas, vous rendre dans un hôtel de chaîne.

Le Guide Rouge hôtels et restaurants France

Pour un choix plus étoffé et actualisé, Le Guide Rouge recommande hôtels et restaurants sur toute la France. Pour chaque établissement, le niveau de confort et de prix est indiqué, en plus de nombreux renseignements pratiques. Les bonnes tables, étoilées pour la qualité de leur cuisine, sont très prisées par les gastronomes. Le symbole « ☺ » sélectionne les tables qui proposent une cuisine soignée à moins de 21€.

Le guide camping France

Le Guide Camping propose tous les ans une sélection de terrains visités régulièrement par nos inspecteurs. Renseignements pratiques, niveau de confort, prix, agrément, location de bungalows, de mobile homes ou de chalets y sont mentionnés.

Les chaînes hôtelières

L'hôtellerie dite « économique » peut éventuellement vous rendre service. Sachez que vous y trouverez un équipement complet (sanitaire privé et télévision), mais un confort très simple. Souvent à proximité de grands axes routiers, ces établissements n'assurent pas de restauration. Toutefois, leurs tarifs restent difficiles à concurrencer (moins de 38€ la chambre double). En dépannage, voici donc les centrales de réservation de quelques chaînes :
Akena, ☎ 01 69 84 85 17
B&B, ☎ 0 803 00 29 29
Etap Hôtel, ☎ 08 36 68 89 00 (0,34€/mn)
Mister Bed, ☎ 01 46 14 38 00
Villages Hôtel, ☎ 03 80 60 92 70

Enfin, les hôtels suivants, un peu plus chers (à partir de 46€ la chambre), offrent un meilleur confort et quelques services complémentaires :

Campanile, ☎ 01 64 62 46 46
Kyriad, ☎ 01 64 62 51 96
Ibis, ☎ 0 803 88 22 22

HÉBERGEMENT RURAL

Fédération nationale des Gîtes de France – 59 r. St-Lazare, 75439 Paris Cedex 09, ☎ 01 49 70 75 75. Cet organisme donne les adresses des relais départementaux et publie des guides sur les différentes possibilités d'hébergement en milieu rural (gîte rural, chambre et table d'hôte, gîte d'étape, chambre d'hôte et gîte de prestige, gîte de neige, gîte et logis de pêche, gîtes équestres). Les Gîtes de France proposent également des vacances à la ferme avec trois formules : ferme de séjour (hébergement, restauration et loisirs), camping à la ferme et ferme équestre (hébergement et activités équestres). Renseignements et réservation possibles 3615 gîtes de France et www.gites-de-france.fr

Les **randonneurs** peuvent consulter le guide *Gîtes d'étapes, refuges*, par A. et S. Mouraret (Rando-Éditions, BP 24, 65421 Ibos, ☎ 05 62 90 09 90, 3615 cadole). Cet ouvrage est principalement destiné aux amateurs de randonnées, d'alpinisme, d'escalade, de ski, de cyclotourisme et de canoë-kayak.

AUBERGES DE JEUNESSE

Ligue française pour les auberges de jeunesse – 67 r. Vergniaud, 75013 Paris, ☎ 01 44 16 78 78. 3615 auberge de jeunesse et www.auberges-de-jeunesse.com. La carte LFAJ est délivrée contre une cotisation annuelle de 10,67€ pour les moins de 26 ans et de 15,24€ au-delà de cet âge.

SERVICES DE RÉSERVATION LOISIRS-ACCUEIL

La Fédération nationale des services de réservation Loisirs-Accueil – 280 bd St-Germain, 75007 Paris, ☎ 01 44 11 10 44. Elle propose un large choix d'hébergements et d'activités de qualité et édite un annuaire regroupant les coordonnées des 60 SLA et, pour certains départements, une brochure détaillée. 3615 résinfrance. www.resinfrance.com ou www.fnsrla.net

choisir son lieu de séjour

La carte (p.22) fait apparaître des villes-étapes, localités de quelque importance possédant de bonnes capacités d'hébergement, et qu'il faut visiter. En plus des stations de sports d'hiver et des stations thermales sont signalés des **lieux de séjour traditionnels** sélectionnés pour leurs possibilités d'accueil et l'agrément de leur site. Lyon, par l'abondance des curiosités à visiter et la diversité des manifestations organisées, constitue à elle seule une **destination de week-end,** tout comme Le Puy-en-Velay.

Stations thermales – Situées le long des failles des massifs centraux, les sources minérales et thermales ont permis le développement de stations thermales réputées : Vals-les-Bains, Neyrac-les-Bains, Montrond-les-Bains et St-Laurent-les-Bains. Elles offrent, outre leurs spécificités thérapeutiques, la possibilité d'un séjour d'agrément grâce à leurs sites à proximité de lacs et à la multiplicité des activités de loisirs proposées.

Propositions de séjour

idées de week-ends

À LYON

Plusieurs options pour passer un week-end à Lyon : visites à thèmes, plaisirs de la bouche, l'aventure... de toute façon, vous avez de quoi vous occuper. Question logement, vous trouvez de tout, avec quelques folies (la Villa Florentine, la Tour Rose). Petites idées... commencez par déambuler dans les rues du quartier St-Jean, puis de la Presqu'île. Si vous aimez les vestiges de l'Antiquité, le théâtre de Fourvière et autres sites archéologiques de la ville sont faits pour vous. Évitez la voiture car tous ces lieux sont accessibles en transports en commun (formules intéressantes). Le soir, vous n'avez que l'embarras du choix pour trouver un « bouchon » (plutôt du côté de l'Opéra), à moins que vous ne choisissiez le rue Mercière et ses restaurants. La vie culturelle vous en fait voir de toutes les couleurs, de la musique lyrique aux groupes underground, renseignez-vous à l'Office de tourisme ou dans les magazines gratuits (dans tous les bons bars). Dimanche, prenez un petit-déjeuner dans un café de la Croix-

Rousse avant de flâner sur les bords de la Saône, au hasard des marchés d'art. Temps peu clément ? Nombre de musées vous attendent (celui des Beaux-Arts en particulier). Voici donc de quoi faire, et pas étonnant si vous avez envie d'y revenir.

Le Puy-en-Velay et ses environs

Prenez le Puy comme base, ce ne sont pas les hôtels qui manquent. La découverte de la cité épiscopale et de la vieille ville occupera bien votre première journée dans la région. Prenez votre temps, vous êtes en vacances. À l'automne, les traditionnelles fêtes du Roi de l'Oiseau donnent un air Renaissance à la haute ville, très sympathique. Vous pouvez également visiter l'atelier du Conservatoire national de la dentelle du Puy... et si vous n'en avez pas encore assez, il reste le musée Crozatier. Pour le dimanche, prenez la poudre d'escampette et gagnez la campagne. Plusieurs circuits sont possibles : tournées des châteaux avec Polignac et St-Vidal ou nature, autour du lac du Bouchet. Au final, il vous reste ce site magnifique au milieu des pitons volcaniques qui vous aura surpris et peut-être charmé.

Vienne et la vallée du Rhône

Point de but précis pour ces deux jours plutôt historiques. Ici, un temple romain côtoie une cathédrale...
La ville vous offre de nombreuses possibilités de visites. L'Office de tourisme vous aide à choisir votre itinéraire, en fonction de votre époque de prédilection, à moins que vous ne vous laissiez aller à retracer l'histoire de la ville, au rythme des monuments. Il serait en tout cas dommage de ne pas visiter le musée archéologique de St-Romain-en-Gal, il vous suffit de traverser le Rhône. Pour votre soirée, essayez d'être à Vienne au moment du festival de jazz, l'ambiance y est vraiment particulière et les concerts de grande qualité (attention, prévoyez de réserver vos places avant votre arrivée). Côté balades, prenez la voiture et partez à la découverte des vignobles environnants, en particulier à Condrieu, producteur du viognier. Et puis c'est le début de la vallée du Rhône. Les circuits ne manquent pas pour quelques balades sympathiques... de quoi vous occuper une journée.

idées de séjours de 3 ou 4 jours

Lyon et le Beaujolais

Ambiance gustative pour ce week-end prolongé. Que dire de la gastronomie lyonnaise... riche en plats et en saveurs (en calories aussi, mais au diable les kilos). Le plaisir est total lorsque vous cherchez le petit bouchon qui fleure bon le gratin, vous faites ainsi connaissance avec la ville. Installez-vous à la terrasse d'un troquet et étudiez votre guide favori (le vert ou le rouge) pour vous aiguiller. Manger lyonnais, c'est aussi boire régional. Le Beaujolais est là, avec ses noms... Morgon, Brouilly, Fleurie. Pour les découvrir (et les déguster), vous pouvez partir chaque jour de Lyon. Une « immersion » totale est bien sûr plus agréable. Préparez donc vos étapes avant de partir. Vos visites se font aussi au rythme des paysages de vignes et de montagne... et ce n'est pas une promenade éthylique, faites-nous confiance. En tout cas, le temps ne vous presse pas et vous pouvez retrouver la ville à tous moments, c'est selon vos envies. Profitez de ces quelques jours pour parfaire votre éducation vinicole et compléter votre cave de quelques bonnes bouteilles.

Le village d'Oingt dans le Beaujolais.

Lyon et la Dombes

Pour ces quelques jours, la Dombes vous donne l'occasion de découvrir des dizaines d'étangs qui changent d'aspect en fonction des saisons : embrumés à l'automne, ils sont recouverts de gel en hiver... et resplendissent avec les beaux jours. Les oiseaux sont au rendez-vous. Munissez-vous donc de jumelles au cours de vos promenades. Vous pouvez partir de Lyon, après y avoir passé au moins une journée. Pour y loger, pensez à l'opération Bon Week-end (une nuit réservée, une deuxième offerte – renseignements à l'Office de tourisme). En 4 jours, vous passez d'une pièce d'eau à l'autre, à pied ou en voiture... attention de vous armer d'une carte car on s'y perd facilement. Dans tous les cas, une étape est obligatoire, pour une nuit par exemple, à Pérouges. Ce petit village médiéval a gardé une ambiance de film de cape et d'épée (le cinéma y a d'ailleurs beaucoup tourné). Le parc ornithologique de Villars-les-Dombes vous prend une journée, avec pique-nique. Ne le manquez pas. Vous voyez, vous avez de quoi vous occuper... bonne balade.

Roanne et les gorges de la Loire

Week-end prolongé sous le signe des balades dans la nature. Roanne peut vous servir de point de chute. C'est également l'occasion de découvrir la gastronomie locale... chaque jour un nouveau plat. Les alentours sont vraiment agréables et vous pouvez prendre votre voiture pour une direction chaque fois différente. La route des gorges roannaises se fait sous le signe de la Loire. Vous pouvez laisser la voiture en différents endroits et lui préférer un petit train touristique au lac de Villerest ou vos jambes. La Côte roannaise sent plutôt les coteaux à vignobles. Mais la rivière y est aussi très présente avec, notamment, les barrages du Rouchain et de la Tache, perdus dans les arbres... jolies balades à pied (prévoyez le pique-nique).
Si vous décidez de ne pas rentrer à Roanne, renseignez-vous avant sur les hôtels que vous trouverez sur la route, pour ne pas perdre trop de temps.

St-Étienne et alentours

Que de promenades en perspective ! Une première journée pour la visite de St-Étienne : entre la vieille ville et le musée d'art moderne, vous êtes obligé d'y trouver chaussure à votre pied. Pour le logement, des tas d'hôtels pour toutes les bourses. Renseignez-vous à l'Office de tourisme, la ville organise des manifestations tout au long de l'année. C'est ensuite l'appel de la nature. Les gorges de la Loire peuvent être faites en voiture... mais sans se presser. Un jour ou deux, c'est comme vous voulez. Vous trouvez toujours un petit endroit pour vous arrêter grignoter. Le lac de retenue de Grangent est vraiment à voir, avec des faux airs de loch Ness. Là-bas, profitez de St-Victor-sur-Loire pour faire un plongeon dans le lac, tout est prévu pour, ou une autre activité nautique. Et si vous n'en avez pas encore assez, vous pouvez prévoir une randonnée au mont Pilat, en plein parc naturel. Vous voilà fourbu, mais heureux.

Le Tricastin

Le Tricastin, c'est trois « castines » qui entourent Pierrelatte... vous savez, la centrale. Pour plus d'explications, vous avez tout le temps de partir à la chasse aux infos. Si le complexe nucléaire peut se visiter, ce n'est pas pour autant que vous délaisserez la ferme aux crocodiles, alimentée en eau tiède par ce même complexe. Pas banal dans la région. Pays de la truffe, mais aussi du vin, prévoyez une journée pour visiter St-Restitut et ses environs : dans des anciennes carrières, les caves-cathédrales abritent le Cellier des Dauphins, ouvert à la visite, ou un spectaculaire son et lumière au Théâtre d'Images. Pour compléter votre petit tour de la région, le vieux village de la Garde-Adhémar vous permettra de flâner entre les maisons de calcaire et dans les ruelles tortueuses... et puis, vous y trouverez bien un petit restaurant sympa pour agrémenter votre séjour.

Le château et le village de Vogüé.

La vallée et la corniche de l'Eyrieux

Deux villes séparées par le fleuve, Tournon-sur-Rhône et Tain-l'Hermitage. Choisissez l'une ou l'autre pour poser vos bagages le temps de cette pause détente. Qu'il soit rouge ou blanc le cépage de l'Hermitage est bien connu des gastronomes, alors laissez-vous tenter dans un des restaurants du coin. Rien ne vous empêche de partir en balade dans les vignes... jolie vue du haut des coteaux. Mais vous n'allez pas rester sans rien faire et vous voilà parti pour une journée vers la vallée de l'Eyrieux qui prend des teintes roses au printemps tant les vergers de pêchers sont nombreux, c'est d'ailleurs une activité très importante de l'endroit. De Vernoux-en-Vivarais, vous pouvez rejoindre la corniche de l'Eyrieux qui serpente à flanc de coteau... c'est très joli et parfois impressionnant. Pour une autre journée de balade, les gorges du Doux, par un petit train de la fin du 19e s. qui parcourt la vallée en longeant arbres fruitiers, vignes et forêts. C'est la belle vie !

idées de séjours d'une semaine

Dans les gorges de l'Ardèche

Pas question de faire le lézard pour cette semaine de détente. La descente des gorges peut se faire aussi bien en canoë, qu'à pied ou à cheval. Si vous comptez la faire en canoë, renseignez-vous avant sur l'état des cours d'eau qui ne sont pas toujours praticables, suivant les saisons. Il existe de nombreuses possibilités de logement... attention, le camping sauvage est interdit, même si c'est très agréable.

En tout cas c'est idéal pour une randonnée entre copains, sac au dos. Pour ceux qui préfèrent la route et le confort, les petits villages vous proposent tous des hôtels (très fréquentés en saison). Quoi qu'il en soit, le maître mot reste la nature, la rivière, les forêts et les grottes : elles sont nombreuses dans la région (aven d'Orgnac, Vallon-Pont-d'Arc) et souvent aménagées pour la visite. Vous pouvez passer des canyons au plateau des Gras. Une semaine bien remplie qu'il faut tout de même préparer un peu avant, surtout si vous comptez partir avec les beaux jours... la région est très courue...

Les collines drômoises

Le grand intérêt de la région est d'allier histoire et nature. Alors munissez-vous d'un bon livre d'histoire (pas trop lourd quand même) et partez à la découverte. Prévoyez de faire étape dans les villages que vous croiserez, pour prendre le temps de les apprécier plus que la simple image de carte postale. Montélimar est un bon point de départ (ne chargez pas trop votre sac, vous ferez vos réserves de nougats au retour...). Au Moyen Âge cette route était très fréquentée par les pèlerins et les croisés... Pas étonnant, dans ce cas, d'y trouver un ancien hôpital templier au Poët-Laval. Faites-y halte pour une nuit et discutez avec les propriétaires de l'hôtel... ils sont passionnés par leur village d'où partent de très jolies balades. Une journée à Dieulefit, un jour de marché, c'est toute la région qui se retrouve ici autour des produits de l'artisanat local (bonnes affaires possibles). Si vous êtes grimpeur, faites-vous plaisir du côté de Saoû : escalade et forêt. Vos journées se passent au rythme des promenades et des mouvements du soleil... que demander de plus ?

Est de l'Isère

Pas de stress, vous vous préparez une semaine de détente plutôt sportive, aussi bien pour les grands que pour les enfants. Élisez domicile à Crémieu et faites-y des petites balades entre deux escapades, il y a quelques visites qui valent le coup. Commencez par la grotte de la Balme... impressionnante et le parc archéologique de Larina... instructif. Après cela, consacrez les autres jours aux loisirs. Vous avez le parc Walibi pour une journée (prévoyez le pique-nique et les boissons) ; en pleine saison, il y a beaucoup de monde. Si vous préférez du vrai, le lac de Paladru, très fréquenté par les gens de la région, est plus « nature ». Il propose de nombreuses activités nautiques pour toute la famille et vous pouvez changer d'endroit tous les jours. Profitez-en pour visiter le site et le musée archéologiques, ce serait dommage de les rater... et puis, quelques connaissances entre deux plongeons, ça n'a jamais fait de mal à personne.

Le chapier de l'abbatiale à St-Antoine-l'Abbaye.

Haute-Loire volcanique

Paysages, paysages et paysages... vous en voulez encore ? Mettez vos chaussures de marche dans votre sac, elles vous seront très utiles. Préférez le printemps ou le début de l'été pour partir et profiter au maximum de la végétation... c'est vert et c'est beau. Le Gerbier-de-Jonc d'abord (pour vous mettre en jambe), la montée est rude, mais la vue en vaut la peine. Prévoyez ensuite plusieurs jours pour le massif du Mézenc, quitte à faire halte dans certains village : foire aux violettes à Ste-Eulalie le dimanche suivant le 12 juillet. Consacrez une demi-journée pour les cascades du Ray-Pic. Bien sûr, vous faites une étape au Puy-en-Velay, le site est magnifique et y passer plusieurs jours n'est pas idiot. Randonnées encore, mais avec baignades cette fois-ci, en allant au lac d'Issarlès (plutôt entre le 15 juin et le 15 septembre).

circuits de découverte

Pour visualiser l'ensemble des circuits proposés, reportez-vous à la carte p. 14 du guide.

1 Le Beaujolais
de vignes en caves

Circuit de 129 km au départ de Villefranche-sur-Saône – Quoi de plus naturel que de partir de Villefranche-sur-Saône, capitale du Beaujolais, pour ce tour tout en vins. Commencez par Belleville, ancienne bastide aujourd'hui centre viticole, dont l'église du 12e s. possède d'intéressants chapiteaux. Au château de Corcelles, admirez un grand cuvier du 17e s., qui fleure les grands crus. Le vin, c'est le palais, mais c'est aussi une culture : le « Hameau du vin », à Romanèche-Thorins, est un musée dédié au « jus de raisin »... et pour les enfants, il y a le parc animalier. Les vignobles se suivent : le vin se boit jeune à Fleurie et vieillit bien à Villié-Morgon. Mais c'est à Beaujeu que vous pouvez retrouver nombre de crus du Beaujolais, puisque la ville en fait commerce. Toujours d'attaque ? Le panorama du Mont-Brouilly sur les vignobles du Beaujolais et la plaine de la Saône, vous permet de tester si vous avez encore la vue claire. Tout va bien, parfait... poursuivez avec la visite du prieuré de Salles-Arbuissonnas-en-Beaujolais, fondé au 10e s. Ce sera ensuite les châteaux de Montmelas-St-Sorlin et de Jarnioux, puis le village d'Oingt, dont le charme est seulement concurrencé par la vue que vous avez de la tour. De nouveau le vignoble, en passant à Bagnols. Quant à Châtillon, c'est sa forteresse du 12e s. qui vous attire. Même si St-Jean-des-Vignes vous évoque tout naturellement le vin, ne ratez pas le musée géologique. Le village de Chazay-d'Arzergues vous fait terminer en douceur ce périple, avant de revenir sur Villefranche, en passant par Anse.

2 La Dombes des étangs

Circuit de 155 km au départ de Lyon – Une grande balade sous le signe de la nature et des vieux monuments vous attend lorsque vous quittez Lyon dont l'histoire a su mélanger vieux quartiers et modernisme. Chose promise... Rochetaillée vous accueille avec les tours féodales de son château. Arrivé à Ars, vous ne pouvez y évoquer que le curé... d'Ars, canonisé en 1925 et patron des curés de paroisse. Après être passé par Ambérieux-en-Dombes, un autre saint homme vous attend à Châtillon-sur-Chalaronne : saint Vincent de Paul y séjourna. Profitez-en pour visiter l'apothicairerie. St-Paul-de-Varax, étape suivante, avant l'abbaye N.-D.-des-Dombes, fondée au 19e s. et qui contribua à l'assainissement de la région. Pause nature à Villars-les-Dombes où le magnifique parc ornithologique vous donne une impression de liberté : à apprécier en famille. Le château de Montellier vaut le coup d'œil et Pérouges encore plus : ses ruelles, enserrées dans des fortifications, ont un charme fou... au point de servir de décor à des films historiques. Un crochet par Montluel et vous voilà rentré à Lyon qui vous attend avec ses lumières et ses plaisirs.

Les Monts du Forez.

3 Le Forez méconnu

Circuit de 200 km au départ de Roanne – Le Forez, ce sont des plaines et des monts, un parc naturel et des routes sinueuses. Pour le découvrir, partez de Roanne, ville du textile et de la cuisine « sous vide ». Au milieu des vignobles (bon petit rosé...), vous découvrez Ambierle, ancien prieuré de Cluny, église et musée à la clé. Honneur aux constructions avec les remparts et les manoirs Renaissance à St-Haon-le-Châtel, puis le barrage de la Tache d'où partent quelques sentiers. En descendant les gorges roannaises de la Loire, vous arrivez à St-Maurice-sur-Loire dont l'abside romane possède de très belles fresques du 13e s. ; pour le coup d'œil, profitez aussi du donjon et de sa vue sur les gorges. Un peu dans la même ambiance, St-Germain-Laval et Pommiers vous font profiter de petits villages sympathiques où vous pouvez vous arrêter le temps d'une balade dans les ruelles. Vous passez ensuite par Boën (musée du Vin) avant de repartir en promenade dans la patrie d'Aimé Jacquet à Sail-sous-Couzan ; la forteresse dévoile un joli panorama sur la plaine forézienne.

Encore un château avec la Bastie-d'Urfé où Honoré d'Urfé passa son enfance avant d'écrire l'Astrée (amour, gloire et...). Pour un peu plus de sainteté, Champdieu, où il y a une église du 14e s. à ne pas manquer (remarquez, avec un nom comme celui-ci...). Montbrison, tout le monde descend, pour un tour sur les remparts. Tout près, c'est Montrond-les-Bains qui soigne l'obésité et le diabète, mais qui a aussi de beaux restes... de fortifications, le château ayant brûlé au 18e s. Le Forez, c'est également la nature que vous découvrez dans le parc ornithologique de l'Écopole du Forez. Retour à l'Histoire, avec l'ancienne capitale des Gaulois ségusiaves, Feurs, qui en conserve un musée consacré à l'archéologie gallo-romaine. C'est ensuite Villerest, petit bourg médiéval vraiment mignon dont le musée de l'Heure et du Feu retrace l'histoire du feu domestique à travers les âges. Les gorges de la Loire, où le fleuve se taille un passage dans les plateaux rocheux, vous remettent sur la route de Roanne, pour, peut-être, une dernière promenade... en bateau.

4 Entre Rhône et Pilat

Circuit de 170 km au départ de St-Étienne – Un départ de contraste, à St-Étienne, entre vieille ville et musée d'Art contemporain, le mélange ne saurait vous laisser indifférent. St-Chamond – le site où l'on fabrique des engins blindés – est à voir en passant... un peu comme Rive-de-Gier et St-Genis-Laval sur la route. Avec Oullins, vous entrez dans Lyon par son passé antique. La deuxième ville de France (ou troisième, ça dépend des années), vous attend alors avec ses musées, ses vieux quartiers... mais aussi ses restaurants et ses bars. Sachez apprécier, sans abuser. Encore une ville très marquée par l'Histoire, Vienne et son festival de jazz. Pour un petit plaisir du palais, dégustez un petit viognier (blanc du coin) en passant par Condrieu. Plus sérieux, Pélussin et son musée. Plus visuels, crêt de l'Œillon avec son panorama sur la vallée du Rhône et crêt de la Perdrix... table d'orientation sur les pics du Mézenc. Si la saison s'y prête, prenez le temps d'une descente à ski au Bessat ou d'une balade au Gouffre de l'Enfer... grandiose (le nom plante le décor). Après cela, rentrez gentiment à St-Étienne pour une petite « râpée » et évoquer des souvenirs des Verts.

Préparation des fûts à Juliénas dans le Beaujolais.

5 Arts et Histoire en Isère

Circuit de 205 km au départ de Vienne – Vous commencez en beauté, à Vienne, où une seule journée ne peut suffire à découvrir cette ville qui connut l'occupation romaine, les faveurs de la chrétienté et le développement de l'industrie textile. Tout à côté, St-Romain-en-Gal, autrefois rattachée à la Vienne antique, dont le superbe musée vous fait revivre les heures de gloire de l'ère gallo-romaine. Rousseau a choisi Bourgoin-Jallieu pour rédiger une partie des *Confessions*... pourquoi pas vous ? Autrefois une des portes du Dauphiné, Crémieu a gardé un charme fou qui vaut que vous vous y arrêtiez pour une balade dans la vieille ville ou sur les fortifications. Poursuivez dans la même ambiance en passant par Morestel, appelée aussi la Cité des Peintres, tant la lumière y est particulière... à l'exemple de Corot, Turner ou Daubigny. Envie d'un peu de détente ? Aucun souci, le parc Walibi n'est pas très loin pour profiter au maximum des plaisirs des manèges et des jeux d'eau. Pour d'autres loisirs sportifs, vous avez le lac de Paladru qui est aussi un site archéologique très intéressant. Petit crochet par le château de Virieu, commencé au 11e s. et terminé au 18e s. (!). Saviez-vous qu'Hector Berlioz était originaire de la Côte-St-André ? Eh bien vous n'avez plus aucune excuse pour ne pas vous y arrêter. Passage par Beaurepaire et retour à Vienne.

6 La Haute-Loire volcanique

Circuit de 220 km au départ du Puy-en-Velay – Comment ne pas parler du Puy-en-Velay lorsque l'on évoque cette région. Alors faites-y une longue halte pour découvrir la cité épiscopale et la vieille ville, avant de partir pour votre périple volcanique. Arlempdes vous met dans le bain, avec les ruines d'un château féodal qui dominent les gorges de la Loire. Où il y a des volcans, les lacs de montagne ne sont pas bien loin... et celui d'Issarlès en particulier, avec baignades et balades au programme. La foire aux violettes, c'est à Ste-Eulalie, comme pour honorer la flore locale. Mais vous pouvez tout aussi bien rendre hommage à la nature vous-même en vous baladant à la cascade du Ray-Pic où la rivière s'offre plusieurs chutes d'eau. Le Gerbier-de-Jonc, c'est encore la nature, montagnarde cette fois, et de celle dont vous pouvez faire l'ascension. Voilà une belle introduction pour découvrir le massif du Mézenc qui est l'occasion de promenades campagnardes et de magnifiques vues sur les alentours. Après la marche, la détente sportive du ski de fond : chaussez les planches à Fay-sur-Lignon ou au pic du Lizieu. Pour continuer dans le sportif, vous avez la randonnée du côté du massif du Meygal, au départ d'Yssingeaux. Passez par Retournac pour aller visiter l'église romane de Chamalières-sur-Loire et le château de Lavoûte-Polignac qui possède de nombreux souvenirs de l'illustre famille. Et la route vous ramène vers le Puy-en-Velay et ses dentelles.

Les gorges de la Ste-Baume.

7 L'Ardèche et ses merveilles

Circuit de 225 km au départ d'Aubenas – Les sensations que cette région vous procure, lorsque vous la découvrez, sont si nombreuses que vous ne savez lesquelles choisir... alors laissez-vous aller au plaisir, tout simplement. D'Aubenas vous dominez l'Ardèche et vos premiers pas dans les vieilles rues vous donnent envie de vous lancer sur les routes, histoire de voir si le reste est aussi beau. Si vous aimez les sensations, lâchez-vous à Aérocity sur un des toboggans géants. Retour aux charmes de l'ancien (autres sensations) en passant à Largentière qui doit son nom à ses mines d'argent ou à Joyeuse. Les Vans vous révèlent la nature méridionale avec sa blancheur de calcaire. Après être passé par Barjac, vous entrez dans le « ventre » de l'Ardèche : l'aven d'Orgnac recèle de splendides concrétions. Mais la surface n'a rien à lui envier puisque Vallon-Pont-d'Arc, en plus de ses grottes, possède un des plus beaux sites des gorges de l'Ardèche à faire... en canoë. Ruines et petites églises pour votre passage à Bourg-St-Andéol et à St-Montan. De nouveau la nature sur le plateau des Gras et la Dent du Rez. Entre rocher et architecture, c'est Alba-la-Romaine et son château qui semble se confondre avec la montagne. Terminez par une promenade dans les ruelles de Villeneuve-de-Berg et de Mirabel pour garder des images de ce pays de villages et de roche avant de revenir vers Aubenas.

8 Rudes paysages du Haut-Vivarais

Circuit de 220 km au départ de Privas – Partez le ventre plein pour ce tour du Vivarais, puisque Privas est la capitale du marron glacé. Poursuivez dans les plaisirs de la bouche en allant à St-Pierreville. Du château de Rochebonne, il ne reste que des fortifications en ruines... mais à ne pas manquer. Vues encore, lorsque vous êtes à St-Agrève, sur le mont Chiniac. Passez par St-Bonnet-le-Froid pour rejoindre Lalouvesc, qui perpétue la mémoire de Jean-François Régis qui y mourut en 1640. C'est ensuite Lamastre d'où part un petit train pour la visite des gorges du Doux. Vous retrouvez ruines et fortifications à Vernoux-en-Vivarais, entre l'Eyrieux et le Doux. Après une visite au musée paléontologique de La Voulte-sur-Rhône qui possède une importante collection de fossiles de la région, vous reprenez la route vers Privas, en passant par Le Pouzin, ancienne place forte huguenote.

9 De la plaine de Tricastin à la Drôme des collines

Circuit de 210 km au départ de Montélimar – Bon début avec les nougats de Montélimar... mais la ville n'est pas qu'une gourmandise et vous pouvez aussi visiter le musée de la Miniature, même la bouche pleine. Comme pour surveiller le Rhône tout proche, Viviers... et pour produire de l'énergie, Pierrelatte, encadrée par les trois « castines »... pour Tricastin. À part la centrale nucléaire, vous pouvez aussi visiter la ferme aux crocodiles. St-Paul-Trois-Châteaux, c'est une cathédrale et une maison de la Truffe. St-Restitut, une église et le Cellier des Dauphins, caves à vin qui se visitent. Chapelle, ensuite, pour votre arrivée à la Garde-Adhémar et abbatiale à N.-D. d'Aiguebelle (le compte y est ?). Attention, vous entrez dans le « beau » avec, tout d'abord, La Bégude-de-Mazenc, puis le Poët-Laval, petite merveille médiévale, ancienne commanderie de Malte, et Dieulefit, centre artisanal très actif. De Soyons, vous gagnez ensuite la forêt de Saoû nichée au pied d'impressionnantes falaises, pour une balade à l'ombre des arbres. Mais vous pouvez également préférer l'ombre du donjon de Crest. Pour finir avec les villages de la région dans lesquels vous ne vous lassez pas de vous promener... Marsanne et Mirmande.

10 L'Isère insolite et les balcons du Rhône

Circuit de 160 km au départ de Valence – Première étape : Valence dont la vieille ville vit passer nombre de noms illustres dont Bonaparte et Mandrin (pas le même genre de personnages). Partez ensuite pour Romans-sur-Isère où vous visitez le musée international de la Chaussure. Découverte de la Sône, le long des rives de l'Isère... à faire en bateau. Pour vous remettre, il vous faut déguster un saint-marcellin à... et pour vous amuser, le Jardin ferroviaire de Chatte qui vous rappellera sans doute votre vieux train électrique. Fini les jeux, visite culturelle à St-Antoine construit autour de son abbatiale gothique. Passage par Roybon et arrivée à Hauterives pour voir le Palais idéal du facteur Cheval, œuvre tout droit sortie des rêves d'un préposé des postes. Pour profiter de la vue, passez par St-Vallier, où les Poitiers avaient leur résidence.
De visites en balades, la gorge se dessèche... attendez d'être à Tournon-sur-Rhône et vous aurez droit à un verre d'hermitage qui se passe de tout commentaire, avis aux connaisseurs. Cela ne doit pas vous empêcher de prendre la route panoramique qui vous mène, pour finir, aux ruines du château de Crussol, forteresse perchée au-dessus de la vallée, le cadre est grandiose, ne le ratez pas.

Itinéraires à thèmes

tourisme technique

L'aménagement de la vallée du Rhône s'est accompagné d'une floraison de centrales nucléaires, de barrages et d'écluses à grand gabarit. Huit d'entre eux sont ouverts au public. Les horaires sont précisés dans la partie « Conditions de visite » et la description en est faite à la rubrique correspondante. Nous rappelons ici l'ensemble des sites, barrages ou centrales, accessibles avec un rendez-vous préalable de 15 jours. Outre l'ensemble le plus complet, celui de Montélimar, on peut visiter de Lyon à Avignon : Génissat, Belley, Sault-Brénaz, Pierre-Bénite, Bourg-lès-Valence, Donzère-Mondragon et Avignon. Pour toutes demandes d'information contacter la société Patchwork, 45 r. Sainte-Geneviève, 69006 Lyon, ☎ 04 78 24 16 16.

Découvrir autrement la région

à l'aide d'une monture

À l'image de R.-L. Stevenson qui parcourut les Cévennes à dos d'âne, les multiples possibilités de location de monture offrent un large choix de moyens de déplacement à la journée ou pour des séjours itinérants.

Location d'un âne bâté – Des randonnées avec des ânes « bagagistes » sont organisées dans plusieurs localités d'Ardèche. la liste en est fournie sur simple demande au Comité départemental du tourisme à Privas. Parmi les prestataires, l'**agence La Burle**, M. Guérin, 07510 Usclades, ☎ 04 75 38 82 44.

Roulottes et chariots bâchés – Des locations avec initiation à l'attelage et à l'entretien des montures sont notamment proposées par l'association « l'Ardèche en calèche »...

Randonnées équestres – Des chevauchées avec guide, d'une durée de huit jours, de la Loire au Rhône sont organisées pour cavaliers confirmés dans le Parc régional du

Pilat, ☎ 04 74 87 52 00. Pour les autres possibilités de randonnées équestres, reportez-vous à la rubrique qui leur est consacrée au chapitre des Sports.

à bord d'une montgolfière

Outre les baptêmes de l'air traditionnels proposés par de nombreux aéro-clubs régionaux, des vols accompagnés et les vols-découvertes en montgolfières peuvent être réalisés en s'adressant aux organismes suivants :

Les montgolfières d'Annonay – BP 111, 07102 Annonay Cedex, ☎/fax 04 75 67 57 56.

Centre aérostatique de l'Ardèche – M. Badiou, 07100 Annonay, ☎ 04 75 33 71 30.

L'Association Montgolfières en Velay – 55 av. des Champs-Élysées, 43770 Chadrac-le-puy, ☎/fax 04 71 02 73 18. Vols libres à partir de 137,20€ par personne.

Spectacle inoubliable à bord d'une montgolfière.

au fil de l'eau

Croisières organisées

Cette forme de tourisme permet la découverte de la vallée du Rhône, de l'Isère, de canaux dans la Loire... La grande variété d'embarcations disponibles, du simple bateau jusqu'à la péniche-hôtel confortablement aménagée pour des croisières, est associée à des formules de durée de séjour adaptables au goût de chacun. De nombreux organismes proposent des excursions de durée variable sur un tronçon du Rhône et la partie basse de la Saône, assorties d'un large éventail de prestations (restauration, animation, guidage touristique).

Aquaviva – Avec le MS Vicking Rhône, quai Claude-Bernard à Lyon, cette société organise des croisières d'une semaine de mai à octobre de Châlon-sur-Saône à Avignon. Renseignements et réservations à Paris, ☎ 01 45 75 52 60.

Naviginter (croisières, promenades et repas - Rhône et Saône) – 13 bis quai Rambaud, 69002 Lyon. ☎ 04 78 42 96 81.

Royans-Vercors (navigation-découverte sur l'Isère) – Site des Tufières, 38840 La Sône, ☎ 04 76 64 43 42.

Plaisance

En respectant la réglementation en vigueur, on peut soi-même naviguer sur la Saône et le Rhône de Corre à Port-St-Louis-du-Rhône. Les ports de Lyon, des Roches-de-Condrieu et de Valence-l'Épervière offrent des prestations complètes ; un ravitaillement élémentaire peut être obtenu à St-Germain-au-Mont-d'Or, Tournon-sur-Rhône, Viviers et Avignon.

De Lyon à la mer, la descente du Rhône, rendu navigable grâce aux canaux de dérivation, nécessite le franchissement de 12 écluses sur un parcours de 310 km. La durée moyenne de la descente est de deux jours. L'agglomération lyonnaise a développé un système de haltes fluviales aménagées le long de la Saône, permettant aux plaisanciers d'accoster en sécurité le temps d'une promenade pour admirer la région : Caluire, Albigny, Collonges-au-Mont-d'Or, Rochetaillée, Neuville-sur-Saône et Lyon.

Des bateaux habitables sont disponibles à la location à Port-sur-Saône, Gray, St-Jean-de-Losne et Roanne.

Pour tous renseignements concernant la réglementation de la navigation fluviale dans cette région, s'adresser à l'organisme suivant :

Bureau de la Plaisance – 2 r. de la Quarantaine, 69321 Lyon Cedex 05, ☎ 04 72 56 59 29.

Pour la documentation, il est recommandé de se munir du *Guide Vagnon* du Rhône de Lyon à la mer, n° 5, aux Éditions du Plaisancier, 43 porte du Grand-Lyon, 01700 Neyron, ☎ 04 72 01 58 68 et de la carte *Navicarte* n° 6, aux Éditions Grafocarte-Navicarte, 125 r. Jean-Jacques-Rousseau, BP 40, 92132 Issy-les-Moulineaux Cedex, ☎ 01 41 09 19 00.

À lire également : *La France par les fleuves et les canaux* (Éd. Arthaud, Paris) qui propose les promenades fluviales possibles pour chaque bassin, et *Fleuves et canaux, rivières et lacs de France*, guide-annuaire annuel (Éd. Danaé).

Le canal de Roanne à Digoin – Essentiellement aménagé pour la plaisance, il offre un parcours de

55 km jalonné de 10 écluses. D'avril à octobre, il est également ouvert les week-ends à la navigation de plaisance. La partie décrite dans ce guide se limite aux ports de Roanne et de Briennon. Possibilités de location de bateau.

Les Marins d'eau douce – Port de plaisance 42720 Briennon, ☏ 04 77 69 92 92.

Le chemin de fer du Vivarais.

sur d'anciennes voies ferrées

Le relief tourmenté du Velay et du Vivarais a favorisé le développement, au début de ce siècle, de réseaux ferrés d'intérêt local qui eurent leur heure de gloire pendant l'Entre-deux-guerres, avant de connaître une fermeture progressive dans les années 1960. Certains de ces tronçons, remis en état par des associations, offrent, le temps d'une excursion, un aperçu original de sites naturels préservés.

Chemin de fer du Vivarais (Tournon-Lamastre) – Ce tronçon des anciens Chemins de fer départementaux construits en 1890 a fonctionné jusqu'en 1968 (et repris en 1969) : à Tournon, l'embranchement avec le réseau SNCF a d'ailleurs été maintenu. Tout au long du parcours, la ligne franchit un pont métallique, trois viaducs et deux tunnels et offre des vues saisissantes sur les vallées dominées par des pics impressionnants. Avant l'arrivée à Lamastre, le train franchit le 45e parallèle, qui symbolise parfois la limite du Midi.

CFTM – 2 quai Jean-Moulin, 69001 Lyon. ☏ 04 78 28 83 34 *(voir le « carnet pratique » de tournon)*.

Chemin de fer du Haut-Rhône – Un train à vapeur relie en 40 mn Montalieu au pont de Sault-Brenaz et permet de découvrir l'Est lyonnais. Se renseigner au Syndicat d'initiative, 38390 Montalieu-Vercieu, ☏ 04 74 88 48 56.

Chemin de fer touristique du Velay – La remise en état progressive de la ligne a permis la mise en service entre Tence et Dunières de plusieurs aller-retours par jour en juillet et août. Durée du trajet : environ 1h15.

Pour tout renseignement, s'adresser à l'Office du tourisme de Tence. ☏ 04 71 59 81 99.

Chemin de fer touristique d'Anse – Il exploite une ligne ferroviaire à écartement de 381 mm (norme anglaise de 15 pouces) qui longe les bords de l'Azergues jusqu'au pont St-Bernard sur la Saône. Il fonctionne de Pâques au dernier dimanche d'octobre, tous les dimanches et fêtes et les samedis de juin à la fin septembre l'après-midi : 3,05€ ; enfants : 2,29€. **Association de la voie 38 cm**, 8 av. de la Libération, 69480 Anse. ☏ 04 78 43 61 83 ou 04 74 60 26 01, fax 04 74 09 91 71.

Le train de l'évasion des monts du Lyonnais – Les monts du Lyonnais se découvrent également en train. Le petit train des monts du Lyonnais, tiré par une locomotive à charbon de 1914, relie l'Arbresle à Ste-Foy-l'Argentière tous les dimanches de juin à septembre avec un thème de découverte et parfois une animation dans un village-étape. Une exposition de matériel ferroviaire est organisée en été dans la gare de Ste-Foy. Réservation à la Maison du tourisme de Brussieu. ☏ 04 74 70 90 64. Possibilité d'embarquer également sur un réseau de trains à vapeur (**Vapeur Hobby 69**) en miniature, le dimanche de juin à septembre, ☏ 04 78 51 28 68.

Le train touristique de l'Ardèche méridionale – Ce petit train au départ de Vogüé parcourt environ 14 km pittoresques jusqu'à St-Jean-le-Centenier. Se renseigner auprès de l'**Association Viaduc 07**, ☏ 04 75 37 03 52.

Détail du tombeau de saint Léonien à Vienne (église St-Pierre).

de la vigne au verre

Prolongeant la Bourgogne au Sud par le Beaujolais, la vallée du Rhône réunit une grande variété de vignobles qui produisent d'agréables vins de pays mais aussi des grands crus AOC de grande renommée.

Organismes d'information et de promotion

Pays Beaujolais – Maison du tourisme, 96 r. de la Sous Préfecture, 69400 Villefranche-sur-Saône. ☎ 04 74 07 27 40. www.beaujolais.com

Côtes-du-Rhône – Il est possible de consulter le site Internet www.vins-rhone.com. La liste des caveaux, les itinéraires de routes des vins et tous les documents d'information sont également disponibles en descendant le Rhône au Sud de Lyon sur simple demande à :

Maison des vins de Tournon – 16 bd du Mar.-Foch, 07300 Tournon, ☎ 04 75 07 91 50.

Maison des vins d'Avignon – 6 r. des Trois-Faucons, 84024 Avignon Cedex, ☎ 04 90 27 24 00.

avec vos enfants

Dans la partie « Villes et sites », la pictogramme ☺ signale les parcs, musées et autres attractions susceptibles d'intéresser vos chères têtes blondes.

Réseau Ville et Pays d'art et d'histoire

Le réseau Villes et Pays d'art et d'histoire (ministère de la Culture et de la Communication) propose des visites-découvertes et ateliers du patrimoine aux enfants. Munis de livrets-jeux et d'outils adaptés à leur âge, ces derniers s'initient à l'histoire et à l'architecture et participent activement à la découverte de la ville. En atelier, ils s'expriment à partir de multiples supports (maquettes, gravures, vidéo) et au contact d'intervenants de tous horizons : architectes, tailleurs de pierre, conteurs, comédiens. Ces activités ont lieu pendant les vacances d'été dans le cadre de l'opération l'été des 6-12 ans.
Les villes citées dans ce guide sont Le Pays du Forez, Le Puy-en-Velay, Lyon, le Pays du lac de Paladru-Les Trois Vals, Saint-Étienne, Valence et Vienne.

Sports et loisirs

Randonnées à pied ou à cheval en Haute-Loire, promenades en vélo dans la Drôme, ski de fond dans les stations du Forez, canoë en Ardèche, la richesse incroyable des paysages de la vallée du Rhône offre un choix illimité de sports et de loisirs. Le plus dur est peut-être de choisir mais le mieux est de vous renseigner sur les activités présentes près de votre lieu de séjour. Le Comité régional du tourisme de la vallée du Rhône diffuse un « **Guide des randonnées à pied, à vélo, à cheval et en canoë-kayak** ».

Les gorges de l'Ardèche ou de Chassezac sont le paradis des canoéistes.

au fil de l'eau

Le nombre important de lacs naturels et artificiels permet la pratique de nombreux sports nautiques : natation, voile, planche à voile, et parfois ski nautique. Certains d'entre eux ont été aménagés en bases de loisirs : Miribel-Jonage, le lac de Paladru, les retenues de Villerest et de Grangent et surtout le plan d'eau artificiel de St-Pierre-de-Bœuf, remarquable base nautique.

Canoë-kayak

L'importance du réseau hydrographique, combiné à une bonne déclivité, recommande tout particulièrement cette région aux amateurs d'activités d'eau-vive telles le canoë-kayak, le rafting, etc.
Le canoë-kayak se pratique sur des parcours limités dans le cadre d'un centre d'initiation ou sur des descentes de rivières en plusieurs jours. Les cours du Sornin, du Lignon, du Doux, de l'Eyrieux, la haute et moyenne vallée de l'Ardèche et la retenue de la Terrasse-sur-Dorlay offrent des parcours intéressants aux amateurs. Les pratiquants sportifs pourront s'initier au « kayak de haute rivière » qui exige une très bonne

forme physique et se pratique dans l'Ardèche au printemps et à l'automne.
La Fédération française de canoë-kayak met à la disposition des pratiquants un service télématique signalant la praticabilité des cours d'eau : 3615 Canoe plus.

Fédération française de canoë-kayak – 87 quai de la Marne, BP 58, 94344 Joinville-le-Pont, ☎ 01 45 11 08 50.

cyclotourisme et tout terrain

Des étangs de la Dombes aux routes ardéchoises, les pays rhodaniens proposent aux amoureux de la « petite reine » un réseau secondaire varié et pittoresque.
Les organismes locaux de tourisme offrent un grand choix de circuits découverte, aidés de publications spécialisées. Évasion beaujolaise propose des balades, des randonnées à thème et topoguide, *Le beaujolais à VTT*, ☎ 04 74 02 06 84.
De nombreux autres topoguides voient le jour, comme *Le Lyonnais à VTT*, *La Côte roannaise*, celui des gorges de la Loire *(VTT grand large)*, ou d'autres consacrés à l'Ardèche.

Fédération française de cyclotourisme – 12 r. Louis-Bertrand, 94200 Ivry-sur-Seine, ☎ 01 56 20 88 88.

Fédération française de cyclisme – 5 r. de Rome, 93561 Rosny-sous-Bois Cedex, ☎ 01 49 35 69 24. La fédération propose 36 000 km de sentiers balisés pour la pratique du VTT, répertoriés dans un guide disponible à la fédération, sur le **3615 FFC** et sur le www.ffc.fr
Le VTT se loue dès la belle saison en Ardèche et dans tous les points d'information du Parc naturel régional du Pilat.
La journée « **Velocio** » attire chaque année tous les « mordus » du cyclotourisme sur les pentes du col de la République *(voir rubrique Calendrier festif)*.

C'est parti pour une belle descente en VTT !

golf

Les amateurs de ce sport consulteront la carte *Golfs, les parcours français*, établie à partir de la **carte Michelin n° 989**, aux Éditions Plein Sud. Cette carte fournit localisations précises, adresses et numéros de téléphone.

Fédération française de golf – 68 r. Anatole-France, 92309 Levallois-Perret Cedex, ☎ 01 41 49 77 00. 3615 ffgolf et audiotel : 08 36 69 18 18. www.ffgolf.org

pêche

La présence de nombreux lacs et étangs, associée à un réseau hydrographique particulièrement dense, favorise la pratique aisée de la pêche. Les affluents du Rhône et ses retenues, ceux de la Saône, de la Loire, de l'Ardèche, de l'Isère et de la Drôme offrent des tronçons classés, selon la qualité de leurs eaux en première catégorie (salmonidés dominants : truite, ombre ou omble chevalier), ou en deuxième catégorie (cyprinidés dominants : carpe, brème ou ablette). En règle générale, le cours supérieur est classé en 1re catégorie, tandis que les cours moyen et inférieur rentrent dans la 2e. Les étangs de la Dombes, exploités selon un cycle faisant alterner les périodes d'évolage et d'assec *(voir la rubrique Dombes)*, regorgent de tanches, de gardons, de rotengles et de brochets. Ils sont le domaine privilégié des carpes royales ou carpes « miroir ».
Les lits de la Saône et du Rhône abritent, en outre, le plus grand poisson d'eau douce que l'on puisse pêcher en France : le **silure glane**. Il peut atteindre 3 m de longueur pour un poids avoisinant les 100 kg et affectionne les fonds vaseux où il évolue lentement en se nourrissant principalement de poissons. Sa tête énorme, aplatie et munie de barbillons, dont deux très longs au-dessus d'une bouche largement fendue, en fait une espèce aisément reconnaissable.
La Saône, de Villefranche jusqu'au confluent du Rhône, est particulièrement fréquentée par le silure qui se pêche au vif, au poisson mort ou au lancer avec des leurres, avec un matériel suffisamment robuste pour supporter la traction d'un animal pouvant atteindre plusieurs dizaines de kilos.

Réglementation – Pour la pêche dans les lacs et les rivières, il convient d'observer la réglementation nationale et locale en vigueur et de prendre contact avec les associations de pêche ou les syndicats d'initiative. Il convient généralement de s'affilier pour l'année en cours dans le département de son choix auprès de l'association agréée ou d'acheter une carte journalière auprès des vendeurs attitrés.

Ardèche - Fédération Départementale des associations agréées pour la pêche et la protection du milieu aquatique, Innoparc, av. Marc-Seguin, 07000 Privas, ☎ 04 75 66 38 80.

Loire - Fédération de la Loire pour la Pêche et la Protection du Milieu Aquatique, 14 Allée de l'Europe, 42480 La Fouillouse, ☎ 04 77 02 20 00.

Haute-Loire - 32 r. Henri-Chas, le Val-Vert, 43000 Le Puy-en-Velay, ☎ 04 71 09 09 44.

Rhône - Fédération de pêche, Le Norly, 42 chemin Moulin Carron, 69130 Écully, ☎ 04 72 18 01 80. www.rhonepechenature.org
On peut se procurer cartes et informations locales auprès des fédérations départementales.

À la pêche, la patience est souvent bien récompensée.

randonnées pédestres

Fédération française de la randonnée pédestre - 14 r. Riquet, 75019 Paris, ☎ 01 44 89 93 90. www.ffrp.asso.fr
De nombreux sentiers de Grande Randonnée, balisés par des traits horizontaux blancs et rouges, sillonnent les régions de moyenne montagne décrites dans ce guide.
Le GR 3 part du Gerbier-de-Jonc (source de la Loire), longe le fleuve dans son bassin supérieur et rejoint le col du Béal en suivant la ligne de crête des monts du Forez.
Le GR 7 et ses variantes permettent d'effectuer le tour des monts du Beaujolais et celui des monts du Lyonnais. Dans le massif du Pilat, le Haut-Vivarais et le Velay, il suit, au plus près, la ligne de partage des eaux entre l'océan Atlantique et la Méditerranée.
Le GR 40, qui fait le tour du Velay, est à découvrir en juin en raison de la floraison.
Le GR 42 domine en corniche la vallée du Rhône, découvrant d'amples panoramas.
Le GR 420 permet de faire le tour du Haut-Vivarais en une dizaine de jours.
Le GR 427 est le sentier du balcon de l'Eyrieux.
Le GR 429, s'embranchant sur le GR 9, qui escalade les Préalpes drômoises jusqu'aux Trois-Becs, relie les deux rives du Rhône.
Le GR de pays « Tour de Tanargue », balisé avec des traits jaunes et rouges, fait découvrir les Cévennes vivaroises par les chemins de crêtes.
Le Parc naturel régional du Pilat est sillonné, en dehors du GR 7, par plusieurs sentiers à thème. D'autres circuits font connaître les monts de la Madeleine (sentiers de Petite Randonnée, généralement balisés en jaune), le pays des Pierres Dorées, la forêt de Saou et les promontoires du Tricastin. En Ardèche sont organisées des randonnées pédestres en compagnie d'ânes bâtés. Enfin, à partir de Monastier-sur-Gazeille, débute l'itinéraire emprunté par R.-L. Stevenson jusqu'à St-Jean-du-Gard, et, du Puy-en-Velay, part le GR 5 vers St-Jacques-de-Compostelle par Conques.

Pour les randonnées dans le Velay, contacter « CHAMINA », 5 r. Pierre-le-Vénérable, 63057 Clermont-Ferrand Cedex 1, ☎ 04 73 92 81 44. www.chamina.com
Le guide annuel de la randonnée dans le Massif Central, *Le Colporteur*, diffusé par CHAMINA, décrit également les randonnées possibles sur le versant Ouest de la vallée du Rhône.

sports aériens

Le plus accessible et le plus répandu des sports aériens, le **parapente**, bénéficie de plusieurs sites de choix dans la région décrite : Ardèche, massif du Mézenc.

Barbule - École ardéchoise de parapente, 07140 Les Vans, ☎ 04 75 39 36 67.

Acro d'Aile - Association de parapente, M. Jobard, ☎ 06 88 16 82 57.
Pour les non-pratiquants, le vol en biplace avec un moniteur procure des sensations exceptionnelles en toute sécurité. Le Comité départemental du tourisme fournit les coordonnées des animateurs et les périodes de pratique.
La Drôme accueille les amateurs de vol libre à Ratières et à Romans-sur-Isère.

sports d'hiver

Les hauts plateaux vellaves et ardéchois, qui s'étagent de 1 000 m jusqu'à 1 600 m, se prêtent particulièrement bien en hiver à la pratique du ski de fond et à la randonnée nordique.

Le massif du Pilat, les monts de la Madeleine et le secteur du col de la Loge dans les monts du Forez permettent également la pratique de ces disciplines.
Le ski alpin se pratique sur les pentes, équipées de remontées mécaniques, situées aux Estales, à la Croix-de-Bauzon, à Graix et à la Jasserie dans le Parc du Pilat et à Chalmazel dans le Forez.
Ces domaines sont :
Aiglet, Chaudeyrac-les-Roches, Signon, Mézenc, Tourte, Suc-de-Pal, Gerbier-de-Jonc, Le Bois-de-Cuze-Lachamp-Raphaël, Le Tanargue, St-Agrève-Devesset et Lalouvesc.
Des informations concernant la météo et l'enneigement de ces sites peuvent être obtenues en composant sur le Minitel 3615 LMT code ASF ou en appelant le répondeur des neiges de la station.

Zone nordique du Mézenc - ADTM, 43150 Les Estables, ☏ 04 71 08 34 33.

Association des sites de fond de la Haute-Loire - Mairie, 43230 Jax.

Stations du massif du Pilat - Allô neige, ☏ 04 77 20 43 43 (station du Bessat).

Stations des monts du Forez - Allô neige, ☏ 04 77 24 83 11.

La magie des promenades à cheval.

tourisme équestre

Les centres équestres, regroupés dans les associations d'équitation départementales et régionales, proposent des stages d'initiation et de perfectionnement, ainsi qu'une gamme variée de sorties à cheval, de la simple promenade d'une heure à la randonnée de plusieurs jours dans les monts du Beaujolais, du Lyonnais, du Forez, la vallée de l'Ardèche et le Haut-Vivarais, la Drôme...
Les associations et comités départementaux ci-dessous fournissent les adresses des centres et relais équestres de leur département.

Comité national de tourisme équestre - 9 bd Macdonald, 75019 Paris, ☏ 01 53 26 15 50. 3615 FFE, n° vert 0 800 02 59 10. Le comité édite une brochure annuelle, Tourisme et Loisirs équestres en France, répertoriant par région et par département les possibilités de pratiquer l'équitation de loisirs.

Association Rhône-Alpes pour le tourisme équestre - Maison du tourisme, 14 r. de la République, BP 227, 38019 Grenoble Cedex, ☏ 04 76 44 56 18.

Ain - CDTE, 705 r. Centrale. 01700 Beynost, ☏/fax 04 78 55 29 03.

Ardèche - CDTE, Le Pont Sicard, 07210 Chomerac. ☏ 04 75 65 01 85.

Drôme - La Drôme à cheval, les Péleries, 26330 Ratières, ☏ 04 75 45 78 79. www.drome-a-cheval.com

Isère - Rhône-Alpes à cheval, Maison du Tourisme, BP 227, 38019 Grenoble Cedex, ☏ 04 76 42 85 88. www.france-a-cheval.com

Haute-Loire - CDTE, Labauche, 43320 Vergezac, ☏ 04 71 08 08 81.

Loire - CDTE, Caval'Loire, Margot Silvestre, Aboën, 42680 St-Marcellin-en-Forez. ☏ 04 77 52 80 52.

Rhône - CDTE, Haras de Préjeurin, 69700 Échalas, ☏ 04 72 24 50 24.

Santé, forme

thermalisme

Les stations thermales soignent des affections particulières en fonction des qualités de leurs eaux ; elles proposent aussi des stages de remise en forme selon des formules plus ou moins longues.

Montrond-les-Bains - Spécialité : troubles digestifs. Établissement thermal, av. des Sources, 42210 Montrond-les-Bains, ☎ 04 77 94 67 61, fax 04 77 54 85 62.

Neyrac-les-Bains - Spécialtés : dermatologie, rhumatologie. Les Thermes de Neyrac, 07380 Neyrac-les-Bains, ☎ 04 75 36 46 00.

St-Laurent-les-Bains - Spécialités : rhumatismes, sciatiques. Thermes de St-Laurent-les-Bains, 07590 St-Laurent-les-Bains, ☎ 04 66 69 72 72.

Vals-les-Bains - Spécialités : diabète, troubles digestifs. Le site possède également le seul casino de l'Ardèche. Office de tourisme et de thermalisme, 116 r. Jean-Jaurès, 07600 Vals-les-Bains, ☎ 04 75 37 49 27. www.vals-les-bains.com

Pour des renseignements complémentaires, consultez le Minitel 3615 Thermes infos.

Détail des thermes de Vals-les-Bains.

Souvenirs

foires et marchés

Les foires - Quelques foires sont à signaler pour l'originalité de leur production et l'évocation de la tradition locale dont elles témoignent.

Le 1er samedi de février à St-Michel-sur-Savasse, foire de la chandeleur.

Le 29 août à Tournon-sur-Rhône, foire aux oignons

1er samedi de septembre à St-Sorlin-en-Valloire, foire aux poulains.

Le 11 novembre à Claveyson, foire aux truffes ; à Chénelette, foire aux chèvres et aux bestiaux.

Du dernier samedi de septembre au 1er dimanche d'octobre à Romans-sur-Isère, foire du Dauphiné.

Les marchés - Le plus important marché aux fruits et légumes de la vallée du Rhône, à Pont-de-l'Isère, tous les jours sauf dimanche de mai à septembre et lundi, mercredi et vendredi le reste de l'année.

Bourg-de-Péage, jeudi matin ;

Hauterives, mardi matin ;

Romans-sur-Isère, mardi, vendredi et dimanche matins ;

Ruoms, vendredi matin ;

St-Donat-sur-l'Herbasse, lundi matin ;

St-Rambert-d'Albon, vendredi matin ;

Tain-l'Hermitage, samedi ;

Les Vans, samedi matin, mardi soir en juillet et août, animations nocturnes en juillet et août ;

Villeneuve-de-Berg, mercredi matin, animations nocturnes de mi-juillet à mi-août.

que rapporter ?

À DÉGUSTER

Alcools - Il paraît qu'un « fleuve » de beaujolais vient s'ajouter à la Saône et au Rhône pour arroser la ville de Lyon. Même si l'image est un peu forte ce vin si fruité a pris une

Le vin de la Côte-Rôtie, un des fleurons des côtes-du-Rhône.

importance considérable depuis les médiatiques opérations du « beaujolais nouveau ». Mais un peu plus au Sud, les crus de côtes-du-Rhône se succèdent de Vienne à Avignon en offrant une variété très appréciée des œnologues avertis : le rare château-grillet, l'inimitable saint-joseph, le célèbre châteauneuf-du-pape... Mais si ce sont les alcools forts qui vous tentent, des liqueurs par exemple, rendez-vous à la Côte-St-André ou à St-Désirat : il y en a pour tous les goûts et tous les palais mais prévoyez un chauffeur si vous voulez préciser votre choix par des dégustations !

Fromages – Nous ne sommes pas en Normandie mais la région a quelques spécialités laitières, en Ardèche et en Isère surtout. L'Ardèche est réputée pour ses fromages de chèvre dont les plus connus sont le picodon et le courcouron. En Isère c'est le saint-marcellin qui est à l'honneur : il combine heureusement le lait de vache et de chèvre.

L'inimitable nougat de Montélimar.

Friandises – Les fêtes de notre calendrier sont heureusement souvent associées à des spécialités et elles ne sont jamais très loin. On se rapproche de Pâques, une petite incursion serait la bienvenue à Montélimar pour choisir de bons nougats. Si l'année est plus avancée et que Noël s'annonce, préférez Privas pour rapporter les savoureux marrons glacés d'Ardèche. Mais finalement il n'y a pas de saison pour les bonnes choses et si vous traversez Lyon, n'oubliez pas d'emporter ses fameuses spécialités comme les coussins et les quenelles qui, curieusement, se trouvent dans une grande maison de confiseurs !

À PORTER

Il est souvent désagréable de retrouver sur les autres les mêmes vêtements ou accessoires que l'on a choisis pour soi avec tant de soin. Qu'à cela ne tienne, rendez-vous chez les quelques artisans et entreprises de la région dont les talents complémentaires permettront de vous habiller de pied en cap. Pour les pieds, c'est à Romans-sur-Isère qu'il faut aller où, après avoir pris quelques idées dans le superbe musée, vous pourrez vous faire chausser chez un éminent spécialiste. Les coups de froid sont si vite arrivés ; pour vous habiller chaudement, pensez aux moutons de l'Ardèche dont la laine est travaillée avec soin du côté de St-Pierreville par exemple. Pour les foulards de madame ou les cravates de monsieur, un petit passage à Lyon s'impose : parfois peints à la main, ils offrent un inépuisable choix de motifs et de couleurs. Mais la cerise sur le gâteau reste quand même le chapeau et vous trouverez certainement de beaux couvre-chefs à Chazelles-sur-Lyon. Si c'est un képi ou une coiffure d'uniforme que vous avez choisi, vous trouverez un glorieux complément à Monistrol-sur-Loire où se fabriquent les épées d'apparat des plus grandes écoles et des sabres pour ouvrir avec panache vos bouteilles de champagne ! Mais la référence en matière d'armes reste la célèbre Manu de St-Étienne et la ville a encore quelques artisans exceptionnels qui peuvent vous graver les plus beaux fusils du monde.

DÉCORATION

Une visite au musée des Tissus ou aux ateliers de Soierie Vivante vous a certainement donné une idée du talent des soyeux lyonnais. Les savoir-faire ne sont pas perdus et il est possible de trouver sur Lyon les meilleurs produits tissés : que ce soit pour faire des rideaux pour votre salon, un dessus de table pour votre salle à manger ou pour remplacer les tentures (18e s.) de votre château, vous trouverez certainement votre bonheur car il y en a pour tous les goûts et toutes les bourses.

Tous les genres sont également représentés au marché de la Création qui se tient à Lyon sur le quai Romain-Rolland : peintures, sculptures, poteries... Nombreux sont en effet les artisans d'art dans la vallée du Rhône. Parmi les villages les plus réputés figurent Oingt (Beaujolais), Marsanne et Dieulefit (Drôme), Salavas et Balazuc (Ardèche)...

Créativité et qualité sont les atouts de la soierie lyonnaise.

Kiosque

livres

Ouvrages généraux

Beauté de Lyon et du Beaujolais, F. Benoît, Minerva, 1998.

Guide des musées de Rhône-Alpes, Glénat, Grenoble, 1992.

Rhône-Alpes : guide du tourisme industriel et technique, EDF, Solar, 1999.

Les Gorges de l'Ardèche, Carlucci, Ouest-France, 1996.

Histoire - Art - Traditions

Le Rhône et Lyon de la préhistoire à nos jours, Bordessoules, St-Jean-d'Angély, 1987.

Histoire des Dauphinois, L. Comby, Fernand Nathan, 1978.

L'Ardèche, la terre et les hommes du Vivarais, P. Bozon, *Lyon, L'Hermès, 1978*.

Les Canuts, M. Moissonnier, Éditions sociales, 1988.

La Soierie de Lyon, J. Gontier, Christine Bonneton, 1985.

La Vie quotidienne des canuts au 19e siècle, B. Plessy et L. Challet, Hachette, 1987.

Les Grandes Heures de Lyon, J. Étevenaux, Perrin, 1992.

Lyon 40-44, G. Chauvy, Payot, 1993.

Littérature

L'Astrée, H. d'Urfé, Folio, Gallimard, 1984.

Le Seigneur du fleuve, B. Clavel, J'ai lu, 1998.

Clochemerle, G. Chevallier, Livre de Poche, 1956.

Voyages avec un âne dans les Cévennes, du Puy à Alès, R. L. Stevenson, 10-18, Union générale d'Éditions.

Les Copains, Mort de quelqu'un, J. Romains, Folio, Gallimard, 1982, 1987.

L'Enfant, Le Bachelier, J. Vallès, Flammarion, 1999.

Le Poème du Rhône en 12 chants, F. Mistral, Éd. bilingue Marcel Petit.

Gastronomie

Le Cœur et la Fourchette : la cuisine ardéchoise d'autrefois, aujourd'hui, J.-P. Barras, De Plein Vent, Vals-les-Bains, 1984.

Nouvelles Merveilles de la cuisine lyonnaise, P. Grison, Lejeune, Lyon, 1998.

Rhône-Alpes, L'inventaire du patrimoine culinaire de la France, Albin Michel, 1995.

presse

La région est si vaste que plusieurs quotidiens se partagent le territoire. Dans la région de Lyon c'est le *Progrès* qui couvre une large zone. Plus au Sud, en descendant vers Valence, le *Dauphiné Libéré* prend le relais. Ces deux poids lourds régionaux sont suivis par de nombreuses publications plus locales comme l'*Impartial dans la Drôme, la Tribune de Montélimar* (hebdomadaire). La région de Lyon est logiquement la plus couverte avec la déclinaison des grands quotidiens nationaux (*Figaro, Libération*...) et d'innombrables revues lyonnaises. À noter le mensuel *Massif Central Magazine* (éditions Freeway) qui couvre la Loire et la Haute-Loire.

Cinéma

L'industrie cinématographique est née à Lyon avec les frères Lumière. La ville et sa région sont devenues des lieux importants de tournage et de production de films.
Parmi les films tournés en vallée du Rhône, citons :

La Sirène du Mississippi, 1969, par François Truffaut, avec Catherine Deneuve et Jean-Paul Belmondo (Quais de Saône à Lyon).

L'Horloger de St-Paul, 1973, par Bertrand Tavernier, avec Philippe Noiret et Jean Rochefort (Lyon).

Les Valseuses, 1974, par Bertrand Blier, avec Gérard Depardieu, Miou-Miou et Patrick Dewaere (Valence).

Le Juge et l'Assassin, 1975, par Bertrand Tavernier, avec Philippe Noiret, Michel Galabru et Isabelle Huppert (Ardèche).

La Truite, 1982, par Joseph Losey, avec Isabelle Huppert (Vienne et la Côte-St-André).

L'Honneur d'un capitaine, 1982, par Pierre Schoendoerffer, avec Nicole Garcia et Jacques Perrin (Ardèche).

Zone Rouge, 1986, par Robert Enrico (Lyon).

L'Insoutenable Légèreté de l'être, 1987, par Philip Kaufman, avec Juliette Binoche (Lyon).

Carole Bouquet dans Lucie Aubrac.

Noce blanche, 1989, par Jean-Claude Brisseau, avec Vanessa Paradis et Bruno Cremer (St-Étienne, le Pilat, les gorges de la Loire).

L'Affût, 1991, par Yannick Bellon (la Dombes).

Regarde les hommes tomber, 1993, par Jacques Audiard, avec Jean-Louis Trintignant (Lyon, Vienne).

Le Cri du cœur, 1995, par Idrissa Ouedraogo, avec Richard Bohringer (Lyon).

Le bonheur est dans le pré, 1995, par Étienne Chatiliez, avec Michel Serrault, Sabine Azéma, Eddy Mitchell (Dombes).

Les Grands Ducs, 1996, par Patrice Leconte, avec Philippe Noiret, Jean Rochefort, Jean-Pierre Marielle (Lyon, Valence, Isère)

Lucie Aubrac, 1997, par Claude Berri, avec Carole Bouquet, Daniel Auteuil (Lyon).

La télévision a permis, au travers de feuilletons tels **Ardéchois cœur fidèle** et **Gaspard des montagnes**, de mieux connaître les traditions de certaines de ces régions.

Calendrier festif

Janvier

La Saint-Vincent : fête des vignerons ; fabrication de brioches reproduisant des formes humaines (dernier w.-end du mois). ☎ 04 77 71 51 77. — **Côte roannaise**

Fête des Conscrits « La Vague » (dernier dimanche du mois), ☎ 04 74 07 27 40. — **Villefranche-sur-Saône**

La fête des Conscrits à Villefranche-sur-Saône.

Mars

Rallye automobile Lyon-Charbonnières, ☎ 04 78 38 15 70. — **Lyon**

Jeudi saint

Procession des Pénitents blancs : à la tombée de la nuit, à la lueur des torches, les Pénitents, voilés de cagoules, défilent dans les rues aux abords de la cathédrale, ☎ 04 71 09 38 41. — **Le Puy-en-Velay**

Vendredi saint

Représentation de la Passion du Christ. ☎ 04 75 94 40 09. — **Burzet**

De mi-mars à fin-mars

Foire internationale, ☎ 04 72 22 33 37. — **Lyon**

Burzet organise chaque année une reconstitution de la Passion du Christ en costumes d'époque.

Avril

Carnaval d'Yssingeaux, ☏ 04 71 59 10 76. — **Yssingeaux**

Week-end de la fête des Mères

Fêtes médiévales : défilé, embrasement des remparts (les années paires), ☏ 04 77 69 69 67. — **Villerest**

Pentecôte

Tournois boulistes internationaux, ☏ 04 78 37 16 10. — **Lyon**

Course de barques de sauvetage (lundi de Pentecôte). — **Sablons**

Mai

Les Pennons de Lyon, fêtes de la Renaissance (3e week-end du mois), ☏ 04 78 92 86 33. — **Lyon**

Mai-juin

Printemps musical (de mi-mai à mi-juin), ☏ 04 74 61 23 02. — **Pérouges**

De mi-mai à mi-octobre

Les Heures musicales de St-Victor (les dimanches), ☏ 04 77 90 49 29 (château). — **St-Victor-sur-Loire**

Ascension

Grand Steeple-Chase : hippisme, ☏ 04 78 77 45 45. — **Lyon**

Juin

Reconstitution historique du premier lancement d'un aérostat par les frères Montgolfier (1er week-end du mois), ☏ 04 75 67 57 56. — **Annonay**

« La Nuit de l'été » : animations de rue, danse, chorales, troubadours (vendredi le plus près du 24 du mois), ☏ 04 74 65 04 48. — **Villefranche-sur-Saône**

Brocante du Vieux Lyon (2e week-end du mois), ☏ 04 72 77 92 42. — **Lyon**

Fête de la Mousseline (tous les 5 ans, années en 0 et en 5), ☏ 04 74 63 06 65. — **Tarare**

Journée Velocio : rassemblement international de cyclotouristes, ☏ 04 77 21 01 69. — **St-Étienne**

Mi-juin à mi-septembre

Les Nuits de Fourvière (théâtre, danse, concerts, cinémas), ☏ 04 72 57 15 40. — **Lyon**

Les traditions des mariniers du Rhône se perpétuent un peu grâce aux célèbres joutes qui y sont régulièrement organisées.

Juillet

Festival international de folklore (week-end précédant le 14 du mois), ☎ 04 75 02 28 72. — **Romans-sur-Isère**

Festival de jazz « Jazz à Vienne » (1re quinzaine du mois), ☎ 04 74 53 80 30. — **Vienne**

Festival « Saoû chante Mozart », ☎ 04 75 76 02 02 ou 04 75 76 01 72. www.saoumozart.ft-valence.net — **Drôme (Saoû, Crest...)**

Fêtes de l'été dans la vieille ville (du 2e dimanche du mois au 2e dimanche d'août). ☎ 04 75 79 23 50. — **Valence**

Foire des Violettes (dimanche suivant le 12 du mois). — **Ste-Eulalie**

Joutes nautiques (dimanche suivant le 14 du mois), ☎ 04 75 84 24 59. — **Serrières**

Nuit du lac. Feu d'artifice (dernier samedi du mois), ☎ 04 76 06 60 31. — **Charavines-Paladru**

Fête des Picodons (3e week-end du mois), ☎ 04 75 76 05 16. — **Saoû**

Juillet-août

Été musical, ☎ 04 77 60 12 42. — **Charlieu**

Festival de musique consacré à J.-S. Bach (fin juillet-début août), ☎ 04 75 45 27 75. — **St-Donat-sur-l'Herbasse**

Festival International des Arts (musique, photo d'art, peinture), ☎ 04 75 30 18 75. — **Saint-Agrève (grange de Clavières)**

Août

Pèlerinage (4 du mois), ☎ 04 74 08 17 17. — **Ars-sur-Formans**

Joutes nautiques (1er week-end du mois), ☎ 04 74 59 82 67. — **Condrieu**

Fêtes mariales : procession de Notre-Dame du Puy (14 et 15 du mois), ☎ 04 71 09 38 41. — **Le Puy-en-Velay**

Festival national des humoristes (dernière semaine du mois), ☎ 04 75 07 02 02. — **Tournon-sur-Rhône**

Régates, ☎ 04 76 55 66 02. — **Charavines-Paladru**

Septembre

Pèlerinage des vignerons à la chapelle de Brouilly (début du mois), ☎ 04 74 66 82 19. — **Mont Brouilly**

Fête folklorique (2e week-end du mois), ☎ 04 77 60 12 42. — **Charlieu**

Foire aux tupiniers (appellation locale des anciens potiers ; 2e week-end du mois), ☎ 04 72 77 92 42. — **Lyon**

Fêtes du Roi de l'oiseau (mi-septembre). — **Le Puy-en-Velay**

Foire-exposition (deuxième quinzaine du mois), ☎ 04 77 45 55 45. — **St-Étienne**

Septembre-octobre

Biennale d'art contemporain les années impaires ; en alternance avec la Biennale internationale de la danse les années paires (2e quinzaine de septembre à mi-octobre), ☎ 04 72 07 41 41. — **Lyon**

Octobre

Cafés littéraires dans les estaminets de la ville (1ers samedi et dimanche du mois). — **Montélimar**

Fête de la fourme : défilé à thème (1ers samedi et dimanche du mois), ☎ 04 77 96 18 18. — **Montbrison**

Grand Prix de tennis de Lyon (du 8 au 14), ☎ 04 72 27 29 00. — **Lyon**

Novembre

Rassemblement international de montgolfières (11 du mois), ☎ 04 71 09 38 41. — **Le Puy-en-Velay**

Commercialisation du beaujolais nouveau (3e jeudi du mois à 0h). — **Dans le Beaujolais**

Décembre

Festival de musique ancienne du Vieux Lyon, ☎ 04 78 38 09 09. — **Lyon**

Fête des lumières (8 du mois), ☎ 04 78 29 22 27. — **Lyon**

De septembre à décembre ont lieu dans les régions viticoles (Beaujolais, coteaux du Rhône et du Forez) de nombreuses fêtes des vendanges et foires aux vins.

Vignoble de la Côte-Rôtie.

Invitation au voyage

Le fleuve

Puissant, rapide, majestueux : ainsi se définit le Rhône, l'un des grands fleuves français. Au Sud de Lyon, entre les talus du Massif Central et des Préalpes, sa course vers le Midi offre l'aspect d'une percée lumineuse d'une ampleur magnifique. Il est une route romantique à lui tout seul. À chaque instant, à chaque méandre, la vallée se pare sur ses rives baignées de soleil d'une beauté nouvelle parfois appuyée par la violence et la force du mistral.

Un flot rapide et puissant

Le Rhône prend sa source en Suisse au glacier dit « du Rhône ». Il fait son entrée en France après avoir traversé le lac Léman et, jusqu'à son arrivée dans le delta de la Camargue, il n'arrose pas moins de onze départements. Le Rhône est aussi l'un des fleuves français dans lequel se jettent le plus de rivières : l'Ain, le Doubs puis la Saône, l'Ardèche, le Gard, mais aussi l'Arve, le Fier, l'Isère, la Drôme et la Durance.

Le Rhône draine en toutes saisons, à vive allure, un important volume d'eau. Son impétuosité est due à sa pente relativement forte : 0,5 m par km entre Lyon et Valence ; elle s'accentue encore entre Valence et le confluent de l'Ardèche (0,77 m) pour retomber entre le confluent de l'Ardèche et celui du Gardon (0,49 m). Plus en aval, la pente diminue fortement.

La puissance hydraulique du Rhône est remarquable : 1 350 m^3/s en eaux moyennes à Valence. Pour un tel débit, sa vitesse est de l'ordre de 2,50 m/s. Pendant son parcours français, le fleuve reçoit des affluents de régimes différents : rivières alpines en crue au printemps et en été, torrents du Vivarais en automne et en hiver, si bien que, même en été, le Rhône garde un débit important. Ses crues sont liées à celles de ses affluents. Les plus fortes se produisent en automne. C'est alors la « grande rivière sauvage » de Chateaubriand ; ce sont les « colères terrifiantes du Rhône » de Clavel, « un Rhône puissant, insolent, roulant vers le Midi une eau énorme et boueuse ; une eau à faire trembler tout ce qui (vit) dans la vallée ».

Un des traditionnels ponts suspendus.

Le Rhône à Tournon.

Des nautes aux automoteurs

Les Grecs de Marseille empruntaient déjà le Rhône pour aller chercher l'étain de Cornouaille. À l'époque romaine, la navigation devient très active. Le fleuve est alors la grande voie de commerce du vin ; les grandes villes se créent : Lyon, Valence, Vienne. Les nautes rhodaniens forment les corporations les plus puissantes des villes romaines. Sous l'Ancien Régime, les « coches d'eau » desservent les villes bordières qui toutes ont leur port, déterminant une intense vie marinière.

À la fin du 18e s., les bateliers remplacent les « coches d'eau » : chargés de marchandises, les trains de barques descendent le Rhône et le remontent halés par des chevaux. Le transport est lent et, lorsque les bateaux à vapeur apparaissent en 1829, la concurrence est dure : « Ainsi, depuis ce jour de 1829 où le *Pionnier* avait monté d'Arles jusqu'à Lyon, en moins de quarante-huit heures, 1150 quintaux de marchandises, une ombre pesait sur la vallée. On commençait déjà de se remémorer avec tristesse le temps où plus de deux mille bateaux assuraient le trafic, faisant vivre tout un peuple de bateliers et de riverains » (*Le Seigneur du fleuve* de Clavel). La seule consolation possible de ces mariniers est l'égalité de tous devant les caprices du Rhône ; cette belle voie de transport est dangereuse les jours de crue ou de mistral. Puis le chemin de fer faillit ruiner les modes de transports fluviaux, mais l'ère de la houille blanche et les travaux entrepris sur le fleuve redonnent au Rhône toute son importance. Après l'exploitation par remorqueurs, le transport est maintenant assuré, grâce aux travaux d'aménagement de la Compagnie nationale du Rhône (création de 13 biefs et de 12 écluses), par des automoteurs de 1 500 t et des convois poussés de 5 000 t et plus. Le tonnage annuel (4 100 000 t) comprend hydrocarbures, produits métallurgiques et agricoles, matériaux de construction.

Croix de marinier.

L'allégorie du Rhône sur la place Bellecour à Lyon.

Les ponts

Alors que les Romains n'avaient construit que deux ponts sur le Rhône, l'un en bois entre Arles et Trinquetaille, l'autre en pierre à Vienne, les architectes du Moyen Âge, déjouant les difficultés, lancèrent trois ponts. Le pont St-Bénézet d'Avignon fut construit en onze ans, de 1177 à 1188, par l'ordre des frères Pontifes, qui édifièrent au siècle suivant le pont de la Guillotière à Lyon et celui de Pont-St-Esprit.

Au 19e s., les frères Seguin, en créant la technique du pont suspendu par câble en fer, apportèrent au problème du franchissement du fleuve une solution économique. Le premier pont suspendu construit sur le Rhône fut celui de Tournon ; inauguré en 1825, il a été démoli en 1965 (celui visible aujourd'hui date de 1846).

La dernière guerre a détruit la plupart des ponts suspendus. À l'occasion de leur reconstruction, on a fait appel aux techniques les plus récentes, comme à Vernaison, Tournon, Le Teil, Viviers ; la travée centrale suspendue dépasse souvent 200 m de longueur (Le Teil : 235 m, Vernaison : 231 m). Le béton précontraint a été utilisé pour lancer des ponts non suspendus ; le plus remarquable est le pont de chemin de fer de La Voulte (1955). Les derniers ponts routiers ouverts à la circulation sont ceux de la déviation de Vienne (autoroute A7) en 1973, celui de Chavanay en amont du Péage-de-Roussillon (fin 1977) et le pont de Tricastin sur le canal d'amenée de la chute de Donzère-Mondragon en 1978.

Aménagement du Rhône

La Compagnie nationale du Rhône a été créée en 1934 en vue de l'aménagement du fleuve. Sa règle d'or se résume en trois mots : navigation, irrigation, électricité. Les ouvrages de la Compagnie font du Rhône un gigantesque escalier d'eau entre le lac Léman et la mer et fournissent chaque année environ 16 milliards de kWh. De Lyon à la mer, ce sont 330 km de voies navigables.

Des travaux imposants

En aval de Lyon, la vallée large et cultivée, aux berges généralement basses, ne permettait pas l'aménagement de réservoirs artificiels alimentant de hautes chutes comme en montagne. Aussi est-ce le Rhône lui-même que l'on a barré et dérivé dans un lit artificiel. Chaque ouvrage comprend un barrage au travers du fleuve qui dérive l'eau dans un canal d'amenée alimentant une usine « au fil de l'eau » à gros débit. Sortant de l'usine, les eaux rejoignent le Rhône par un canal de fuite. Des écluses équipent ces canaux à hauteur des usines et permettent le passage des bateaux. L'aménagement complet du Rhône de Lyon à la mer a été achevé en 1980 par la mise en service des ouvrages de Vaugris, près de Vienne.

En amont de Lyon, quatre usines de basse chute valorisent l'utilisation de l'ensemble Génissiat-Seyssel.

Péniche sur le Rhône à Donzère.

L'internationalisation du Rhône

Dès 1833, un canal relie les bassins du Rhône et du Rhin à partir de la Saône et jusqu'au port fluvial de Strasbourg. Mais c'est seulement dans les années 1960 que l'on relance l'idée d'un grand axe Rhin-Rhône : il s'agit de concurrencer l'axe Rhin-Main-Danube. Cependant, le projet s'essouffle pour des raisons financières et de rentabilité. Le Rhône n'en reste pas moins un fleuve cosmopolite grâce à la multiplication des croisières pour vacanciers en cette fin de 20e s. : c'est l'occasion d'un périple ponctué d'émotions et de contemplations ; l'occasion de découvrir des lieux aux charmes insoupçonnés : vestiges romains de Vienne, ruines perchées évocatrices des temps de rapine et de violence comme le célèbre château de Crussol, églises et châteaux juchés sur des promontoires agrémentés de vignobles.

L'irrigation, source de richesse

Les plaines de la vallée du Rhône deviennent peu à peu des terres de haut rendement, grâce à l'irrigation de plus de 200 hectares. La production fruitière en particulier bénéficie de cette mise en valeur : de superbes vergers bordent les rives du Rhône.

L'expansion industrielle

Le développement industriel de la vallée, lié aujourd'hui aux aménagements du fleuve, est en train de modifier profondément l'aspect du couloir rhodanien.

De Lyon à Avignon, usines et installations se succèdent : raffineries de Feyzin, constructions mécaniques, verre, engrais, papier, carton de Chasse et Givors, centrale thermique de Loire-sur-Rhône, usines chimiques des Roches, St-Clair-du-Rhône et Le Péage-de-Roussillon, ensemble industriel de Portes-lès-Valence et Montélimar, textiles de La Voulte, chaux et ciments de Cruas, Le Teil et Viviers. Dans le domaine nucléaire, les centrales de St-Alban-St-Maurice, de Cruas-Meysse, du Tricastin et l'ensemble des aménagements de Pierrelatte confèrent à la vallée du Rhône un rôle de tout premier plan dans l'approvisionnement énergétique du pays et des États limitrophes.

Le port de plaisance de Valence.

Centrale nucléaire du Tricastin.

Une mosaïque de paysages

Dans une éblouissante variété de couleurs, du plateau de la Dombes aux gorges de l'Ardèche, du Haut-Beaujolais montagneux aux volcans du Velay, la vallée du Rhône se compose sans nul doute d'une mosaïque de paysages parmi les plus majestueux de France. La vallée et le fleuve n'ont en effet jamais cessé de cultiver leurs richesses naturelles et géologiques.

La formation du relief

À la fin de l'ère primaire, il y a environ 200 millions d'années, un bouleversement de l'écorce terrestre (plissement hercynien) fait surgir le sol granitique du Massif Central sous forme de hautes montagnes.
L'ère secondaire est une période plus calme : les sédiments calcaires s'accumulent à la périphérie du massif qui s'aplanit sous l'action de l'érosion.
Pendant la première moitié de l'ère tertiaire, un affaissement progressif du socle hercynien de direction générale Nord-Sud est à l'origine du couloir rhodanien. Le plissement alpin exerce une formidable poussée sur le Massif Central qui, trop rigide pour se plisser à son tour, bascule d'Est en Ouest en se disloquant. À la faveur des fissures, le magma interne, en fusion, jaillit ; des volcans s'édifient.
Au début de l'ère quaternaire, il y a environ 2 millions d'années, le Rhône, charriant de grandes quantités de matériaux arrachés aux montagnes voisines, crée des systèmes complexes de terrasses alluviales. Enfin, les glaciers ont laissé leur empreinte : collines morainiques, lacs de la Dombes et du Bas-Dauphiné.

Vignoble du Beaujolais.

Pêchers en fleurs dans la vallée de l'Eyrieux.

Les pays du couloir rhodanien

La Dombes

C'est un plateau argileux au sol imperméable parsemé d'étangs. Le plateau se termine sur les vallées qui l'enserrent de trois côtés par les « côtières » assez abruptes de la Saône à l'Ouest, et du Rhône au Sud. Au Nord, il se confond avec la Bresse. Les eaux de fonte du glacier rhodanien ont creusé la surface de légères cuvettes et laissé sur leurs bords les moraines, accumulation des débris qui l'entraînaient. Le charme de la Dombes naît des lignes sereines de ses paysages, de ses rangées d'arbres, de ses eaux dormantes.

La Dombes vers le Plantay.

Le Bas-Dauphiné

Au Sud-Est de Lyon, le Bas-Dauphiné a vu ses reliefs s'édifier aux dépens de la montagne alpine. Ses paysages sont multiples. Entre Lyon et le plateau de Crémieu connu pour ses grottes et ses pâturages, les prairies artificielles voisinent avec les champs cultivés. Viennent ensuite les collines granitiques et schisteuses des Balmes viennoises qui font place à l'Est aux vallées étroites qui découpent le plateau des Terres Froides. Enfin, plus au Sud, aux vastes étendues boisées des plateaux de Bonnevaux et de Chambaran succède la large et riche plaine céréalière de la Bièvre-Valloire. Ce sont les arbres fruitiers autour de Beaurepaire ainsi que les terrasses bien cultivées de la vallée de l'Isère, qui annoncent les vergers de la vallée du Rhône.

Cirque de Chauzon dans les gorges de l'Ardèche.

Mont Gerbier de Jonc.

Le Valentinois et le Tricastin

De Tain au défilé de Donzère, la vallée du Rhône s'élargit à l'Est du fleuve, jusqu'aux premières collines des Préalpes, en plaines compartimentées qui forment transition entre le Nord et le Sud de la vallée. **La plaine de Valence** montre les premiers caractères du Midi méditerranéen avec ses terrasses alluviales en gradins, ses rangées de mûriers, l'« arbre d'or » qui lui donne parfois un aspect bocager, et surtout sa multitude de vergers. Les oliviers recouvrent les versants du bassin de Montélimar avant d'alterner avec les vignes sur les collines sèches du Tricastin.

Le rebord du Massif Central

Le Massif Central se termine à l'Est par un escarpement cristallin qui domine la vallée du Rhône. Véritable talus constitué par une série de massifs, cet ensemble a été brisé, soulevé puis basculé par le contrecoup du plissement alpin ; depuis l'ère tertiaire, il subit une vigoureuse attaque par les rivières qui s'y enfoncent en gorges étroites.

Le Beaujolais

Au Nord, le **Haut-Beaujolais** est une zone montagneuse de terrains, essentiellement granitiques, issus du plissement hercynien. Sur les versants abrupts dévalent les affluents de la Saône orientés Ouest-Est.

Le **Bas-Beaujolais,** au Sud, est surtout formé de terrains sédimentaires de l'ère secondaire qui furent fortement fracturés. Parmi eux, les calcaires tirant sur l'ocre lui valent l'appellation de « pays des Pierres Dorées ».

Le Lyonnais

Entre le bassin de St-Étienne, les monts de Tarare et l'agglomération lyonnaise, ce plateau est marqué de hautes croupes herbeuses, de bois de pins et de hêtres et de vergers sur les versants les mieux exposés. Le Mont-d'Or y forme un ensemble aux allures accidentées. Le Lyonnais s'achève dans le superbe promontoire qui domine le confluent de la Saône et du Rhône, et sa grande métropole, par la colline de Fourvière.

Le Forez et le Roannais

Dans les **monts du Forez**, jusqu'à près de 1 000 m d'altitude, s'étend le domaine des champs et des prairies bien irrigués. Plus haut, des forêts de sapins et de hêtres couvrent les pentes. À partir de 1 200 m dominent les croupes dénudées des « hautes chaumes ». Au pied de ces montagnes, la plaine humide du Forez a été comblée par les alluvions à l'ère tertaire. Elle est piquetée de buttes volcaniques.
Le **bassin de Roanne**, séparé du Forez par le seuil de Pinay, est un pays rural fertile, orienté vers l'élevage et dominé, à l'Ouest, par les coteaux couverts de vignes des monts de la Madeleine.

Le Pilat et le bassin stéphanois

Le **massif du Pilat** offre une silhouette pyramidale rehaussée de beaux ensembles forestiers qui lui donnent un air montagnard. Ses sommets, qui atteignent 1 432 m au crêt de la Perdrix, sont coiffés de blocs de granit appelés « chirats ».
À ses pieds, la **région de St-Étienne**, formée par les dépressions du Furan, de l'Ondaine, du Janon et du Gier épouse la forme en amande du bassin houiller qui s'étend entre la Loire et le Rhône. Celui-ci correspond à un pli synclinal (« en creux ») de couches carbonifères, formées à la fin de l'ère primaire. Ce sillon s'élève à une altitude variant entre 500 et 600 m.

Le Velay et le Devès

Les vastes plateaux basaltiques du **pays vellave** cumulent à près de 1 000 m. L'originalité de ces paysages est soulignée par les boursouflures des sucs, hardis pitons formés par des laves pâteuses. Ces planèzes herbeuses piquetées de fermes isolées voient la vie pastorale dérouler ses scènes traditionnelles sur les pentes des massifs du Meygalet et du Mézenc, tandis que la région d'Yssingeaux leur adjoint une activité liée aux industries du Puy-en-Velay et de St-Étienne.
Les **monts du Devès**, s'orientant suivant un axe Sud-Est - Nord-Est, forment un vaste plateau aux coulées basaltiques. Sur la ligne de faîte, marquant le partage des eaux entre les bassins de la Loire et de l'Allier, des lacs profonds comme le lac du Bouchet occupent encore les cratères d'explosion. La planèze est parsemée d'environ 150 cônes volcaniques. Le point culminant est le Devès lui-même (1 421 m).

Le Vivarais

Il forme la plus grande partie du rebord oriental du Massif Central. Il se caractérise par ses grandes coulées basaltiques descendues des volcans vellaves, par ses arêtes schisteuses, par les grands phénomènes d'érosion de son pays calcaire.
Le **Haut-Vivarais** s'étend du mont Pilat et du Velay à la vallée du Rhône. Le sombre et austère pays des Boutières, aux gorges profondes et étroites, vit de l'élevage du gros bétail et de l'exploitation de ses forêts de sapins.
De la haute vallée de l'Allier au bassin de Joyeuse, le **Vivarais cévenol** est dominé par l'échine de la montagne de Bauzon et par la crête du Tanargue. À l'Ouest, la « montagne » est encore marquée par les volcans du Velay. À l'Est, les « serres » schisteuses, crêtes étroites et allongées aux pentes abruptes, séparent des vallées profondes.

Ci-contre : Sceautres
À gauche : site de Saoû.

De Lablachère et de Privas à la vallée du Rhône, le **Bas-Vivarais** calcaire forme un ensemble de bassins et de plateaux où se manifeste la nature méridionale. Au Nord, le plateau du Coiron, aux falaises de basalte noir, le sépare du Haut-Vivarais ; ses vastes planèzes s'inclinent vers l'Est : elles sont caractérisées par leurs *dykes* (murailles) ou leurs *necks* (pitons) – appareils volcaniques dégagés par l'érosion de leur revêtement meuble – dont le plus célèbre est celui de Rochemaure. Le plateau calcaire des Gras se présente comme une succession de causses avec leur pierraille blanchâtre, leurs rochers ruiniformes, leurs avens et leurs vallées creusées en gorges.

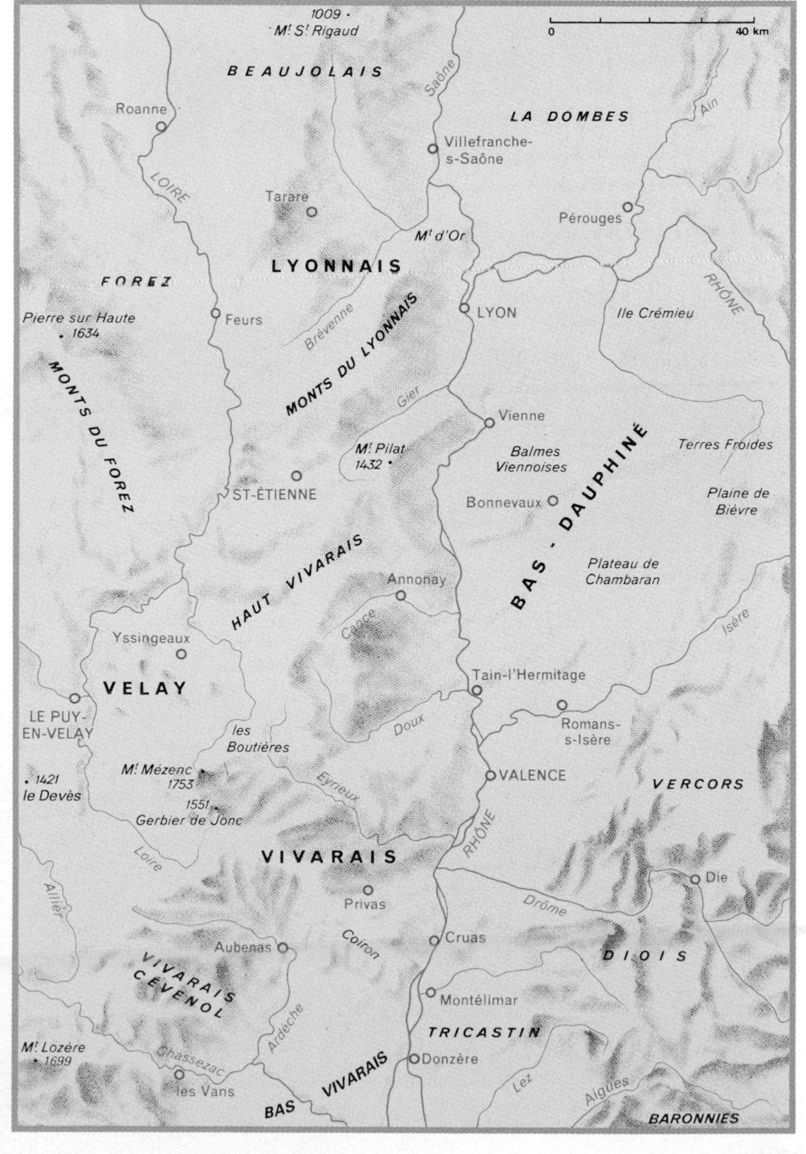

Grottes et avens

Les profondes entailles des vallées vives du Haut-Vivarais contrastent avec les vastes solitudes grises et pierreuses des plateaux du Bas-Vivarais. Cette sécheresse du sol est due à la nature calcaire de la roche qui absorbe comme une éponge toutes les eaux de pluie. Grâce à elle, une intense et étonnante activité souterraine a pris forme.

Aven d'Orgnac.

L'Odyssée souterraine (Orgnac).

L'infiltration des eaux

Chargées d'acide carbonique, les eaux de pluie dissolvent le carbonate de chaux contenu dans le calcaire. Se forment alors des dépressions généralement circulaires et de dimensions modestes appelées *cloups* ou *sotchs*.
Si les eaux de pluie s'infiltrent plus profondément par les innombrables fissures qui fendillent la carapace calcaire, le creusement et la dissolution de la roche amènent la formation de puits ou abîmes naturels appelés *avens* ou *igues*. Peu à peu, les avens s'agrandissent, se prolongent, se ramifient, communiquent entre eux et s'élargissent en grottes ; les deux plus importantes grottes de la région sont celles de Marzal et d'Orgnac.

Les rivières souterraines

Les eaux d'infiltration finissent par former des galeries souterraines et se réunissent en une rivière à circulation plus ou moins rapide. Elles élargissent alors leur lit et se précipitent souvent en cascades. Lorsqu'elles s'écoulent lentement, elles forment de petits lacs en amont des barrages naturels tels les *gours* édifiés peu à peu par dépôt de carbonate de chaux. Il arrive qu'au-dessus des nappes souterraines se poursuive la dissolution de la croûte calcaire : des blocs se détachent de la voûte, une coupole se forme, dont la partie supérieure se rapproche de la surface du sol. C'est le cas de la gigantesque salle supérieure d'Orgnac, haute de 50 m et que quelques dizaines de mètres seulement séparent de la surface du causse.

Randonnée souterraine.

Formation des grottes

La formation des grottes peut être due soit à des eaux d'infiltration comme à Orgnac, soit à l'existence d'anciennes rivières souterraines qui, à Marzal et dans la grotte de la Madeleine, ont creusé des salles et des tunnels qui se modifient toujours sous l'impulsion d'eaux d'infiltration depuis leur assèchement.

Au cours de sa circulation souterraine, l'eau abandonne le calcaire dont elle s'est chargée en pénétrant dans le sol. Elle édifie ainsi un certain nombre de concrétions aux formes fantastiques défiant quelquefois les lois de l'équilibre et aux couleurs variées : la grotte de la Madeleine hésite entre le blanc et le rouge, celle d'Orgnac adopte en plus les tons marron. Dans l'aven d'Orgnac, le suintement des eaux donne lieu à des dépôts de calcite (carbonate de chaux) qui constituent des pendeloques, des pyramides, des draperies. Les représentations les plus connues de ces concrétions sont les stalactites, les stalagmites et les excentriques. Les **stalactites** se forment à la voûte de la grotte. Chaque gouttelette d'eau qui suinte du plafond y dépose, avant de tomber, une partie de la calcite dont elle s'est chargée. Peu à peu s'édifie ainsi la concrétion le long de laquelle d'autres gouttes d'eau viendront couler et déposer à leur tour leur calcite.

Les **stalagmites** sont des formations de même nature qui s'élèvent du sol vers le plafond. Les gouttes d'eau tombant toujours au même endroit déposent leur calcite qui forme peu à peu un cierge. Celui-ci s'élance à la rencontre d'une stalactite avec laquelle il finira par se réunir pour constituer un pilier reliant le sol au plafond.

La formation de ces concrétions est extrêmement lente ; elle est actuellement de l'ordre de 1 cm par siècle sous nos climats. Les **excentriques** sont de très fines protubérances, dépassant rarement 20 cm de longueur. Elles se développent dans tous les sens sous forme de minces rayons ou de petits éventails translucides. Elles se sont formées par cristallisation et n'obéissent pas aux lois de la pesanteur. L'aven d'Orgnac, celui de Marzal et la grotte de la Madeleine en possèdent de remarquables. À la fin du siècle dernier, l'exploration méthodique et scientifique du monde souterrain, à laquelle est attaché le nom d'Édouard-Alfred Martel, a permis la découverte et l'aménagement touristique d'un certain nombre de cavités. Depuis, les recherches n'ont pas cessé. En 1935, Robert de Joly explora l'aven d'Orgnac et en découvrit les richesses ; plus tard, la présence d'un « trou souffleur » dans l'aven devait conduire à la découverte, en 1965, d'un immense réseau de galeries supérieures.

Variété des concrétions à l'aven d'Orgnac.

Les maisons rurales traditionnelles

Au cours des siècles, les maisons rurales ont suivi l'évolution du travail des champs, subi l'influence des régions voisines et des nouveaux procédés de construction. Elles montrent combien les hommes ont su s'adapter aux particularités géographiques de leur province et aux difficiles conditions climatiques.

Les maisons du Forez et du Lyonnais

La ferme forézienne

C'est une ferme close ordonnant ses hauts murs autour d'une cour fermée. Certaines maisons sont pourvues d'une galerie de bois à balustrade. La couverture est en tuiles. Sur les hauteurs du Forez et du Pilat, les **jasseries** sont des annexes éloignées de la ferme où, durant l'été, le berger dispose du matériel nécessaire à la fabrication des fromages et, au-dessous, d'une cave à fromages.

Mur en galets roulés à Châtillon-sur-Chalaronne.

La maison beaujolaise

Couverte de tuiles romaines, la demeure beaujolaise, bâtie sur plan rectangulaire, est en pierre grise au Nord, brune ou rousse dans la montagne, dorée au Sud. Robuste et simple, elle comporte toujours au rez-de-chaussée une cave ou caveau à l'entrée en anse de panier. Un escalier extérieur couvert d'un avant-toit formant auvent soutenu par des colonnes de bois ou de pierre donne accès au logement. Les bâtiments annexes ferment rarement la cour.

Une ferme de la Dombes

La ferme dombiste est allongée et pourvue d'un étage. Extérieurement, elle présente un crépi protégeant les murs en brique (terre cuite) ou en pisé (terre crue). Le toit en tuiles rondes soutenu par des étais forme auvent.

La maison du Velay

Au Sud et au Sud-Est du Velay sur les flancs du Mézenc, la ferme est sans étage. Vers le Nord, en descendant des plateaux, l'habitation tend à devenir plus haute et plus confortable. En terre plus riche, la maison possède un étage percé d'étroites fenêtres. Dans les vallées du Nord et de l'Est, la maison est adaptée au travail ancien de la dentelle ou du ruban : de hautes fenêtres éclairent la chambre du métier. La maison vellave est originale par sa maçonnerie en moellons bruts.

Maison à toit de lauzes aux sources de la Loire.

Maison de Balazuc.

Les maisons rhodaniennes

Dans les plaines de Valence et de Montélimar, le type d'habitat n'est pas très individualisé, mais ces maisons n'en présentent pas moins d'attrayants caractères, telles les maisons de mariniers.
Le caractère le plus constant est un mur aveugle du côté Nord, d'où souffle le mistral.
Le type le plus simple et le plus courant est une petite maison. De grosses exploitations isolées ressemblant à des maisons fortes groupent leurs bâtiments autour d'une cour.

La maison du Bas-Dauphiné

Entre Bourbe et Isère, les maisons sont en **cailloux roulés**, abondants dans cette région de dépôts morainiques et alluviaux. Les cailloux sont placés de chant, sur un lit de mortier, en changeant le sens de leur inclinaison d'un lit à l'autre.
Dans la région de Morestel, à Creys, Brangues, Mérieu, le **pignon à mantelure** ou à « escalier » de pierre est un mode de couverture emprunté aux Préalpes. Le toit, en tuiles plates, prend appui sur les pignons des murs latéraux dont les rampants présentent des décrochements ; les marches ainsi constituées sont couvertes d'une grosse dalle de pierre débordante.

La maison vivaroise

La maison du Haut-Vivarais

Aux confins du Velay, dans le massif du Mézenc et sur les hauts plateaux dominant l'Ardèche et l'Eyrieux naissants, la maison de montagne, basse et trapue, au toit de lauzes paraît écrasée sous cette carapace conçue pour résister aux intempéries : « Qui bien lauze, pour cent ans pose », rappelle un vieux dicton. Cette maison aux murs de granit ou de basalte, aux ouvertures rares, est une habitation d'éleveurs.

Mur de briques (carrons) dans la Dombes.

Dans la région de Vernoux, les bâtiments de ferme s'ordonnent en fer à cheval autour de la cour.

La maison du Coiron

Elle présente un aspect assez confus en raison des multiples bâtiments accolés autour du corps de logis initial. Les constructions sont, en général, en basalte et les toits sont presque plats. Les villages sont établis sur les versants ensoleillés.

La maison du Bas-Vivarais

C'est une maison à étages sur plan carré, de type méridional. Le toit, en tuiles romaines, présente une faible pente ; à la naissance du toit, le haut du mur est décoré le plus souvent par le double ou triple bandeau d'une génoise faite de morceaux de tuiles prises dans le mortier.
La magnanerie avait souvent son entrée directe sur le couradou ; réservée à l'élevage du ver à soie, ce fut, jusque vers 1850, un élément essentiel de l'habitation et de la vie vivaroises. Au corps de logis, des bâtiments annexes s'ajoutent souvent : four à pain, grange et, dans la zone du châtaignier, le séchoir à châtaignes (clède ou clédo). Dans la moyenne vallée de l'Ardèche, la maison en pierres calcaires est de règle. À l'Ouest et au Nord de Joyeuse, dans la zone du châtaignier, la maison de schiste domine.

Maison de St-Just-St-Rambert.

Vendanges en Beaujolais.

Vignobles et fruits

S'il est un vin que tout le monde connaît aujourd'hui, c'est bien le beaujolais. Nouveau, avec ses goûts de banane et de fruits rouges que l'on attend avec impatience le troisième jeudi de novembre, le beaujolais est loin, cependant, de représenter toute la richesse du vignoble de la région : à ses côtés, doivent figurer les côtes-du-Rhône et des vins moins connus comme ceux de la Côte roannaise, de l'Ardèche et du Forez. Favorable à la culture du raisin, la région l'est également à celle des framboises, des groseilles, des pêches, des châtaignes et de tant d'autres fruits encore, à tel point qu'elle alimente le tiers de la production française !

Vignobles

Sur les coteaux dominant la Saône et le Rhône s'étagent les prestigieux vignobles qui sont l'objet d'une culture spécialisée intensive. La diversité des terroirs, des cépages et du climat permet à la région de décliner toute une gamme de vins classés selon leur qualité : les meilleurs vins reconnus bénéficient de l'Appellation d'Origine Contrôlée (AOC) ; viennent ensuite les Vins Délimités de Qualité Supérieure (VDQS), puis les Vins de pays et Vins de table.

Le Beaujolais

Les vins du Beaujolais se rattachent par tradition au patrimoine gastronomique de la région. Ce vin est en effet idéal pour accompagner les produits du terroir. Le vignoble s'étend sur une longueur de 60 kilomètres et une largeur de 12 kilomètres. Il occupe une superficie de près de 22 000 ha, avec une production moyenne de 1 300 000 hl par an. Il s'étage entre 180 et 550 m d'altitude, et couvre la pente des coteaux ensoleillés qui dominent la Saône. Le cépage commun est le gamay noir à jus blanc pour les vins rouges ; au Nord, l'élite du Beaujolais est constituée de 10 crus ; les beaujolais-villages, au cœur du vignoble, sont des vins charpentés et fruités de qualité ; plus au Sud, le pays des Pierres Dorées regroupe des beaujolais supérieurs. La caractéristique du beaujolais est de se boire jeune et frais ; chaque année, le troisième jeudi de novembre à 0 heure, une partie de la production est commercialisée sous le nom de « beaujolais nouveau ».

La Côte roannaise et le Forez

À l'Ouest, des vignobles moins connus présentent des vins de bonne qualité : c'est le cas de la Côte roannaise dont les vins rouges ont reçu l'AOC en 1994, des côtes du Forez

Vignes de Croze-l'Hermitage.

(AOC depuis 1999), tandis que le vin de pays d'Urfé est un agréable vin local.

La vallée du Rhône

L'origine des vignobles remonte au temps des Romains ; les vétérans des légions romaines plantèrent des vignes qui prospérèrent jusqu'au coup d'arrêt de Domitien qui en ordonna la destruction par crainte de concurrence. Le vin le plus ancien est certainement la clairette de Die. Le célèbre hermitage doit son nom à un chevalier, Gaspard de Sterimberg, qui se retira sur le coteau après la croisade contre les Albigeois.
Les ordres religieux contribuèrent au développement des vignobles, parfois relayés par l'intérêt de la cour royale ; ainsi, les vins du Vivarais connurent le succès à la cour de

Les vins de St-Joseph (cave J.-L. Grippat - Tournon).

Les compagnons du Beaujolais.

Cave de Château-Curson (Tain-l'Hermitage).

Louis XII. À la fin du 19e s., le phylloxéra fit des ravages dans les vignes ; mais le développement de l'œnologie et des réglementations a permis d'améliorer la qualité des vins. Aujourd'hui, la vigne occupe plus de 150 000 ha, dont le tiers produit des crus de qualité, fortement représentés par les côtes-du-Rhône. 3 570 000 hl de vins d'appellation contrôlée, soit 15 % du volume total de la récolte française de vins fins, disent l'importance de ce vignoble.

Les côtes-du-Rhône doivent leur célébrité à quelques grands crus : la côte-rôtie, crozes-hermitage, châteauneuf-du-pape. Certains vins ont obtenu plus récemment l'appellation contrôlée, comme les coteaux-du-tricastin (1973) ou la clairette de Die (1993). La plupart des côtes-du-Rhône font d'excellents vins de garde, mais certains peuvent être dégustés en primeur à partir de mi-novembre.

Le vignoble s'étend sur 200 km. Il doit sa variété aux cépages choisis, aux différences des sols sur lesquels il s'est installé, aux nuances climatiques des bassins et, enfin, aux diverses expositions des gradins qui s'étagent en direction des Cévennes et des Alpes.

Vergers

En 1880, les cultures fruitières ont pris le relais du vignoble sévèrement touché par le phylloxéra. Au printemps, la vallée ressemble à un superbe jardin. L'échelonnement de la maturité rendu possible par la sélection des variétés et l'utilisation judicieuse des différences d'exposition ou d'altitude permet aux vergers de la vallée du Rhône de produire le tiers de la production fruitière française.

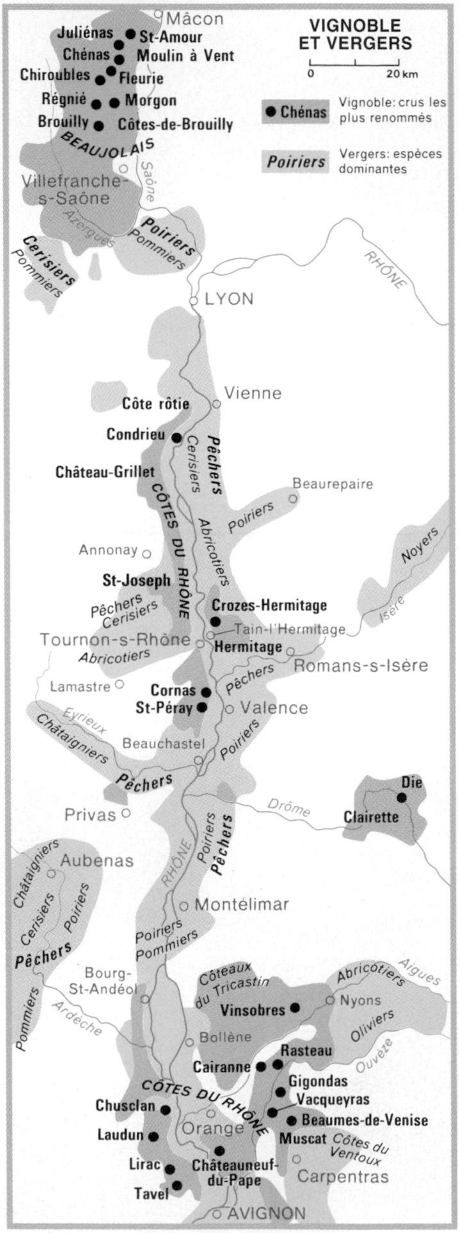

VIGNOBLE ET VERGERS

0 20 km

Chénas Vignoble: crus les plus renommés

Poiriers Vergers: espèces dominantes

Mâcon
Juliénas
St-Amour
Chénas
Moulin à Vent
Chiroubles
Fleurie
Régnié
Morgon
Brouilly
Côtes-de-Brouilly
BEAUJOLAIS
Villefranche-s-Saône
Saône
Azergues
Poiriers Pommiers
Cerisiers Pommiers
RHÔNE
LYON
Vienne
Côte rôtie
Condrieu
Cerisiers
Pêchers
Château-Grillet
CÔTES DU RHÔNE
Beaurepaire
Poiriers
Abricotiers
Annonay
Noyers
St-Joseph
Pêchers Cerisiers
Crozes-Hermitage
Isère
Tain-l'Hermitage
Tournon-s-Rhône
Hermitage
Abricotiers
Romans-s-Isère
Pêchers
Lamastre
Cornas
St-Péray
Valence
Eyrieux
Châtaigniers
Beauchastel
Poiriers
Pêchers
Die
Privas
Drôme
Clairette
Châtaigniers
Aubenas
RHÔNE
Poiriers
Pêchers
Cerisiers
Poiriers
Montélimar
Poiriers Pommiers
Pêchers
Bourg-St-Andéol
Coteaux du Tricastin
Abricotiers
Aigues
Pommiers
Ardèche
Nyons
Vinsobres
Oliviers
Bollène
Rasteau
Ouvèze
Cairanne
Gigondas
CÔTES DU RHÔNE
Vacqueyras
Chusclan
Beaumes-de-Venise
Orange
Laudun
Muscat
Côtes du Ventoux
Lirac
Châteauneuf-du-Pape
Carpentras
Tavel
AVIGNON

Pêchers en fleurs à Mirmande.

Un climat doux, des sols favorables, des systèmes d'irrigation et des méthodes de production qui, bien que mécanisées, restent en majeure partie artisanales, participent à l'épanouissement des fruits de grande qualité. Aux framboises, aux groseilles, aux cassis, aux noix de l'Isère, il convient d'ajouter les cerises et les abricots, dont la production s'accroît actuellement, ainsi que les poires et les pommes.
La palme revient aux **pêchers** qui, depuis les premières plantations en 1880 à St-Laurent-du-Pape, font la renommée de la vallée de l'Eyrieux d'où ils se sont répandus dans la vallée du Rhône. Leurs variétés sont nombreuses, mais elles se répartissent selon deux grandes catégories : les pêches à chair jaune et celles à chair blanche. Les récoltes précoces, de pleine saison ou tardives assurent une activité majeure pour la région pendant la période estivale et ce, malgré une régression importante de la production.

Les **châtaignes** sont, elles, les reines de l'Ardèche depuis 8,5 millions d'années selon les dires d'une châtaigne fossilisée, mais la légende veut que ce soient les Romains qui les aient apportées dans leurs chars. Les châtaigniers, appelés « arbres à pain », furent longtemps la base de l'alimentation quotidienne et l'une des principales ressources pour les villageois qui les cultivaient à quelque 800 m d'altitude. Deux grandes variétés sont connues chez les gastronomes : la comballe et la garinche. La comballe, « blonde et douce » est la variété la plus connue : les marrons glacés, la crème ou la purée de marrons et les pâtisseries permettent de juger de sa qualité gustative. La châtaigne est aussi un fruit recherché pour l'accompagnement de plats de gibier.

Abricots.

Châtaignes.

Pêches.

Poires.

La table

La vallée du Rhône, terre d'élection de la gastronomie. De la volaille de Bresse à la soupe aux truffes, la richesse des productions naturelles génère une grande variété de cuisines auxquelles de riches vignobles apportent leur alliance généreuse.

Le savoir-vivre à la lyonnaise.

La cuisine lyonnaise

Elle est simple, elle est « vraie ». Ici point de snobisme. Le plus humble des bistrots, si la chère y est sans reproche, voit passer chez lui toutes les classes de la société lyonnaise dont la passion vigilante pour les choses de la table est légendaire.
Ce n'est pas par hasard que les esprits les plus avertis situent la capitale mondiale de la bonne cuisine à Lyon. Cette cité active dispose, à ses portes même, des riches élevages de la Bresse et du Charolais, des gibiers de la Dombes, des poissons des proches lacs savoyards, des primeurs et des fruits de la vallée du Rhône et du Forez.
Les subtiles et délicates nuances de la cuisine lyonnaise sont dues à un habile mariage de produits de haute qualité sélectionnés avec un soin jaloux par les célèbres « chefs », ou par les fameuses « Mères », robustes cuisinières lyonnaises.

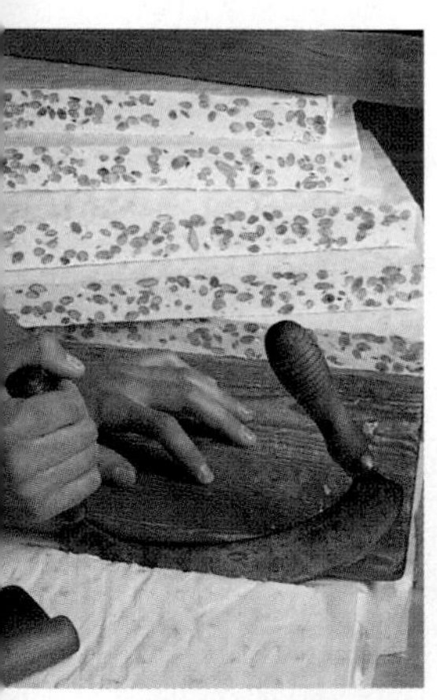

Fabrication du nougat (Boyer) à Séderon.

Spécialités lyonnaises

Elles sont nombreuses. Au choix : la quenelle de brochet gratinée au four dans un beurre blond grésillant, le saucisson de Lyon, le cervelas chaud truffé et pistaché, la truite braisée et farcie, les matelotes au vin de Bourgogne, les volailles et surtout la poularde demi-deuil avec des lames de truffes entre chair et peau et cuite au bouillon, le poulet à la crème, les cardons à la moelle ou gratinés, les galettes pérougiennes et les bugnes.

Les autres cuisines rhodaniennes

Forez

En Forez, pêche, chasse et élevage sont à la base d'une cuisine fine et savoureuse. Volailles, écrevisses et truites du Lignon entrent dans la préparation de nombreux plats. La qualité des viandes de boucherie est ici exceptionnelle. À moins que vous ne préfériez déguster un pâté en croûte, une dodine de canard ou un délicieux jambon du pays, sans oublier la rosette de Feurs.

Vivarais

Au pays des châtaignes, des bolets et des mousserons, les spécialités solides et savoureuses sont nombreuses : perdrix aux choux, grive aux raisins, poule en vessie, poulet aux écrevisses, oie ou dinde aux marrons, lièvre en poivrade et enfin cochonnaille de l'Ardèche. Quant aux fruits, ils sont parmi les plus beaux de France.

Bas-Dauphiné

Le Bas-Dauphiné rhodanien est le pays du gratin : pommes de terre en tranches cuites au four dans du lait ; mais on trouve aussi du cul de veau aux poireaux, des pognes (brioches) de Romans et de Valence, du fromage de St-Marcellin, du bœuf braisé à la grignanaise et l'inimitable nougat de Montélimar.

Rosette de Lyon

Les vins

Pays du bien-manger, le Lyonnais et la vallée du Rhône puisent aux deux grands vignobles du Beaujolais et des Côtes du Rhône le complément naturel à leurs tables recherchées. Les vignobles des Côtes du Rhône sont vraisemblablement les plus anciens de France puisque les premiers cépages auraient été apportés par les Grecs plusieurs siècles avant notre ère sur les collines qui entouraient Massalia.

Beaujolais

Le beaujolais peut être consommé comme boisson désaltérante en cours de journée, ou tout au long d'un repas. Il se déguste de préférence jeune et frais en raison de sa légèreté, de sa souplesse et de son fruité. Certains crus plus charnus et robustes peuvent se conserver plusieurs années comme leurs voisins de la Côte-d'Or.

Côtes du Rhône

Les vignobles des Côtes du Rhône qui s'étendent en un long ruban de part et d'autre du fleuve produisent des crus dont la qualité et l'équilibre sont dus à un savant dosage des cépages. Les rouges se boivent peu chambrés, les blancs très frais. Les amateurs apprécieront les vins « élégants » de la Côte-Rôtie au bouquet de violette, le condrieu et le château-grillet qui se classent parmi les grands vins blancs de France et qui, jeunes, font merveille avec un gratin de queues d'écrevisses ; les vins de l'Hermitage au parfum de framboise, le saint-joseph, le cornas apprécié de Charlemagne, le vin blanc de St-Péray qui se traite en mousseux et la clairette de Die, pétillante, franche et musquée. Enfin, dans l'épanouissement de la vallée marquant l'entrée en Provence, le chaleureux châteauneuf-du-pape, vin puissant à la robe de pourpre, le gigondas, le muscat des Beaumes-de-Venise, suave et généreux et de l'autre côté du Rhône, le rosé de Tavel, les rouges et les rosés de Lirac et de Chusclan.

Gratinée lyonnaise.

Charlotte aux marrons.

Un pays de novateurs

Qui a inventé la montgolfière ? Qui sont les inventeurs du cinématographe ? Et la machine à coudre ou le métier à tisser : qui les a créés ?... Peu de régions se sont autant creusé les méninges que le Lyonnais, le Vivarais et le Forez : une pépinière de savants et d'ingénieurs dignes du concours Lépine !

Les frères Lumière sur la fresque des Lyonnais célèbres (Lyon).

Énergie et transport

Le ballon des frères Montgolfier

Dans les dernières années de l'Ancien Régime, les frères Joseph et Étienne de Montgolfier, descendants de l'une des plus anciennes familles de papetiers d'Europe, ont acquis la célébrité en réussissant les premières ascensions en ballon.

Poursuivant inlassablement sa recherche d'un gaz plus léger que l'air, Joseph fait une première expérience concluante avec un parallélépipède en taffetas qu'il emplit d'air chaud en faisant brûler un mélange de paille mouillée et de laine. Associant son frère à ses recherches et après plusieurs tentatives fructueuses, dont l'une menée dans les jardins de la papeterie familiale à Vidalon-lès-Annonay, il lance avec succès son premier aérostat, place des Cordeliers à Annonay, le 4 juin 1783.

Mandés dans la capitale pour renouveler leur exploit devant le roi, ils décident de se séparer momentanément, le temps que l'un d'eux accomplisse cette mission. C'est ainsi que le 19 septembre de la même année fut inauguré à Versailles, sous la conduite d'Étienne et devant la famille royale et la cour médusées, le premier vol habité. Au ballon est attachée une cage à claire-voie, où les premiers passagers de l'espace sont : un coq, un canard et ... un mouton. En quelques minutes, le *« Réveillon »*, timbré sur fond bleu du chiffre du roi, s'élève dans les airs, puis va se poser en douceur dans le bois de Vaucresson. Le mammifère et les deux volatiles semblent avoir parfaitement supporté le voyage ! Tous les espoirs pour conquérir l'espace sont permis.

La chaudière de Marc Seguin

Marc Seguin est né à Annonay en 1786. Il n'a pas seulement, avec son frère Camille, contribué à améliorer la technique des ponts suspendus par câbles de fer. Une autre de ses découvertes allait avoir une influence considérable sur le développement des chemins de fer. Les premières locomotives produisaient à peine assez de vapeur pour atteindre 9 km/h. Appliqué en 1830 à la *« Rocket »* (fusée), l'une des locomotives de l'Anglais Stephenson, le nouveau système de chaudière tubulaire se révèle une remarquable innovation : en

Reconstitution du 1er vol en montgolfière (Annonay).

développant une plus grande quantité de vapeur dans un appareil de petites dimensions, la vitesse se trouve considérablement accrue. Lors d'une première expérience, la fusée atteignit 60 km/h. Aux essais suivants, elle fut même poussée à près de 100 km/h. Conscient de l'importance de son invention, Marc Seguin laissa le brevet tomber dans le domaine public, estimant qu'il n'avait pas le droit de tirer un profit personnel de l'intelligence dont le ciel l'avait favorisé. On doit enfin à Marc Seguin des travaux sur les bateaux à vapeur, ainsi que l'idée de remplacer les rails en fonte par des rails en fer et les dés en fer par des traverses en bois.

Du fil à l'étoffe

Le mesnage des champs

Olivier de Serres, le père de l'agriculture française, naît à Villeneuve-de-Berg en 1539 et meurt en 1619 dans son domaine du Pradel, près de sa ville natale.

Gentilhomme huguenot, exploitant lui-même ses terres, il mesure les ruines causées par les guerres de Religion. Aussi lorsque Henri IV, après la publication de l'Édit de Nantes en 1598, fait appel aux bonnes volontés pour restaurer le royaume, Olivier de Serres consigne son expérience dans une étude sur *L'Art de la cueillette de la soie*. L'idée entre dans les vues du roi : l'extension de la culture du mûrier permettrait d'arrêter les sorties d'or pour l'achat d'étoffes étrangères. Henri IV, pour donner l'exemple, fait planter 20 000 pieds de mûriers aux Tuileries ; une magnanerie modèle est construite. La sériciculture s'étendra ensuite à la moitié de la France.

Encouragé par ce premier succès, Olivier de Serres publie en 1600 le *Théâtre d'agriculture et mesnage des champs*. L'auteur y préconise le labour profond, l'alternance des cultures, le soufrage de la vigne, les prairies artificielles, la culture du maïs, de la betterave à sucre, du houblon et probablement de la pomme de terre qu'il appelle « cartoufle » : autant d'innovations qu'il a mises en pratique au Pradel.

Les vicissitudes d'un inventeur

Jacquard naît à Lyon en 1752. Son père, petit fabricant en étoffes façonnées, l'emploie à « tirer les lacs », ces cordes qui font mouvoir la machine compliquée servant à former le dessin de la soierie. L'enfant, de santé fragile, n'y résiste pas. On le place chez un relieur, puis chez un fondeur de caractères.

Cartons Jacquard de métier à tisser (maison des canuts – Lyon).

Outil de tireur au fer.

Après la mort de son père, Jacquard tente de monter une fabrique de tissus. Son inexpérience commerciale et ses recherches pour perfectionner le tissage le ruinent. Il doit se placer comme ouvrier chez un fabricant de chaux du Bugey, tandis que sa femme tresse la paille.
En 1793, il s'engage dans un régiment de Saône-et-Loire avec son fils ; celui-ci sera tué à ses côtés. À peine rentré à Lyon, Jacquard travaille le jour chez un fabricant et, la nuit, à la construction d'un nouveau métier et d'une machine à fabriquer les filets de pêche. La République cherche des inventeurs : Carnot, ministre de l'Intérieur, fait venir Jacquard à Paris.
En 1804, Jacquard retourne à Lyon pour achever le métier auquel son nom est resté attaché. À un attirail de cordages et de pédales exigeant le travail de 6 personnes, il substitue un mécanisme simple, permettant à un seul ouvrier d'exécuter les étoffes les plus compliquées aussi facilement qu'une étoffe unie. trois ouvriers et deux ouvrières se trouvent supprimés pour chaque métier ; dans une ville qui compte alors 20 000 métiers, des dizaines de milliers d'ouvriers se voient menacés dans leur travail. Les canuts se dressent contre cette « évantion » qui leur coupe les bras. Pourtant Jacquard parvient à convaincre les canuts de l'utilité de sa découverte. Des fabricants montrent l'exemple et, en 1812, plusieurs « Jacquards » fonctionnent à Lyon. Retiré à Oullins, leur inventeur put enfin goûter un repos bien mérité.

Un inventeur malchanceux

Aussi opiniâtre que le tisseur lyonnais, Thimonnier n'eut pas comme lui le bonheur de voir sa découverte exploitée dans son pays natal. Lorsque la famille s'installe en 1795 à Amplepuis, le jeune Barthélemy est placé comme apprenti tailleur. En 1822, il s'installe comme tailleur d'habits à Valbenoîte près de St-Étienne. Hanté par l'idée de coudre mécaniquement et s'inspirant du crochet utilisé par les brodeuses des monts du Lyonnais, il construit dans le secret un appareil en bois et en métal permettant d'exécuter le point de chaînette. La machine à coudre était née. Pour prendre un brevet, l'inventeur s'associe à Auguste Ferrand, répétiteur à l'École des mineurs de St-Étienne. Une demande est déposée le 13 avril 1830 aux noms des deux associés.
Thimonnier quitte ensuite St-Étienne pour la capitale où, bientôt, le premier atelier de couture mécanique voit le jour au 155 rue de Sèvres. Là, 80 machines à coudre fonctionnent, six fois plus vite que manuellement. Cela déclenche la haine des tailleurs parisiens qui, lui reprochant de vouloir ruiner leur profession, saccagent l'atelier ; Thimonnier, ruiné, revient à Amplepuis, où il reprend son métier de tailleur.
En 1848, une compagnie de Manchester s'intéresse à son « couso-brodeur ». Épuisé par 30 ans de travail et de luttes, il s'éteint à l'âge de 64 ans ... trop tôt pour connaître l'extraordinaire essor de la machine à coudre.

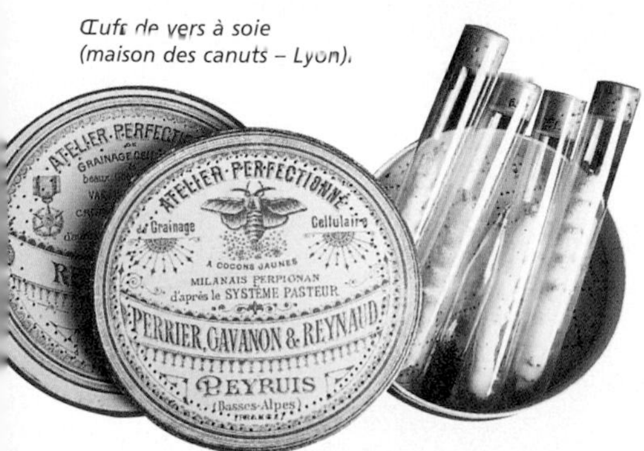

Œufs de vers à soie (maison des canuts – Lyon).

Navette.

La science et les miracles

Les premiers doutes de Claude Bernard

Le grand physiologiste, devenu professeur au Collège de France, racontait volontiers son enfance lyonnaise. Son père était un petit vigneron de St-Julien : on peut voir encore sa maison au hameau de Chatenay, près du musée qui lui est consacré.

Le curé du village apprend le latin à l'enfant ; devant ses dispositions, on l'envoie poursuivre ses études. Bientôt obligé de subvenir lui-même à ses besoins mais voulant néanmoins poursuivre ses études, le jeune Claude décide de se faire aide-pharmacien.

Au mois de janvier 1832, âgé de 18 ans, il entre à la pharmacie Millet à Vaise ; son travail consiste surtout à mettre de l'ordre dans la boutique. Il n'est pas question de jeter les vieux fonds de pots qui traînent ; le patron pratique l'art d'utiliser les restes : « Garde ça pour la thériaque ». La thériaque est depuis des siècles, la drogue miracle qui guérit tout. Celle du père Millet, à défaut de vertus thérapeutiques, eut au moins celle d'éveiller le sens critique du savant.

L'outremer à bon marché

Jean-Baptiste Guimet, en 1834, crée à Lyon une fabrique d'outremer artificiel qui allait faire sa fortune. Il avait en effet trouvé le moyen de fabriquer à peu de frais une substance colorante ayant toutes les qualités de l'outremer naturel, couleur extraite du lapis-lazuli.

« La Sortie de l'usine Lumière »

En 1882, un photographe venu de Besançon, Antoine Lumière, s'installe dans un hangar de la rue St-Victor à Lyon et entreprend la fabrication de plaques sèches au gélatino-bromure d'argent, selon une formule qu'il a trouvée. Quatre ans plus tard, il a déjà vendu plus d'un million de plaques sous le nom d'« étiquette bleue ». Les deux fils de l'ancien photographe, Louis et Auguste Lumière, associés à leur père, travaillent à un appareil de leur invention. Ils le présentent en 1895 à la Société d'Encouragement. L'appareil, qui reçoit finalement le nom de cinématographe, est présenté à Lyon le 10 juin 1896. D'abord indifférent, le public se rue bientôt pour voir les dix premiers films, courtes saynètes dont l'humour n'a pas vieilli.

Paire de force.

La première de ces séquences représente la Sortie de l'usine Lumière ; suivent le *Débarquement du Congrès de photographie à Lyon*, le *Jardinier* (c'est le célèbre « arroseur arrosé »), le *Repas de bébé*, la *Place des Cordeliers* à Lyon. Sortie d'un hangar lyonnais, la prodigieuse aventure du cinéma commençait...

Lampas broché, France (18e s.).

Quelques faits historiques

La vallée du Rhône fit ses premiers pas dans l'Histoire avant notre ère. Il ne s'agit pas seulement de remonter le cours du fleuve, mais aussi le cours du temps qui, sous l'action des hommes, a contribué au façonnement de la région et de Lyon qui est devenue une ville de dimension internationale.

• **Vers 2500 av. J.-C.** – La vallée du Rhône est la grande voie de passage de l'ambre et de l'étain.

• **600 av. J.-C.** – Les Celtes s'installent de part et d'autre du Rhône : Helviens sur la rive droite, Allobroges sur la rive gauche. Les Phocéens (Grecs d'Asie Mineure qui ont fondé Marseille et Arles) multiplient les comptoirs commerciaux.

Époque Romaine

Les Romains ont bien compris l'importance stratégique du Rhône : ils s'en servent comme voie de pénétration pour leurs produits, mais aussi pour leur civilisation. Les légions romaines s'installent à Vienne, capitale des Allobroges, et sur la rive gauche du fleuve en 121. Vers l'an 43, la conquête de la Gaule achevée, Munatius Plancus, fonde Lyon en installant des colons romains sur les hauteurs qui dominent les rives de la Saône ; Lyon devient capitale des Gaules en 27.

Grand centre économique et intellectuel, Lyon est le point de départ de la diffusion du christianisme en Gaule et elle le reste malgré les persécutions de Marc Aurèle en l'an 177 (martyrs des premiers chrétiens dans l'amphithéâtre de Lyon).

• **280** – L'empereur Probus enlève aux Lyonnais le monopole de la vente du vin en Gaule. C'est le début du déclin de Lyon devenue, sous Dioclétien, simple capitale de la province lyonnaise.

Les Grandes Invasions

• **5e s.** – Les Burgondes s'installent sur la rive gauche du Rhône et leurs rois choisissent Vienne comme résidence. Les Francs leur succèdent.

• **8e s.** – Incursions arabes dans la vallée.

Moyen Âge

En 843, le traité de Verdun partage l'empire de Charlemagne entre les trois fils de Louis le Débonnaire. Lothaire reçoit les territoires allant de Rouen à la mer du Nord, la Provence, la vallée du Rhône et la Bourgogne.

• **5e-9e s.** – Fondation des premières abbayes dans la vallée.

Arches de Chaponost.

Attelages de chevaux faisant le service des remontes de bateaux sur le Rhône, par A. Dubuisson (1843).

- **879** - Boson, beau-frère de Charles le Chauve, est couronné roi de Bourgogne à Mantaille.
- **9e-10e s.** – Ascension des comtes du Forez. Extension du domaine des évêques de Viviers qui deviendra le Vivarais.
- **11e-12e s.** – Nouvelles abbayes fondées en Vivarais : Mazan, Bonnefoy... Les comtes d'Albon, « Dauphins de Viennois », étendent leurs possessions ; leurs terres, du Rhône aux Alpes, recevront le nom de Dauphiné.
- **13e s.** – Le développement des cités entraîne l'octroi de nombreuses chartes de franchises communales.
- **1229** – Le traité de Paris met fin à la guerre des Albigeois et à l'influence des comtes de Toulouse en Vivarais.
- **13e-14e s.** – Pénétration des rois de France dans la vallée, qui s'achève par le rattachement du Dauphiné à la France et par la constitution des États du Dauphiné en 1349.
- **1422** – Réunion des premiers États du Vivarais, chargés de répartir les impôts royaux.
- **1450** – Charles VII accorde à Lyon le monopole de la vente de la soie dans le royaume.

Renaissance

- **1452** – Création de l'université de Valence.
- **15e s.** – Début de la fabrication des armes à feu à St-Étienne.
- **1494** – Début des guerres d'Italie. Charles VII s'installe à Lyon avec la cour. Essor de la banque lyonnaise.

Le cardinal François de Tournon.

Les foires lyonnaises – Les premières foires de Lyon sont instituées en 1419 par le dauphin Charles, futur Charles VII. Dès 1463, Louis XI confirme les foires de Lyon par privilèges royaux. La ville devient une plaque commerciale et financière inévitable pour toute l'Europe. Au nombre de quatre par an au milieu du 15e s., les foires de Lyon déclinent au 16e s. pour des raisons fiscales et des difficultés économiques plus ou moins liées aux guerres d'Italie puis aux guerres de Religion.

L'établissement de la Réforme (1525-1560) – Dès 1525, la Réforme se propage vers les Cévennes par la vallée du Rhône, le Vivarais et la vallée de la Durance ; Lyon imprime et diffuse les doctrines prêchées à Bâle et à Genève.

Vers 1528, les premiers prédicateurs œuvrent à Annonay. Malgré la répression exercée par le Parlement de Toulouse, l'« hérésie » gagne du terrain. Le protestantisme est stimulé par le rayonnement, sur l'autre rive du Rhône, de l'Église vaudoise, réformée à partir de 1532, qui répand les influences genevoises et lyonnaises. Les habitants ont été sensibles aux idées calvinistes qui répondent à leur goût d'indépendance.

Insurrection des canuts (1834).

Vers 1550-1560, la Réforme achève sa conquête du pays (Lyonnais, Vivarais, Cévennes, Dauphiné). Les artisans sont rejoints par des savants (Olivier de Serres) et des nobles (comte Antoine de Crussol). Les « religionnaires » affirment publiquement leurs croyances. Comme à Genève, le protestantisme se durcit. Les « consistoires », assemblées représentatives et délibérantes, mènent campagne contre les festins, les danses, les cartes, les dés. Les biens de l'Église catholique sont mis en vente et, à la fin du siècle, le pays ne compte plus guère de « papistes ».

• **1532-1534** – Rabelais publie, coup sur coup, à Lyon à l'occasion des foires, son *Pantagruel* et son *Gargantua*.

• **1536** – Installation à Lyon d'une manufacture de la soie. François Ier prend possession du comté du Forez. Fondation du collège de Tournon, foyer de la culture de la Renaissance, par le cardinal François de Tournon.

• **1546** – Première église réformée lyonnaise.

Les guerres de Religion (1562-1598) – Catholiques et protestants de la région du Rhône ne tardent pas à s'affronter. Dans le Dauphiné et le Vivarais, c'est une guerre de sacs de villes et de massacres qui est menée par les « religionnaires » et les « papistes ». Le baron des Adrets s'empare des principales villes du Dauphiné, où il conduit le mouvement huguenot. Il décime la vallée du Rhône avec ses bandes, puis marche sur le Forez où il fait tomber Montbrison. Plus tard, passant à nouveau au catholicisme, sa foi d'origine, il se retourne contre les réformés, alors défendus par le connétable François de Lesdiguières.

La paix n'est rétablie qu'en 1596, et en 1598, Henri IV promulgue l'Édit de Nantes, stipulant que les sujets du roi, adeptes du protestantisme, obtiennent la liberté de conscience et des lieux de culte.

De Henri IV à La Révolution

• **1600** – Olivier de Serres, père de l'agriculture française, publie son *Théâtre d'agriculture et Mesnage des champs.*

• **1629** – Siège et destruction de Privas par les troupes royales.

• **17e s.** – Contre-Réforme : création de nombreux couvents (augustins, visitandines). Missions de saint François Régis en Velay et Vivarais.

La lutte contre le protestantisme – Au 17e s., la Contre-Réforme catholique refoule progressivement les réformés. À partir de 1661, Louis XIV, désirant réaliser l'unité politique et religieuse du royaume, entreprend une vive campagne contre la « religion prétendue réformée » et lance sur le Languedoc et les Cévennes les fameuses « dragonnades ». Ces persécutions conduisent à des abjurations massives. Louis XIV signe, le 18 octobre 1685, la révocation de l'Édit de Nantes : le culte réformé est interdit. Cette décision entraîne l'exode de nombreux huguenots vers les pays protestants : les conséquences pour la vie économique de la région et de la France sont importantes.

Après l'insurrection camisarde qui éclate dans les Cévennes entre 1702 et 1704, le protestantisme renaît clandestinement dans le Vivarais avec des prédicateurs comme Antoine Court jusqu'en 1787. Louis XVI promulgue alors l'édit de Tolérance qui met fin aux persécutions.

Révolution et dix-neuvième siècle

- **1790** – Première municipalité lyonnaise.
- **1793** – Résistance lyonnaise contre la Convention ; pour punir la ville, la Terreur y prend un caractère violent.
- **1800** – Début de la fabrication de la mousseline à Tarare.
- **1820** – Essor de la culture de la soie en Vivarais.
- **1827** – Construction du premier chemin de fer de St-Étienne à Andrézieux, puis en 1832, inauguration de la ligne St-Étienne-Lyon.
- **1831-1834** – Insurrections des canuts à Lyon.
- **1838** – Mise en service du canal de Roanne. Développement de l'industrie des cotonnades.
- **1850** – Crise de la pébrine, maladie du ver à soie. Déclin brutal de la sériciculture en Vivarais.
- **1863** – Fondation du Crédit Lyonnais.
- **1880** – Le phylloxéra détruit la moitié du vignoble ardéchois. Développement des vergers dans les vallées du Rhône et de l'Eyrieux.
- **fin 19e s.** – Création de l'industrie chimique lyonnaise et essor de la métallurgie.

Vingtième siècle

- **1905-1957** – Édouard Herriot est maire de Lyon : outre des travaux d'urbanisme, il rétablit la foire de Lyon en 1916. Il devient sénateur puis député du Rhône entre 1912 et 1957.
- **1923** – Premières coopératives vinicoles en Bas-Vivarais.
- **1934** – Création de la Compagnie nationale du Rhône pour l'aménagement du fleuve.

La Résistance – À la fin de 1940, Lyon devient la capitale de la Résistance réfugiée en zone libre. La ville est occupée par les Allemands le 11 novembre 1942, rendant plus dangereux les actes de résistance : en mai 1943, Jean Moulin est arrêté près de Lyon par la Gestapo.

- **1944** – Combats de la Libération dans la vallée du Rhône. Destruction par les Allemands des ponts du Rhône.
- **1948-1952** – Construction des ouvrages de Donzère-Mondragon.
- **1967** – Mise en service à Pierrelatte d'une usine de séparation isotopique, portant l'enrichissement de l'uranium à un taux supérieur à 90 %.
- **1972** – Création de la région Rhône-Alpes.
- **1981** – Mise en service du TGV Paris-Lyon.
- **1986-1998** – Fonctionnement à Creys-et-Pusignieu de Superphénix, premier réacteur européen à neutrons rapides.
- **1995** – Raymond Barre est élu maire de Lyon ; il prend la suite de Michel Noir.

Lyon, ville dynamique – Au-delà de son influence régionale, Lyon aspire à compter parmi les plus importantes capitales européennes. En 1996, elle confirme sa dimension internationale en accueillant le sommet du G 7. Sa « cité internationale », son opéra et son orchestre national ont su aussi se hisser au plus haut rang international. Rivale de Milan et Barcelone, Lyon signe cependant des accords depuis 1998 avec la Lombardie et la Catalogne afin de développer des liens économiques et politiques.

- **1998** – Le site historique de Lyon (confluent) est inscrit sur la liste du Patrimoine mondial de l'Humanité.

Jean Moulin.

ABC d'architecture

Architecture religieuse

VALENCE – Plan de la cathédrale St-Apollinaire (12e s.)

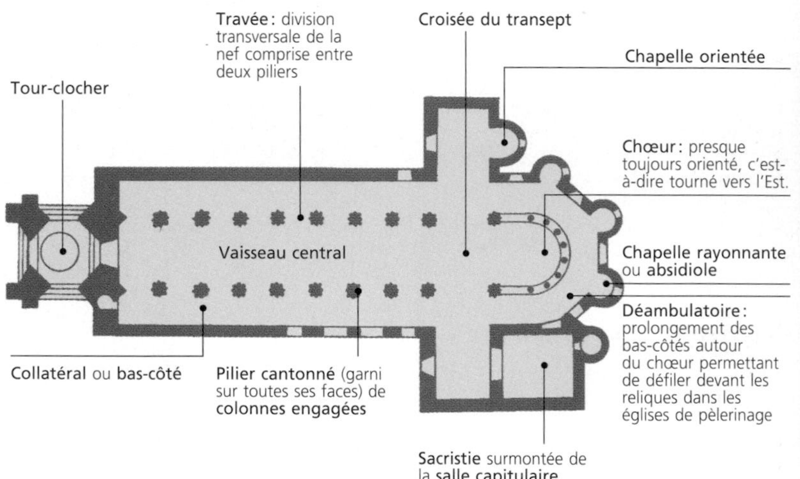

LA GARDE-ADHÉMAR – Coupe de l'église St-Michel (12e s.)

Restaurée au 19e s., cette petite église romane témoigne d'évolutions architecturales majeures dans l'art roman du 12e s.

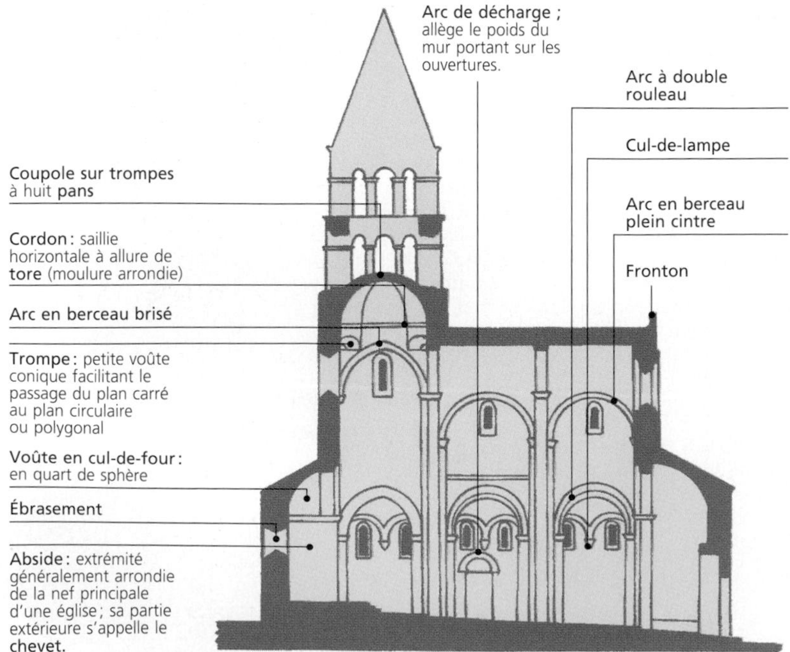

LE PUY-EN-VELAY – Portail de la chapelle St-Michel (12e s.)

Semblant s'élancer hors du rocher qu'elle couronne, cette chapelle, parfois qualifiée de « huitième merveille du monde », est nettement marquée par des influences orientales.

Oculus : baie ronde
Jeux d'appareil : dessin géométrique formé par le simple appareillage de pierres
Corniche
Rinceau : ornement de sculpture ou de peinture composé d'une tige végétale formant une frise
Archivolte
Arc trilobé
Sculpture en bas-relief : en faible saillie
Tympan
Tailloir
Linteau sculpté de sirènes affrontées
Chapiteau : tête de colonne, de pilier ou de pilastre qui reçoit les arcs de voûte ou supporte l'entablement.
Colonne en délit : isolée de la paroi par un bref intervalle

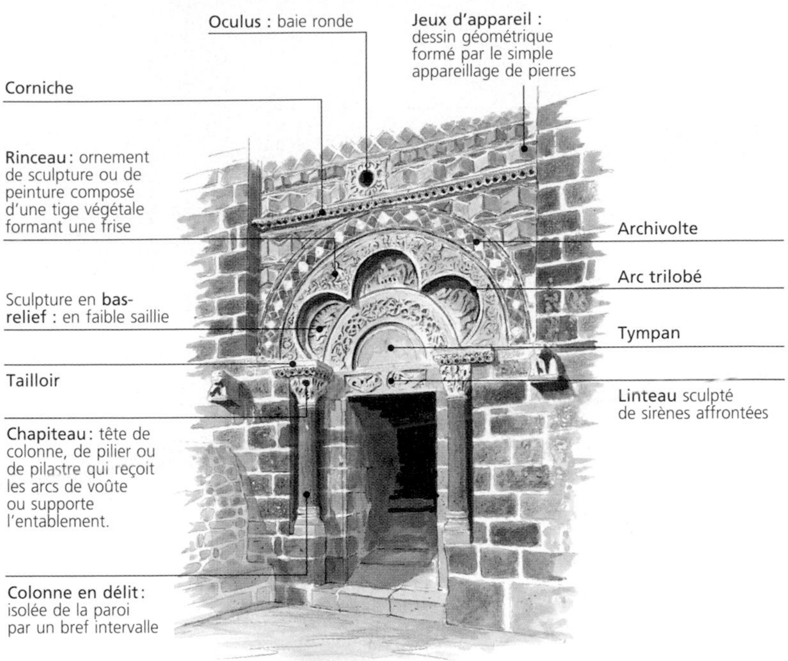

CRUAS – Ancienne abbatiale (11e au 13e s.)

Cette abbatiale vivaroise a bien résisté aux outrages du temps ; des fouilles mettent en évidence des trésors architecturaux caractéristiques des périodes carolingienne et romane.

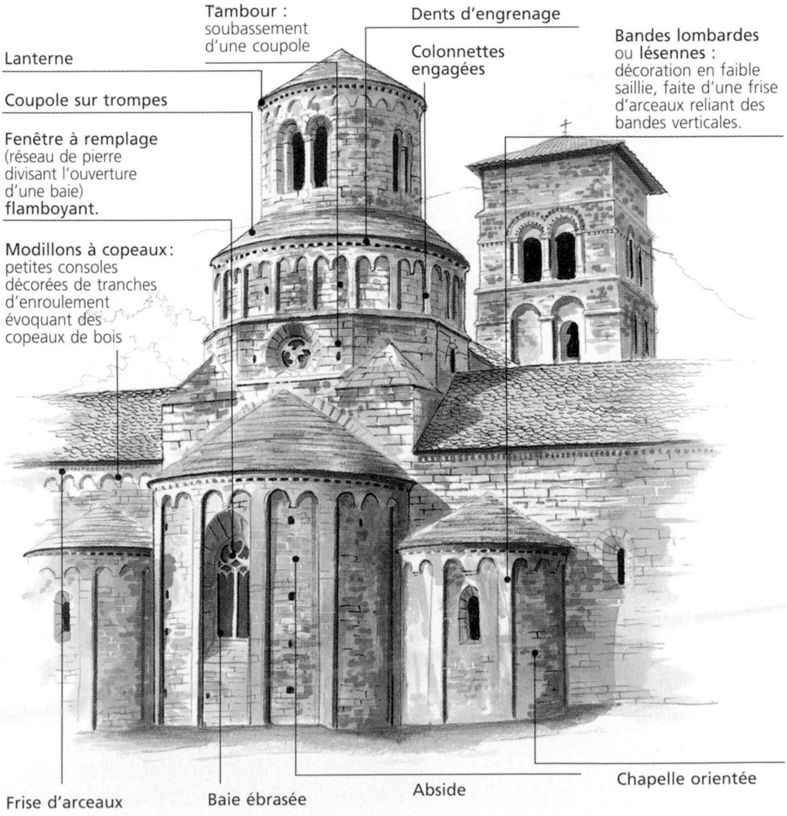

Tambour : soubassement d'une coupole
Dents d'engrenage
Lanterne
Colonnettes engagées
Bandes lombardes ou lésennes : décoration en faible saillie, faite d'une frise d'arceaux reliant des bandes verticales.
Coupole sur trompes
Fenêtre à remplage (réseau de pierre divisant l'ouverture d'une baie) flamboyant.
Modillons à copeaux : petites consoles décorées de tranches d'enroulement évoquant des copeaux de bois
Frise d'arceaux
Baie ébrasée
Abside
Chapelle orientée

LYON – Horloge astronomique de la primatiale-St-Jean (14e au 18e s.)

Amortissement : couronnement d'un édifice ou d'une partie d'édifice

Dôme

Pot-à-feu : élément décoratif en forme de vase coiffé d'une flamme, caractéristique de l'architecture classique.

Fronton en plein cintre

Corniche : saillie horizontale composée de moulures en surplomb les unes sur les autres

Cartouche : ornement disposé autour d'un espace vide destiné à recevoir une inscription

Édicule à niche

Astrolabe : instrument donnant la position des astres par rapport à la terre

Console à volutes

VILLEFRANCHE-SUR-SAÔNE Chaire en marbre (17e s.)

Abat-voix

Dorsal

Cuve

Rampe en fer forgé

Pied

LE PUY-EN-VELAY – Maître-autel de la cathédrale Notre-Dame (1723)

Couronnement

Retable : élément de décor sculpté en marbre ou en orfèvrerie, parfois monumental, placé sur ou derrière et au-dessus de la table d'autel.

Prédelle : base d'un retable divisée en petits panneaux

Table d'autel

Antependium : devant, parement d'autel.

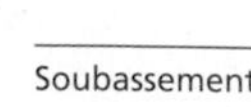

Soubassement

LYON – Primatiale St-Jean (12e au 15e s.)

Cette cathédrale doit son nom au rang de l'Archevêque de Lyon qui est « Primat des Gaules » depuis 1079.

Ogive
Voûte sexpartite : voûte sur croisée d'ogives embrassant deux travées séparées par un doubleau intermédiaire et délimitant six compartiments
Voûtain ou quartier : portion de voûte délimitée par des arêtes ou des nervures
Arcades géminées
Grande arcade : sépare la nef des bas-côtés
Colonne en perche : engagée dans un pilier, et recevant une nervure de voûte.
Clé de voûte
Arc triomphal : grande arcade qui sépare la nef centrale du transept et du chœur
Grande rose ou rosace
Abside à sept pans
Triforium aveugle : série d'ouvertures simulées pratiquées entre les grandes arcades et les fenêtres hautes

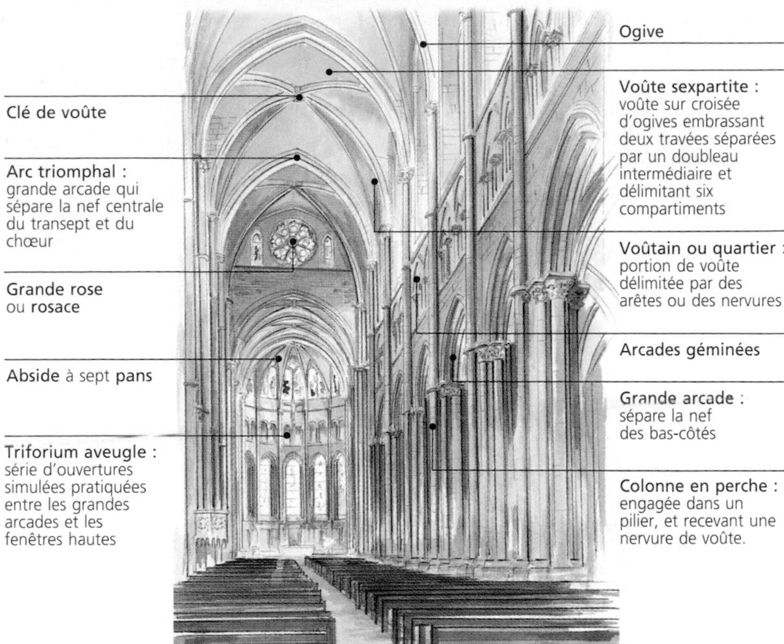

LYON – Basilique Notre-Dame de Fourvière (19e s.)

Réalisée par l'architecte Bossan, cette « citadelle » surprend par ses proportions massives à peine atténuées par une riche et abondante décoration.

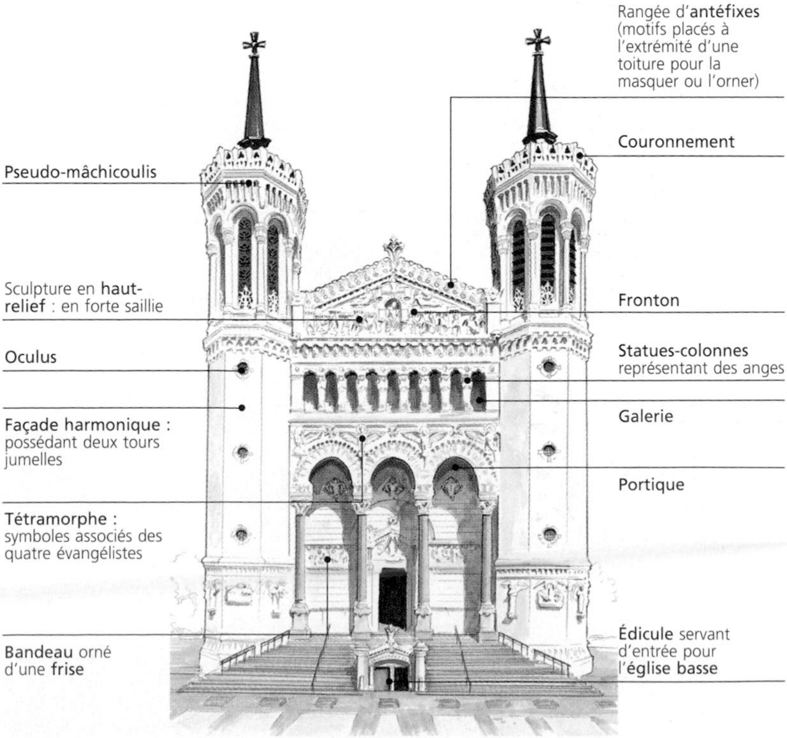

Rangée d'antéfixes (motifs placés à l'extrémité d'une toiture pour la masquer ou l'orner)
Couronnement
Fronton
Statues-colonnes représentant des anges
Galerie
Portique
Édicule servant d'entrée pour l'église basse
Pseudo-mâchicoulis
Sculpture en haut-relief : en forte saillie
Oculus
Façade harmonique : possédant deux tours jumelles
Tétramorphe : symboles associés des quatre évangélistes
Bandeau orné d'une frise

Architecture militaire

MONTÉLIMAR – Château des Adhémar (12e s.)

Cette puissante forteresse, solidement ancrée sur la colline qui domine la ville, regroupe en réalité les vestiges de deux châteaux occupés par des frères de la famille Adhémar au début du 13e s.

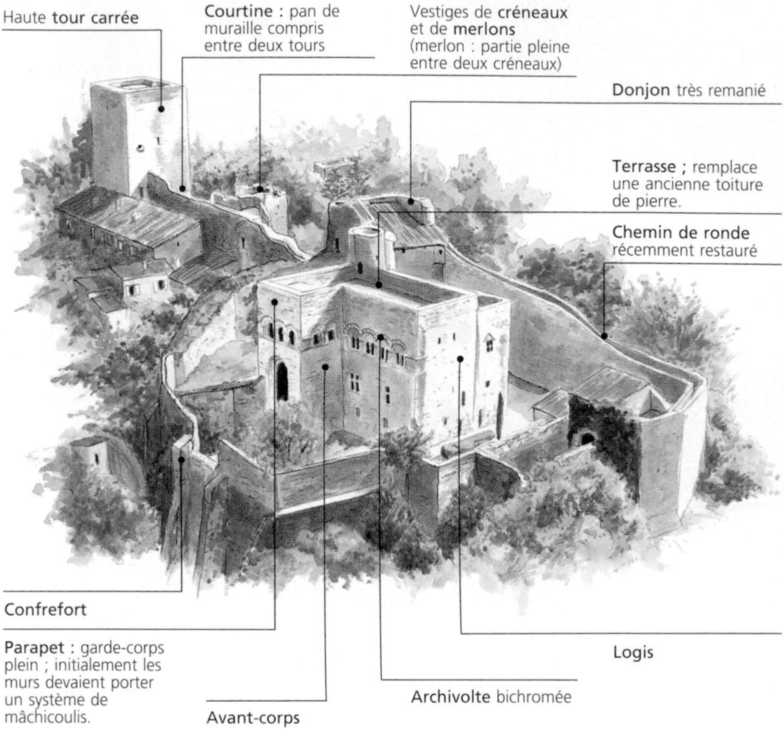

Haute **tour carrée**
Courtine : pan de muraille compris entre deux tours
Vestiges de **créneaux** et de **merlons** (merlon : partie pleine entre deux créneaux)
Donjon très remanié
Terrasse ; remplace une ancienne toiture de pierre.
Chemin de ronde récemment restauré
Confrefort
Parapet : garde-corps plein ; initialement les murs devaient porter un système de mâchicoulis.
Avant-corps
Archivolte bichromée
Logis

Architecture civile

LA BASTIE-D'URFÉ (14e au 16e s.)

Ce joyau de la Renaissance, bordé par le Lignon, est un exemple très abouti des transformations inspirées par la Renaissance italienne pour égayer et orner les austères manoirs de province.

Fenêtres à meneaux ; le **meneau** est l'élément vertical d'un **remplage**.
Colonnes accouplées
Tympan ajouré
Lucarne
Galerie
Pavillon formant loggia
Corniche « à la génoise »
Bandeau : division horizontale et saillante d'une surface verticale
Balustrade : garde-corps formé d'une file de balustres
Piédestal : socle formant le soubassement d'une colonne ou d'une statue
Rampe d'accès

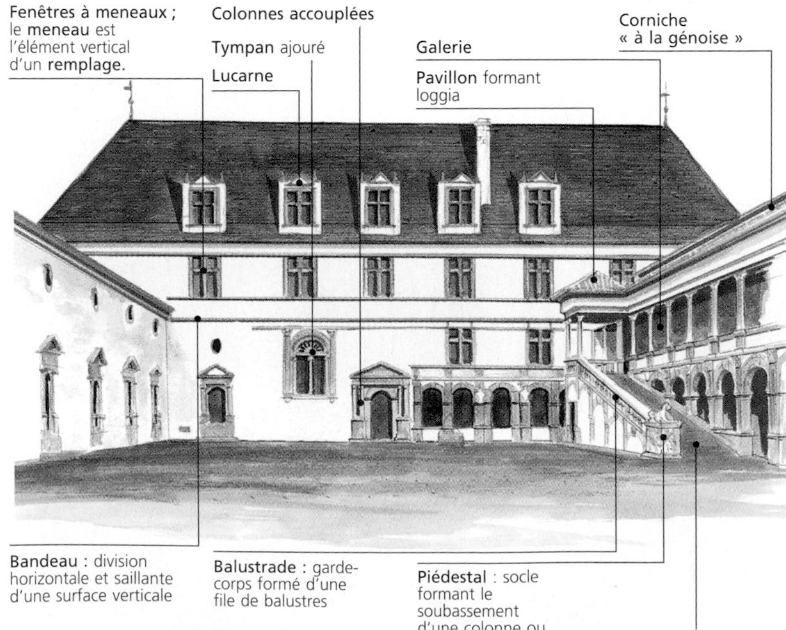

MARCY-L'ÉTOILE – Château de Lacroix-Laval (17e et 18e s.)

Remanié sur les conseils de Soufflot au 18e s., ce château a été complètement « mis à sac » à la Révolution. Plusieurs fois restauré, il a conservé une façade classique représentative des demeures d'agrément du 18e s.

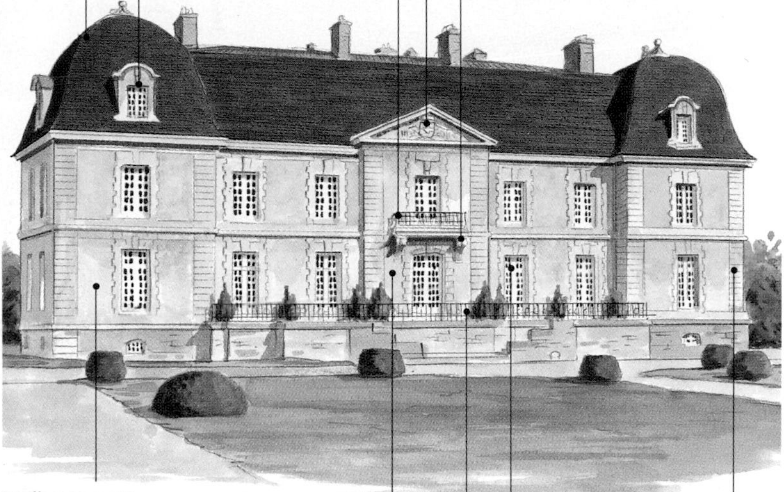

Toit à l'impériale
Lucarne
Fronton triangulaire
Balcon en ferronnerie
Console à volutes
Pavillon en avant-corps
Avant-corps : partie d'un bâtiment faisant saillie sur toute la hauteur et sur l'alignement de la façade, toit compris.
Terrasse
Imposte : partie supérieure d'une baie de porte ou de fenêtre
Jambe en bossage ; le **bossage** est la saillie laissée sur parement d'une pierre taillée.

Architecture industrielle

LYON – Halle Tony-Garnier (1914)

Cette « cathédrale de fer », véritable prouesse technique permettant de couvrir près de 18 000 m² sans piliers, a été conçue au début du siècle par l'architecte lyonnais Tony Garnier. Bien qu'ayant changé de vocation, elle reste une référence et marque l'architecture industrielle contemporaine.

Façade à redans ; les **redans** sont les ressauts d'un mur formant comme des marches d'escalier.
Cordon
Baie aveugle
Baie couverte en segment
Clé de voûte passante
À l'intérieur, **charpente métallique à rotules.**
Obélisque
Contrefort

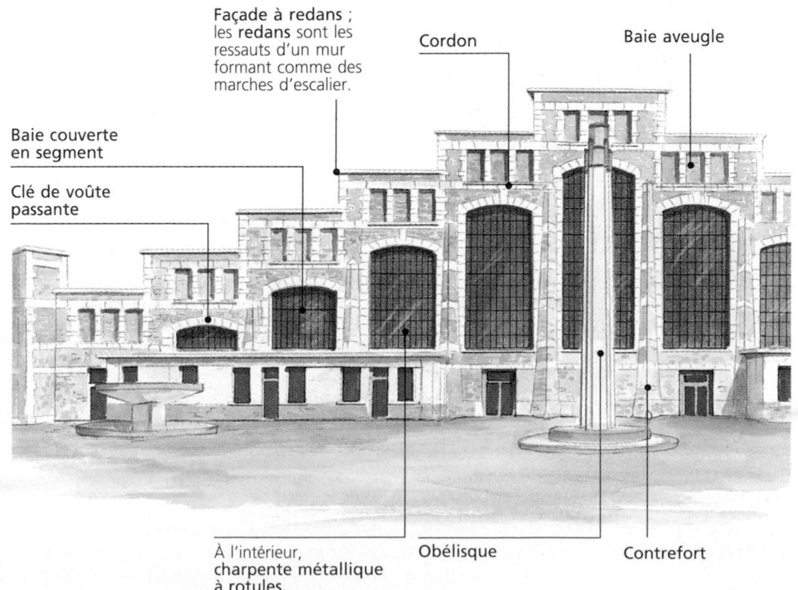

L'art

La situation géographique de la vallée du Rhône, trait d'union entre le Nord de l'Europe et la Méditerranée, a favorisé le mélange de styles architecturaux. Ces diverses influences contribuent à la richesse du patrimoine artistique de la région, au même titre que les vestiges des civilisations antiques ou les créations contemporaines.

Les monuments romains

Mort et résurrection des cités antiques

Les cités romaines de Lyon et de Vienne, au faîte de leur splendeur au 2e s. ap. J.-C., déclinent à partir du 4e s. Les troubles et les incursions barbares occasionnent des ravages multiples.

Au Moyen Âge, les grands monuments servent de carrière. Rares sont les vestiges gallo-romains encore visibles. À partir de 1922 à Vienne et de 1933 à Lyon, sur les chantiers des sites archéologiques, des ensembles monumentaux remarquables sont exhumés : des théâtres, des odéons.

Les théâtres

Ils se composent de gradins ceinturés par une colonnade, d'un orchestre réservé aux personnes de marque, et d'une scène surélevée par rapport à l'orchestre.

Les acteurs jouent en avant d'un mur percé de portes par où se font leurs entrées. Derrière le mur de scène richement décoré se trouvent les loges des acteurs et les magasins. Au-delà encore, un portique donnant sur des jardins reçoit les acteurs avant leur entrée en scène. Les spectateurs viennent s'y promener pendant les entractes ou s'y abriter de la pluie. L'acoustique des théâtres romains étonne encore dans ces édifices à moitié détruits.

Les temples

Demeures des dieux et non lieux de culte, les temples se composent d'un sanctuaire fermé contenant une effigie divine #t# qui peut être également celle d'un empereur divinisé – et d'un vestibule ouvert. Les temples sont entourés partiellement ou totalement d'une colonnade. Le temple d'Auguste et de Livie à Vienne, comparable à la Maison carrée de Nîmes, est l'un des derniers temples romains dans la région ; seules les grandes cités en possèdent un. À l'image des temples romains d'Italie, celui de Vienne est construit sur un podium auquel on accède par un escalier frontal ; le portique est profond, la colonnade avec ses chapiteaux à feuillage enroulé est d'ordre corinthien. De dimensions imposantes et majestueuses, ces temples reflétaient, de par leur architecture, la grandeur d'un règne et l'importance de la cité.

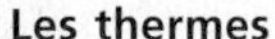

Les thermes

Les thermes romains, gratuits, sont à la fois bains publics, établissements de culture physique, clubs, casinos, centres de conférences. Le fonctionnement des thermes prouve une grande maîtrise des problèmes d'adduction d'eau et de chauffage. L'eau arrive par un aqueduc, elle est accumulée dans des citernes, puis distribuée par un circuit de canalisations en plomb et en mortier ; l'évacuation se fait par un réseau d'égouts. Le chauffage de l'eau et des pièces est assuré par un système de foyer et d'hypocaustes en sous-sol.

Dans ces très vastes bâtiments, la décoration est somptueuse : colonnes et chapiteaux rehaussés de couleurs vives, parements de mosaïques, revêtements de marbres de couleur, voûtes à riches caissons, fresques sur les murs.

Thermes des Lutteurs à St-Romain-en-Gal.

Temple d'Auguste et de Livie à Vienne.

L'amphithéâtre

L'élément principal est l'arène, de forme ovale généralement, où se donnent les spectacles : combats de fauves ou de gladiateurs, exécutions de condamnés non citoyens romains qui sont livrés aux bêtes ou au bourreau. Le cri « aux lions, les chrétiens » est resté tristement célèbre. Autour de l'arène s'ordonnent les gradins qui reçoivent les spectateurs. Lyon, centre du culte officiel de Rome en Gaule, se devait d'avoir un amphithéâtre : c'est l'amphithéâtre des Trois Gaules.

Le cirque

Il attire les foules passionnées de courses de chars. Au milieu de la piste se trouve une longue construction rectangulaire, la *spina*, marquée au centre par une « pyramide » et limitée à chaque extrémité par de grosses bornes semi-circulaires. Les chevaux et les cochers portent les couleurs blanches, bleues, rouges ou vertes des factions rivales qui organisent la compétition. Le cirque est construit en grande partie en bois.

Porche de l'église de St-Restitut (12e s.).

L'art roman

La vallée du Rhône n'est pas à l'origine d'une grande école comme la Bourgogne ou l'Auvergne. La diversité de ses régions, de ses reliefs et de ses paysages se retrouve dans la floraison d'églises romanes qui reprennent, mêlent, et parfois subliment des influences artistiques très différentes.

Lyonnais et région de Vienne

Les églises romanes de ces régions assurent la transition entre la Bourgogne, la Provence et le Velay. Parmi les monuments majeurs de la région lyonnaise, la basilique St-Martin-d'Ainay à Lyon est reconnaissable à la toiture de son clocher-porche (pyramide encadrée d'acrotères) ; l'influence bourguignonne se retrouve surtout dans la composition intérieure et le décor des chapiteaux.

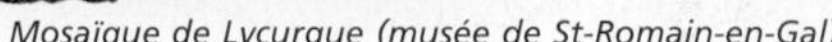

Mosaïque de Lycurgue (musée de St-Romain-en-Gal).

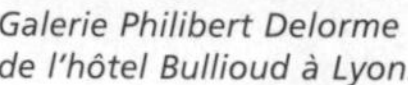

Galerie Philibert Delorme de l'hôtel Bullioud à Lyon.

Plus en aval sur le Rhône, l'église St-Pierre de Vienne présente également un imposant clocher-porche à trois niveaux d'arcades. Mais la présence d'arcs trilobés évoque déjà le Velay ou la Provence.

Forez-Velay

La Loire et le Forez ont largement bénéficié du rayonnement artistique de l'école de Cluny. Souvent fortifiées, les églises sont d'une sobre élégance comme en témoigne le portail de l'église de Bourg-Argental. Le contraste est frappant avec le Velay où la pierre rouge donne un ton très différent aux églises et prieurés, qui dépendaient souvent de monastères auvergnats. L'école auvergnate y est bien présente, mais est associée à des influences orientales très marquées, dont les styles s'intègrent parfaitement à l'architecture romane française. La richesse, voire l'exubérance de certains décors byzantins, triomphe dans le portail de la chapelle St-Michel-d'Aiguilhe ou dans la cathédrale du Puy.

Vivarais-Tricastin

En Vivarais, l'église romane est remarquable par l'équilibre de ses volumes et la sobriété de ses formes. L'exemple le plus abouti en est certainement l'abbatiale de Cruas.
Dans le Bas-Rhône, les traditions antiques persistent dans certaines églises : portail à fronton triangulaire, chapiteaux à feuilles d'acanthe, frise sous le faux triforium. Le plan présente aussi des particularités : les absides de l'église de La Garde-Adhémar sont opposées.

Détail de l'hôtel de ville de Lyon.

Du gothique à nos jours

Période gothique (13e-15e s.)

Dans la vallée du Rhône et les régions voisines, l'époque gothique est loin d'être aussi riche en œuvres d'art que la période romane. L'emploi systématique de la croisée d'ogives et de l'arc brisé constitue le caractère essentiel de l'architecture religieuse. Désormais, l'architecte dirige les poussées de l'édifice sur les quatre piliers déterminant une travée au moyen des arcs, ogives, formerets et doubleaux. Il suffit alors d'épauler les piliers par des contreforts et des arcs-boutants. L'église ainsi soutenue, on peut évider les murs et garnir les baies de vitraux. Avec le style flamboyant apparaissent des arcs purement décoratifs, dits liernes et tiercerons. La vallée du Rhône n'a subi que des influences méridionales, discernables dans la largeur des édifices et l'horizontalité de leurs toits. Les cathédrales de Lyon et de Vienne, amples monuments aux lignes austères et rudes, sont intéressantes dans leurs détails. L'abbatiale de St-Antoine (12e s.-15e s.) permet de suivre l'évolution du style gothique de sa naissance à son déclin. L'église St-Nizier de Lyon et celle d'Ambierle offrent de bons exemples du style flamboyant, sans les outrances habituelles du genre.
L'architecture militaire issue de la féodalité rhodanienne et vellave est abondamment représentée en cette marche-frontière entre le « Royaume » et « l'Empire » : châteaux ruinés de Rochemaure, de Tournon, de Crussol ou de Polignac.

Période Renaissance (16e s.)

Sous l'influence de l'Italie, l'architecture Renaissance suit une orientation nouvelle marquée par le retour aux formes antiques.
La Renaissance italienne a trouvé dans le sillon rhodanien son principal chemin d'accès vers le Nord de la France. Elle a laissé son empreinte à la maison des Chevaliers à Viviers, au château de la Rochelambert dans le Velay, dans certaines maisons lyonnaises des quartiers St-Jean et St-Nizier et, près de Feurs, au château de la Bastie-d'Urfé.

Période classique (17e-18e s.)

Tantôt sobre et relevant de la manière antique, tantôt surchargé et s'inspirant de l'esprit baroque, l'art classique a laissé maintes traces dans la vallée du Rhône, mais on ne découvre d'ensembles majeurs qu'à Lyon.

La halte des artistes lyonnais, par J.-A. Duclaux (musée des Beaux-Arts, Lyon).

Au 17e s., l'urbanisme classique trouve son principal champ d'action dans le quartier des Terreaux et, au 18e s., dans les quartiers de Bellecour et Perrache : la place Bellecour, tracée sous Louis XIV et encadrée d'immeubles Louis XVI, en est l'élément capital. L'architecte lyonnais Soufflot (1710-1783), auteur du Panthéon à Paris, fait figure de chef d'école à l'égard du style Louis XVI par son souci de remettre l'Antiquité à l'honneur.

Période moderne (19e-20e s.)

Au 19e s., l'école lyonnaise de peinture, partagée entre le réalisme et l'idéalisme, allie une certaine austérité allant parfois jusqu'à la mélancolie, sensible dans les portraits, les paysages, les natures mortes et même les grandes compositions décoratives à la Puvis de Chavannes.

À la suite du dessinateur Jean-Jacques de Boissieu (1736-1810) et du paysagiste Pillement (1728-1808) s'imposent, dans la première moitié du siècle, des artistes réalistes, tels Berjon (1754-1808), auteur attentif de natures mortes et de portraits, puis Grobon (1770-1853) qui se consacre surtout au paysage. Vers 1840, la peinture lyonnaise est marquée par un fort courant mystique dont le chef-d'œuvre est certainement le célèbre *Poème de l'âme* de Louis Janmot (1814-1892).

La seconde partie du siècle voit régner le triumvirat composé de Ravier (1814-1895), Carrand (1821-1899) et Vernay (1821-1896), aux paysages riches en effets de lumière, et souvent dramatiques en ce qui concerne Ravier, le plus doué des trois. Cependant, un courant idéaliste persiste avec Puvis de Chavannes (1824-1898), grand décorateur qui compose les peintures murales de l'escalier du musée des Beaux-Arts de Lyon.

Vue aérienne de l'aéroport Lyon-St-Exupéry.

L'art des architectes et des ingénieurs s'est exercé à Lyon lors de la construction de la basilique de Fourvière, élevée dans un style byzantino-médiéval original, et sur le Rhône dans le lancement, à partir de 1825, de ponts suspendus en fer qui, après la Seconde Guerre mondiale, furent remplacés par des ouvrages en béton. Depuis 1945 ont été édifiés des monuments religieux d'une conception neuve comme le couvent d'Éveux, l'église de Pouzin ainsi que des ensembles urbains comme Firminy (Le Corbusier) et le quartier de La Part-Dieu à Lyon. L'œuvre la plus spectaculaire de la fin du 20e s. est l'aéroport de Lyon-Saint-Exupéry, anciennement Lyon-Satolas (Calatrava).

Le château de Crussol.

Villes et sites

Alba-la-Romaine

Comment ne pas être surpris, en arrivant sur Alba, par l'austère silhouette du château qui se détache au-dessus du vignoble et de la ville. Il domine un lacis de ruelles qui cachent d'anciennes maisons du 15e s. Mais il ne faudrait pas oublier que la ville a été « romaine », ce que confirme son célèbre site archéologique : parmi les nombreux vestiges, l'ancien théâtre romain revit lors de très belles représentations estivales.

La situation

Cartes Michelin nos 80 pli 9 ou 246 plis 21 ou 22 – Ardèche (07). Entre Montélimar et Aubenas, Alba se regroupe dans l'ancienne enceinte du château au-dessus de La Roche et de la ville romaine qui couvre quelque 30 ha autour de la D 107.

Le nom

Il faut remonter à l'époque pré-celtique pour retrouver l'origine du nom *Alba* qui désignait une colline, une forteresse. La ville a été très marquée par la famille d'Aps, propriétaire des lieux, au point de porter son nom des siècles durant. Elle n'a retrouvé son nom antique qu'en 1903.

Les gens

1135 Albéens. La double nationalité ne date pas d'hier et les anciens habitants d'Alba en ont profité pendant les premiers siècles de notre ère : Helviens et donc Gaulois, ils avaient le rang de citoyens romains.

L'étonnant château féodal surplombe fièrement la plaine de L'Escoutay.

comprendre

Une ville romaine et médiévale – Au pied du village actuel, dans la plaine de l'Escoutay, s'élevait, sous l'Empire romain, « *Alba Helviorum* », la **capitale des Helviens** dont le territoire couvrait à peu près l'actuel Bas-Vivarais.

carnet pratique

HÉBERGEMENT ET RESTAURATION

• *À bon compte*

Chambre d'hôte Le Jeu du Mail – *☎ 04 75 52 41 59 - lejeudumail@free.fr - fermé du 1er nov. au 1er mars - ⊭ - 5 ch. : 40/58€.* Dans les années 1970, ils furent parmi les premiers à ouvrir des chambres d'hôte en Ardèche... Depuis, ils n'ont jamais cessé de recevoir, avec un plaisir évident, dans leur chaleureuse demeure. En lisière du village, calme de la campagne garanti et petit-déjeuner sous la treille... Piscine et jardin.

• *Valeur sûre*

Hostellerie Gourmande « Mère Biquette » – *07580 St-Pons - 6 km au N d'Alba par N 102 et D 293 - ☎ 04 75 36 72 61 - fermé 15 déc. au 1er fév. - P - 9 ch. : 51,83/68,60€ - ☕ 7,62€ - restaurant 15,24/38,11€.* Entre vignes et châtaigniers, en pleine nature, cette maison est un délice pour les amoureux de la campagne. Calme et tranquillité assurés dans ses chambres joliment meublées. Cuisine de terroir servie sur une belle terrasse avec vue en été. Piscine et tennis.

Vers la fin du 4e s. ou au début du 5e s. fut établi à Alba un siège épiscopal qui, aux alentours de 475, fut transféré à Viviers. La ville, déchue de son rang de cité, eut, par la suite, à subir les invasions barbares, puis sombra dans un lent déclin.
Ce n'est qu'au Moyen Âge que l'on retrouve trace d'une communauté villageoise groupée autour d'un donjon et protégée par une solide enceinte.

ALBA HELVIORUM
La ville, embellie par Auguste, offrait le visage d'une cité gallo-romaine traditionnelle, avec forum, thermes, aqueduc, théâtre, cirque, curie et de nombreux temples.

Traversées par un petit ruisseau, les ruines en partie relevées du théâtre sont un cadre magique pour les représentations estivales.

se promener

Le bourg médiéval*

Regroupé autour du château féodal, il est circonscrit dans le périmètre de l'ancienne enceinte fortifiée. Remarquez les inscriptions, linteaux datés et sculptures en réemploi.

EN RÉSEAU
De nombreuses maisons du 15e s., avec escalier extérieur, sont reliées par un ensemble de ruelles sous voûtes, notamment la Grande-Rue et la rue du Four.

La ville romaine

De part et d'autre de la D 107, des vestiges de l'ancienne Alba ont été mis au jour, notamment à droite en direction de Viviers, ceux des thermes *(aujourd'hui recouverts)* et de deux maisons *(dans une propriété privée)*. À gauche par un chemin descendant, on atteint le théâtre et un vaste complexe comprenant un sanctuaire et un forum, bordés par une voie Nord-Sud, le *cardo*.

Les vestiges paléochrétiens

Le croisement de la D 263 et de la D 107 délimite un enclos de fouilles révélant un ensemble d'églises et de ruines paléochrétiennes. L'église romane du 12e s., représentant la partie la mieux conservée, servit d'église paroissiale du Moyen Âge au début du 16e s.

La Roche

1 km au Sud. En bordure de l'Escoutay, le village médiéval de La Roche est également dominé par un neck basaltique. Les restes de ses remparts transformés en maisons d'habitation sont, avec ses ruelles enchevêtrées, une agréable invitation à la flânerie.

visiter

Château d'Alba

De fin juin à mi-sept. : 10h-12h, 15h-19h ; de Pâques à la Toussaint : 14h-18h (de mi-mai à déb. nov. : dim. et j. fériés 14h-18h). 3,05€. ☎ 04 75 52 42 90.
Établi sur un neck basaltique, ce château, élevé au 17e s. à l'emplacement d'un donjon du 11e s., dresse sa silhouette de grosse bastide méridionale au-dessus de la rivière et du bourg. À l'intérieur, rénové, certaines salles abritent des expositions de peinture en saison.

Église St-André

Sam. 9h-12h.
Bâtie au 16e s., avec réemploi de matériaux gallo-romains, elle abrite de beaux objets religieux des 16e et 17e s. et une belle Annonciation du 17e s.

Vue du ciel
Par un sentier escarpé, on peut accéder (1/2h) au sommet du rocher que coiffe une statue de la Vierge. Par temps dégagé, beau **panorama★** sur la coulée basaltique des Coirons à l'Ouest et la plaine d'Alba au Sud.

alentours

Sceautres

8 km au Nord par la D 263. Ce minuscule village, blotti sur un replat herbeux en bout de vallée, semble écrasé contre le rocher de basalte noir qui le domine. Ce **site★** étrange est constitué d'un neck, dégagé des flancs d'un ancien volcan par le tumultueux torrent qui coule à son pied.

Annonay

Objet volant non identifié ? Eh non, c'est une fidèle reconstitution du premier vol en montgolfière à Annonay.

C'est un grand moment chaque année quand, pendant la Fête des montgolfières, des dizaines d'aérostats multicolores s'élèvent majestueusement au-dessus de la ville. Quel bel hommage pour une cité qui a vu naître tant de savants et particulièrement les frères Montgolfier ! Hommage aussi à une ville active, réputée pour le dynamisme de ses entreprises qui ont longtemps profité de la force des rivières : travail de la laine et du cuir dès le Moyen Âge, célèbres papeteries...

La situation

Cartes Michelin n°s 76 pli 10 ou 246 pli 18 – Ardèche (07). 15 km au Sud-Ouest de Serrières, au Sud du Parc naturel régional du Pilat, Annonay est établie dans une profonde entaille du plateau vivarois, au confluent de la Deûme et de la Cance.

Pl. des Cordeliers, 07100 Annonay, ☎ 04 75 33 24 51.

Le nom

Annona, déesse romaine (approvisionnement), *Annonacum*, domaine d'Annonus, et bien d'autres étymologies latines sont proposées. Seul problème, on ne connaît pas de présence romaine dans la ville !

Les gens

17 522 Annonéens. Sur terre comme dans les airs, l'imagination fertile des ingénieurs annonéens a largement contribué au développement des transports : montgolfière, ponts, locomotive, moteur rotatif d'aviation... Que vont-il nous inventer au 21e s. ?

Les « stars »
Les gloires annonéennes sont trop nombreuses pour être citées de manière exhaustive. Mais au sommet du box-office reviennent immanquablement les familles **Montgolfier** et **Seguin** qui ont beaucoup contribué à la renommée de la ville.

se promener

LA VIEILLE VILLE

Les vieux quartiers, qui s'étagent sur les collines enserrant les deux rivières, font l'objet d'une vaste campagne de restauration.

Une expérience aérostatique

Les frères Montgolfier avaient remarqué la force ascensionnelle de l'air chaud. Après plusieurs essais concluants pour capter cette énergie et l'exploiter, ils expérimentent leur procédé publiquement, à Annonay, le 4 juin 1783, en présence des États particuliers du Vivarais. Un aérostat de 769 m³ est lancé ; les fuseaux qui forment l'enveloppe sont confectionnés avec de la toile d'emballage et du papier ; ils sont assemblés par quelque 1 800 boutonnières. Il s'élève en neuf minutes et demie à sa hauteur maximale (entre 1 000 et 2 000 m selon les divers témoignages), demeure en l'air pendant une demi-heure et finalement atterrit à plus de 2 km du lieu de lancement. L'aérostation, prélude de l'aviation, était née.

Un obélisque, dressé au rond-point de l'avenue Marc-Seguin, une plaque, apposée place des Cordeliers où eut lieu l'expérience, ainsi qu'une reconstitution historique du premier envol commémorent cet exploit.

carnet pratique

RESTAURATION

● ***Valeur sûre***

Restaurant La Moustache Gourmande – *Le Village - 07430 St-Clair - 3,5 km d'Annonay par D 206, puis D 342 par Boulieu-lès-Annonay - ☎ 04 75 67 01 81 - fermé vac. scol. de fév., 15 j. en sept. et mer. - 15€ déj. - 28€.* Dans un charmant village, ce restaurant tenu par un jovial Charentais a bonne réputation. Il faut dire que tous les produits servis ici sont frais et que la terrasse est exceptionnelle... Vue superbe et calme garanti pour savourer les poissons et autres plats du chef.

HÉBERGEMENT

● ***À bon compte***

Chambre d'hôte La Désirade – *07340 St-Désirat - 15 km à l'E d'Annonay par D 82 dir. Andance, puis rte secondaire - ☎ 04 75 34 21 88 - fermé Noël et 1er janv. - ⊄ - réserv. obligatoire - 6 ch. : 31/43€ - repas 16€.* Dans les vignes et les arbres, cette maison bourgeoise du 19e s. entièrement rénovée ne manque pas de charme : ses chambres sont simples, claires et agréables. Elles donnent sur la cour et son magnolia ou sur le parc et le vignoble... Cuisine régionale soignée.

● ***Valeur sûre***

Hôtel D'Ay – *Au golf de Gourdan - 6,5 km au N d'Annonay par D 519, puis N 82 vers St-Étienne - ☎ 04 75 67 01 00 - P - 33 ch. : 45,73/73,18€ - ☕ 6,86€ - restaurant 13,11/22,11€.* Agréablement situé sur un golf arboré de 18 trous, cet hôtel moderne vous permettra de goûter à la quiétude environnante. Ses grandes chambres meublées de rotin sont bien équipées.

LOISIRS-DÉTENTE

À l'aventure

Les Accros-branchés – *M. Noúi Baben, BP4, 07103 Annonay Cedex, ☎ 04 75 67 52 20. www.accrobranche.com*
Pour les amateurs de sensations qui feront connaissance avec le milieu forestier en se promenant sur les cimes des arbres. Accompagnement en toute sécurité par des professionnels (grimpeurs-élagueurs).

Partir de la place de la Libération.

Sur cette place se dresse la statue des frères Montgolfier, érigée en 1883 à l'occasion du premier centenaire commémorant le succès de leurs expériences aérostatiques. À gauche du bureau de poste, un petit belvédère offre une **vue** sur la vallée de la Cance et le parc Mignot en contrebas, à droite.

Emprunter la rue Boissy d'Anglas.

Chapelle de Trachin

Seul vestige d'un prieuré fondé en 1320 par **Guy Trachin**, bourgeois d'Annonay, cet édifice gothique, qui a échappé aux destructions des guerres de Religion, servit à différentes reprises de chapelle de confrérie et d'église paroissiale.

SOUS SURVEILLANCE
La haute flèche de pierre de la chapelle Trachin est du 16e s. Sans doute pour veiller sur son œuvre, une sculpture représentant la tête du fondateur surmonte le porche Nord ; au-dessus, une Vierge à l'Enfant du 17e s.

S'engager dans la montée du Château, en contrebas de la place de la Liberté.

Portes fortifiées

La montée du Château s'élève en rampe raide jusqu'à une ancienne porte à mâchicoulis, vestige des Rohan-Soubise. Une seconde porte d'enceinte subsiste à droite, rue de Bourgville.

La rue Montgolfier mène au pont du même nom.

Pont Montgolfier

Jeté sur la Deûme, il offre en amont une **vue** sur le vieux **pont Valgelas**, du 14e s., en dos d'âne et le couvent Ste-Marie, élevé au 16e s. En aval, la Deûme s'engage dans le **défilé des Fouines**, étroit et sombre passage rocheux bordé de mégisseries désaffectées.

Place des Cordeliers

Elle doit son nom à l'ancien couvent édifié à l'emplacement où s'élève aujourd'hui le théâtre.

POUR MÉMOIRE
Sur la place des Cordeliers, à droite de l'Office de tourisme, une plaque rappelle la première expérience publique des frères Montgolfier. Au Nord-Ouest de la place de la Liberté s'élève la statue de Marc Seguin. Mais sa maison natale, signalée par une plaque, se trouve dans la rue Franki-Kramer.

Regagner le pont Valgelas et emprunter les pittoresques voûtes Soubise ainsi que la rue Barville, en escalier. Par la rue de Deûme, gagner l'avenue de l'Europe.

À l'intersection de l'avenue de l'Europe, qui couvre en partie la Deûme, et de la rue de la Valette s'offre, à gauche, une **vue** sur la **tour des Martyrs** (12-13e s.), dernier vestige des remparts de la vieille ville, et l'ancien couvent Ste-Marie.

Place de la Liberté

Très animée le mercredi et le samedi, jours de marché, elle occupe le cœur de la cité. Jolie vue sur la chapelle de Trachin.

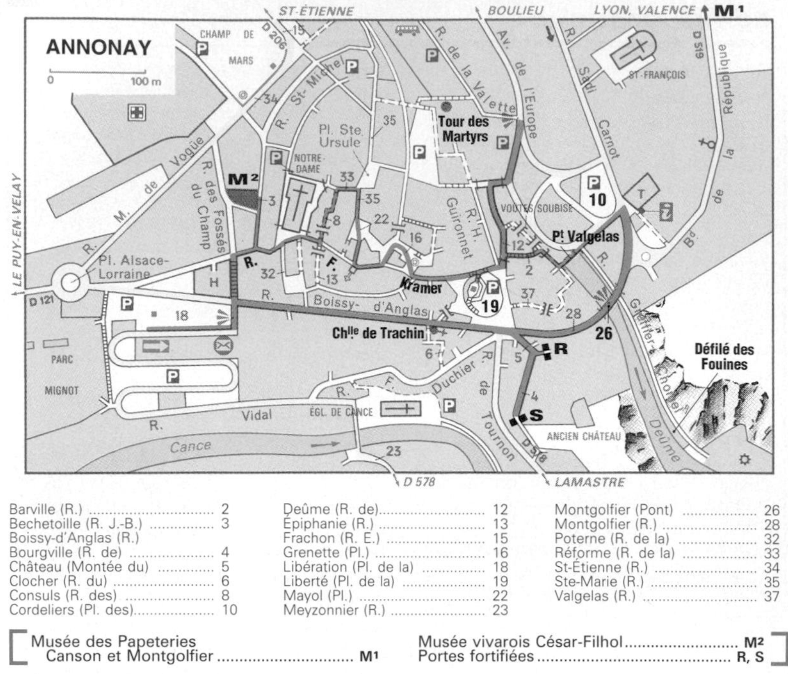

Barville (R.) 2
Bechetoille (R. J.-B.) 3
Boissy-d'Anglas (R.)
Bourgville (R. de) 4
Château (Montée du) 5
Clocher (R. du) 6
Consuls (R. des) 8
Cordeliers (Pl. des) 10
Deûme (R. de) 12
Épiphanie (R.) 13
Frachon (R. E.) 15
Grenette (Pl.) 16
Libération (Pl. de la) 18
Liberté (Pl. de la) 19
Mayol (Pl.) 22
Meyzonnier (R.) 23
Montgolfier (Pont) 26
Montgolfier (R.) 28
Poterne (R. de la) 32
Réforme (R. de la) 33
St-Étienne (R.) 34
Ste-Marie (R.) 35
Valgelas (R.) 37

Musée des Papeteries Canson et Montgolfier M1
Musée vivarois César-Filhol M2
Portes fortifiées .... R, S

Rue Franki-Kramer

C'est l'ancienne grande rue d'Annonay. Avec les places Grenette et Mayol, voisines, elle est bordée de pittoresques maisons des 16e, 17e et 18e s. Un peu plus haut, une maison d'angle présente des bardages en fer destinés à protéger les murs.

Gagner la place Grenette et revenir à la rue Franki-Kramer.

Au no 15, l'ancienne église de l'aumône, du 17e s., est aujourd'hui un temple protestant.

Par le passage et la place Mayol, puis la rue Ste-Marie, gagner la rue des Consuls.

Sur la gauche, vieille demeure à fenêtres à meneaux.

visiter

Musée vivarois César-Filhol

Juil.-août : 14h30-18h ; sept.-juin : mer. et w.-end 14h30-18h. Fermé j. fériés. 2,29€. ☎ 04 75 67 67 93.

L'ancien bailliage royal (1700) rassemble d'intéressantes collections concernant le Vieil Annonay et ses grands hommes. Une cuisine vivaroise a été reconstituée. Une salle est consacrée aux précurseurs de la locomotion : les frères Montgolfier qui lancèrent à Annonay le premier ballon à air chaud ; Marc Seguin, inventeur de la chaudière tubulaire (maquette de sa locomotive, 1828) et des ponts suspendus ; les frères Seguin, créateurs du moteur rotatif d'aviation « *Gnôme* » en 1908.

Musée des Papeteries Canson et Montgolfier

2,5 km. Quitter Annonay par le boulevard de la République, en direction de Valence. Juste avant la zone industrielle de Davézieux, prendre à gauche une route en descente signalée « Musée des Papeteries Canson et Montgolfier ». Laisser la voiture sur le parking devant l'église. Visite guidée (1h1/2) mer. et dim. 14h30-18h ; de déb. juil. à déb. sept. : tlj 14h15-18h. Fermé Pâques et 25 déc. 2,44€. ☎ 04 75 69 88 00.

> **ROYALE**
> Parmi les nombreuses papeteries annonéennes, celle de Vidalon s'est distinguée par la qualité de ses produits au point de devenir manufacture royale en 1784. De nombreuses pièces et documents relatent sa brillante histoire.

Tout ce que vous avez toujours voulu savoir sur la fabrication du papier... Aménagé dans la maison natale des fameux frères Montgolfier, le musée retrace l'histoire des papeteries installées sur les rives de la Deûme. La rétrospective est vraiment complète : atelier traditionnel de fabrication avec sa cuve, son jeu de formes, son étendoir et sa presse en bois, volumineuse machine à papier à forme ronde du début du siècle, dernières techniques d'impression à partir d'un CD-ROM. Tout y est, même une petite démonstration de fabrication à la main. C'est ce qui s'appelle mettre la main à la pâte !

alentours

Safari-parc de Peaugres★

6 km par le boulevard de la République, au Nord-Est. ♿ *Juil.-août. : 9h30-18h ; avr.-juin et sept.-oct. : 10h-16h45, w.-end et j. fériés 9h30-17h30 ; nov.-mars : w.-end. et j. fériés 10h30-16h30. 14,03€ (enf. : 8,69€).* ☎ *04 75 33 00 32.*

Situé au pied du massif du Pilat *(p. 258)* et aménagé de part et d'autre de la N 82, ce parc animalier abrite environ 400 mammifères, 300 oiseaux et une soixantaine de reptiles.

Visite en voiture – *Se conformer aux consignes de sécurité données à l'entrée.* La route goudronnée serpente dans les quatre enclos séparés par des sas et permet de voir évoluer librement hamadryas (singes sacrés dans l'ancienne Égypte) et zèbres, lions africains, ours « barribal » et bisons américains, dromadaires, buffles, yaks, hippopotames, daims et éléphants.

Visite à pied – Dans le parc évoluent oiseaux aquatiques, girafes, autruches, élans du Cap (grandes antilopes africaines). Les caves du manoir abritent le vivarium où vivent lézards, caïmans, boas, pythons et roussettes. Dans la singerie paressent mandrills, ouistitis, orangs-outangs et lémuriens. La visite se termine par les panthères des neiges, guépards, loups, tigres et cerfs d'Europe.

Très fier de lui ce magnifique bongo en pyjama rayé est un des nombreux pensionnaires du safari-parc de Peaugres.

Boulieu

5 km par l'avenue de l'Europe, au Nord.

Ancien bourg fortifié conservant, de part et d'autre de la rue principale, le dessin de son enceinte carrée.

Château de Thorrenc

10 km au Nord-Est ; après la gare routière prendre à droite la D 370 et à gauche la D 291. On ne visite pas.

Récemment restauré, ce château du 11e s. se dresse au creux du ravin du Thorrençon.

Barrage du Ternay

10 km par la D 206 au Nord, puis la N 82 et la D 306.

Construit en 1867 pour l'alimentation en eau d'Annonay, il offre un joli plan d'eau bordé d'une ceinture de cèdres.

St-Désirat

13 km à l'Est. Rejoindre la D 82 à Davézieux et la suivre sur environ 7 km ; prendre une petite route à gauche qui conduit à St-Désirat.

Musée de l'Alambic★ – *8h-12h, 14h-18h30, w.-end et j. fériés 10h-12h, 14h-18h30. Fermé 1er janv. et 25 déc. Gratuit.* ☎ *04 75 34 23 11.*

Aménagé dans les bâtiments de la distillerie Gauthier, ce musée fait revivre le métier de bouilleur ambulant. Plusieurs films, de riches collections, de nombreuses scènes animées de personnages de cire et de panneaux didactiques permettent de suivre l'évolution des matériels et de comprendre les étapes de la fabrication de l'eau-de-vie. Une dégustation termine agréablement la visite. La distillerie, dont la spécialité est l'alcool de poire williams, propose ses différentes productions à la vente.

Les bouilleurs de cru

Un privilège, la franchise, est à l'origine de cette activité ; de nombreux agriculteurs avaient le droit de faire bouillir jusqu'à 10 l d'alcool pur, pour leur consommation personnelle. La fin de cet avantage en 1960 sonne le glas des bouilleurs ambulants qui sont remplacés par des distilleries artisanales ou industrielles dûment contrôlées.

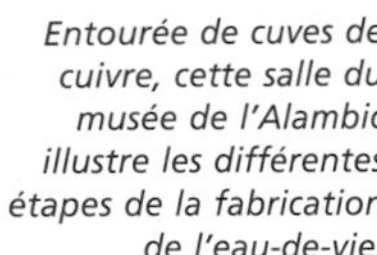

Entourée de cuves de cuivre, cette salle du musée de l'Alambic illustre les différentes étapes de la fabrication de l'eau-de-vie.

circuit

VALLÉES DE L'AY ET DE LA CANCE

Circuit de 48 km - environ 2h. Quitter Annonay par la rue de Tournon au Sud en direction de Lamastre.

Quintenas-le-Peyron

> **ROBUSTE**
> L'église de Quintenas fut fortifiée au 14e s. puis restaurée au 19e s. : remarquez la bretèche de la façade et, du côté Sud, les arcatures qui formaient mâchicoulis.

Le village est dominé par le beau clocher (14e s.) de son **église** romane, mentionnée dès 776 comme dépendance de l'abbaye de St-Claude dans le Jura.

À Quintenas, à droite, en face de l'église, prendre la direction de St-Romain-d'Ay.

La petite route serpente dans la campagne, offrant de belles vues sur le Haut-Vivarais.

On laisse sur la gauche l'église de St-Romain et on atteint la D 6 où il faut tourner à gauche. À 100 m, à droite, un chemin en descente conduit à N.-D.-d'Ay.

N.-D.-d'Ay

Ce modeste sanctuaire du Haut-Vivarais, établi sur un promontoire, est un lieu de pèlerinage très fréquenté ; les terrasses de l'ancien château offrent un joli coup d'œil sur le ravin.

Faire demi-tour, prendre la D 6 à droite, puis suivre la D 221 vers Sarras.

Au-dessus de l'Ay qui cascade, les versants rocheux offrent un aspect déchiqueté. À un tournant apparaît, sur un éperon, le pan de mur de la tour d'Oriol.

À Sarras, tourner à gauche pour suivre la N 86 et à 2 km, avant le pont de la Cance, prendre à gauche la D 270.

La route suit en corniche étroite la vallée de la Cance aux versants abrupts tapissés de chênes. Le torrent baigne en bouillonnant la **roche Péréandre**★, se dressant à plus de 40 m de hauteur.

Poursuivre sur la D 270, puis la D 371 jusqu'à Annonay.

Gorges de l'Ardèche★★★

On ne présente plus le célèbre Pont-d'Arc, monumentale arche naturelle qui offre une entrée grandiose à l'une des plus imposantes curiosités naturelles du Midi de la France. La majeure partie des gorges a été constituée en réserve naturelle en 1993 et l'ensemble érigé en Site d'intérêt national. La route touristique hardiment tracée sur la rive gauche s'élance à l'assaut de la corniche et ses nombreux belvédères dévoilent des panoramas à vous couper le souffle !

La situation

Cartes Michelin nos 80 plis 9 et 10 ou 245 plis 1, 2, 14, 15 ou 246 pli 23 – Ardèche (07).

À la sortie du bassin de Vallon, l'Ardèche franchit le plateau calcaire du Bas-Vivarais. De part et d'autre des gorges s'étendent à gauche le plateau des Gras, à droite le plateau d'Orgnac, recouverts d'un taillis de chênes verts et truffés de grottes. La D 290, **route panoramique**, domine l'entaille du plateau côté rive gauche.

Au choix

Trois solutions pour découvrir les gorges : la route panoramique ou bien, pour les braves, le canoë ou la marche à pied au fond des gorges.

Le nom

Qui ne connaît pas l'Ardèche, cette petite rivière torrentielle qui a donné son nom à un des plus beaux départements de la France ? Ce petit affluent du Rhône est un sculpteur hors pair qui a taillé et sculpté un chef-d'œuvre d'audace et d'harmonie.

Les gens

La grotte Chauvet, le site des Templiers, nombreux sont les témoignages d'une occupation très ancienne des gorges. Elles sont aujourd'hui fréquentées par une multitude de canoéistes et de vacanciers que surveille, sans doute avec étonnement, le superbe et rare aigle de Bonelli ; il ne faut pas oublier que c'est son territoire !

Les caprices de l'Ardèche

Prenant sa source à 1 467 m d'altitude dans le massif de Mazan, l'Ardèche se jette dans le Rhône, après 119 km de course, 1 km en amont de Pont-St-Esprit. Si la pente est surtout très forte dans la haute vallée, c'est dans le bas pays que l'on rencontre les exemples d'érosion les plus étonnants : ici, la rivière a dû se frayer un passage dans les assises calcaires du plateau, déjà attaqué par les eaux souterraines. Ses affluents, qui dévalent brutalement de la montagne, accentuent son régime irrégulier : maximum en automne, faible débit hivernal, crues au printemps et basses eaux en été. Le débit de l'Ardèche peut passer de 2,5 m^3/s à plus de 7 000 m^3/s lors des fameux et redoutables « coups de l'Ardèche » : c'est un véritable mur d'eau qui avance à la vitesse de 15 ou 20 km/h au point de repousser le flot du Rhône. La décrue est tout aussi soudaine.

circuit

Ce circuit de 88 km permet de découvrir les gorges de l'Ardèche par la D 290, route panoramique qui domine la rivière, et de revenir par le plateau d'Orgnac. Compter une bonne journée !

DE VALLON AU PLATEAU DES GRAS

Vallon-Pont-d'Arc *(voir ce nom)*

Quitter Vallon vers le Sud en direction du Pont-d'Arc.

Après être passée au pied du château du Vieux-Vallon, la route franchit l'Ibie avant de rejoindre l'Ardèche. Sur la gauche s'ouvrent la **grotte des Tunnels** (au fond d'un café-restaurant, belles concrétions et lac souterrain), puis la **grotte des Huguenots** qui, après avoir servi de refuge aux huguenots pendant les guerres de Religion, abrite aujourd'hui une exposition sur la spéléologie et la préhistoire. *De mi-juin à fin août : 10h-19h. 3,35€ (enf. : 2,13€). ☎ 04 74 96 11 63.*

Pont-d'Arc**

Laisser la voiture sur le grand parking aménagé à gauche de la route. Un sentier s'amorçant de l'autre côté de la route permet d'accéder à la plage située au pied du Pont-d'Arc.

Cette étonnante arche naturelle (illustration p. 95), haute de 34 m, large de 59 m, enjambe l'Ardèche qui contournait autrefois ce promontoire. L'arche n'était alors qu'un goulet par où s'écoulait un cours d'eau souterrain. On suppose que la rivière, à la faveur d'une forte crue, a abandonné son ancien cours pour se glisser à travers l'orifice qu'elle a peu à peu agrandi.

Le paysage, à partir du Pont-d'Arc, devient grandiose. Au fond d'une gorge déserte, longue de 30 km, cernée par des falaises dont certaines atteignent 300 m de hauteur, les eaux vertes de la rivière dessinent d'harmonieux méandres entrecoupés de rapides.

Après Chames, la route effectue un long crochet au fond de l'imposant cirque rocheux du vallon de Tiourre avant de gagner, en corniche, le rebord du plateau : sans cesse changeantes, les vues que l'on découvre alors depuis les belvédères successifs laissent une impression inoubliable. C'est notamment le cas au **belvédère du Serre de Tourre**** établi presque à la verticale de l'Ardèche qui coule à 200 m en contrebas. La vue sur le méandre du **Pas du Mousse** est superbe. En face, le sommet en forme de calotte arrondie des falaises de Saleyron, tandis qu'on aperçoit à l'horizon le mont Lozère, sur la droite, le plateau d'Orgnac sur la gauche. Seules traces de l'occupation humaine, les ruines du château d'Ebbo (16e s.), accrochées à l'échine rocheuse, ajoutent à la grandeur du lieu.

La route touristique, largement tracée, épouse le relief tourmenté des falaises de la rive gauche se déroulant dans le taillis de chênes verts du bois Bouchas puis du bois Malbosc.

LÉGENDAIRE

Comme tout site d'exception le Pont d'Arc a sa légende. Celle rapportée par P. Charrié dans le *Folklore du Bas-Vivarais* raconte que le seigneur du lieu, très jaloux, avait bâti une tour sur le rocher en surplomb de l'Ardèche et y enfermait sa jolie femme. Malgré toutes ces précautions un pèlerin de passage réussit à l'enlever. Le mari, désespéré, pria le ciel avec conviction et l'intervention divine se manifesta sans tarder : le rocher s'ouvrit et la rivière ramena le ravisseur, qui se révéla être le diable, et sa femme.

Il faut toute la vigueur parfois brutale de l'Ardèche pour se frayer un chemin dans les plateaux calcaires qui la séparent du Rhône.

Belvédères de Gaud★★

Vue sur la partie amont du méandre de Gaud et les tourelles de son petit château (19e s.).

Belvédères d'Autridge★ – Empruntez la boucle panoramique formant déviation, puis gagnez les deux belvédères. Vues sur l'aiguille de Morsanne qui s'avance au-dessus de l'Ardèche comme la proue d'un navire.

Cinq cents mètres après la majestueuse combe d'Agrimont, du rebord de la route se développent de belles **perspectives★★**, en amont, sur l'Ardèche, dont la courbe magnifique est dominée au premier plan par l'aiguille de Morsanne.

Le bon sens

Il est vivement conseillé de suivre la route panoramique dans le sens Vallon-Pont-d'Arc-St-Martin-d'Ardèche pour accéder facilement aux parkings des nombreux belvédères.

Belvédères de Gournier★★

Ils sont très bien situés, à 200 m au-dessus de la rivière. On aperçoit, en contrebas, la ferme ruinée de Gournier, dans un petit champ bordant l'Ardèche qui se fraie un passage au milieu des rochers de la Toupine (marmite) de Gournier.

Gagner l'aven de Marzal par la route qui court sur le plateau des Gras.

Aven de Marzal★ *(voir ce nom)*

La D 201 conduit à Bidon.

Musée de l'Ardèche méridionale

♿ *Avr.-sept. : 13h30-18h (juil.-août : 10h-18h) ; oct. : dim. 13h30-18h. 4,6€ (enf. : 2,5€). ☎ 04 75 04 35 15.*

Des paysages grandioses mais sauvages, des routes étroites et sinueuses, tout semble réuni pour compliquer les déplacements et les accès dans la région. Cet isolement forcé explique la richesse des traditions et des modes de vie qui sont présentés dans ce musée.

Revenir en arrière pour reprendre la D 590 qui conduit au grand carrefour de la Madeleine ; gagner les parcs de stationnement du belvédère de la Madeleine.

carnet pratique

Restauration

• À bon compte

L'Esplanade – *Pl. Église - 30430 Barjac - ☎ 04 66 24 58 42 - fermé nov., déc. et mar. du 5 janv. au 1er juin - 11,89/21,34€.* Petite maison en pierre du 18e s. dont la terrasse fleurie offre une jolie vue sur la campagne. Intérieur voûté, décoré de vieux outils agricoles et autres objets chinés dans les brocantes.

L'Auberge Sarrasine – *R. de la Fontaine - 30760 Aiguèze - ☎ 04 66 50 94 20 - 14,94/24,39€.* En vous promenant dans les ruelles anciennes du village, vous découvrirez ce petit restaurant installé dans trois salles voûtées datant du 11e s. Le chef, d'origine bourguignonne, marie avec bonheur les saveurs de sa région avec celles de la Provence.

Hébergement

• À bon compte

Hôtel Le Clos des Bruyères – *Rte des Gorges - 07150 Vallon-Pont-d'Arc - ☎ 04 75 37 18 85 - fermé oct. à mars - P - 32 ch. : 48,78/54,88€ - ☕ 6,10€ - restaurant 48,02€.* La route des gorges de l'Ardèche est magnifique, mais fatigante avec ses virages ! Faites étape dans cette maison de style régional, dont les arcades ouvrent sur la piscine d'été. Chambres avec balcon ou en rez-de-jardin. Cuisine du terroir au restaurant doté d'une terrasse.

• Valeur sûre

Chambre d'hôte La Sérénité – *Pl. de la Mairie - 30430 Barjac - 6 km à l'O de l'aven d'Orgnac par D 317 et D 176 - ☎ 04 66 24 54 63 - fermé janv. et fév. - ⊭ - 3 ch. : 59,46/105,19€.* Au cœur du village, demeure du 17e s. aux volets bleus tapissée de vigne vierge. Meubles chinés, bibelots, patine des murs, carrelages et tomettes personnalisent chaque chambre. Délicieux petit-déjeuner servi devant la cheminée ou sur la terrasse fleurie à la belle saison. Un vrai bijou !

Loisirs-Détente

Descente en barque ou en canoë

Elle peut s'effectuer de mars à fin novembre (conseil d'ami : privilégier les mois de mai et juin, lorsque les journée sont longues et la foule n'a pas encore envahi les gorges).

Location – Une cinquantaine de loueurs implantés à Vallon-Pont-d'Arc, Salavas, Ruoms, St-Martin, St-Remèze proposent la descente des gorges, soit en location libre soit en location accompagnée de 1 à 2 j. pour un forfait variant entre 18,29€ et 22,87€ par personne. Liste des loueurs aux Syndicats d'initiative de Ruoms *(r. Alphonse-Daudet, 07120 Ruoms, ☎ 04 75 93 91 90)*, Vallon-Pont-d'Arc *(Cité administrative, 07150 Vallon-Pont-d'Arc, ☎ 04 75 88 04 01)* et St-Martin-d'Ardèche *(pl. de l'Église, 07700 St-Martin-d'Ardèche, ☎ 04 75 98 70 91)*. La descente en individuel est libre ; prévoir alors la réservation de sa nuitée en bivouac auprès d'une des Centrales de réservations implantées dans les Offices de tourisme précités.

Prudence – Selon la saison et la hauteur des eaux, prévoir de 6h à 9h pour la descente (dép. interdit après 18h). Quelques passages difficiles en raison des rapides nécessitent une expérience confirmée de la pratique du canoë-kayak. Il est impératif de savoir nager. Gilet de sauvetage désormais exigé, sous peine de lourdes amendes. Un règlement de la navigation est consultable chez tous les loueurs de canoës, dans les mairies, les Offices de tourisme et les gendarmeries. Par ailleurs, il est très utile de se procurer le Plan-guide des Gorges de l'Ardèche, édité par l'association Tourena.

Bivouac – L'arrêt pour le pique-nique peut avoir lieu tout au long de la rivière, mais le bivouac n'est autorisé que sur les aires de Gaud et de Gournier (3,81€ à 5,34€ par personne et par nuit) car la rivière traverse une réserve naturelle ; des séjours de plus longue durée sont possibles aux campings des Templiers (naturisme) et des grottes de St-Marcel.

Descente à pied

De nombreux passages nécessitent un sens exercé de la reconnaissance de terrain : vires étroites et glissantes, traversées de grottes et de gués. Équipement de randonnée performant recommandé.

Le Plan-guide édité par l'association Tourena donne de précieux renseignements sur les parcours à pied dans les gorges. Si l'on entreprend la promenade à partir de la rive gauche, il est prudent de se renseigner auparavant sur le niveau des eaux auprès des gendarmeries locales ou du Service départemental d'Alerte des Crues. Les gués « des Champs » et « de Guitard » sont en effet inévitables. ☎ 04 75 64 54 55.

Protection de la nature

Écosystème fragile, la réserve naturelle des gorges de l'Ardèche (zone comprise entre Chames et Sauze) fait l'objet de mesures de protection : on s'abstiendra donc d'y faire du feu, d'y abandonner des détritus, d'arracher des plantes, d'ébrancher les arbres et de s'écarter des sentiers. Camping et bivouac sont interdits en dehors des aires autorisées. L'usage des planches à voile est interdit. Pour tout renseignement d'ordre pratique, contactez la maison de la réserve à Gaud (☎/fax 04 75 59 88 00) ou le Siège Administratif (☎ 04 75 98 77 31).

Sésame incontournable des gorges de l'Ardèche, le Pont-d'Arc garde l'entrée d'un monde enchanteur.

LA HAUTE CORNICHE***

C'est la partie la plus remarquable du parcours, les belvédères se succèdent et offrent des vues saisissantes sur les gorges.

Le carrefour de la Madeleine est stratégique car il permet d'accéder aux trois curiosités suivantes. Pour le belvédère de la Cathédrale, rester près du carrefour et prendre un sentier qui s'engage à gauche au niveau d'une barrière.

Belvédère de la Cathédrale**

Vérifier si l'accès est autorisé car en cours de réhabilitation. *1/4h à pied AR.*

Point de vue imprenable sur une des curiosités majeures des gorges : la « Cathédrale », immense rocher ruiniforme, se dresse fièrement en aplomb de la rivière.

Tout un symbole ! L'apparition du rocher de la Cathédrale et de ses flèches de pierre est un moment fort de la descente des gorges.

Belvédère de la Madeleine*

Beau point de vue sur le « Fort » de la Madeleine qui barre l'enfilade des gorges vers l'aval ; ces falaises sont les plus élevées des gorges et dominent la vallée de 300 m.

Grotte de la Madeleine*

La route d'accès, en descente, s'embranche sur la D 290, route des gorges de l'Ardèche, et mène au porche d'entrée (parking). D'avr. à fin oct. : visite guidée (1h) 10h-18h (dernière entrée, 1/2h av. fermeture). 6,10€ (enf. : 3,66€). ☎ *04 75 04 22 20.*

Cette grotte s'ouvre dans le flanc Nord de la falaise où se creusent les gorges de l'Ardèche. Découverte en 1887, elle a été creusée par un ancien cours d'eau souterrain qui drainait jadis une partie du plateau des Gras. On y pénètre par la Grotte Obscure, puis un tunnel taillé dans le roc *(escalier assez raide)* permet d'atteindre la salle du Chaos. Au-delà de cette salle, divisée en deux compartiments par un amas de colonnes détachées de la voûte, s'étend une vaste galerie richement décorée de concrétions : draperies sonores, orgues de 30 m de hauteur, excentriques en forme de cornes, etc.

À VOIR

Remarquez en particulier une magnifique coulée blanche entre deux amas rouges de draperies, évoquant une cascade par sa fluidité et des concrétions en forme de roses des sables.

Balcon des Templiers

Vues saisissantes sur le méandre resserré de la rivière, dominé par les magnifiques parois du cirque. En contrebas, petit éperon surmonté des ruines d'une maladrerie des Templiers.

Belvédère de la Maladrerie

De ce belvédère, vue vers l'amont sur la « Cathédrale ».

Belvédère de la Rouvière

En face se développent les « Remparts » du Garn.

ATTENTION !
La beauté des gorges de l'Ardèche attire chaque année une multitude de vacanciers, surtout pendant la période estivale. Cette affluence ne doit pas faire oublier qu'il s'agit d'un site naturel fragile qui mérite vraiment d'être préservé.

Belvédère de la Coutelle

Vue vertigineuse à pic sur l'Ardèche qui coule 180 m plus bas ; vers la droite, sur la fin des Remparts du Garn ; sur la gauche, dans l'axe des gorges, surgissent les rochers de Castelviel. Remarquez les rapides de la Fève et de la Cadière.

Grand Belvédère*

Vue sur la sortie des gorges et le dernier méandre de l'Ardèche.

Grotte de St-Marcel*

De mi-mars à fin sept. : visite guidée (3/4h) 10h-18h (juil.-août : fermeture à 19h) ; d'oct. à mi-nov. : 10h-17h. 6,10€. ☎ *04 75 04 38 07.*

MONUMENTAL
Le parcours dans la grotte St-Marcel est ponctué d'intéressantes haltes dont le nom évoque la forme ou la nature des concrétions rencontrées : salle de la Fontaine de la Vierge, galerie des Peintres striée de bandes blanches (calcite), rouges (oxyde de fer) et noires (manganèse), salle des Rois, Cathédrale, etc.

S'ouvrant naturellement par un abri sous roche au flanc des gorges de l'Ardèche, cette grotte, découverte en 1835 par un chasseur d'Aiguèze, a été formée par une rivière souterraine depuis longtemps tarie. Le réseau développe 32 km de galeries dont une section est ouverte aux visiteurs *(bâtiment d'accueil au Nord de la D 290, à 200 m en aval du Grand Belvédère)*.

Empruntant un tunnel creusé dans la roche, on traverse d'impressionnants couloirs permettant de détailler stalactites, stalagmites, draperies, fistuleuses et autres excentriques. L'intérêt principal de la grotte réside toutefois dans ses **cascades de gours** appelées aussi « bassins de dentelles », qu'un spectacle son et lumière met particulièrement en valeur.

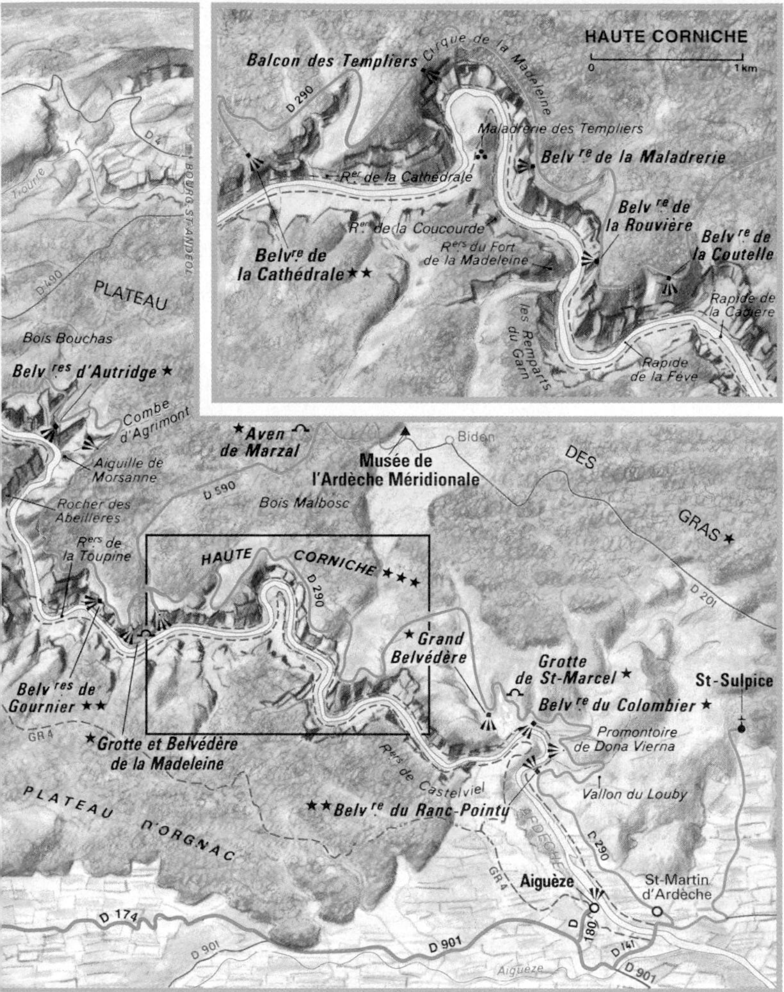

Belvédère du Colombier★

Il offre une belle vue au-dessus d'un méandre aux berges entièrement rocheuses.

La route décrit ensuite un crochet au fond d'une vallée sèche, puis, après le promontoire de Dona Vierna, fait un long détour au fond du vallon du Louby.

Belvédère du Ranc-Pointu★★

Situé à l'extrémité de la rampe montant du vallon du Louby, il domine le dernier méandre encaissé de l'Ardèche. Remarquez les différents phénomènes d'érosion : stries, marmites, grottes.

Du Ranc-Pointu, au cours de la descente, le paysage change brusquement : à l'entaille des gorges succède une vallée cultivée s'ouvrant largement vers le Rhône. À droite, le village d'Aiguèze s'agrippe sur une arête rocheuse et domine l'Ardèche.

St-Martin-d'Ardèche

Porte Sud des gorges, St-Martin est aussi la première ville depuis Vallon. Elle est un point de départ ou d'arrivée pour la fameuse traversée des gorges en canoë, et ses nombreuses plages invitent à un repos bien mérité.

Chapelle St-Sulpice

4 km par Trignan au départ de St-Martin-d'Ardèche. La chapelle romane de St-Sulpice (12e-17e s.) est isolée sur un replat, au milieu des vignes. L'édifice est d'une blancheur éblouissante ; au côté Sud : remplois de pierres sculptées à motifs d'entrelacs.

Franchir l'Ardèche par le pont suspendu de St-Martin.

La D 901, que l'on prend à gauche, rejoint la N 86 peu avant le confluent de la rivière avec le Rhône.

La N 86 atteint Pont-St-Esprit.

Pont-St-Esprit *(voir le guide vert Provence)*

LE PLATEAU D'ORGNAC

Aiguèze

Ce village médiéval aux rues pavées couronne les dernières falaises des gorges. L'église présente un portail Nord du 16e s. avec un arc en plein cintre. La décoration intérieure de couleurs vives est représentative de l'art sacré de la fin du 19e s.

Dominant les eaux tumultueuses de l'Ardèche, Aiguèze est un charmant petit village médiéval.

Après avoir franchi un arc taillé dans le rocher, on pénètre dans l'ancienne forteresse du 14e s. Le chemin de ronde offre un joli **coup d'œil★** sur la sortie du canyon jusqu'au mont Ventoux, les tours en ruine et, en contrebas, le pont suspendu reliant Aiguèze à St-Martin-d'Ardèche.

Les Crottes

Village martyr dont les ruines sont en partie relevées. Une stèle rappelle le massacre de ses habitants par les nazis le 3 mars 1944.

Aven de la Forestière★

Avr.-sept. : visite guidée (1h1/4) 10h-18h (juil.-août : 10h-19h) ; oct.-mars : vac. scol., w.-end et j. fériés 10h-12h, 14h-18h. Fermé 1er janv. et 25 déc. 5,18€. ☎ 04 75 38 63 08.

INATTENDU

Dans l'aven de la Forestière, un zoo cavernicole permet d'observer des crustacés, poissons, batraciens et insectes.

Exploré en 1966 par A. Sonzogni, cet aven a été ouvert aux touristes en 1968. Peu profond, il est d'un accès et d'une visite faciles. La grande salle et les salles annexes sont riches en concrétions d'une extrême finesse : cristallisations en forme de chou-fleur, longs « macaronis » pendant de la voûte, excentriques aux formes capricieuses, petites draperies de stalactites aux couleurs variées et surtout imposant plancher stalagmitique mis en valeur par un éclairage habile.

Labastide-de-Virac

Ce village fortifié (bastide : lieu fortifié), situé à la limite du Languedoc et du Vivarais, est un point de départ d'excursions vers les gorges de l'Ardèche et le plateau d'Orgnac.

Château des Roure – *De Pâques à fin sept. : tlj sf mer. 14h-18h (juil.-août : tlj 10h-19h). 4,73€. ☎ 04 75 38 61 13.*
Il fut construit au 15e s. pour contrôler le passage des gorges de l'Ardèche au niveau du Pont-d'Arc. Après une jeunesse mouvementée, la demeure connaît depuis 1825 une existence plus calme entre les mains de la famille du sculpteur James Pradier, dont les ascendants étaient métayers des comtes du Roure.

DRAGONS ET CAMISARDS

Les guerres de Religion ont été particulièrement brutales dans les Cévennes. Après avoir vu ses tours rondes abaissées en 1629, le château a été pris d'assaut en 1703 par un chef camisard, Jean Cavalier, pendant les terribles « dragonnades » lancées par Louis XIV pour réprimer l'insurrection des réformés.

Au cours de la visite, on remarque la cour de style florentin, l'escalier à vis, la grande salle du 1er étage avec sa belle cheminée. Du chemin de ronde, on domine le plateau ardéchois et le plateau des Gras ; par temps clair, on distingue le mont Lozère et le mont Mézenc tout au Nord. La visite s'achève sur une exposition de soieries artisanales locales. Une magnanerie en activité fait revivre l'élevage traditionnel du ver à soie.

Belvédère du méandre de Gaud****

De ce promontoire se révèle une très belle **vue****** sur l'Ardèche et le cirque de Gaud.

Aven d'Orgnac***** *(voir ce nom)*

découvrir

LE FOND DES GORGES

La **descente des gorges******* en barque, en canoë ou à pied, de Vallon-Pont-d'Arc à St-Martin d'Ardèche, est une expérience inoubliable. *Recommandations : voir le « carnet pratique »*.

En barque ou en canoë

Après un calme plan d'eau, l'Ardèche pénètre en méandre dans les gorges. L'impressionnant rapide du Charlemagne, que domine le monumental rocher du même nom, précède le passage sous le porche naturel du Pont-d'Arc. Sur la gauche se déploie le cirque d'Estre où s'ouvre la grotte Chauvet ; puis, peu après, on aperçoit sur la droite l'entrée de la grotte ornée d'Ebbo, avant l'étroit Pas du Mousse qui donne accès au plateau. Sur la gauche se détache le rocher de l'Aiguille.

ACCROCHEZ-VOUS...
Le rapide du Charlemagne, ou celui de la Dent noire, risquent de chahuter les cœurs sensibles...

Après les falaises de Saleyron, quelques battements de cœur au passage du rapide de la Dent Noire... Puis, retour au calme dans le méandre du cirque de Gaud. Les rapides alternent alors avec de magnifiques plans d'eau, surplombés par d'impressionnantes parois : aiguille de Morsanne à gauche et, à droite, les arrachements rouges et noirs des Abeillères. Après les rochers et les trous de la Toupine de Gournier (le fond peut y atteindre 18 m), on aperçoit au loin, après environ 4h de navigation, la majestueuse « Cathédrale » et, sur la gauche, une des entrées naturelles de la grotte de la Madeleine. Peu après la « Cathédrale », on contourne la presqu'île des Templiers qui ont cédé aujourd'hui le terrain aux naturistes.

Au pied d'énormes falaises, le cirque de la Madeleine est l'un des plus beaux passages des gorges. Le singulier rocher de la Coucourde (de *cogorda*, mot désignant en provençal une « courge » et, donc, un crâne !) et le surplomb de Castelvieil précèdent l'entrée de la grotte St-Marcel. Puis, après le promontoire de Dona Vierna et le belvédère du Ranc-Pointu, les falaises s'abaissent à l'entrée de la percée finale. Sur la droite, la tour d'Aiguèze domine la vallée, désormais élargie.

C'EST BEAU !
Détroits, rapides et plans d'eau irisés se succèdent tandis que les chênes verts contrastent avec les parois dénudées.

À pied

Pour rester au sec, on empruntera la rive droite, depuis Salavas ou Aiguèze, car le trajet sur la rive gauche oblige à traverser deux fois la rivière à gué. Les moins vaillants noteront avec intérêt que, depuis le plateau, de nombreux parcours en boucle sont possibles.

Arlempdes★

L'homme peut toujours essayer de copier la nature, jamais il ne fera une aussi belle et solide forteresse que cet étrange piton volcanique qui domine les gorges de la Loire d'un à-pic de 80 m. C'est bien ce que pensaient les seigneurs de Montlaur en y construisant un château au 13e s. Mais aussi exceptionnelle soit-elle, cette position n'a pas suffi à le protéger, même si ses ruines couronnent toujours avec une certaine fierté la remarquable « citadelle ».

HÉBERGEMENT
Hôtel du Manoir – ☎ *04 71 57 17 14 - fermé 2 nov. au 9 mars - 16 ch. : 43,45€ - ☕ 5,79€ - restaurant 13,57/36,59€.* Au pied du château, vous serez reçu sans chichis dans cette maison de pierre. Ses petites chambres sont proprettes et certaines dominent les gorges de la Loire. Pour gagner la salle à manger rustique, passez par le bar. Cuisine simple.

La situation

Cartes Michelin nos 76 pli 17 ou 239 pli 46 – Schéma p. 173 – Haute-Loire (43). 28 km au Sud du Puy-en-Velay, Arlempdes est une véritable « surprise » pour celui qui arrive par la D 54. La vue du château est très belle ; mais il faut flâner sur les berges de la Loire pour ressentir l'effet subjuguant de cette imposante masse volcanique.

Le nom

L'origine du nom serait gauloise et viendrait de l'association de *are* qui signifie devant et de *nemeton*, temple. Mais de quel temple s'agit-il ?

Les gens

Après les Montlaur, de nombreuses familles et personnalités se sont succédées à la baronnie d'Arlempdes. Citons Charles de Poitiers, conseiller du roi Charles VII, et une de ses illustres descendantes, Diane de Poitiers, maîtresse d'Henri II.

Que l'on soit en bas, les pieds dans la Loire, ou en haut, dans l'enceinte du château, le site d'Arlempdes force l'admiration et le respect.

visiter

Le village

Campé au pied du château, il conserve une porte d'enceinte fortifiée du 11e s. et une charmante **église**. Sur la placette qui la précède, se dresse une belle croix à personnages du 15e s.

Château

1/4h à pied AR. Emprunter, à gauche de l'église, le sentier passant sous une arche et menant à la porte d'entrée. Avr.-oct. : prendre la clé à l'hôtel du Manoir (de mi-juil. à fin août : visite guidée 1/2h). 3,05€. ☎ *04 71 57 17 14.*
Construit par les seigneurs de Montlaur au 13e s., il fit l'objet de plusieurs mises à sac malgré sa position « imprenable ». Le sommet de l'éperon est couronné des vestiges d'une petite chapelle en pierres volcaniques rouges. Son chevet offre un **point de vue** impressionnant sur les gorges où gronde parfois la Loire.

Le mur d'enceinte Nord garde son couronnement de merlons et de créneaux, face aux splendides coulées basaltiques de la rive opposée. Du pied de la tour de droite, le regard plonge sur la vallée de la Loire à l'aplomb d'une saisissante aiguille basaltique.

circuit

LES PLATEAUX VOLCANIQUES*

Circuit de 56 km – compter une demi-journée. Quitter Arlempdes par la D 54 à l'Est et prendre à droite la D 500.

St-Paul-de-Tartas

Village dominé par sa petite église romane aux pierres volcaniques violacées.

Au carrefour de la D 500 et de la N 102, prendre à droite puis à gauche vers Pradelles.

Pradelles

Le bourg, situé sur un promontoire, au carrefour des routes du Velay et du Vivarais, conserve en bas de la rue de traversée un vieux quartier qui témoigne de l'importance de cette ancienne place forte.

COURAGEUSE JEANNE
En 1588, la cité, assiégée par le capitaine Chambaud, chef des huguenots, fut délivrée grâce à l'intervention héroïque d'une simple paysanne, **Jeanne la Verdette**. Un bas-relief moderne commémore cet événement, à droite de la porte de la Verdette.

La place de la Halle, notamment, avec son ancien château fort, ses maisons à arceaux, ses logis Renaissance, les gros corbeaux de pierre ou de bois soutenant les toitures – certaines offrent, par contraste, un fronton à génoise – forment un ensemble intéressant. Un réseau de ruelles adjacentes descend vers la porte fortifiée de la Verdette qui donne accès à l'église, et vers celle de St-Clément au Sud.

À gauche de la place des Halles, dans le pittoresque « carrierou de l'Oustaou » pavé, on remarque plusieurs maisons aux fenêtres Renaissance ; l'une d'elles abrite en saison des expositions sur le terroir.

Musée vivant du Cheval de trait – ♿ *De fin juin à mi-sept. 10h-19h. 6,8€ (enf. : 5,3€).* ☎ *04 71 00 87 87.*

Installé dans une auberge reconstituée, il est consacré aux « chevaux lourds » qui, après une longue période d'abandon, retrouvent progressivement une place dans certaines exploitations (forêt) et dans les loisirs (attelage).

Bienvenue à Pradelles, au royaume des chevaux lourds. Des reconstitutions d'anciens ateliers, différents attelages et surtout, une visite aux écuries illustrent bien ce monde assez méconnu.

Les neuf races reconnues par les Haras nationaux sont : l'ardennais, l'auxois, le boulonnais, le breton, le cob normand, le comtois, le mulassier poitevin, le percheron et le trait du nord.

De la Croix d'Ardennes (butte volcanique de 1 133 m), au-delà du cimetière, belle vue sur la haute vallée de l'Allier.

La N 88 au Sud, puis la D 108, à gauche, mènent à Lespéron.

Lespéron

L'**église** romane, mêlant le granit et la pierre volcanique, est un exemple intéressant de sanctuaire montagnard, avec son clocher-peigne, les chapiteaux sculptés de la nef et surtout sa belle abside à cinq pans.

Par la D 108 et la D 300, gagner la N 102, où tourner à gauche, en direction de l'auberge de Peyrebeille située sur la commune de Lanarce.

Auberge de Peyrebeille

Cette maison reconstruite sur plan ancien, située sur la commune de Lanarce, est célèbre dans les annales criminelles. C'est ici que les époux Martin, aidés de leur domestique, ont, pendant un quart de siècle, systématiquement massacré, pour les piller, les voyageurs qui s'arrêtaient chez eux. Le futur préfet du Second Empire, Haussmann, faillit être leur victime. L'affaire éclata en mai 1831. Les assassins furent finalement arrêtés, condamnés à mort et exécutés en 1833 dans la cour même de l'auberge. La thèse de leur culpabilité a fait l'objet de controverses.

L'AUBERGE ROUGE
La sinistre auberge a inspiré Claude Autant-Lara qui en a fait un film en 1951. Le cynisme des époux Martin s'y révèle sans limites et rien ne semble pouvoir arrêter cette organisation meurtrière... avant qu'un moine (l'inimitable Fernandel) vienne, très involontairement, tout bouleverser...

Prendre à gauche la D 16.

Coucouron

Le bourg, voué à l'industrie laitière et fromagère, a donné son nom à un fromage, ou plus exactement une « fourme », que l'on retrouve essentiellement dans la région. Il possède une église dont on remarquera le portail roman. À l'intérieur, grand Christ en bois (16e s.).

La D 298 s'enfonce dans le vallon boisé de la Méjanne, puis gagne la D 500, où tourner à droite pour rejoindre Arlempdes.

Aubenas

Une acropole en Ardèche ? Rien à voir, bien sûr, avec les célèbres cités grecques, mais la vieille ville a fière allure sur son large éperon rocheux qui domine l'Ardèche. Les robustes silhouettes du château et du Dôme St-Benoît se dressent toujours au-dessus des anciens remparts, immuables témoins du riche passé de la ville.

La situation

Cartes Michelin nos 76 pli 19 ou 246 pli 21 – Ardèche (07).
Porte principale de la vallée de l'Ardèche, Aubenas se dresse sur un **site★** perché remarquable. La vieille ville est limitée par l'emplacement des anciens remparts.
4 bd Gambetta, 07200 Aubenas, ☎ 04 75 89 02 03.

Le nom

Aubenas a une origine très proche de celle d'Alba ce qui s'explique par sa position stratégique sur une butte ou colline.

Les gens

11 018 Albenassiens. Ils se réunissent chaque samedi matin pour un grand marché, véritable festival de couleurs et de saveurs du terroir ardéchois. Autre rendez-vous immanquable, les Aubenades de la Photographie ont lieu chaque année au mois de juillet.

UNE JACQUERIE VIVAROISE

Après l'hiver de 1669-1670 qui fit périr tous les oliviers, des rumeurs concernant des impôts nouveaux créent un mécontentement profond. Le 30 avril 1670, un commis des fermes est lapidé à Aubenas. Le meneur des émeutiers, jeté en prison, est délivré le lendemain par les manifestants qui se donnent pour chef un gentilhomme de La Chapelle-sous-Aubenas, **Antoine du Roure**. Tandis que le gouverneur du Languedoc cherche à gagner du temps par des négociations, les hommes de Roure s'emparent d'Aubenas. Fin juillet, la rencontre avec l'armée royale a lieu à Lavilledieu. Les paysans sont massacrés ; Roure est exécuté à Montpellier. La colère royale s'exerça particulièrement sur Aubenas et La Chapelle, condamnés à de lourdes amendes.

se promener

Vieilles maisons

La « **maison aux Gargouilles** » (16e s.) fait face au château ; sa haute tourelle polygonale est ornée de magnifiques gargouilles et sa façade présente de belles fenêtres à meneaux. Place Parmentier, jolie tourelle d'escalier (16e s.) dans la cour de la « maison de Castrevieille », et belles façades d'hôtels particuliers rue Jourdan. La rue Delichères est amusante avec ses vieux arceaux.

Table d'orientation

La vue s'étend sur la montagne de Ste-Marguerite, la trouée de Vals, le roc de Gourdon, le col de l'Escrinet et les barres du Coiron.

carnet pratique

Restauration

• *À bon compte*

Le Fournil – *34 r. du 4-Septembre - ☏ 04 75 93 58 68 - fermé vac. de fév., 10 juin au 3 juil., vac. de Toussaint et de Noël - 15,24/27,44€.* Dans une petite ruelle, cette maisonnette ancienne vous reçoit dans son patio dès les beaux jours. Là, ou dans sa petite salle voûtée, vous aurez le choix entre plusieurs menus gourmands qui pianotent sur des saveurs de la région et d'ailleurs... Prix doux.

Hébergement

• *À bon compte*

Hôtel Cévenol – *77 bd Gambetta - ☏ 04 75 35 00 10 - P - 45 ch. : 38,11/47,26€ - ☕ 6,10€.* Cet hôtel familial des années 1970 est en plein centre. Modeste, il propose des chambres avec bain ou douche, de taille moyenne et parfaitement tenues. Préférez celles qui donnent sur la rue, elles sont plus spacieuses.

Camping Le Chamadou – *07120 Balazuc - 3,5 km à l'E de Balazuc par D 294, puis dir. St-Maurice et rte secondaire - ☏ 04 75 37 00 56 - ouv. avr. au 22 sept. - réserv. conseillée - 40 empl. : 16,77€.* Un petit coin de campagne qui ravira les vacanciers en quête de nature... Très bien tenu dans son ensemble, le terrain manque malheureusement un peu d'ombre. De confort simple, il met à votre disposition piscine, mini-golf, étang de pêche et bungalows.

Chambre d'hôte La Gibaudelle – *Lieu-dit Le Juge - 07200 Mercuer - 5 km à l'O d'Aubenas par D 235 et dir. Ailhon - ☏ 04 75 93 77 75 - ⊭ - 3 ch. : 32/43€ - repas 16€.* À 5 mn d'Aubenas, cette maison en bordure d'une petite route est calme cependant. Entourée de pins, son beau jardin rejoint la nature buissonnante. Le décor des chambres sera un peu désuet pour certains, d'autres apprécieront sa terrasse et sa piscine...

Chambre d'hôte Le Mas de Mazan – *07200 Mercuer - 5 km au NO d'Aubenas par D 104 et D 435 - ☏ 04 75 35 41 88 - ⊭ - 5 ch. : 34/38€.* Ce couple d'agriculteurs vous accueillera avec enthousiasme. Ravi de partager sa passion pour la région et d'ouvrir les portes de sa ferme typiquement cévenole à ses hôtes, il fera de votre étape en pleine campagne un moment délicieux. Décor simple et ambiance chaleureuse.

• *Valeur sûre*

Hôtel Ibis – *Rte de Montélimar - ☏ 04 75 35 44 45 - P - 43 ch. : 51,07/59,46€ - ☕ 5,64€ - restaurant 16,01€.* À la sortie de la ville, en direction de Montélimar, cet hôtel de chaîne est sans surprise : chambres modernes et nettes, mobilier plaqué, bonne insonorisation et climatisation. Sa salle à manger sous charpente ouvre ses baies sur la piscine.

Sorties

Boulevard de Vernon – Nombre de bars sont regroupés le long de ce boulevard. Si le bruit des flippers et des scooters vous agace, évitez la brasserie du Champ de Mars (le repaire des p'tits jeunes de la région) et découvrez plutôt le bar de La Coupole qui organise des concerts l'été, ou le très british pub Au Bureau.

Achats

L'Atelier des Douceurs – *R. de Tartary - ☏ 04 75 93 89 66 - lun.-ven. 9h-12h, 14h-19h, sam. 15h-19h - fermé 2 sem. fév. et j. fériés.* Lorsqu'on se retrouve au chômage à 48 ans, la tentation est grande de baisser les bras... Jean-Louis Pascal nous donne la preuve que la reconversion est possible. Après son licenciement, ce Picard installé en Ardèche depuis 1982 crée sa fabrique de confiseries en 1997, à Aubenas. Très vite, le succès est au rendez-vous. Plusieurs prix ont récompensé ce courageux créateur d'entreprise.

La Table Gourmande – *16 r. de Bernardy - ☏ 04 75 93 37 22 - mar.-sam. 8h-12h30, 14h-19h30, août et déc. : lun.-sam. - fermé 2 sem. juil.* Fondée en 1901, La Table Gourmande est une vraie institution à Aubenas.Toutes les spécialités régionales y sont proposées, des marrons glacés aux différentes eaux-de- vie, et petits vins fruités de l'Ardèche. Très bon rapport qualité-prix.

Maison Sabaton – *Chemin de la plaine - ☏ 04 75 87 83 83 - lun.-ven. 8h-12h30, 13h30-18h30.* Depuis 1907, la famille Sabaton impose son savoir-faire : difficile de trouver mieux dans la région en matière de marrons glacés et de fruits confits... Fort de leur succès, les Sabaton se sont donc équipés d'une fabrique ultra-moderne pour faire face à leur développement.

Loisirs-Détente

Aérodrome de Aubenas-Vals-Lanas *Rte de l'Aérodrome - D 504 - 07202 Lanas - ☏ 04 75 35 23 80 - tlj jusqu'à la tombée de la nuit.* Cet aérodrome existe depuis 1976 et possède plusieurs infrastructures ouvertes aux touristes : un club d'ULM dirigé par Patrice Constantin, champion de France 1989, un aéro-club proposant des baptêmes de l'air, un bar et un restaurant.

Les Intra-terrestres – *8 chemin Tour du ministre - ☏ 04 75 35 35 34 - tlj 9h-12h, 15h-19h en saison. Réservation par tél* - Les Intra-terrestres organisent des excursions spéléologiques au cœur de l'Ardèche souterraine. Mais amis claustrophobes, rassurez-vous ! Il y a aussi pour vous un tas d'activités en plein air : descente en rappel de canyons et escalade de voies rocheuses, notamment. Si vous avez des enfants ou si le risque ne vous tente pas plus que ça, vous pouvez aussi participer à de superbes randonnées.

Pause au parc Aérocity

visiter

Château

Juil.-août : visite guidée (1h1/4) tlj à 11h, 14h, 15h, 16h, 17h ; avr.-juin et sept. : mar. et jeu.-sam. à 14h ; oct.-mars : mar., jeu., sam. à 14h. Fermé en nov. et j. fériés sf 14 juil. et 15 août. 3,05€. ☎ 04 75 87 81 11.

C'est un bel ensemble architectural. Les plus anciennes parties datent du 12e s. Les familles illustres qui s'y sont succédé, Montlaur, Ornano, Vogüé notamment, ont tour à tour agrandi et embelli la demeure.

La cour intérieure est ornée de tourelles du 15e s. occupées par des escaliers à vis et d'un bel escalier du 18e s. En étage, la succession de **salles lambrissées et meublées** garde le charme des ensembles du 18e s. L'une d'elles abrite des œuvres du peintre symboliste Chaurand-Neyrac (1878-1948).

Quelle allure !
La **façade★** principale du château, encadrée de tours rondes à mâchicoulis, est devenue au 18e s. l'entrée principale par l'ouverture des deux grandes portes à fronton. Les tuiles plates vernissées, de facture bourguignonne, égayent cet ensemble surmonté d'un donjon du 12e s. cantonné d'échauguettes.

Dôme St-Benoît

♿ *Juil.-août : visite guidée à 17h, dép. devant l'Office de tourisme. ☎ 04 75 87 81 11.*

Ancienne chapelle des bénédictines (17e-18e s.), de forme hexagonale. À l'intérieur, mausolée (1640) du maréchal et de la maréchale d'Ornano.

Église St-Laurent

Le chœur est revêtu d'un monumental ensemble de style jésuite, formé de trois retables en bois sculpté. Belle chaire en bois sculpté du 17e s.

Place stratégique de la vallée de l'Ardèche, Aubenas semble parfois se fondre dans ce décor grandiose.

alentours

Panorama de Jastres★

7,5 km par la N 102. À 4 km après le pont sur l'Ardèche, prendre à gauche la voie d'accès à la zone industrielle puis, 200 m plus loin, emprunter à droite un chemin revêtu, le suivre pendant 1,2 km et tourner à gauche dans un chemin rocailleux en montée ; au sommet, laisser la voiture.

On atteint le rebord du plateau *(1/2h à pied AR)*, lieu d'habitat préhistorique. Au terme du chemin, le panorama embrasse, jusqu'au Guidon du Bouquet, toute la Basse Ardèche, le bassin d'Aubenas, et au Nord-Est, la chaîne du Coiron.

Aérocity

10 km. Quitter Aubenas au Sud par la D 104. Juil.-août : 10h15-19h (dernière entrée 1/2h av. fermeture) ; juin : 10h15-18h ; de dernière sem. d'août au 1er w.-end de sept. : 10h30-18h ; sept. : mer. et sam. 14h-18h, dim. 10h30-18h ; avr.-mai : 10h30-18h. Fermé oct.-mars. 12€ (-12 ans : 10€). ☎ 04 75 35 00 00.

Ce parc d'attractions propose aux amateurs de sensations fortes « le toboggan géant », haut de 20 m, pour découvrir le parachutisme, « la piscine toboggan », des simulations de vols mouvementés, un spectacle sur écran à 180°, et pour les jeunes enfants, des aires de jeux et de découvertes.

Bon vol ! Baptêmes de l'air et multiples aventures au rendez-vous dans le parc Aérocity où petits et grands passeront des heures inoubliables.

itinéraires

LES DÉFILÉS DE L'ARDÈCHE*

Les défilés, dans la moyenne vallée de l'Ardèche, présentent une succession de bassins fertiles où la rivière décrit des méandres, et de défilés où elle s'encaisse profondément ; ses eaux vertes contrastent avec les bancs de graviers clairs et les berges de sable doré.

44 km – environ 2h – Quitter Aubenas par la D 104. À St-Étienne-de-Fontbellon, emprunter, à gauche, la D 579 vers Vogüé.

La route, tracée au milieu des vergers et des vignobles, se rapproche de la rivière.

Pratique

Il est possible de découvrir ces fascinants paysages de différentes façons. Un aménagement de la rivière permet de naviguer en canoë d'Aubenas ou de Vogüé jusqu'à Vallon-Pont-d'Arc. Des sentiers ont été aménagés pour les randonnées à pied ou en VTT.

Vogüé

Adossé à une falaise surplombant l'Ardèche, le village de Vogüé, aux vieilles rues coupées d'arcades, est dominé par son château.

Une ancienne famille

Les seigneurs de Vogüé figurent parmi les plus célèbres du Vivarais ; ils ont été honorés des titres de baron des États de Languedoc, de grand bailli du Vivarais et de gouverneur de Provence. À la fin du 19e s., deux de leurs descendants ont continué à illustrer le nom de Vogüé : le marquis Charles-Jean-Melchior de Vogüé (1829-1916), diplomate, historien et archéologue, qui écrivit l'histoire de sa famille vivaroise, ouvrage riche en renseignements sur le Vivarais d'autrefois ; et le vicomte Eugène Melchior de Vogüé (1848-1910), auteur de l'essai *Le Roman russe*.

Château – *Pâques-Toussaint : w.-end et j. fériés 14h-18h (de fin juin à fin sept. : tlj 14h30-19h30). 3€. ☎ 04 75 37 01 95.*

Cette vaste demeure a remplacé, au 16e s., la forteresse féodale primitive. L'édifice, qui sert de cadre à des expositions sur le Vivarais à travers les âges et à des manifestations culturelles, appartient encore à la famille des Vogüé.

Rejoindre la D 1 au Sud, puis la D 401 à gauche vers Rochecolombe.

Rochecolombe*

Le village féodal de Rochecolombe domine un petit ruisseau aux eaux limpides jaillissant au fond d'un cirque calcaire. Le **site*** est très retiré. Rochecolombe est formé de deux villages bien distincts. En arrivant au premier groupe de maisons serrées autour de l'église du Bas, construite en 1858, on aperçoit sur un piton les vestiges d'une tour carrée.

Sur la première place rencontrée, où se trouve un petit monument aux morts, tourner à gauche dans un chemin goudronné qui mène à un pont franchissant le ruisseau.

En voiture !

Le *Picasso* vous attend certainement en gare de Vogüe pour un beau parcours de 14 km jusqu'à St-Jean-le-Centenier. Renseignements auprès de l'association **Viaduc 07**, *☎ 04 75 37 03 52.*

Semblant surgi de nulle part, ce charmant campanile signale une chapelle romane appelée chapelle du Vieux Rochecolombe.

Laisser la voiture à environ 300 m, à hauteur d'un virage. Un sentier descend vers le lit du torrent qu'enjambent des ponceaux en dos d'âne. À droite s'élève le **village féodal.**

Gagner le fond du cirque rocheux fermé par de hautes falaises. À leurs pieds sourdrent deux **fontaines vauclusiennes**. Les parois calcaires sont forées de cavités où s'agrippent des buis sauvages. La vue sur le village ruiné, les restes de piliers d'un moulin disparu, la transparence de l'eau verte – réduite à de simples vasques en été – composent un décor paisible.

Revenir à Vogüé. Au pont de Vogüé, prendre la D 114 qui suit la rive droite.

À Lanas, la route franchit la rivière par un pont étroit : jolie vue sur l'Ardèche, à son confluent avec l'Auzon.

À St-Maurice-d'Ardèche, emprunter à droite la D 579, puis 300 m après la gare de Balazuc, tourner dans la D 294.

À la montée, **vue★** sur le bassin, dominé par le Coiron.

Balazuc★

Ce village de calcaire, autrefois fortifié, est accroché à la falaise, dans un défilé retiré. C'est de la rive opposée, une fois le pont franchi *(laisser la voiture au bord de la route qui monte à gauche)*, qu'on a le meilleur point de vue sur Balazuc, dominé par le clocheton de son église romane et les vestiges de ses tours.

Laisser la voiture sur le parking, à 50 m du pont, en bas du village.

Aux 8e et 9e s., Balazuc fut l'un des villages du Bas-Vivarais où s'établit une colonie de Sarrasins ; les vieilles rues fleuries qui s'élèvent vers le château invitent à la flânerie.

ARTISANAT
Ne quittez pas Balazuc sans faire un petit tour à la **Maison des artisans** qui expose une agréable sélection de poteries et de produits régionaux : ☎ *04 75 37 78 08.*

Le pont, au pied du village, est le point de départ *(prendre le chemin de terre sur la gauche)* d'une très jolie promenade à pied, en aval, au bord de l'Ardèche resserrée entre les falaises ; celle de droite porte les vestiges de la tour de la Reine Jeanne.

Au cours de la montée sur le plateau rive droite, la **vue★** embrasse tout le défilé. Du plateau rocailleux, très aride (buis, genévriers), la route redescend vers la dépression d'Uzer ; en face, on aperçoit les hauts de Largentière et une des tours de Montréal, dominés par le Tanargue et, à gauche, le sommet du Lozère.

Emprunter la D 104 vers Uzer puis, à Bellevue, la D 4 en direction de Ruoms.

Un étroit passage rocheux marque l'entrée des gorges de la Ligne ; une belle **perspective** s'ouvre sur l'Ardèche, en amont, au confluent des deux rivières, dominé par des falaises hautes de près de 100 m. La régularité des strates est frappante.

Aux gorges de la Ligne succède le **défilé★** de Ruoms *(voir p. 293)*. La route offre de jolis passages en tunnel. À la sortie des tunnels, la silhouette du rocher de Sampzon, en forme de calotte, se dresse en avant, dans l'axe de la vallée.

Prendre le pont à gauche vers Ruoms.

Ruoms *(voir ce nom)*

circuit

MONTAGNE ET HAUTE VALLÉE DE L'ARDÈCHE★

Quitter Aubenas au Nord par la D 104 et remonter la vallée jusqu'à Pont-de-Labeaume. Prendre alors à droite la D 536 en direction de Montpezat-sous-Bauzon.

Montpezat

Le vieux bourg a donné son nom à un ensemble électrique étonnant (1954) car il chevauche la ligne de partage des eaux entre l'Atlantique et la Méditerranée. Il comprend plusieurs barrages destinés à collecter les eaux de la vallée supérieure de la Loire et de ses affluents. Le lac d'Issarlès est utilisé comme réservoir.

Chute forcée

EDF a utilisé une disposition géographique à peu près unique : la Loire coule à la Palisse, près du lac d'Issarlès, à une altitude voisine de 1 000 m ; à 17 km de là, sur le versant Sud-Est du massif du Mézenc, la Fontaulière coule à l'altitude de 350 m, si bien qu'en perçant un tunnel de 13 km de longueur on réalisait une chute de 650 m.

Le tunnel d'amenée des eaux débouche à l'altitude de 912 m, au-dessus du ravin de la Fontaulière. Une conduite forcée longue de 1 450 m conduit l'eau à **l'usine souterraine** située à 60 m au-dessous du lit du torrent : cette disposition a permis d'augmenter d'autant la hauteur de chute de la centrale de Montpezat (640 m). *Visite guidée (2h) tlj sf w.-end 8h-12h, 14h-17h. Fermé j. fériés. Gratuit. ☎ 04 75 94 57 72.*

Depuis juin 1987, à 1 km en amont de la Fontaulière, le barrage du **pont de Veyrières** assure la régularisation des restitutions de l'usine de Montpezat. *Visite guidée (1h30) tlj sf w.-end 14h-17h. Fermé j. fériés. Gratuit. ☎ 04 75 94 57 72.*

Éperon de Pourcheyrolles★ – *En venant de Pont-de-Labeaume, 800 m avant Montpezat, emprunter à droite, 600 m après le chemin d'accès à l'usine électrique, un court chemin revêtu. Laisser la voiture au terme du revêtement et se diriger (1/4h à pied AR), côté amont, vers des vestiges de constructions en béton.*

À environ 100 m en contrebas du dernier pylône en fer, un promontoire offre un point de vue excellent sur l'éperon basaltique portant les ruines du château féodal de Pourcheyrolles. À droite la coulée basaltique s'arrondit en forme de cirque : la Pourseille saute l'obstacle par une jolie cascade.

Église N.-D.-de-Prévenchère – *Aussitôt franchi le pont sur la Fontaulière, emprunter en voiture la petite route des Chaudouards qui s'embranche à droite.*

C'est un sobre édifice des 12e et 13e s. L'intérieur est remarquable par ses quatre courtes nefs et par la variété de leurs voûtes, romanes ou gothiques. Remarquez les voûtes à pans des absides polygonales.

La ville basse – *Reprendre en voiture la direction de Montpezat.* L'étroite rue de traversée est bordée de vieilles maisons de granit de type montagnard, à la silhouette trapue, aux façades souvent bombées, percées de porches bas en plein cintre. L'une d'entre elles, à droite, se distingue par sa construction en pierres volcaniques noires et son joli décor sculpté (17e s.).

Continuer sur la D 536 en direction du suc de Bauzon jusqu'à la D 110 que l'on prend à gauche vers St-Cirgues-en-Montagne.

St-Cirgues-en-Montagne

L'**église** de St-Cirgues est un édifice roman typique de la montagne avec son clocher-peigne et ses assises trapues ; la corniche du chevet est joliment décorée de modillons à masques, têtes d'animaux, feuilles d'acanthe...

Prendre la D 239 au Sud en direction de Mazan-l'Abbaye.

Mazan-l'Abbaye★

Dans un repli isolé du massif forestier de Mazan, qui culmine à 1 467 m, fut fondée au 12e s. la première abbaye cistercienne de la province de Languedoc. Ce sont des moines de Mazan qui, plus tard, fondèrent les abbayes provençales de Sénanque et du Thoronet. De la vaste

L'épreuve du temps est redoutable, surtout après huit siècles d'existence ; malgré son âge avancé le site de Mazan a conservé son charme d'autrefois.

abbatiale romane ne subsistent que des ruines, à l'exception de la sobre arcature de l'abside surplombant le ruisseau de Mazan.

À côté, le château, bâti avec des matériaux arrachés aux ruines, est dominé par le clocher-peigne de sa modeste église.

Forêt de Mazan★

Circuit à pied, environ 3h. Quitter Mazan par la D 239 vers le col de la Chavade et emprunter sur la gauche, après 400 m, à la sortie d'un virage prononcé, une route non revêtue (interdite aux voitures). On débouche sur la D 239 près de la scierie de Banne ; prendre à droite pour arriver à la maison forestière de Banne et continuer sur la D 239 pour revenir à Mazan.

Rochers moussus, cascatelles, airelles et framboisiers sauvages agrémentent le sous-bois de la splendide futaie de sapins.

Continuer sur la D 239 qui conduit au col de la Chavade et au début de la vallée de l'Ardèche.

Col de la Chavade

Alt. 1 266 m. C'est un seuil marquant la ligne de partage des eaux entre l'Atlantique et la Méditerranée. Quelques fermes montagnardes s'y blottissent. La N 102, qui relie Le Puy à Viviers, suit la voie de passage traditionnelle entre le Velay et la vallée du Rhône.

Aux lignes horizontales de la planèze succède brusquement la trouée verticale de la vallée de l'Ardèche ; à 800 m du col, la route franchit le torrent qui tombe en cascade à gauche. Le parcours, assez accidenté, offre surtout de belles vues dans l'axe de la vallée, dominée à droite par le sommet en dôme de la Croix de Bauzon et les découpures du rocher d'Abraham.

L'âpreté de cette vallée montagnarde est adoucie par quelques vergers ensoleillés entourant les villages, des treilles sur les façades des maisons ou au-dessus de murettes de soutènement, des silhouettes de vieux ponts en dos d'âne qu'empruntaient les chemins médiévaux.

Le parcours, en outre, est jalonné de ruines féodales : **château des Montlaur**, en amont de Mayres ; haute tour ronde du **château de Chadenac** en aval de Mayres ; et, à l'arrivée à Pont-de-Labeaume, le **château de Ventadour**, ancienne forteresse médiévale en partie relevée de ses ruines.

Malgré sa réputation de capricieuse, l'Ardèche est une remarquable séductrice comme ici, à Neyrac, où le pont se reflète avec une certaine coquetterie dans ses eaux miroitantes.

Mayres

Bourg situé dans une gorge boisée.

D'une passerelle jetée sur l'Ardèche à 1 km en aval, jolie vue sur le hameau et la haute vallée.

Thueyts★ *(voir ce nom)*

À la sortie de Thueyts, vue sur la vallée, dominée à gauche par la montagne de Ste-Marguerite.

Neyrac-les-Bains♀

Petite station thermale, adossée au volcan du Soulhiol. Les eaux, bicarbonatées, connues des Romains, passaient au Moyen Âge pour guérir de la lèpre.

À la sortie de Pont-de-Labeaume, prendre à droite la route en montée signalée « Notre-Dame-de-Niègles », qui se dirige au fond du vallon avant d'atteindre un replat. Laisser la voiture en contrebas à droite.

Notre-Dame-de-Nièges

L'église se dresse sur une colline en surplomb de la rivière. De l'architecture d'origine (10e s.), il subsiste peu d'éléments et l'aspect actuel est le résultat d'adjonctions successives. Le portail date du 18e s. L'intérieur est éclairé sur les côtés par des oculi ; l'abside est la partie la plus ancienne (11e s.).

La route de retour à Pont-de-Labeaume offre à la descente de belles échappées sur la forteresse médiévale de **Ventadour** *(en cours de restauration).*

Vals-les-Bains♀♀ *(voir ce nom)*

Labégude

Le village tire son nom d'un vieux mot provençal signifiant « guinguette, buvette ».

La D 104 mène à Aubenas.

Retour aux sources

Comme d'autres régions volcaniques en France, le Sud de la montagne ardéchoise regorge de sources, plus ou moins gazeuses, qui sont parfois utilisées dans les cures thermales. Les eaux les plus connues sont les eaux minérales du Pestrin (Ventadour et Chantemerle) et la célèbre eau de Vals.

Château de la Bastie-d'Urfé★

Bienvenue au pays d'Astrée et de Céladon. Vous êtes en effet dans la verdoyante vallée du Lignon, lieu d'inspiration inépuisable si l'on en croit Honoré d'Urfé qui y a commis l'Astrée, célèbre roman-fleuve de quelque... 5000 pages ! Mais on vient surtout à la Bastie-d'Urfé pour découvrir son château, véritable joyau Renaissance – style d'ailleurs très rare dans la région – connu pour ses belles galeries superposées et sa séduisante grotte de rocaille.

La situation

Cartes Michelin nos 88 pli 5 ou 239 pli 23 – Loire (42). 7 km à l'Est de Boën, 13 km à l'Ouest de Feurs, la Bastie-d'Urfé est située très au Sud du pays d'Urfé où s'était installé la famille au Moyen Âge. Ce n'est plus la rigueur de la « montagne » mais les paysages plus « riants » et humides de la plaine forézienne.

Le nom

D'origine germanique, le terme Bastie ou Bâtie désigne la nouvelle construction d'un village ou d'un monument.

Les gens

Les rudes seigneurs d'Urfé se bâtissent, au 15e s., un manoir sur les rives du Lignon. L'ascension de la famille est dès lors très rapide. Pendant les guerres d'Italie, Claude d'Urfé, l'aïeul de l'écrivain, séjourne plusieurs années à Rome comme ambassadeur. À son retour, il transforme le manoir de la Bastie en une demeure Renaissance. C'est dans ce cadre raffiné qu'**Honoré d'Urfé** (1567-1625) passe son enfance.

comprendre

Une passion malheureuse – Après ses études au collège de Tournon, Honoré d'Urfé regagne la Bastie où il est l'hôte de son frère aîné. L'épouse de celui-ci, la belle **Diane de Châteaumorand**, femme ardente déçue par son mari, éveille dans le cœur du jeune homme une brûlante passion. Ayant obtenu l'annulation de ce premier mariage inconsommé, elle épouse son beau-frère en 1600.

Le berger et la bergère

Publié de 1607 à 1628, le roman-fleuve lance en France la mode du roman et des bergeries. Son succès est extraordinaire. Les interminables amours d'un berger, Céladon, et de sa bergère, Astrée, servent de cadre à un véritable bréviaire de « l'honnête homme » au 17e s.

Les nouveaux époux s'installent à Châteaumorand, dans le château de Diane, au Nord-Ouest de la Pacaudière. Ce second mariage n'est pas plus heureux que le premier. Honoré d'Urfé fuit Châteaumorand et se remet à la rédaction de ***L'Astrée***, ébauchée à son retour de Tournon.

visiter

♿ *Avr.-oct. : 10h-12h, 14h30-18h (juil.-août : 10h-12h, 13h-18h) ; nov.-mars : tlj sf mar. 14h-17h. 4,27€.* ☎ *04 77 97 54 68.*
Trois corps de bâtiments entourent la cour d'honneur à laquelle on accède en franchissant la seule partie subsistante des douves *(illustration au chapitre de l'Art)*.
À gauche, l'aile réservée au corps de garde comprend un cellier légèrement enterré, surmonté d'une suite de six loges voûtées. L'aile de droite est composée de deux galeries superposées à l'italienne et d'une rampe dont le départ est marqué par un sphinx, image de la science et de la connaissance. Le rez-de-chaussée ouvre sur une cuisine médiévale tandis que les salles du premier étage montrent d'admirables plafonds peints. Les pièces de réception sont ornées d'un beau mobilier (16e s.) et d'une collection de tapisseries représentant des scènes de l'*Astrée*.

Dans ce splendide décor de coquillages, Neptune agrémente divinement bien la grotte de rocaille.

Au rez-de-chaussée du corps de logis central s'ouvre la célèbre **grotte de rocaille★** ou salle de fraîcheur. Son revêtement de cailloutis, de coquillages et de sables diversement teintés, d'où se détachent des figures en relief, forme un ensemble richement coloré. Du décor païen de ce nymphée, on passe aux scènes bibliques qui décorent la chapelle contiguë. L'élégante **voûte★** à caissons de stuc doré est d'un raffinement exquis. De nombreux éléments de l'exceptionnelle décoration de cette chapelle sont malheureusement dispersés dans des propriétés ou grands musées.
À l'extérieur, les abords et les jardins sont recomposés pour former à nouveau un bel écrin d'eau et de verdure.

Le Beaujolais★★

« Lyon, dit-on, est arrosé par trois fleuves : le Rhône, la Saône et... le Beaujolais. » Cette boutade tiendrait à accréditer l'idée d'un Beaujolais uniquement viticole. Très alléchante, cette idée est cependant incomplète pour présenter une région qui ne cesse de valoriser son patrimoine touristique. Sa richesse tient beaucoup à la variété, aux contrastes de ses paysages ; au Nord la montagne y est souvent sauvage, image renforcée par les sombres bois de sapins Douglas, tandis que dans le Sud, les lumineux villages du pays des Pierres Dorées vibrent aux premières caresses du soleil.

Santé !

Il est souvent possible de déguster le beaujolais dans les caveaux, celliers ou « châteaux ». Des confréries très actives comme les « Compagnons du Beaujolais », les « Gosiers secs de Clochemerle » et les « Grappilleurs des Pierres Dorées » s'attachent à en diffuser la renommée.

La situation

Cartes Michelin nos 73 plis 8, 9, 10 ou 244 plis 1, 2, 3, 13, 14 – Rhône (69). Séparé de la Dombes par la Saône qui forme frontière, le Beaujolais s'étend au Nord-Ouest de Lyon dont il est une importante « source » d'approvisionnement. La circulation Nord-Sud se fait essentiellement par la vallée de la Saône car elle est particulièrement difficile dans la montagne.

Le nom

C'est la famille de Beaujeu qui a donné son nom à la région. Beaujeu pourrait venir du latin *bellus* (beau) et de *Jugum* (montagne).

Le travail patient de la vigne trouve sa récompense au temps des vendanges qui sont souvent des moments d'efforts et de convivialité.

Les gens

Durant les 9e, 10e et 11e s., les sires de Beaujeu se taillèrent un territoire important entre le Mâconnais et le Lyonnais ; ils fondèrent Villefranche et l'abbaye de Belleville. En 1400, Édouard de Beaujeu fait don de ses terres aux Bourbon-Montpensier. Sous François Ier le connétable de Bourbon fit des lourdes erreurs sanctionnées par la confiscation de ses terres, et donc du Beaujolais, par la Couronne ; mais, en 1560, les Bourbon-Montpensier reprennent possession de leurs biens. À sa mort, Marie-Louise de Montpensier, la Grande Mademoiselle, lègue le Beaujolais à la famille d'Orléans qui le garde jusqu'à la Révolution.

ANNE DE BEAUJEU (1461-1522)

Véritable figure dans la région, Anne de France, fille de Louis XI, est souvent appelée la Dame de Beaujeu à cause de son mariage avec Pierre II de Beaujeu. Elle assura avec sagesse la régence pendant la minorité de son frère Charles VIII dont elle favorisa le mariage avec Anne... de Bretagne !

comprendre

Un relief contrasté

Le Beaujolais est un massif montagneux situé entre les bassins de la Loire et du Rhône, à la ligne de partage des eaux (océan Atlantique-Méditerranée). Ses limites sont nettes à l'Est et à l'Ouest, beaucoup moins au Nord et au Sud où il se rattache au Charolais et aux monts du Lyonnais. Si l'altitude est relativement peu élevée – le mont St-Rigaud, point culminant, est à 1 009 m –, on est frappé par l'abondance des plateaux, l'existence des vallées sinueuses et encaissées, et surtout, par la dissymétrie entre les versants Est et Ouest. Alors qu'à l'Ouest on s'élève par une pente assez douce, c'est un talus accentué qui domine à l'Est la plaine de la Saône. Ce talus constitue la « Côte beaujolaise », tandis que tout le reste du massif forme la « Montagne ».

La Montagne – Avec ses monts et ses vallées pittoresques, ses paysages variés, la Montagne est une région digne d'être visitée. De la ligne de crête, et d'un grand nombre de belvédères, on découvre de vastes panoramas : au-delà de la plaine de la Saône apparaissent les contreforts du Jura et, plus loin, les hauts sommets des Alpes. Aux bois de sapins et aux landes de genêts qui couvrent les sommets, succèdent, sur les pentes, forêts de chênes et vastes clairières.

Les vins du Beaujolais

Grâce à la culture de la vigne et à la réputation de ses vins, le Beaujolais est connu bien au-delà de nos frontières. La vigne, cultivée ici depuis l'époque romaine, a connu des fortunes diverses : florissante au Moyen Âge, presque abandonnée au 17e s., elle bénéficie au 18e s. d'une véritable renaissance ; Lyon, « la pompe à beaujolais », cesse alors d'être le seul débouché et des convois sont acheminés vers Paris. Les marchés s'élargissent avec le développement des réseaux routier et ferroviaire, et la culture de la vigne devient une monoculture.

Aujourd'hui, le vignoble s'étend de la côte mâconnaise au Nord à la vallée de l'Azergues au Sud, il recouvre les pentes des coteaux ensoleillés qui dominent la Saône. Le cépage, très homogène, est constitué de gamay noir à jus blanc. Il produit des vins rouges frais et fruités dont le parfum varie selon la composition du sol. Le vignoble est en fait divisé en deux régions dont les productions sont différentes.

Le beaujolais doit être consommé jeune et possède le rare privilège pour un vin rouge de se boire frais.

carnet pratique

Restauration

• Valeur sûre

Le Coq au Vin – *Pl. du Marché - 69840 Juliénas - ☎ 04 74 04 41 98 - fermé 9 au 15 avr., 19 déc. au 13 janv., mar. soir et mer. - 15,09/35,83€.* Au pays des vins, le coq est roi ! C'est en tout cas vrai dans cette maison pimpante sur la place de Juliénas. Derrière ses volets bleus, sa salle au décor soigné accueille une belle collection de coqs de toutes sortes... À admirer en savourant sa cuisine gourmande.

Christian Mabeau – *69460 Odenas - 15 km au NO de Villefranche par D 43 - ☎ 04 74 03 41 79 - fermé 2 au 17 janv., 3 au 19 sept., dim. soir et lun. - 19,06/54,88€.* Au cœur du village d'Odenas, ce petit restaurant familial installe quelques tables sur sa terrasse, juste en face des vignes, dès qu'il fait beau. Sa salle à manger est agréable et ses quelques menus s'accompagnent d'un bon choix de vins régionaux...

La Terrasse du Beaujolais – *Rte d'Avenas - 69115 Chiroubles - ☎ 04 74 69 90 79 - fermé 8 déc. au 1er mars (sf sam. midi et dim. midi) et lun. soir en juil.-août - 20/49€.* Situé sur les hauteurs de Chiroubles en direction du col de Fût d'Avenas, ce restaurant offre une vue exceptionnelle depuis sa salle à manger et sa terrasse sur les monts du Beaujolais. Cuisine régionale et salon de thé.

Les Platanes de Chénas – *Aux Deschamps - 69840 Chénas - 2 km au N de Chénas par D 68 - ☎ 03 85 36 79 80 - fermé mar. et mer. du 15 sept. au 15 juin - 20,58/48,02€.* Ah qu'il est doux de ne rien faire quand tout s'agite autour de soi ! Installé sur la terrasse ombragée, votre regard s'étend sur les vignobles de Chénas et votre palais savoure les crus d'ici accompagnés par d'une honnête cuisine.

Hébergement

• À bon compte

Chambre d'hôte Domaine des Quarante Écus – *Les Vergers - 69430 Lantignié - 4 km à l'E de Beaujeu par D 78 - ☎ 04 74 04 85 80 - ⊄ - 5 ch. : 33/42€.* Ce domaine viticole doit son nom au ginkgo biloba, communément appelé « arbre aux quarante écus », qui est planté devant la maison. Dans un jardin et un verger clos, au milieu des vignes, vous profiterez du calme de la campagne et pourrez déguster le vin produit ici.

Hôtel Les Vignes – *Rte de St-Amour - 69840 Juliénas - ☎ 04 74 04 43 70 - P - 22 ch. : 36,59/46,50€ - ☕ 6,40€.* À la sortie de Juliénas, sur la route de St-Amour, cette maison est au cœur du Beaujolais. Certes, la construction est sobre mais les chambres, refaites peu à peu, sont fonctionnelles. La salle des petits-déjeuners aux couleurs ensoleillées est lumineuse. Accueil sympathique.

Chambre d'hôte Domaine de Romarand – *69430 Quincié-en-Beaujolais - 9 km au SE de Beaujeu par D 37, D 9, puis dir. château de Varennes - ☎ 04 74 04 34 49 - ⊄ - réserv. obligatoire - 3 ch. : 42/51€ - repas 16/19€.* Cette belle maison de vigneron en pierre ouvre sa cour en U sur les vignes. Tenue par des viticulteurs, ses chambres modernes sont confortables et sa piscine est la promesse d'un délicieux moment de détente, après le petit-déjeuner copieusement servi, par exemple.

Achats

Dans les pays de vignobles, il est souvent possible de visiter les chais et découvrir la grande variété des crus ; les visites sont accompagnées de dégustations de la production locale. Certaines caves sont célèbres, comme celles du château de la Chaize (108 m de long), de Clochemerle et de Villié-Morgon, mais il ne faut pas hésiter à rendre visite aux nombreux vignerons de la région. Il faut parfois prendre rendez-vous ; renseignez-vous auprès de l'organisme « Pays Beaujolais » *(voir p. 34)*.

Parmi les nombreux caveaux de dégustation :

Maison des beaujolais – *RN 6, 69220 St-Jean-d'Ardières. ☎ 04 74 66 16 46.*

Caveau des beaujolais-villages (Temple de Bacchus) – *Pl. de l'Hôtel-de-Ville - 69430 Beaujeu - ☎ 04 74 04 81 18 - déc.-avr. tlj sf mar. 10h30-13h, 14h-19h30.* Au sous-sol du musée Marius-Audin, signalé par une belle tête de Bacchus, un caveau de dégustation offre un vaste choix de beaujolais-villages à goûter en compagnie d'un belle effigie en cire de Catherine de Beaujeu.

Caveau de Clochemerle – *Le Bourg, 69460 Vaux en Beaujolais, ☎ 04 74 03 26 58.*

La région s'enrichit de nombreuses structures qui contribuent à bien faire connaître les différentes caractéristiques des vins du Beaujolais. L'Association Pays Beaujolais coordonne la création et le développement de pôles œnologiques spécialisés sur des thèmes bien définis : géologie à Saint-Jean-des-Vignes, histoire à Beaujeu, métiers et techniques à Theizé, dégustation à St-Jean-d'Ardières.

Les coteaux du Beaujolais – Au Nord de Villefranche, les terrains granitiques donnent en se décomposant le « gore », argile à l'aspect cendreux qui est caractéristique du vignoble beaujolais. C'est la région des beaujolais-villages et des 10 crus : moulin-à-vent, fleurie, morgon, chiroubles, juliénas, chénas, côte-de-brouilly, brouilly, st-amour et régnié.

Le pays des Pierres Dorées – Entre Villefranche et la vallée de l'Azergues, les terrains sédimentaires dominent et donnent un parfum différent au jus du gamay. C'est la région des beaujolais et beaujolais supérieurs.

itinéraires

LE VIGNOBLE*

1 De Villefranche-sur-Saône à St-Amour-Bellevue

98 km – environ 5h – schéma p. 116

La route serpente à travers le vignoble, escaladant les coteaux puis redescendant vers la vallée de la Saône.

Quitter Villefranche par la D 504. Prendre à droite la D 19, puis à gauche la D 44.

Montmelas-St-Sorlin

On contourne par le Nord le **château** féodal *(on ne visite pas)*, restauré par Dupasquier, élève de Viollet-le-Duc. Juché sur un promontoire rocheux, il a fière allure avec ses hautes murailles crénelées, ses tourelles et son donjon.

De Montmelas, poursuivre jusqu'au col de St-Bonnet. Du col, à droite, un chemin non revêtu conduit au signal de St-Bonnet (1/2h à pied AR).

Signal de St-Bonnet

Du chevet de la chapelle, on découvre un panorama, au premier plan sur Montmelas, puis sur le vignoble et les monts du Beaujolais et, au-delà, sur la vallée de la Saône ; au Sud-Ouest, vue sur les monts du Lyonnais et de Tarare.

Du col, emprunter à droite la D 20.

St-Julien

Ce charmant village de vignerons est la patrie de Claude Bernard (1813-1878).

Musée Claude-Bernard – *Route fléchée. Tlj sf lun. et mar. 10h-12h, 14h-18h (oct.-fév. : fermeture à 17h). Fermé entre Noël et J. de l'an, en mars, 1er mai, 15 août. 2,29€. ☎ 04 74 67 51 44.* Au milieu des vignes se trouve la demeure acquise par le savant : « J'habite sur les coteaux qui font face à la Dombes... ». Un musée y a été aménagé sous l'égide de la Fondation Mérieux, de Lyon. Manuscrits, documents, photographies évoquent la vie et les découvertes de Claude Bernard. Remarquez notamment les instruments qu'il utilisait lors de ses séjours à St-Julien. En traversant le jardin qui longe les vignes, on peut accéder à sa maison natale située en arrière de la propriété.

Prendre la D 19 jusqu'à Salles.

Le père de la physiologie

Fils d'humbles vignerons, **Claude Bernard** vient à Paris en 1834. Ses études sur la fonction glycogénique du foie font de lui le véritable créateur de la physiologie. Ses travaux ont servi de base à la médecine moderne et ses méthodes, exposées dans l'*Introduction à l'étude de la médecine expérimentale*, font encore autorité.

Salles-Arbuissonnas-en-Beaujolais

Salles-Arbuissonnas-en-Beaujolais a conservé quelques bâtiments d'un **prieuré** fondé au 10e s. par les moines clunisiens et occupé à partir du 14e s. par un chapitre de religieuses bénédictines qui deviendront, au 18e s., chanoinesses-comtesses.

Église – Elle s'ouvre par une belle porte romane. À l'intérieur, chœur du 11e s., jolie chaire du prieur, du 16e s., et stalles du 18e s.

Salle capitulaire – *Accès par le jardin et le cloître, à droite de l'église. Visite guidée (1/2h) sur demande préalable. 1,52€. ☎ 04 74 57 51 50.*

Les chanoinesses-comtesses

Voilà un titre bien ronflant pour des religieuses qui semblaient avoir une conception assez large de l'esprit de pauvreté et de la vie cloîtrée ; parmi elles figurait Mme Lamartine du Villard, tante du poète. Il suffit de voir leurs maisons sur la place du Chapitre pour nous rassurer sur leurs conditions de vie somme toute très... honorables !

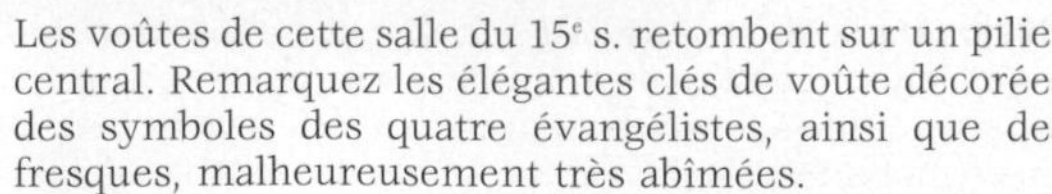

Les voûtes de cette salle du 15e s. retombent sur un pilier central. Remarquez les élégantes clés de voûte décorées des symboles des quatre évangélistes, ainsi que des fresques, malheureusement très abîmées.
Différents souvenirs et objets d'art ont été rassemblés dans cette salle.

Cloître – À droite de la façade de l'église, une petite porte de style flamboyant donne accès à l'ancien cloître roman dont il ne reste qu'une galerie à gracieuse colonnade composée alternativement d'une colonne et de deux colonnettes jumelles ; la cour était le cimetière de la communauté ; à droite de la salle capitulaire, le passage est voûté d'ogives, avec une clef de voûte armoriée.

L'harmonie qui se dégage du cloître de Salles-Arbuissonnas est une invitation permanente au recueillement et à la méditation.

Place du Chapitre – Ombragée de tilleuls et bordée par les anciennes maisons des chanoinesses, elle permet d'admirer la sobriété du chevet de l'église et de son clocher roman coiffé d'une toiture en pyramide, comme le sont souvent les églises bâties au 12e s. en Beaujolais.

De Salles, suivre la D 35, puis la D 49E à droite.

Vaux-en-Beaujolais

Ce village vigneron accroché aux pentes de la montagne beaujolaise a inspiré Gabriel Chevallier (1895-1969) dans son truculent roman *Clochemerle*. Ce village n'est évidemment pas comme les autres et il suffit d'y flâner pour profiter un peu de son ambiance.

La D 49E traverse le Perréon. Par la D 62, atteindre Charentay.

À 1 km à l'Est de Charentay, dans un tournant à droite, on découvre la silhouette de l'étrange château d'Arginy.

Château d'Arginy

Très délabré, il intéresse par le mystère qui l'entoure. Certains y placent le trésor des templiers qui aurait été rapporté par le comte Guichard de Beaujeu, neveu de Jacques de Molay, grand maître de l'ordre. De l'époque des templiers, ne subsiste que la grosse tour en brique rouge dite tour des Huit Béatitudes ou tour d'Alchimie.

Jusqu'où peut aller l'amour passionné d'une belle-mère ? À construire une tour pour surveiller son gendre, par exemple ! C'est le cas à Charentay, connu pour la haute tour de la belle-mère qui se dresse au-dessus du vignoble.

Continuer par la D 68, puis la D 19 à gauche et la D 37 à droite jusqu'à Belleville.

Belleville

Située au carrefour des axes de circulation Nord-Sud et Ouest-Est, cette ancienne bastide est à la fois un centre viticole et industriel (construction de machines agricoles). L'**église** du 12e s. faisait partie d'une abbaye de chanoines augustins, édifiée par les sires de Beaujeu. Le clocher carré fut construit au 13e s. sur le croisillon Sud. Le beau portail roman, qui donne accès à la nef gothique, présente une arcade extérieure décorée de motifs géométriques. À l'intérieur, les sculptures des chapiteaux, qui représentent les péchés capitaux, sont d'une naïve verdeur. *Église ouv. toute l'année, sf pdt les offices 9h-18h. De déb. juil. à fin août : possibilité de visite guidée en sem. 15h-19h. ☎ 04 74 66 44 67.*

L'Hôtel-Dieu, construit au 18e s. en remplacement du vieil hôpital, a été occupé par des malades jusqu'en 1991. Ses trois grandes salles présentent les alignements typiques d'alcôves aux rideaux blancs et communiquent avec la chapelle par de belles grilles ouvragées. L'apothicairerie renferme une collection de faïences des 17e et 18e s., mises en valeur par les boiseries de noyer. ♿ *De mi-juin à mi-sept. : visite guidée (3/4h) mer.-sam. à 10h30, 15h, 17h ; de mi-sept. à fin nov. et de mars à mi-juin : mer.-sam. à 15h30. Fermé j. fériés. 3,35€. ☎ 04 74 69 65 85.*

Reprendre la D 37.

Après Cercié, la route contourne le mont Brouilly.

Pour y accéder, emprunter la D 43, tourner à gauche dans la D 43E, puis 100 m plus loin, prendre, de nouveau à gauche, la route de la « Côte de Brouilly ».

Mont Brouilly

Sur ses pentes se récolte le cru des côtes-de-brouilly, à la fois fruité et bouqueté ; ce cru est, avec le brouilly, produit dans les communes s'étendant autour du mont Brouilly, le plus méridional du vignoble beaujolais.

De l'esplanade, **vue*** sur le vignoble, les monts du Beaujolais, la plaine de la Saône et la Dombes ; une chapelle, au sommet (alt. 484 m), est un lieu de pèlerinage pour les vignerons.

Revenir à Cercié, et à la sortie du village prendre à gauche la D 68E pour gagner le vieux bourg de Corcelles. De là, prendre à gauche la D 9.

Château de Corcelles*

♿ *Tlj sf dim. 10h-12h, 14h30-18h30. Fermé j. fériés. Gratuit. ☎ 04 74 66 00 24.*

Ce château fort fut édifié au 15e s. pour défendre la frontière entre la Bourgogne et le Beaujolais. Aménagé au 16e s., il prit une allure de gentilhommière. Au-dessus de l'entrée du donjon, armes de la famille Madeleine-Ragny. La cour intérieure est agrémentée de galeries Renaissance et d'un puits orné de ferronneries du 15e s. La chapelle renferme des boiseries gothiques remarquables.

Le repaire de Gargantua

Les châteaux du Beaujolais sont presque tous liés à la vigne qui a souvent fait la richesse de leurs propriétaires. Le château de Corcelles n'échappe pas à la règle et figure parmi les célèbres domaines de la région. Il possède un immense **cuvier** du 17e s. que n'aurait pas dédaigné notre cher Gargantua !

Reprendre la D 9 à droite.

Cette route traverse les vignobles de crus aux noms prestigieux et offre de belles vues sur la vallée de la Saône. Dans chaque village, un caveau ou une cave coopérative propose la dégustation des grands vins.

Villié-Morgon

Son cru a pour caractéristique de bien vieillir. Produit sur des schistes décomposés, il a un parfum très fruité.

De Villié-Morgon, prendre au Nord la D 68.

Fleurie

Ses vins « tendres » et légers se boivent jeunes.

De Fleurie, suivre la D 32, à l'Est, puis la D 186, sur la gauche.

Romanèche-Thorins *(voir ce nom)*

Par la D 266 traversant le hameau du Moulin-à-Vent, rejoindre la D 68.

Chénas

Cette commune est le berceau de deux grands vins : le moulin-à-vent, charnu et robuste, dont elle partage les vignobles avec la commune de Romanèche-Thorins, et le chénas proprement dit, plus léger.

Juliénas

Ses vins corsés et résistants peuvent se déguster dans le **cellier** de la vieille église, décoré de scènes bachiques. À la sortie du village, par la D 137, la maison de la Dîme (16e-17e s.) présente une très belle façade à arcades. ♿ *Tlj sf mar. 9h45-12h, 14h30-16h30 (juin-sept. : tlj). Fermé 15 premiers j. de janv., 15 derniers j. de fév., 25 déc. Gratuit. ☎ 04 74 04 42 98.*

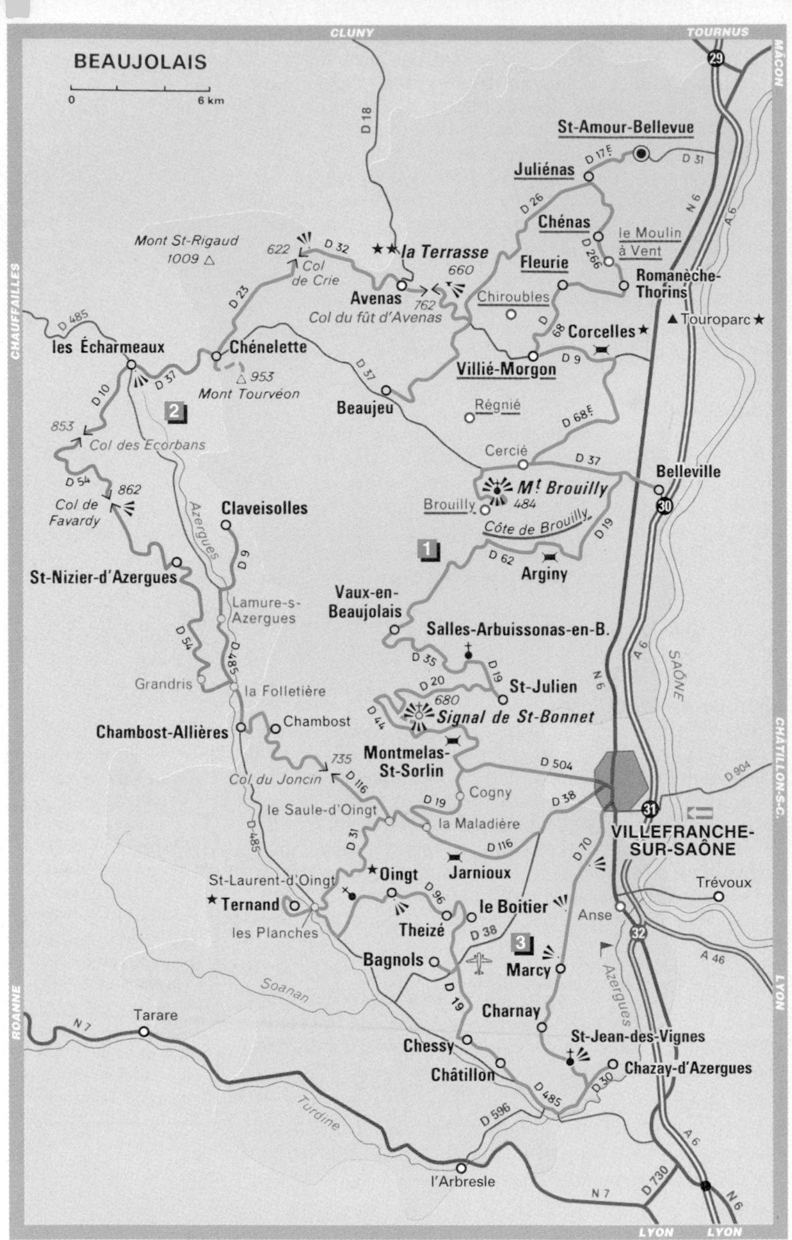

Le vignoble est représenté en vert. Les noms soulignés en rouge désignent les grands crus.

Gagner St-Amour-Bellevue.

St-Amour-Bellevue

Située à la pointe Nord du Beaujolais, cette commune produit des vins rouges colorés et charnus et des vins blancs de qualité.

LA MONTAGNE*

2 De St-Amour-Bellevue à Villefranche-sur-Saône

134 km – environ 6h

Cet itinéraire très pittoresque s'élève à travers les coteaux couverts de vignes, s'enfonce dans les sombres forêts de sapins, puis redescend sur la riante vallée de l'Azergues animée par ses scieries.

St-Amour-Bellevue et Juliénas – *Description ci-dessus. À Juliénas, prendre la D 26 qui s'élève jusqu'au col de Durbize (550 m), puis passe par le col du Truges (445 m).*

Beaujeu

« À tout venant, beau jeu », telle était la devise de l'ancienne capitale du Beaujolais, qui aligne ses maisons basses le long d'une rue étroite, entre les collines tapissées de vignes.

Les Sources du Beaujolais – *Entrée par la Maison de pays, en face de l'église.* ♿ *De mars à fin déc. : visite audioguidée (1h) tlj sf mar. 10h-12h, 14h-18h (mai-sept. : tlj 10h-19h). Fermé 25 déc. 5,34€ (donne accès au musée Marius-Audin et à une dégustation au caveau des Beaujolais-Villages).* ☎ *04 74 69 20 56.*

Ce pôle œnologique, agrémenté d'une muséographie originale et moderne, propose un parcours historique consacré au monde vinicole du Beaujolais. Après la présentation du passé glorieux de Beaujeu, le malheureux Ganelon vient s'écraser, dans la « salle du puits », devant plusieurs artisans décidément imperturbables. Mais le plus étonnant est sans doute la réplique grandeur nature d'une **péniche** dont on traverse le pont. Boutique de produits régionaux.

Église St-Nicolas – *Mêmes conditions de visite que « Les Sources du Beaujolais »,* ☎ *04 74 69 22 88.*

Les moellons irréguliers de roches noires ayant servi à sa construction lui donnent un aspect fort curieux. Édifiée en 1130, mais profondément remaniée au cours des siècles, elle a conservé son clocher roman.

Musée des Traditions populaires Marius-Audin – *De mars à fin déc. : tlj sf mar. 10h-12h, 14h-18h (mai-sept. : tlj 10h-12h, 14h-19h). Fermé 25 déc. 1,55€.* ☎ *04 74 69 22 88.*

Ce musée fut créé en 1942 par l'imprimeur érudit Marius Audin (1872-1951), né à Beaujeu.

Dans la section du folklore, un intérieur paysan du 19e s. a été reconstitué tandis qu'une salle de classe restitue l'ambiance scolaire 1900, avec les pages d'écriture et les leçons de morale. Sont également présentés des outils d'artisans ainsi que des meubles et objets provenant des hospices de Beaujeu.

Par les D 26 et D 18, on monte à la Terrasse.

Dégustation

Au sous-sol du musée Marius-Audin, signalé par une belle tête de Bacchus, un **caveau de dégustation** offre un vaste choix de beaujolais-villages à goûter en compagnie d'un belle effigie en cire de Catherine de Beaujeu.

Poupées de cire...

Le point fort du musée Marius-Audin est une intéressante **collection de poupées** de mode du 19e s., entourées de miniatures délicatement présentées. Ces poupées ont été les messagères de l'élégance française à l'étranger, surtout en Angleterre, avant de servir de jouets précieux. D'autres figurines arborent des costumes régionaux de France ou d'Italie : Champagne, Bourgogne, Piémont, Sardaigne...

La Terrasse**

Alt. 660 m. Table d'orientation. Située à 1 km du col du Fût d'Avenas sur la commune de Chiroubles, dans une boucle de la D 18. De ce lieu-dit se révèle un magnifique **panorama** semi-circulaire : au-delà de la vallée de la Saône, il embrasse les plaines de la Bresse, le Jura et, par temps clair, les Alpes avec le Mont Blanc, le massif de la Vanoise et le Pelvoux.

Avenas

Avenas en Beaujolais est situé sur l'ancienne voie romaine reliant Lyon à Autun. Ce petit village vit du travail du bois et de la fabrication d'un fromage de chèvre, le « blanc de Faye ».

Église – Elle date de la seconde moitié du 12e s. et renferme un magnifique **autel*** en calcaire blanc de la même époque. Sur la partie antérieure, le Christ en

Baigné d'une douce et chaude lumière, l'autel de l'église d'Avenas est remarquable par la qualité des scènes sculptées.

majesté lève la main droite en signe de bénédiction. Il est entouré des symboles des évangélistes, tandis que les apôtres, disposés de chaque côté sur deux registres, tiennent le livre de leurs écrits. Sur les faces latérales, on voit, à gauche, des scènes de la vie de la Vierge, à droite, le roi Louis VII offrant l'église d'Avenas au chapitre de St-Vincent de Mâcon.

La D 18^{E} puis la D 32 mènent au col de Crie.

Juste avant ce col se dégage une très belle vue vers le Nord par la trouée de la Grosne orientale. En redescendant, sur la droite, se dresse la masse imposante du **mont St-Rigaud** (alt. 1 009 m), point culminant de la région.

La légende de Ganelon

La *Chanson de Roland* est restée célèbre et beaucoup se souviennent du courage héroïque de Roland. Bien moins connu est le destin de Ganelon, son triste beau-père, qui serait à l'origine de l'embuscade de Roncevaux. La légende rapporte que Ganelon, fait prisonnier, fut enfermé dans un tonneau garni de pointes et jeté dans le vide du haut de la montagne (*voir les Sources du Beaujolais à Beaujeu*).

Chénelette

Cette petite localité est agréablement située dans une région boisée. Elle est dominée par le **Tourvéon** (alt. 953 m) au sommet duquel se dressait l'énorme château fort dit de Ganelon.

Son château *(accès aux ruines : 3/4h à pied AR)*, aurait été rasé sur ordre du roi Louis le Débonnaire.

Les Écharmeaux

Une station estivale s'est développée au milieu des herbages cernés de forêts de sapins du col des Écharmeaux, important nœud routier du Beaujolais, à 720 m d'altitude. De ce carrefour, belle vue sur les monts du Haut-Beaujolais.

À partir des Écharmeaux, la D 10 en direction de Ranchal passe par le col des Aillets, puis celui des Écorbans à travers la forêt.

Entre Ranchal et St-Nizier-d'Azergues, la D 54 offre des **vues★** sur la vallée de l'Azergues. Après le **col de Favardy** (alt. 862 m), un belvédère permet de découvrir un beau **panorama★** vers le Nord-Est : au premier plan sur la vallée de l'Azergues et au loin, sur la masse du Tourvéon et les derniers contreforts du Beaujolais.

St-Nizier-d'Azergues

Ce petit bourg occupe un site agréable au-dessus de la vallée de l'Azergues.

La route, très pittoresque, se poursuit jusqu'à Grandris.

Après Grandris, prendre à gauche la D 504 jusqu'à la Folletière puis à gauche, de nouveau, la D 485.

La route longe la haute vallée de l'Azergues et traverse Lamure-sur-Azergues.

Au Gravier, prendre à droite la D 9.

Trésor du Beaujolais, le raisin exprime la diversité et la richesse des vignobles.

Claveisolles

Ce petit village juché sur un promontoire est surtout connu pour ses sapinières. Au siècle dernier, le comte du Sablon importa d'Amérique des sapins Douglas. Le peuplement forestier actuel est l'un des plus beaux de France.

Revenir à la D 485 et prendre à gauche la direction de Chambost-Allières.

Chambost-Allières

Cette commune est formée de deux villages distincts. Allières, dans la vallée, est actif. C'est un lieu de passage. **Chambost**, que l'on atteint par la D 116 s'élevant au-dessus de la vallée, est un petit hameau au charme rural.

De Chambost-Allières à Cogny par le Saule-d'Oingt, le **parcours★★** est très pittoresque. La route s'élève jusqu'au col du Joncin (alt. 735 m). C'est une agréable route de crête d'où, par temps clair, on découvre une très belle **vue★** sur les Alpes.

Au Saule-d'Oingt, prendre à gauche la D 31, puis encore à gauche la D 19.

Au cours de la descente, le panorama s'étend à la vallée de la Saône, la Bresse et aux contreforts du Jura.

La D 504 ramène à Villefranche.

LE PAYS DES PIERRES DORÉES**

3 Circuit au départ de Villefranche-sur-Saône

59 km – environ 4h. Quitter Villefranche par la D 70.

Cette jolie **route de crête*** offre des vues dominantes sur la vallée de la Saône.

Marcy

À l'extérieur du bourg *(accès par une petite route à gauche signalée « Tour Chappe »)*, se dresse une **tour** de télégraphe, construite par Claude Chappe en 1799, dont le mécanisme à bras mobiles, restauré, a servi à transmettre des messages optiques jusqu'en 1850. *De mars à fin nov. : dim. 14h30-18h (nov. : fermeture à 17h). 0,76€. ☎ 04 74 67 02 21.*

Du pied de la tour, la vue embrasse la vallée de la Saône, la Dombes, les monts du Lyonnais et du Beaujolais.

Charnay

Située au sommet d'une colline, cette petite bourgade possède des vestiges de fortifications provenant d'un château féodal du 12e s. Sur la place, entourée de maisons des 15e et 16e s., en pierres dorées, l'**église** abrite une très belle statue gothique de saint Christophe en pierre polychrome (12e s.). Plus haut, l'imposant château du 17e s., appelé « la Mansarde », abrite la mairie.

Prendre, au Sud de Charnay, une route étroite menant à St-Jean-des-Vignes.

St-Jean-des-Vignes

La petite église perchée offre, dans son cadre fleuri, une très belle vue sur l'ensemble du pays lyonnais.

Pierres Folles – *De mars à fin nov. : 9h-12h, 14h-18h, mer., w.-end, j. fériés 14h-18h. 4,60€. ☎ 04 78 43 69 20.*

La présence de sites géologiques importants dans les environs est à l'origine de la création du musée. Une partie de celui-ci retrace l'histoire de la planète, telle qu'on peut la lire dans la composition du sous-sol. Des vitrines, tableaux et films expliquent cette lente évolution de la vie sur la terre ; remarquez l'aquarium de nautiles vivants et l'hologramme d'un « vol de ptérosaures ». Le reste du musée est consacré à la découverte du terroir et à son exploitation industrielle et touristique.

Rejoindre la D 30 pour atteindre Chazay-d'Azergues.

Ce nautile semble venir d'un autre monde ; il vient en tout cas de la nuit des temps et appartient à une très ancienne famille de mollusques céphalopodes.

Chazay-d'Azergues

De la cité fortifiée dominant l'Azergues subsistent un beffroi et quelques maisons des 15e et 16e s. Le château *(on ne visite pas)*, du 15e s., était la résidence des abbés d'Ainay.

CONTE DE FÉE

En venant à Chazay-d'Azergues, vous ne manquerez pas d'aller voir la fameuse « porte du Babouin » : elle n'a rien à voir avec les singes mais doit son nom à un bateleur qui, déguisé en ours, sauva d'une tour en feu la dame du seigneur et sa petite fille qu'il épousa. L'histoire ne dit pas s'ils eurent beaucoup d'enfants !

Emprunter la D 30 jusqu'à Lozanne, puis la D 485 jusqu'à Châtillon.

Châtillon

Ce village est dominé par une forteresse des 12e et 13e s., qui commandait l'entrée de la vallée de l'Azergues. Englobée à l'origine dans cette forteresse, la **chapelle St-Barthélemy** *(accès en forte montée signalé à gauche de l'église paroissiale)* fut agrandie au 15e s. par Geoffroy de Balzac, gendre de Jean le Viste pour qui furent tissées, dit-on, les tapisseries de la *Dame à la licorne* exposées au musée de Cluny à Paris. À l'intérieur, tableaux de Lavergne et d'H. Flandrin. Le chevet en encorbellement est fort curieux. *Dim. ap.-midi : 14h30-18h ; en sem. : sur RV (4-5 j. av.). 0,76€. ☎ 04 78 43 91 11.*

De l'esplanade du Vingtain, en contrebas, jolie vue sur le bourg. À la sortie du village, sur la D 76 en direction d'Alix, pittoresque puits couvert dit « sarrasin ».

Suivre la D 485 bordée de terrils rouges.

Chessy

L'**église** de style gothique flamboyant abrite un beau bénitier du 16e s. et une sainte Marthe terrassant un dragon. Dans cette localité était exploité autrefois un important gisement de cuivre dont Jacques Cœur fut propriétaire.

La chessylite
Connue sous le nom de Chessy-les-Mines, la ville a prospéré grâce à ses ressources minières. Le minerai, dit « chessylite », est une variété d'azurite aux beaux reflets bleus, très prisée des collectionneurs.

Emprunter la D 19 en direction de Bagnols.

Bagnols

Le village possède un château du 15e s. restauré en château-hôtel. L'**église**, de la même époque, comporte une belle clé de voûte pendante. Sur la place : de très jolies maisons à auvent des 15e et 16e s. *Visite accompagnée sur RV. ☎ 04 74 71 80 00 ou 04 74 71 80 16.*

Revenir à la D 19 que l'on prend à gauche. S'arrêter au hameau du Boitier.

Le Boitier

À la sortie du hameau sur la droite se trouve le clos de la Platière où Mme Roland passa ses plus beaux jours avant la Révolution.

Theizé

Parking à droite de la route. Prendre la rue qui grimpe à droite de la place de l'église.

Deux châteaux, sinon rien !
L'agréable village de Theizé, typique de la région des Pierres Dorées, a la particularité de posséder deux châteaux, l'un en contrebas de la route et l'autre au sommet du village. Seul ce dernier se visite.

Le **site de Rochebonne**, sur la partie haute du village, constitué de l'ancienne chapelle (16e s.) et du château, concentre l'intérêt touristique. La **chapelle**, dont on peut admirer le chœur gothique flamboyant à clef pendante, est aujourd'hui utilisée pour des concerts et des expositions temporaires. *14h-18h. ☎ 04 74 71 16 10.*
Le **château** se distingue par sa façade classique flanquée de deux tours et surmontée d'un fronton. L'intérieur a conservé un bel escalier à vis et accueille des expositions. Au rez-de-chaussée est aménagé un pôle œnologique, **« Les Fiancés de l'automne »**, centré sur la vinification beaujolaise. Les étages supérieurs, dégradés au cours de longues périodes d'abandon, sont progressivement restaurés. *De fin avr. à déb. nov. : w.-end et j. fériés 14h-18h (de fin juin à mi-sept. : tlj). 4,60€ (enf. : 2,30€). ☎ 04 74 71 16 10.*

Oingt★

De la redoutable forteresse d'Oingt, il ne reste que la porte de Nizy par laquelle on pénètre dans le village dont les rues piétonnes, la « Maison commune » du 16e s., restaurée et de nombreux ateliers artisanaux (céramique, tissage, etc.) accentuent le charme. Des ruelles bordées de très belles maisons mènent à l'**église**, ancienne chapelle du château (14e s.), où, sur les culs-de-lampe supportant les arcades du chœur, figurent les têtes sculptées de Guichard IV, son épouse et leurs six enfants. *De mai à fin sept. : dim. et j. fériés 15h-19h (juil.-sept. : tlj).*
Du sommet de la **tour** s'offre un magnifique panorama sur les monts du Lyonnais et du Beaujolais ainsi que sur la vallée de l'Azergues. *Juil.-août : 15h-19h ; mai-sept. : dim. et j. fériés 15h-19h. 1€.*

Véritable bijou du pays des Pierres dorées, le bourg d'Oingt a été remarquablement restauré et ses pierres s'illuminent au moindre rayon de soleil.

Continuer sur la D 96.

Dans **St-Laurent-d'Oingt**, remarquez l'église à auvent.

En arrivant sur la D 485, tourner à droite.

Sur la gauche se dresse le bourg fortifié du vieux Ternand.

Ternand★

Autrefois bastion des archevêques de Lyon, Ternand a gardé des vestiges de fortifications : le donjon et le chemin de ronde qui offre une jolie perspective sur les monts de Tarare et la vallée de l'Azergues.
L'**église** est surtout intéressante par ses chapiteaux carolingiens dans le chœur et ses peintures murales de la même époque dans la crypte. *Visite guidée sur demande auprès de la mairie ou de l'Office de tourisme. ☎ 04 74 71 33 43 et 04 74 71 36 52.*

Faire demi-tour, traverser le lieu-dit Les Planches et suivre la D 31.

Ce **parcours**★★, qui passe par le col du Saule-d'Oingt, est très pittoresque. À flanc de coteau, de très belles fermes dominent des pâturages. Du Saule-d'Oingt, en descendant vers Villefranche, on a une vue très étendue sur la vallée de la Saône.

À la Maladière, tourner à droite vers Jarnioux.

Jarnioux

Le **château**, à six tours, construit aux 15e et 17e s., comprend une très belle partie Renaissance. La majestueuse entrée, où subsistent des traces de pont-levis, donne accès à deux cours successives. *De déb. juil. à mi-juil. et de mi-août à fin sept. : visite guidée (3/4h) lun., mer., ven. 14h-18h, mar. et jeu. 9h-12h. Fermé w.-end et j. fériés. 3,81€. ☎ 04 74 03 80 85.*

Revenir à Villefranche par la D 116 et la D 38.

Bourg-St-Andéol

Un bas-relief de Mithra usé par le temps. Voilà tout ce qui reste de ce culte pourtant florissant avant l'évangélisation plutôt efficace de saint Andéol. Très appréciée des évêques de Viviers, la ville a bien vécu de ses activités portuaires comme en témoignent les agréables hôtels particuliers épargnés par les bombardements de 1944.

La situation

Cartes Michelin nos 80 pli 10 ou 246 pli 23 – Ardèche (07). Dominée par la flèche de son église, la ville constitue une étape plaisante sur la rive droite du Rhône. Stationner sur la place du Champ-de-Mars pour une promenade dans la ville. *ℹ Pl. du Champs-de-Mars, 07700 Bourg-St-Andéol, ☎ 04 75 54 54 20.*

Le nom

Anciennement *Bergoïate*, puis *Burgum* à l'époque gallo-romaine, la ville a pris son nom actuel en 858 après la découverte des reliques du saint.

Les gens

7 768 Bourguesans. Envoyé de Smyrne par saint Polycarpe, le sous-diacre Andéol arriva dans le Vivarais vers l'an 200. Son zèle lui coûta cher car il fut martyrisé sur l'ordre de Septime Sévère en 208.

HÉBERGEMENT ET RESTAURATION

Hôtel Le Prieuré – *Quai Fabry – ☎ 04 75 54 62 99 - fermé vac. de fév., 25 déc. au 1er janv., ven. sf juil.-août - 16 ch. : 45,73/60,98€ - ☕ 7,62€ - restaurant 14,94/39,64€.* Cet ancien prieuré au bord du Rhône est un peu excentré mais c'est la meilleure adresse du coin. Ses voûtes et ses plafonds anciens donnent une patine à un décor par ailleurs assez ordinaire. Ses chambres sont simples, crépies de blanc, meublées à l'ancienne.

visiter

Église St-Andéol★

Elle date dans son ensemble de la fin du 11e s. et du début du 12e s. Au-dessus de la façade, refaite au 18e s., on aperçoit le pignon primitif de la nef romane, surmonté d'un clocheton de style flamboyant.

À l'intérieur, remarquez dans la chapelle à droite du chœur, le sarcophage en marbre blanc de saint Andéol. Ce sarcophage renfermait, à l'origine, la dépouille d'un jeune gallo-romain, comme l'indique l'inscription païenne du cartouche, tenu par deux amours *(côté mur)*, tandis que l'inscription chrétienne *(côté autel)* évoque le martyre du diacre.

STENDHAL EN GOGUETTE

Au siècle dernier, après avoir visité la chartreuse de Valbonne (Gard), **George Sand**, habillée en homme, et **Musset**, tous deux en route pour Venise, s'arrêtent dans une auberge de Bourg-St-Andéol. Ils y retrouvent Stendhal, regagnant son consulat en Italie. Le soir, grisé par le vin du pays, Stendhal exécute avec la servante une série de pas d'une fantaisie si échevelée que Musset court à son album pour faire, de cette scène piquante, un croquis passé à la postérité.

Que la fête commence... ou bien continue, car Stendhal, immortalisé par ce dessin de Musset, semble déjà bien à son affaire !

Hôtel de Nicolay

Cet hôtel date du début du 16e s. Remarquez surtout la décoration de sa loggia Renaissance.

Sources de Tourne

Au débouché du vallon, entre les deux sources de Tourne, un bas-relief gallo-romain (2 m x 2 m) représentant Mithra a été taillé à même la paroi calcaire. Malgré son aspect émoussé, on distingue la silhouette du dieu, manteau flottant et coiffé du bonnet phrygien, en train d'immoler le taureau primordial.

On ne peut manquer, en descendant le Rhône, de repérer la robuste silhouette de l'église de Bourg-St-Andéol ; le clocher octogonal est surmonté d'une flèche de pierre.

circuit

PLATEAU DES GRAS*

Le plateau des Gras, dominé par la dent de Rez, se déroule entre le Rhône, à l'Est, la montagne de Berg et l'Escoutay, au Nord, les gorges de l'Ardèche, au Sud, les défilés de Ruoms et de Balazuc, à l'Ouest.

De chaudes couleurs – Contrastant avec les fourrés de chênes verts du bois de Laoul et du bois Bouchas, les dépressions du plateau offrent un visage plus riant. Les vieux vergers d'amandiers, les lopins de lavande, les troncs noueux des derniers mûriers, les petites haies de buis taillés bordant parfois ses routes, comme entre les Hellys et St-Remèze, et les nombreux vignobles aux ceps à ras du sol composent un paysage original.

Les « Assibrats »

Ce surnom qui veut dire « assoiffés » a été donné aux habitants du plateau en raison des dures sécheresses qu'ils doivent supporter. Mais en longeant les nombreux vignobles qui couvrent le plateau on est rassuré pour eux ; ils ont trouvé un excellent moyen d'étancher leur soif !

Quitter Bourg-St-Andéol par la D 4, en direction de St-Remèze.

Au cours de la montée, la vue se développe sur le Rhône et la plaine de Pierrelatte.

Belvédère du Bois de Laoul*

Table d'orientation (alt. 340 m). Aménagé en bordure de la route, il offre une **vue** sur la vallée du Rhône, la plaine de Pierrelatte et son complexe industriel, les collines du Tricastin et le mont Ventoux.

Poursuivre la montée et passer au pied de la tour de relais hertzien de télédiffusion. À environ 1 km du relais, on laisse, à gauche, une petite route s'embranchant en face de l'auberge de la Belle Aurore et menant à la chapelle retirée de Notre-Dame de Chalon.

Sur le plateau, où des petits chênes rouvres succèdent aux chênes verts, tourner à droite dans la D 462.

La route alterne les échappées vers la vallée du Rhône et le Bas-Vivarais, puis plonge dans le ravin rocailleux de Rimouren. De vieux amandiers, des petits champs de lavande, des vignes aux ceps taillés court apparaissent. À la remontée du ravin, le profil de la dent de Rez et son échancrure centrale se détachent tout proche.

Au carrefour du Mas de Gras prendre en face la D 262 qui descend vers Gras.

Gras

Petit hameau aux maisons anciennes. La voûte de l'**église** a été décorée, à une époque tardive, de curieux médaillons aux couleurs vives.

Sur l'éperon rocheux à gauche du village, remarquez la chapelle du 11e s., restaurée, avec petit clocher à peigne et abside en cul-de-four. *Ap.-midi. s'adresser à la Mairie.*

Pour approcher au mieux la Dent de Rez, rejoindre le hameau de Gogne à l'Ouest de Gras.

Dent de Rez★

Son curieux profil, sectionné par le col d'Eyrole séparant la dent proprement dite (alt. 719 m) du sommet de Barrès (alt. 670 m), domine tout le plateau.

On peut faire l'ascension du môle le plus élevé par un sentier partant de Gogne et suivant une ancienne piste de chars *(1h1/2 à pied AR).*

Au sommet, on trouve la trace d'anciens champs de lavande et de thyms odorants. Des rebords de l'escarpement, et notamment du Signal (720 m), on découvre, à l'aplomb des Hellys, une amusante vue sur le plateau de St-Remèze.

Le **panorama**★ s'étend, d'un côté, du Ventoux au Guidon du Bouquet, de l'autre, du Tanargue au Coiron.

De retour au Mas-du-Gras, emprunter à gauche la D 262.

Larnas

L'**église**★ romane, aux lignes sobres, s'élève à 100 m de la route, à gauche, près d'un vieux cimetière planté de cyprès. De l'extérieur, jolie vue sur le chevet et la coupole octogonale du transept, assise sur un soubassement carré.

Gorge de la Ste-Baume★

À la sortie de Larnas, la route s'enfonce dans une gorge pierreuse. La chaleur qui y règne en été lui a valu le nom de « **Val Chaud** ».

À l'orée du ravin, à hauteur de la **chapelle de San-Samonta** (11e-14e s.), apparaît St-Montan sur une échine rocheuse.

St-Montant★

Les ruines de la citadelle féodale dominent le village qui doit son nom à l'ermite Montanus. Le bourg, avec son entassement de vieilles maisons, ses ruelles tortueuses, coupées d'escaliers et de passages voûtés, sa petite église, forme un ensemble très attachant, au débouché de la gorge. Le site est progressivement restauré grâce à la passion de bénévoles.

Chapelle St-André-de-Mitroys

Église romane mise en valeur par les cyprès de son vieux cimetière.

Regagner Bourg-St-Andéol par la D 262 et la N 86.

LE FAUNISCOPE

Entre St-Remèze et Gras sur la D 362, le Fauniscope présente des milliers d'insectes et de beaux spécimens naturalisés de la faune française. ♿ *D'avr. à fin sept. : tlj sf lun. 13h-18h (juil.-août : tlj 10h-18h, oct. : dim. 13h-18h). 5,33€. ☏ 04 75 04 22 64.*

Succession de parois escarpées et de pentes abruptes, les gorges de la Ste-Baume sont très sauvages. La descente en lacet offre des échappées sur la plaine de Pierrelatte et le Ventoux.

Le Chambon-sur-Lignon

Situé dans la haute vallée du Lignon, le Chambon est une agréable station estivale dotée de nombreux équipements sportifs. Elle doit à la douceur de son climat, à sa situation dans un cadre pastoral et à son altitude (960 m) d'accueillir de nombreuses maisons d'enfants.

HÉBERGEMENT
Hôtel L'Escuelle – *43520 Mazet-St-Voy - 6 km au SO du Chambon-sur-Lignon par D 151 et D 7 – ☎ 04 71 65 00 51 - fermé 1er janv. au 2 fév., dim. soir et lun. hors sais. - 12 ch. : 28,97/38,11€ - ☕ 6,10€ - restaurant 12,96/22,87€.* Évidemment, cet hôtel est tout ce qu'il y a de plus simple : dans la traversée du village, ses chambres sont modestes, un peu démodées mais propres. Quant à la cuisine, c'est la patronne qui s'y attèle chaque jour sans façon... Deux menus.

La situation

Cartes Michelin nos 76 pli 8 ou 239 plis 35, 36 – Haute-Loire (43).
Aux limites de la Haute-Loire et de l'Ardèche, le Chambon-sur-Lignon occupe une très belle vallée entre Tence et St-Agrève. ℹ *Pl. du Marché, 43400 Le Chambon-sur-Lignon, ☎ 04 71 59 71 56.*

Le nom

Des terres fertiles (« champs bons ») dans un méandre du Lignon, tout semble réuni pour expliquer l'origine du bourg et de son nom. Facile, non !

Les gens

2 642 Chambonnais. Pendant la Seconde Guerre mondiale, la cité protégea de nombreux Juifs des persécutions exercées contre eux. Un des enfants du pays, Pierre Sauvage, raconte cette histoire dans un film émouvant, *Les Armes de l'esprit*.

comprendre

La cité huguenote – L'isolement naturel du Chambon a permis à sa population, de religion protestante, de survivre aux persécutions et de se maintenir en forte majorité. En 1598, l'Édit de Nantes n'accorda la liberté de culte qu'au Chambon et à St-Voy, mais sa révocation, en 1685, entraîna dans ces deux localités en particulier une résistance cachée tenace et un attachement profond à la religion réformée.
Après la Révolution, le Concordat de 1802 reconnut l'Église consistoriale de St-Voy.
De nos jours, Le Chambon possède, entre autres fondations protestantes, un important centre international de culture, le Collège cévenol ouvert en 1938.

circuits

LE PLATEAU PROTESTANT*

Circuit de 33 km – environ 2h. Quitter Le Chambon-sur-Lignon au Sud par la D 151, puis la D 7. À Mazet-St-Voy, prendre la 2e route à droite, qui mène au hameau de St-Voy. Laisser la voiture sur le terre-plein devant l'église.

St-Voy

La petite **église** romane (11e s.) est dédiée à saint Évode, évêque du Puy vers 374. L'histoire de celle-ci est intimement liée à l'introduction de la Réforme au 16e s. Dès 1560, en effet, la population, à la suite de son curé Bonnefoy, adopta le courant novateur, mais l'église n'abrita le culte réformé qu'une quinzaine d'années.
L'édifice, bâti en granit et couvert de lauzes, a le charme des églises rustiques. Le chœur aux lignes pures est percé de fenêtres dont les soubassements s'élèvent de gauche à droite suivant l'ascension du soleil.
Revenir à Mazet-St-Voy et suivre la signalisation « Foyer de ski de fond du Lizieux ». À 1,3 km, prendre sur la gauche une route non revêtue, signalée « Pic du Lizieux ». À 600 m du chalet s'embranche, à gauche de la route, le sentier d'accès au pic du Lizieux (laisser la voiture sur le terre-plein).

Ménageant d'agréables surprises la verdoyante vallée du Lignon traverse les hauts plateaux du Velay.

Pic du Lizieux★★

Alt. 1 388 m. Table d'orientation *(1/2h AR à pied).* Le plus oriental des sucs phonolithiques du Velay domine un vaste plateau basaltique. Ses flancs se prêtent, l'hiver, à la pratique du ski de fond. Le **panorama** révèle au Nord la vallée du Lignon, à l'Est, les monts du Vivarais, au Sud, la chaîne des Boutières avec son point culminant, le mont Mézenc, à l'Ouest, le massif du Meygal.

Regagner la voiture et par la petite route poursuivre jusqu'à Montbuzat ; de là, prendre à droite la route forestière vers le Nord.

Elle contourne une grande partie de la forêt du Lizieux et offre, à l'Ouest, de belles vues sur les pâturages.

Revenir au Chambon-sur-Lignon par Mazet-St-Voy et la D 151.

VALLÉE DU LIGNON

Circuit de 57 km. Quitter Le Chambon-sur-Lignon au Nord par la D 103.

Prenant sa source au pied du versant Nord du mont Mézenc, le Lignon se jette dans la Loire en amont de Monistrol. Ce Lignon vellave offre un cours pittoresque, alternant les passages en gorges boisées et les vallonnements. Aux abords de Tence, en suivant la D 103, se révèlent des vues de la vallée.

Tence

Situé à 840 m d'altitude, le bourg de Tence, traversé par le Lignon et la Sérigoule, renommés pour leurs truites, constitue un bon centre d'excursions. Dans les ruelles en contrebas de l'église, remarquez les quelques maisons encore coiffées de lauzes, et la forme des anciennes cheminées, solidement ancrées sur les constructions pour résister au vent.

Église – *Tlj sf dim. ap.-midi.*

Dominé par la haute flèche de son clocher, l'édifice possède une nef du 17e s. Le chœur, gothique (15e s.), restauré, est la partie la plus intéressante ; remarquez les retombées sculptées des croisées d'ogives représentant les symboles des évangélistes.

Les stalles du 17e s. proviennent de l'ancienne chartreuse de Bonnefoy.

Quitter Tence vers l'Ouest par la D 103, route d'Yssingeaux. À 8 km, prendre à droite la D 47.

La bonne voie

Entre Tence et Ste-Agrève, le chemin de fer touristique du Velay est une très belle façon de découvrir la vallée et les gorges du Lignon. De juillet à fin août : la remise en état progressive de la ligne a permis la mise en service au dép. de Tence pour Dunières, plusieurs AR par jour. *Office de tourisme de Tence. ☎ 04 71 59 81 99.*

Barrage de Lavalette

Établi sur le Lignon, il offre un vaste plan d'eau dans son décor boisé.

Suivre au Nord la D 47, puis, à droite, la D 105.

Montfaucon-en-Velay

La **chapelle Notre-Dame** située sur la gauche de l'hospice, sur la route d'Yssingeaux, abrite un ensemble de 12 tableaux exécutés en 1592 par le peintre flamand Grimmer (vers 1575-1619) et représentant des paraboles évangéliques dans le décor des travaux des mois. Au fond du sanctuaire, Vierge couronnée et habillée, du 16e s.

Poursuivre par la D 105 et prendre à droite la D 233.

Au fil des saisons

La première peinture *(à droite en entrant, à côté du dispositif d'éclairage)* a pour thème l'arrivée de Marie et Joseph à Bethléem, en décembre, dans l'indifférence des habitants d'un petit village flamand du 16e s. ; le dernier tableau (novembre), aux tonalités tristes, est centré sur l'appel des apôtres qui pêchent ; remarquez les détails d'arrière-plan, évoquant l'art de la miniature.

Montregard

Ce village est un belvédère face au Meygal et au Mézenc. De la butte la plus à l'Ouest, surmontée d'une statue de saint François-Régis, on découvre un **panorama★** sur le massif du Mézenc, le pic du Lizieux, les sucs dominant la dépression d'Yssingeaux et les monts du Velay.

Retour à Tence par la D 233 et à droite la D 18. Poursuivre par la D 185 en direction du Chambon-sur-Lignon.

Remarquez au passage les maisons rurales traditionnelles en granit couvertes d'un toit de lauzes à deux versants.

La D 157 ramène au Chambon-sur-Lignon.

Châtillon-sur-Chalaronne

C'est à la belle saison qu'il faut venir flâner dans cette agréable ville réputée pour son fleurissement. Les maisons à pans à bois avec hourdage en pisé ou en brique sont égayées par des brassées de fleurs disposées dans des paniers en osier dits « nids-de-poule ». Les halles, les ponts, les bords de la Chalaronne sont particulièrement attrayants tandis que sur la rivière, des barques semblent couler sous le poids de leur chargement multicolore.

Fierté de la ville, le fleurissement n'est pas un vain mot à Châtillon-sur-Chalaronne ; même les « nids de poules » en osier sont réquisitionnés pour participer à l'embellissement des maisons !

La situation

Cartes Michelin nos 74 pli 2 ou 244 pli 3 – Ain (01).

Au Nord de la Dombes, non loin de la Bresse, Châtillon s'allonge dans la vallée de la Chalaronne. L'arrivée par la route de Villefranche *(D 936)* procure une bonne vue sur les toits rouges du bourg d'où surgit le clocher de l'ancien hospice. *Pl. du Champ-de-Foire, 01400 Châtillon-sur-Chalaronne, ☎ 04 74 55 02 27.*

Le nom

Les vestiges du château qui veille sur la ville depuis le 11e s. confirment l'origine militaire du nom : Châtillon à la même origine que château. La Chalaronne est la rivière qui traverse l'ancienne cité médiévale.

Les gens

3 786 Châtillonnais. Philibert **Commerson** vit le jour à Châtillon en 1727. Botaniste royal, il accompagna le comte de Bougainville dans son expédition autour du monde et rapporta du Japon l'arbrisseau ornemental qu'il baptisa « hortensia ».

Monsieur Vincent

Châtillon conserve, avec fierté, le souvenir du séjour qu'y fit **saint Vincent de Paul** ou Monsieur Vincent. Né à Pouy, près de Dax, dans les Landes, d'une famille de paysans pauvres, il se destina rapidement à la prêtrise. Devenu précepteur des enfants de M. de Gondi, général des galères, il manifesta le désir d'exercer son sacerdoce dans une paroisse retirée.

Nommé curé de Châtillon-les-Dombes en 1617, il n'y resta que quelques mois, assez cependant pour commencer ici son action charitable, auprès de ces « pauvres pêcheurs de sangsues ». Le 23 août, il créa la première Confrérie de la Charité. En 1633, avec Louise de Marillac, il fonda la Compagnie des Filles de la Charité, qui, aujourd'hui encore, poursuit son œuvre.

carnet pratique

Restauration

• *À bon compte*

Restaurant La Gourmandine – *142 r. Pasteur - ☎ 04 74 55 15 92 - fermé 26 août au 1er sept., Noël au J. de l'an, dim. soir et lun. sf j. fériés - 12,19€ déj. - 13,56/38,11€.* Tout près de la place des Halles, cette maison du 17e s. est remarquable avec ses murs de briques et galets. Ils donnent d'ailleurs beaucoup d'allure à sa salle à manger. Sa terrasse le long de la rivière est aussi très agréable en été. Plats régionaux.

• *Valeur sûre*

St-Lazare – *01400 Abergement-Clémenciat - 5 km au NO de Châtillon par D 7 et D 64c - ☎ 04 74 24 00 23 - fermé vac. de fév., 18 juil. au 3 août, vac. de Toussaint, mer. et jeu. - réserv. obligatoire - 22,11/59,46€.* Un restaurant réputé dans un si petit village ? Eh non, vous ne rêvez pas : dans cette maison de pays, agréablement agrandie d'une véranda, la cuisine du patron vaut vraiment le détour ! Créative et fort bien tournée, elle ne peut que vous séduire... Plusieurs menus à prix sages.

Hébergement

• *À bon compte*

Chambre d'hôte Chez M. et Mme Salmon – *150 pl. du Champ-de-Foire - ☎ 04 74 55 06 86 - alsalmon@club-internet.fr - fermé Noël au J. de l'an - ⊭ - 5 ch. : 35,50/44,50€.* Comme nous, vous serez séduit par le charme de cette maison chaleureuse avec ses grosses poutres, ses vieux meubles et son escalier de bois. Ses chambres douillettes sont un préambule au gargantuesque petit-déjeuner qui vous attend au réveil : ne le manquez pas !

Marché

Tous les samedis matin, sous les halles, se tient un pittoresque marché.

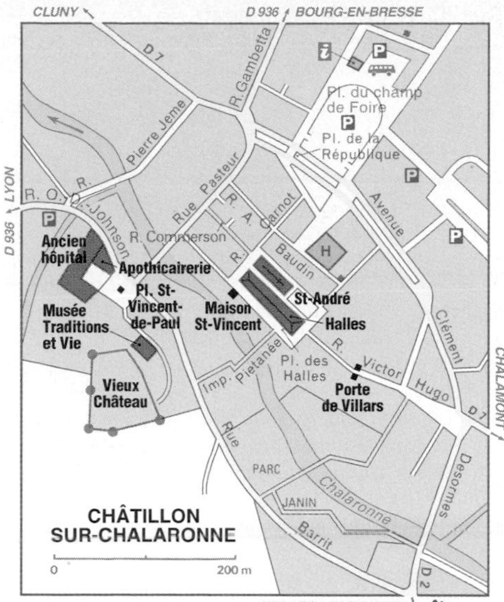

se promener

Porte de Villars

Des remparts qui protégeaient la ville, ne subsiste, à l'Est que cette tour carrée du 14e s. en « carrons » (briques), dont les assises et les angles sont en pierre calcaire. C'est un bel exemple d'architecture militaire réalisé pendant la période savoyarde de Châtillon qui dura de 1272 à 1601, date du rattachement de la cité au royaume de France.

Place St-Vincent-de-Paul

Au centre se dresse la statue en bronze de saint Vincent, réalisée par Émilien Cabuchet.

Halles

Les halles actuelles, du 17e s., remplacent celles de 1440, détruites lors d'un incendie. C'est la Grande Mademoiselle, duchesse de Montpensier, qui fournit le bois nécessaire à leur reconstruction : la charpente repose sur 32 piliers faits chacun du tronc d'un des chênes de la forêt de Tanay. De vieilles maisons à échoppes sont restées encastrées à une extrémité de la construction.

Incroyable !

Difficile à imaginer aujourd'hui, la pratique jusque dans les années 1950 sous les halles, de la fin octobre à la mi-novembre, de la « **louée** » des domestiques.

Ponts et berges de la Chalaronne

Ils forment, en saison, notamment à hauteur de l'impasse Pietanée et de la rue Pasteur, un ravissant décor fleuri.

Maisons à pans de bois et carrons (briques), la Bresse n'est pas loin. Cette architecture caractéristique et colorée fait le charme de la ville.

Remparts du vieux château

Vestiges d'une des plus importantes places fortes de la Bresse ; le château fut démantelé à la fin du 16e s., lors de l'invasion de la région par Henri IV.

visiter

Maison St-Vincent

10h-17h30. ☎ 04 74 55 26 64.

Saint Vincent de Paul, curé de Châtillon pendant cinq mois, y fut hébergé par M. Beynier ; il fonda ici la Confrérie des Dames de la Charité. Dans la chapelle élevée à l'emplacement de sa chambre est conservé l'acte de fondation de cette institution, signé de sa main.

À VOIR

La tour ronde, à demi encastrée dans le mur Sud, est le seul vestige de l'église primitive. Au fond, une statue de **saint Sébastien**, sculptée dans un seul morceau de noyer, par un artiste châtillonnais, Jean Tarrit (1865-1950), est saisissante de réalisme.

Église St-André

Commencée au 13e s. par Philippe Ier de Savoie, elle subit de nombreuses transformations au cours du 15e s. C'est un édifice très coloré avec sa façade de briques et son toit de tuiles rouges, d'une hauteur exceptionnelle en Dombes. À l'intérieur, la nef et les chapelles latérales sont en calcaire blanc du Mâconnais.

Musée Traditions et Vie

D'avr. au 11 nov. : tlj sf lun. 10h-12h, 14h-18h (juin-août : fermeture à 19h). 3,05€ (3,8€ : billet combiné incluant visite de l'Apothicairerie). ☎ 04 74 55 15 70.

Sur le chemin qui grimpe au château, le musée est consacré à la vie rurale, aux anciens métiers et savoir-faire de la vie bressanne.

Ancien hôpital

Élevés par le comte du Châtelard au 18e s., les bâtiments de l'ancien hôpital abritent le Centre culturel de la Dombes.

LE BON PARTI

Les anciens costumes bressans étaient utiles à bien des égards. Ainsi, les bonnets brodés indiquaient par leur décoration la richesse de leur propriétaire tandis qu'une mentonnière rouge signalait que la fille était à marier : il n'y avait plus qu'à trouver un bonnet richement brodé à mentonnière rouge !

Apothicairerie – ♿ *D'avr. au 11 nov. : visite guidée (3/4h) tlj sf lun. 10h-12h, 14h-18h (juin-août : fermeture à 19h). 3,05€ (3,8€ : billet combiné incluant la visite du musée Traditions et Vie). ☎ 04 74 55 15 70.*

La pharmacie forme un bel ensemble avec ses boiseries de style Directoire garnies de pots en faïence de Meillonnas.

Dans une autre salle est exposé un **triptyque**★ *(Déposition du Christ)* exécuté en 1527 et entièrement restauré.

L'ancien ouvroir des religieuses accueille une intéressante collection de costumes bressans qui complète celles du musée Traditions et Vie.

Chazelles-sur-Lyon

Chapeau bas pour cette commune qui doit sa célébrité à la qualité de ses couvre-chefs en feutre ! Les temps ont bien changé depuis le début du 20e s., période faste pour la bourgade qui comptait une trentaine de fabriques. Aujourd'hui, l'industrie du chapeau a bien régressé et il ne reste qu'une entreprise où l'on perpétue le savoir-faire traditionnel.

Primé au concours international 1999 du musée, cet élégant couvre-chef est une création Eva de Vries.

La situation

Cartes Michelin nos 88 pli 18 ou 246 Ouest du pli 16 – Schéma p. 226 – Loire (42). À 35 km environ au Nord de St-Étienne, Chazelles s'accroche aux derniers contreforts des monts du Lyonnais. ℹ *9 pl. J.-B. Galland, 42140 Chazelles-sur-Lyon, ☎ 04 77 54 98 86.*

Le nom

C'est du latin *casa* que viendrait le nom Chazelles, quelque peu déformé. Mais le renom important de la ville l'associe désormais à l'histoire du chapeau.

carnet pratique

Restauration

• À bon compte

Poste – *R. Maurice-André - 42330 St-Galmier - 10 km au SO de Chazelles-sur-Lyon par D 12 - ☎ 04 77 54 00 30 - fermé 1er au 7 mars, 23 juil. au 9 août, mar. soir et mer. - réserv. obligatoire le dim. - 12,20/38,11€.* La vue panoramique sur la vallée est l'un des atouts de cette adresse à la façade vitrée et fleurie. Entrée par petit salon ouvert sur une salle à manger rustique modernisée où l'on sert une cuisine traditionnelle.

Hébergement

• À bon compte

Forez – *6 r. Didier-Guetton - 42330 St-Galmier - 10 km au SO de Chazelles-sur-Lyon par D 12 - ☎ 04 77 54 00 23 - fermé 15 au 31 août et dim. soir - P - 17 ch. : 36,59/50,31€ - ☕ 6,86€ - restaurant 16,01/33,54€.* Dans la localité où jaillit la source d'eau minérale Badoit, modeste affaire familiale progressivement rénovée abritant des petites chambres fonctionnelles, un restaurant de style « bouchon lyonnais » et un caveau de dégustation.

Les gens

4 895 Chazellois. Au 12e s., le comte **Guy II de Forez** fixa à Chazelles une commanderie de chevaliers de St-Jean-de-Jérusalem dont il ne subsiste aujourd'hui qu'une tour hexagonale. Une tradition veut que les commandeurs aient appris aux habitants l'art de fouler le feutre qu'ils auraient eux-mêmes appris auprès des Arabes au cours des Croisades.

visiter

Musée du Chapeau

Tlj sf mar. 14h-18h, dim. et j. fériés 14h30-18h30 (juil.-août : tlj). Fermé 1er janv. et 25 déc. 4,5€ (enf. : 2,50€). ☎ 04 77 94 23 29.

Aménagé dans une ancienne usine de chapellerie, il présente dans dix ateliers reconstitués les différentes phases de la fabrication du feutre de luxe, depuis le soufflage et le « bastissage » du poil de lapin ou de lièvre jusqu'au bichonnage et au garnissage. Un film vidéo réalisé dans la dernière usine en activité, un diaporama, des démonstrations de chapeliers sur d'authentiques machines en état de marche agrémentent la visite. Un espace réservé à la création contemporaine accueille chaque année des modistes renommées.

Chapeau, les stars !

Parmi les couvre-chefs exposés, certains furent portés par des têtes célèbres : Antoine Pinay, François Mitterrand, Grace Kelly, les Frères Jacques ; toques de grands cuisiniers (Bocuse, Troisgros), casquettes de Roger Couderc, Bernard Hinault.

Condrieu

Stendhal vous le confirmerait, le territoire de Condrieu produit un excellent vin blanc à partir d'un cépage unique, le Viognier. Cultivé sur les fortes pentes qui dominent le Rhône, il a connu une large diffusion grâce au dynamisme du port, longtemps animé par ses célèbres et courageux mariniers.

La situation

Cartes Michelin nos 88 pli 19 ou 246 pli 17 – Schéma p. 261. Rhône (69). S'élevant en lacet sur le coteau au Nord de la ville, la D 28 offre, au niveau du calvaire, une intéressante **vue★** sur le bassin de Condrieu et la boucle du Rhône.

Le nom

C'est la position de la ville à la jonction de l'Arbuel et du Rhône qui est à l'origine du nom : le terme gaulois *condate* désignait en effet un confluent.

Les gens

3 424 Condrillots. Souvent viticulteurs, ils n'ont pas oublié leurs ancêtres mariniers dont les culottes doublées de cuir leur avaient valu le surnom de « culs-de-piau ». Très attachés à leurs traditions marinières, ils s'affrontent chaque année avec les meilleurs jouteurs nationaux dans des tournois nautiques sur le Rhône.

Restauration

La Reclusière – *39 Grande-Rue - ☎ 04 74 56 67 27 - fermé 12 fév. au 5 mars, lun. soir et mar. - réserv. obligatoire - 24,39/53,36€.* Au cœur du village, ce restaurant tenu par un jeune couple est très honnête... Attablé dans sa salle aux murs crépis blancs et chaises de paille, vous pourrez vous restaurer d'une cuisine régionale et savoureuse. Menus et formule-déjeuner pas chers.

se promener

Église
Le tympan de son portail gothique porte un fragment de bas-relief roman, très mutilé. De belles grilles ornementées du 18ᵉ s. ferment les chapelles latérales.

Maison de la Gabelle
Située à côté de l'église, sa façade du 16ᵉ s. s'orne d'un réseau de moulures s'entrecroisant avec des pilastres à peine saillants, décorés de médaillons. La poutre d'angle sculptée du toit évoque un animal fantastique.

Une dégustation de condrieu ne s'improvise pas. Si vous voulez vous faire un petit plaisir n'oubliez pas de l'accompagner avec les savoureuses rigottes (fromages de chèvre) fabriquées sur place.

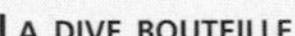

La dive bouteille

« Qu'importe le flacon... » Eh bien non ! Le vin de Condrieu a longtemps été commercialisé dans une bouteille en verre jaune, la « **flûte de Condrieu** ». On regrettera sa disparition au profit de bouteilles très classiques. Mais le vin est à la hauteur, surtout si vous tombez sur un millésime 1990 ; il paraît que c'est un must !

Maison des Villars
Au n° 31 de la rue de l'Arbuel, ce modeste logis de la famille du maréchal de Villars est précédé d'un élégant portail d'entrée.

Quartier du port
Dans la basse ville, il évoque un petit port du littoral méditerranéen. On pourra flâner rue des Sauzes et rue du Grand-Port. Au pied du pont suspendu reliant Condrieu aux Roches, la place **Frédéric-Mistral** rappelle que le grand poète provençal trouva à Condrieu l'inspiration de son *Poème du Rhône*.

La Côte-St-André

Il faut venir à la Côte pour comprendre la passion qui anima un Berlioz, admiratif de ce site qui « domine une assez vaste plaine, riche, dorée, verdoyante... ». On ne peut en effet décrire ces éclairages si particuliers qui ont inspiré tant de peintres, cette architecture en cailloux roulés ou ces pavillons qui apparaissent au détour d'une place ou dans les pentes d'une vigne... Mais cette symphonie serait inachevée sans la présence d'un riche patrimoine gastronomique au premier rang duquel figurent de délicieuses liqueurs.

La situation
Cartes Michelin n°s 77 pli 3 ou 246 pli 3 – Isère (38). Entre Vienne et Grenoble, La Côte-St-André se développe sur le versant d'une longue colline. Il faut monter au niveau du château Louis XI ou à la table d'orientation de N.-D. de Sciez pour bien découvrir la ville et la plaine.

Pl. Hector-Berlioz, 38260 La Côte-St-André, ☎ 04 74 20 61 43.

Le nom
La terme « Côte » correspond bien à la colline qui domine la ville. La plus ancienne mention officielle connue remonte au 10ᵉ s., sous le nom de *Sancti Andrea de Costa*.

Les gens
4 240 Côtois. Le plus illustre d'entre eux est sans conteste **Hector Berlioz** (1803-1869). Le peintre **Jongkind** (1819-1891), l'un des précurseurs de l'impressionnisme, y passa les dernières années de sa vie.

Restauration

France – *Pl. de l'Église - ☎ 04 74 20 25 99 - fermé dim. soir et lun. sf j. fériés - 24,39/68,60€.* Cette grosse maison rose est un bastion de la cuisine traditionnelle française : sa table réputée est bien connue des habitants de la région qui viennent y déguster ses truites en croûte... Quelques chambres.

LA CÔTE-ST-ANDRÉ

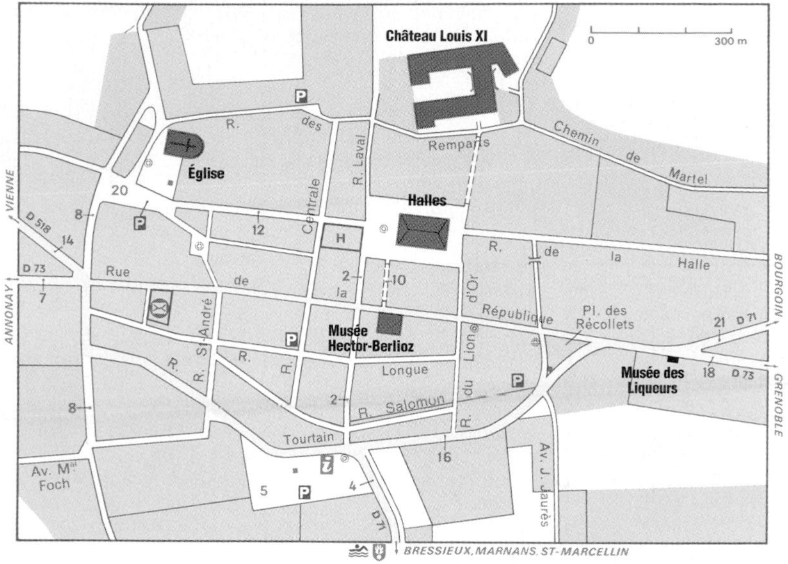

comprendre

Un mélodiste surdoué – Hector Berlioz, fils d'un riche médecin côtois, est né à la Côte-St-André en 1803. À l'âge de 17 ans, il arrive à Paris pour apprendre la médecine. Il suit, certes, les cours de la faculté, mais en même temps fréquente assidûment les théâtres lyriques tout en allant consulter la bibliothèque de l'École royale de musique, où, trois ans plus tard, il s'initiera à la composition auprès de Lesueur et de Reicha. En 1828, il connaît ses premiers succès avec *Huit Scènes de Faust*. 1830 est l'année du Grand Prix de Rome et de *La Symphonie fantastique*.

Par la suite, il partagera son temps entre la critique musicale, qui l'aidera à vivre, et la composition où il connaîtra des alternances de succès et d'échecs : *Le Requiem, Benvenuto Cellini, Roméo et Juliette, La Marche hongroise, La Damnation de Faust, L'Enfance du Christ, Les Troyens...*

C'est à l'étranger qu'il rencontrera le meilleur accueil : Berlin, Weimar, Vienne, Prague, Saint-Pétersbourg. Il ne reviendra que fort rarement à la Côte-St-André. Mort à Paris en 1869, ce génie, méconnu de son temps, connaîtra une gloire posthume.

Il laisse derrière lui une œuvre écrite, dont un *Grand traité d'instrumentation et d'orchestration modernes*.

FANTASTIQUE

Berlioz, parmi les musiciens européens, est considéré comme le créateur du « **poème symphonique** », mode nouveau et hardi, où, à travers une riche orchestration, une définition rythmique plus souple qu'auparavant et des associations sonores inattendues, s'expriment les aspirations de l'idéal romantique épris de fantastique et de grandiose.

visiter

Musée Hector-Berlioz

Tlj sf mar. 9h-12h, 14h-18h. Fermé 1er janv., 1er mai, 25 déc. 3,20€. ☎ *04 74 20 24 88.*

Il est installé dans la maison natale du compositeur, demeure bourgeoise construite à la fin du 17e s. et restaurée en 1969. Dans l'entrée, buste, partitions, livrets et instruments de musique anciens. Au premier étage, la cuisine et, dans la salle à manger, fresque naïve du 18e s. et portraits des femmes aimées de Berlioz, en particulier Harriet Smithson ; on y trouve également le cabinet du docteur Berlioz et la chambre natale d'Hector. Au second étage sont rassemblés portraits, caricatures, reproductions de lettres autographes et partitions. Les lithographies de Fantin-Latour inspirées par l'œuvre de Berlioz décorent les chambres de ses sœurs. Un auditorium permet d'apprécier les œuvres du maître.

Halles

Construites au 13e s., elles frappent par leurs dimensions exceptionnelles (29 m x 76 m). Cinq allées sont ménagées sous la charpente.

En contrebas de la place s'ouvre l'étroit passage de la Halle où, dans un retour à gauche, on remarque de vétustes maisons à balcons de bois.

Église

Élevée du 11e au 15e s., elle est intéressante par son clocher construit en cailloux roulés et en briques, contrastant avec ses chaînages d'angle en calcaire blanc. Sa silhouette et sa riche coloration ont souvent inspiré le peintre Jongkind. À l'intérieur remarquez dans le chœur, un Christ de jubé du 18e s.

Le château Louis XI

Visite de la salle Henri Gérard sur demande préalable. ☎ 04 74 20 27 00.

Bâtie au 13e s. par Philippe de Savoie sur un beau site défensif, cette construction, conçue à la fois comme forteresse et château résidentiel, fut dévastée au cours des guerres du 16e s., puis réédifiée par la suite.

À l'intérieur, la salle Henry-Gérard (1860-1925) abrite, outre une cheminée Renaissance, un ensemble de peintures de cet artiste et quelques beaux meubles provençaux.

De la terrasse supérieure s'offre une **vue** étendue sur les toits rouges de la Côte, la plaine de la Bièvre et les Alpes.

Le palais du chocolat – *Renseignements au ☎ 04 74 20 35 89.*

C'est à une famille de chocolatiers réputés, les Jouvenal, que l'on doit cette visite qui ne manquera pas de séduire les palais les plus exigeants. Depuis l'histoire du cacao jusqu'aux délicieuses créations tout y est, même bien sûr, les dégustations.

HÉBERGEMENT
Chambre d'hôte La Ferme des Collines – *Hameau Notre-Dame - 38260 Gillonnay – ☎ 04 74 20 27 93 - julienmeyer@wanadoo.fr - 5 ch. : 53,36/83,85€ - repas 18,29€.* Endroit idéal pour se ressourcer que cette ancienne ferme juchée sur une colline, face à la vaste plaine qui inspira Berlioz. Plaisantes chambres garnies de meubles chinés par le propriétaire, antiquaire ; celles en duplex plaisent beaucoup aux familles.

Musée des Liqueurs

♿ *De mars à fin déc. : tlj sf lun. 15h-18h. Fermé 14 juil., 15 août, 25 déc. 2,20€. ☎ 04 74 93 38 10.*

Fondé en 1705 par **Barthélemy Rocher** (1675-1747), la société Cherry Rocher propose la visite de ses installations. Un petit musée des affiches, tout d'abord, accueille le visiteur, rassemblant d'anciens placards publicitaires, sur les liqueurs, eaux-de-vie et autres élixirs. Le musée proprement dit montre une série d'appareils anciens (pressoir à fruits, alambics, colonnes à rectifier, infuseurs). Un diaporama instruit sur l'évolution des techniques utilisées dans la fabrication des liqueurs à base de fruits et de plantes. En parcourant les chais, remarquez une énorme cuve en chêne de Hongrie, d'une capacité de 32 400 l. À la fin de la visite, on déguste l'une de ces liqueurs, issues d'une longue tradition de savoir-faire.

alentours

Château de Bressieux

8 km, par la D 71 au Sud et la petite route s'amorçant, à gauche, à la sortie de St-Siméon-de-Bressieux. Au centre du village, à l'endroit où la route décrit un coude, emprunter le sentier à gauche (1/4h à pied AR).

Isolés sur une butte, en haut du village de Bressieux, les vestiges du château composent un décor attachant.

Marnans

18 km par la D 71 au Sud, la D 130, Viriville et la D 156c.

Dans un repli retiré du plateau de Chambaran, cet humble village possède une belle **église** romane.

Dans la partie basse de la façade Ouest s'ouvre le portail principal en plein cintre, aux voussures moulurées de boudins, de denticules et de palmettes, et au tympan orné d'une croix grecque ; dans la partie haute s'ouvre une baie en plein cintre, surmontée d'un œil-de-bœuf.

SOUS LE SIGNE DE LA CROIX
À l'intérieur, le chœur présente une travée très courte, voûtée en berceau, précédant un hémicycle voûté en cul-de-four et percé de trois baies flanquées de colonnettes ; au-dessus de l'arc triomphal, le jour pénètre par une triple baie, dont celle du milieu est en forme de croix.

Crémieu★

Beau témoin du savoir-faire de nos ancêtres bâtisseurs, Crémieu garde fière allure dans son enceinte encore jalonnée de portes fortifiées : rajeunie par une restauration réussie, elle sait encore séduire les promeneurs curieux en dévoilant les charmes de ses places lumineuses, de ses étroites ruelles, de ses vénérables maisons qui ont traversé les siècles...

La situation

Cartes Michelin n°s 88 pli 9 ou 246 pli 1 – Isère (38). L'arrivée à Crémieu est spectaculaire en venant de Morestel par la D 517. La route traverse en effet les gorges de la Fusa et ne découvre la ville qu'au dernier moment. Mais il faut monter au belvédère aménagé près de la tour de l'Horloge pour voir l'harmonieux tracé de la ville.

Pl. de la Nation, 38460 Crémieu, ☎ 04 74 90 45 13.

Le nom

C'est au 12e s. que l'on retrouve une mention de *Cremiacum* qui deviendra Crémieu. Elle appartient alors à la baronnie du Pin et reviendra à la France avec le Dauphiné en 1349.

Les gens

3 169 Crémolans. Un prieuré de bénédictins s'est installé au 12e s. sur les falaises de St-Hippolyte. Rattachés à l'abbaye de St-Chef (1247), ils abandonnèrent les lieux dès le 15e s.

Les Crémolans peuvent dormir tranquille : le château et Notre-Dame de la Salette veillent sur la ville.

carnet pratique

Restauration

• *À bon compte*

Auberge de la Chaite – *Pl. des Tilleuls - ☎ 04 74 90 76 63 - fermé 2 au 31 janv., 2 au 10 mai, mar. midi d'oct. à juin, dim. soir et lun. - 12,20/28,97€.* En face de la porte de la Loi, cette auberge fleurie est simple mais sa grande cheminée, allumée en hiver, la rend chaleureuse... Poutres, mobilier campagnard et nappes à carreaux complètent le tableau de cette étape villageoise sans histoire. Quelques chambres refaites.

Hébergement

• *À bon compte*

Les Basses Portes – *À Torjonas - 38118 St-Baudille-de-la-Tour - ☎ 04 74 95 18 23 - mirvine@wanadoo.fr - fermé mi-nov. à fin janv. - ⊭ - 3 ch. : 35/45€ - repas 16€.* D'importants travaux ont permis de réhabiliter cette ancienne ferme sans rien ôter à son charme rustique originel. Mélange réussi de l'ancien et du moderne dans les chambres au décor parfois surprenant. Les salles de bains sont flambant neuf.

Achats

Parmi les spécialités locales, le sabodet (saucisson à cuire) et la foyesse (pâtisserie).

Loisirs-Détente

En voiture !

Rien de tel que le rythme du cheval pour découvrir les superbes paysages de l'Île Crémieu. Pourquoi ne pas louer un chariot bâché pour une journée ou une roulotte aménagée pour 2 à 7 jours? *Renseignements auprès de Roulottes Dauphiné, 38118 St-Baudille-de-la-Tour, ☎ 04 74 83 86 13.*

se promener

LE VIEUX CRÉMIEU

Partir de la porte de la Loi.

Porte de la Loi

Vestige de l'enceinte du 14e s., elle est coiffée d'un toit à quatre pans et a conservé les corbeaux de ses mâchicoulis.

Franchir la porte des Augustins.

AUX PREMIÈRES LOGES

Pour découvrir l'ensemble du vieux Crémieu, il faut monter (si possible le matin) sur la colline St-Hippolyte qui porte les restes d'un prieuré fortifié de bénédictins, dont la tour de l'Horloge, du 16e s. Au niveau de cette tour prenez à gauche un petit chemin qui conduit à une table d'orientation.

Place de la Nation

Elle tient son nom de la période révolutionnaire. Dans l'angle Nord-Est s'élève une fontaine à balancier construite en 1823.

Hôtel de ville

♿ *Tlj sf dim. 9h-12h, 14h-17h, sam. 9h-12h. Fermé 1er janv., 1er mai et 25 déc. Gratuit.* ☎ *04 74 90 45 13.*

Il occupe, sur la place de la Nation, une partie des bâtiments de l'ancien couvent des augustins, fondé au 14e s. Le hall d'entrée conserve un plafond à la française ; à chacune de ses extrémités, des portes donnent accès, à gauche, à la salle du conseil municipal ornée également d'un plafond à l'italienne, et à droite, à la salle de justice de paix, ancien chauffoir des moines ; ses voûtes d'ogives retombent sur un pilier central.

Cloître

L'ancien cloître du couvent des augustins communique avec la place de la Nation par une belle grille en fer forgé réalisée en 1715.

Remarquez, à droite en entrant, les dalles funéraires qui servent, depuis le 19e s., de pavement aux galeries voûtées d'arêtes. Sur certaines sont représentés des outils d'artisans dont le tranchet des adobeurs ou tanneurs de cuir.

CŒUR DE FEU

Dans un angle du cloître, près des dalles funéraires, on reconnaît sur une grille le symbole des augustins : un cœur surmonté d'une flamme et transpercé de deux flèches.

Église

De juin à mi-sept. : 14h30-17h30.

Chapelle du monastère, de 1318 à 1791, l'église a subi des transformations. La grille qui permet d'apercevoir l'intérieur est signée Redersdorff (1982). L'édifice abrite un mobilier intéressant : boiseries des stalles et de la chaire, grilles en fer forgé des chapelles latérales.

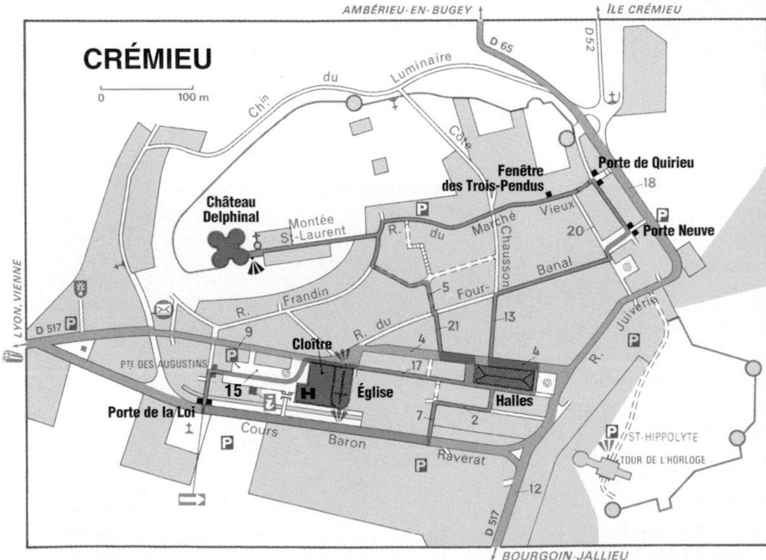

Adobeurs (R. des)	2	Loi (R. de la)	9	Porcherie (R.)	17
Bel (R. du Lt-Colonel)	4	Moulins (Fg des)	12	Porte-Neuve (Bd de la)	18
Faulchet (Côte)	5	Mulet (R.)	13	St-Antoine (R.)	20
Humbert (Passage)	7	Nation (Pl. de la)	15	St-Jean (R.)	21

Remarquez aussi la forme des piliers, tous différents, et les bas-côtés étroits aux voûtes d'ogives très serrées.

Du parvis, belle **vue** sur le château Delphinal et les maisons anciennes décorées de génoises à double ou triple bandeau.

Par la rue Porcherie, gagner les halles.

Halles★

Elles ont été construites en 1434. Leur grand toit de lauzes repose à ses extrémités sur un mur épais, percé de trois arcades.

Remarquez sous la charpente, magnifiquement ordonnée, les trois allées qui correspondent chacune à un commerce déterminé.

La bonne mesure
Au fond des halles, à droite, apparaissent encore des auges en pierre sur lesquelles s'adaptaient des mesures pour les grains ; des goulottes permettaient de remplir les sacs.

La rue Mulet, puis la rue du Four-Banal, à droite, mènent à la porte Neuve.

Portes fortifiées

Dite aussi de François Ier, la **porte Neuve** a été édifiée au 16e s. La **porte de Quirieu**, avec ses degrés et sa rigole centrale est du 14e s.

Prendre la rue du Marché-Vieux.

Remarquez, sur la droite, au n° 14, la fenêtre des Trois-Pendus (14e s.).

Poursuivre par la montée St-Laurent.

Château Delphinal

Les origines de ce château fort *(bar-restaurant, accès réservé aux consommateurs)*, situé sur la colline St-Laurent, remontent au 12e s. Sur la terrasse se dresse une chapelle dédiée à Notre-Dame-de-la-Salette ; belle **vue** sur les toits de lauzes de l'église et de l'ancien couvent.

Faire demi-tour et prendre à droite la rue Frandin, puis à gauche la côte Faulchet en forte descente.

À l'intersection avec la rue du Four-Banal se dresse une demeure du 16e s., ajourée de fenêtres à meneaux, qui abrite la **Maison du Colombier** (expositions).

Prendre la rue St-Jean, la rue Lieutenant-Colonel-Bel et contourner les halles par l'Ouest pour gagner la rue des Adobeurs.

Elle est bordée de petites maisons basses qui abritaient autrefois des ateliers d'artisans dont de nombreux tanneurs.

Le passage Humbert, à gauche, mène au cours Baron-Ravenat.

À hauteur du chevet de l'église, belle **vue** sur le clocher hexagonal dont la flèche se dresse au-dessus d'une ancienne tour d'enceinte.

circuit

ÎLE CRÉMIEU : LA ROUTE DE LA LAUZE

Circuit de 60 km.

Avec ses falaises, ses étangs, ses toits de lauzes, ses champs bordés de dalles levées, ses gentilhommières, l'Île Crémieu forme un pays nettement individualisé.

Quitter Crémieu par la D 52 en direction d'Optevoz (Nord du plan).

La montée offre d'abord un joli coup d'œil sur l'étang de Ry et, en contre-haut, l'important **château de St-Julien**, moderne. Au débouché sur le plateau, les vues se développent vers le Bugey et en direction des Alpes.

À la sortie du frais bassin d'Optevoz, poursuivre par la D 52 jusqu'au lieu-dit La Plaine où l'on emprunte, à gauche, une agréable petite route (D 52[B]) suivant un vallon verdoyant.

St-Baudille-de-la-Tour

Ce charmant village abrite une belle maison forte du 15e s., dite des Dames, avec sa tour couverte de lauzes et son porche armorié. Elle est occupée par les Roulottes du Dauphiné *(voir « carnet pratique » de Crémieu)*.

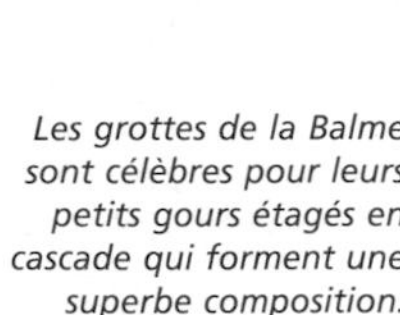

Les grottes de la Balme sont célèbres pour leurs petits gours étagés en cascade qui forment une superbe composition.

Par Torjonas rejoindre la D 65 que l'on prend à droite en direction de la Balme-les-Grottes.

La Balme-les-Grottes

Cet agréable village est surtout connu pour ses grottes qui s'ouvrent au pied de la falaise marquant l'extrémité du plateau de l'Île Crémieu. Nombreux parkings et possibilités de restauration.

Grottes de la Balme★ – *Avr.-sept. : visite guidée (1h1/4) 10h-12h, 14h-18h ; mars et oct. : w.-end et j. fériés visite à 11h, 14h-18h ; nov.-fév. : dim. et j. fériés 14h-17h. Fermé de mi-déc. à fin janv. 5,34€ (enf. : 3,35€). ☎ 04 74 90 63 76.* 270 marches. Habitées au paléolithique supérieur, connues dès le Moyen Âge, visitées par François Ier, célébrées comme une des « sept merveilles du Dauphiné », elles auraient, au 18e s., servi de repaire au fameux brigand Mandrin. Un immense porche, haut de 40 m, sous lequel s'élèvent deux chapelles superposées, donne accès à une vaste salle à l'aspect chaotique, appelée Grande Coupole. De là partent plusieurs galeries. À gauche, la galerie de Mandrin, très étroite, mène au balcon du même nom, commandant l'entrée de la grotte. La galerie du lac longe un superbe ensemble de petits **gours★★** avant d'atteindre la rivière souterraine. Après une escalade dans la partie appelée « Grottes supérieures » aux riches concrétions, on pénètre dans la galerie de François Ier. Ce véritable labyrinthe conduit à un balcon surplombant d'une trentaine de mètres le lit du torrent à l'entrée de la grotte. Un spectacle son et lumière anime la salle de la Grande Fontaine.

Testez votre ligne !
Le parcours dans la grotte traverse de nombreux passages étroits (facultatifs) qui constituent quelques exercices d'assouplissement. Vous êtes donc déjà échauffés avant de vous lancer dans le fameux « escargot », véritable test pour repérer d'éventuels kilos superflus.

Faire demi-tour, par la D 65, puis par la première route à gauche rejoindre Hières-sur-Amby.

Hières-sur-Amby

La petite bourgade s'étend au débouché du val d'Amby, au pied du plateau de Larina. En contrebas de l'église, l'ancien presbytère du 18e s., couvert de lauzes, a été transformé en **« Maison du Patrimoine »**

Une partie de l'exposition archéologique est consacrée aux produits des fouilles effectuées sur le site de Larina *(voir ci-après)* : ossements, outils, monnaies, bijoux et maquette de ferme mérovingienne. *14h-18h. Fermé 1er janv. et 25 déc. 3,50€. ☎ 04 74 95 19 10.*

Si vous avez un peu de temps, nous vous conseillons un petit tour sur la D 65C en direction du château du Cinglé. La route est très belle et dévoile de belles constructions à toits de lauzes.

Princier
Au rez-de-chaussée est reconstituée par un procédé électronique la tombe sous tumulus d'un prince celte (8e s.) découverte en 1987 à St-Romain-de-Jalionas. Les objets mis au jour, bijoux en or, dont un torque et un bracelet, vaisselle, armes en bronze et le plus ancien couteau en fer découvert en Europe, sont présentés dans des vitrines voisines.

Traverser Hières-sur-Amby, et tourner à gauche dans la D 52A.

Gorges d'Amby

La rivière serpente au pied des parois piquetées d'arbrisseaux. On remarque au passage la maison forte de Brotel (15e s.), en à-pic.

Une étroite route, s'embranchant à droite sur la route des gorges, à hauteur d'une ancienne cimenterie, franchit l'Amby et conduit, par une forte montée, à Chatelans.

Pays de traditions, l'Île Crémieu cache de nombreuses constructions anciennes.

Chatelans

Au centre du village, le **musée de la Lauze** présente de manière didactique les techniques traditionnelles de cette architecture qui caractérise l'habitat de l'Île Crémieu. ♿ *Tlj sf mar. 9h-19h.* ☎ *04 74 83 11 28.*

Prendre une petite route à droite, qui, en 2,5 km, mène à la pointe du plateau occupée par le site archéologique de Larina.

Parc archéologique de Larina★

Circuits balisés et panneaux explicatifs.

Le camp de Larina s'étend sur 21 ha. Il est limité au Nord et à l'Ouest par des falaises dominant la plaine du Rhône et le val d'Amby ; au Sud et à l'Est, il est ceint d'un rempart de pierre long de près d'un kilomètre, encore recouvert de végétation : l'occupation humaine du site est attestée par des objets datant de la période néolithique (vers 3 000 av. J.-C.). Du 5e au 1er s. av. J.-C., un oppidum est édifié sur le plateau, enserrant dans son enceinte des cabanes en bois et torchis. La découverte d'un autel et de gros blocs de fondation confirment l'érection à l'époque romaine d'un temple dédié au dieu Mercure.

À la fin de l'Antiquité et pendant le Haut Moyen Âge, deux grands domaines agricoles se succèdent. Le premier (établi aux 4e et 5e s.) regroupe autour d'une villa à galerie divers bâtiments d'exploitation (entrepôts, groupes...) construits en terre et en bois sur des fondations de galets encore bien visibles. Du 6e au 8e s., un deuxième domaine se développe autour d'une vaste maison en pierre couverte de lauzes et de ses bâtiments annexes. Sur la butte au Nord, deux nécropoles ont été installées ; de la seconde, on a retrouvé des tombes sous forme de coffres en dalles de lauzes.

À PERTE DE VUE

La pointe Nord de la falaise, où se dresse une statue de la Vierge, est un spectaculaire belvédère : au premier plan, sur le Rhône, la centrale nucléaire de Bugey et sur la tourbière de Larina ; plus loin sur les monts du Bugey, la côtière de la Dombes, les monts du Beaujolais, du Lyonnais, les torchères de Feyzin...

De retour à Chatelans, prendre à droite la D 52[1] vers Crémieu.

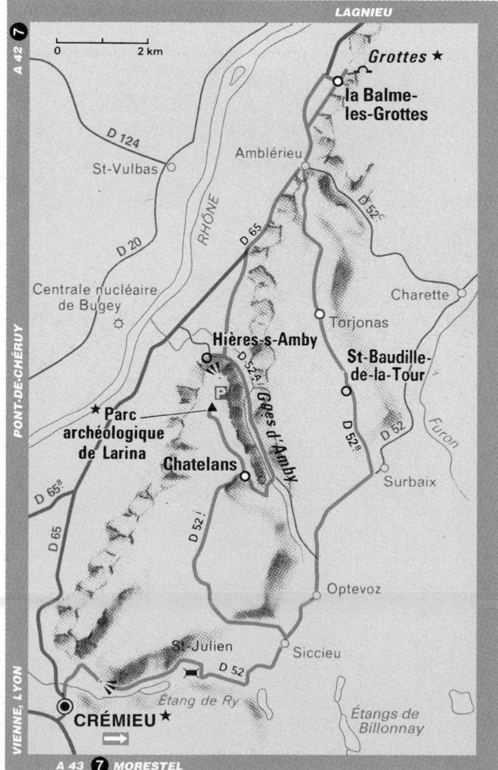

Crest

Une impression de puissance indestructible se dégage de cet imposant donjon qui domine la ville et la plaine de Valence. Il y a de quoi, car avec ses 52 m de haut, il est quand même le plus haut de France ! Il a donné du fil à retordre à ses assaillants comme à ses prisonniers dont les échelles ou les cordes se révélaient toujours trop courtes. Il n'est pourtant qu'un vestige, certes majestueux, d'une grande place forte qui compta jusqu'à trois châteaux avant d'être démantelée en 1633 sur ordre de Louis XIII.

La situation

Cartes Michelin nos 77 pli 12 ou 246 pli 6 – Drôme (26). À 28 km au Sud-Est de Valence, Crest est une ancienne porte fortifiée des Préalpes drômoises. La vieille ville est serrée entre la colline et la Drôme, ce qui a longtemps gêné son développement. *Pl. du Dr-Maurice-Rozier, 26400 Crest, 04 75 25 11 38.*

Le nom

C'est la crête calcaire qui porte la Tour qui a donné son nom à la ville fondée par la famille Arnaud ; elle s'est même appelée un certain temps Crest-Arnaud.

Les gens

7 739 Crestois. Au hasard des guerres et des alliances, Crest est passé dans les familles de Poitiers et de Grimaldi, cette dernière confirmant son goût pour les « rochers ». Elle a beaucoup servi de prison depuis le 15e s. Protestants, monarchistes, prisonniers de droit commun et républicains s'y sont succédé dans des conditions souvent difficiles.

On ne voit que lui ! Le formidable donjon de Crest domine fièrement la ville et impose toujours le respect.

se promener

Montée au donjon

Accès par l'escalier situé à gauche de l'église St-Sauveur, la rue du Vieux-Gouvernement et la rue de la Tour. Possibilité d'accès en voiture jusqu'au parking au pied de la tour.

De la rue de la Tour s'offre une vue curieuse sur les vieux toits de Crest et le « casque » en ardoises couronnant la croisée du transept de l'église St-Sauveur.

Donjon★ *(voir description dans « visiter »)*

En descendant du donjon, laisser à gauche l'escalier emprunté à la montée et poursuivre le chemin de corniche qui contourne le chevet de l'ancienne église des cordeliers.

En contrebas, à gauche, quelques marches conduisent à un passage voûté : le **portique des Cordeliers** comportant cinq travées d'ogives,

qui débouche sur l'**escalier des Cordeliers**.

> **IMPRESSIONNANT**
> Composé de 124 marches, dont 80 sont taillées dans le rocher, le monumental escalier des Cordeliers produit un bel effet, surtout vu d'en bas.

carnet pratique

RESTAURATION

• ***Valeur sûre***

La Porte Montségur – *0,5 km de Crest par D 93 - ☎ 04 75 25 41 48 - fermé 5 au 20 mars, 5 au 22 nov., mer. et lun. sf juil.-août - 15,24/38,11€.* À la sortie de la ville, en allant vers Gap, cette maison ne manque pas d'attrait avec son toit en tuiles romaines. La cuisine est certes simple, mais la terrasse aux beaux jours est agréable et les menus sont raisonnables. Quelques chambres proprettes.

HÉBERGEMENT

• ***À bon compte***

Grand Hôtel – *60 r. de l'Hôtel-de-Ville - ☎ 04 75 25 08 17 - fermé 4 au 18 mars, 23 déc. au 14 janv., dim. soir du 1er sept. au 2 juil. et lun. sf le soir d'avr. à oct. - 20 ch. : 25,15/53,36€ - ☕ 5,49€ - restaurant 14,18/30,49€.* Vous ne pouvez pas manquer cet immeuble ancien, il est dans la rue principale de Crest. Ses chambres étroites et sans charme vous dépanneront utilement à moindre prix. Les moins chères ont juste un cabinet de toilette. Très bel escalier en pierre.

ACHATS

Au nombre des spécialités crestoises comptent la **défarde**, plat mitonné à base de tripes d'agneau, et les **picodons**, petits fromages de chèvre.

CALENDRIER

Crest s'anime chaque été, au mois d'août, lors du célèbre Crest jazz festival qui attire des musiciens et mélomanes du monde entier.

Non loin de là, village de Saoû organise deux fêtes réputées mais très différentes, jugez-en plutôt : le festival **« Saoû chante Mozart »** et la **fête des Picodons**.

Renseignements à l'Office de tourisme, ☎ 04 75 76 01 72.

Vieilles demeures

Bordant l'axe principal ou les rues avoisinantes, subsistent de vastes immeubles élevés par la bourgeoisie crestoise aux 16e et 17e s. : portails à bossages, au n° 11, rue des Cuiretteries, rue des Boucheries, juste avant le passage voûté débouchant sur la rue de l'Hôtel-de-Ville et au n° 2, place Général-de-Gaulle.

Dans la rue de la République, au n° 10, le portail en plein cintre présente une clef sculptée d'un motif en forme de feuillage ; au n° 14, trois têtes en haut-relief ornent la façade.

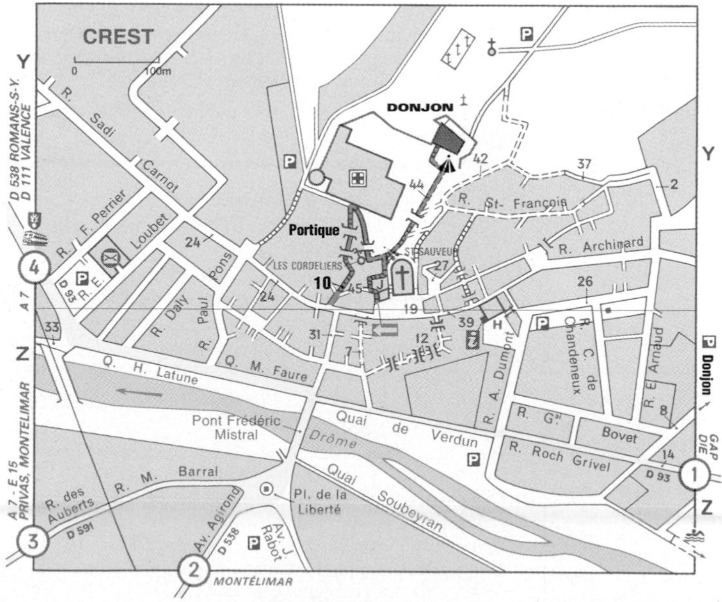

Barbèyère (Mtée de la) .... Y 2
Boucheries (R. des) .... Z 7
Calade (R. de la) .... Z 8
Cordeliers (Esc. des) .... Y 10
Cuiretteries (R. des) .... Z 12
Dr-A.-Ricateau (Av.) .... Z 14
Gaulle (Pl. du Gén.-de-) ...... YZ 19
Hôtel-de-Ville (R. de l') .... Y 24
Jourbernon (Cours de) .... Y 26
Julien (Pl.) .... Y 27
Long (R. M.) .... Z 31
Pied-Gai (Quai) .... Z 33
Remparts (Ch. des) .... Y 37
République (R. de la) .... YZ 39
Saboury (R. de) .... Y 42
Tour (R. de la) .... Y 44
Vieux-Gouvernement (R. du) .... Y 45

visiter

Donjon★

184 marches jusqu'à la terrasse supérieure. De mai à mi-sept. : 10h-19h30 (mai : seulement j. fériés) ; vac. scol., mars-avr. et de mi-sept. à fin nov. : tlj sf mar. 14h-18h ; déc.-fév. : w.-end 14h-18h. 3,81€. ☏ 04 75 25 32 53.

LE PÉNITENCIER
À l'intérieur du donjon, les différents cachots et salles voûtées présentent des expositions thématiques et s'animent de spectacles en saison. Dans ces cachots on enferma, en 1851, 600 républicains hostiles au coup d'État de Louis-Napoléon.

Le donjon de Crest, ou « la Tour », est en fait constitué de trois tours d'époques différentes réunies par un solide mur-bouclier ou « manteau ». Il fut élevé sur une crête de rochers en plusieurs étapes du 11e au 15e s. ; le mur Nord, le plus haut, atteint presque 52 m.

La première terrasse comporte un sol constitué de grandes dalles soigneusement appareillées, inclinées vers une rigole centrale qui alimentait la citerne avec les eaux de pluie recueillies. Elle ne fut couverte qu'au 15e s. ; de puissantes arcades ainsi que d'énormes poutres soutiennent le toit.

De la terrasse supérieure, on découvre les toits de Crest ; au-delà s'étend un superbe **panorama★**, au Nord-Est, sur la montagne de Glandasse et les contreforts du Vercors, au Sud sur la chaîne de Roche-Courbe avec les Trois-Becs, puis Roche-Colombe ; à l'Ouest, l'horizon tourmenté des serres vivaroises s'élève jusqu'au Gerbier-de-Jonc et au Mézenc, visibles par temps très clair.

alentours

La tenue de soirée est de rigueur pour les pensionnaires du parc comme l'a bien compris ce perroquet aux couleurs chatoyantes.

Jardin des oiseaux

À Upie, 11 km au Nord. Quitter Crest par la D 538 en direction de Chabeuil, puis à gauche, D 142 vers Upie. ♿ Été : 10h-19h ; hiver : de 10h à la tombée de la nuit. 8,40€ (enf. : 4,58€). ☏ 04 75 84 45 90.

Dans un superbe parc de 6 ha, une agréable promenade permet de découvrir plus de 200 espèces d'oiseaux d'Europe et des tropiques : oiseaux-mouches, grues couronnées, flamants, nandous, pélicans, autruches, calaos, ainsi que de nombreux rapaces et perroquets.

Une **serre tropicale** permet d'approcher ces oiseaux exotiques multicolores dans leur cadre naturel reconstitué. Le parc contribue avec d'autres centres européens à la protection et à l'élevage d'espèces menacées. Du printemps à l'automne, spectacles de perroquets, rapaces, cigognes, ibis, pigeons culbutants. Mini-ferme et promenades à poney pour les enfants.

circuit

LA DRÔME DES COLLINES★

Quitter Crest à l'Est par la D 93. À Aouste-sur-Sye, franchir la Drôme en direction de Saoû.

Après un premier passage étroit, le pas de Lauzens, séparant Rochecolombe des pentes du Faucon, la route s'élève et débouche en vue d'un **cirque★**, fermé au fond par les **Trois-Becs** de Roche-Courbe.

Au défilé du pertuis de la Forêt, où s'engouffre la Vèbre, on laisse à gauche la route privée de la forêt de Saoû.

ACCROCHEZ-VOUS !
Rochecolombe, Poupoune, Le Grand Regardé, l'Aiguille de la Tour, la Ceyte des Aiguilles et la Graville sont les six secteurs régulièrement fréquentés par les grimpeurs. Près de Saoû celui de la Graville est un rocher école particulièrement bien équipé.

La forêt de Saoû★

Propriété privée, site classé, elle est cependant libre d'accès sauf quelques jours pendant la période de chasse.

C'est un spectaculaire exemple de synclinal perché *(pli géologique)*, formé extérieurement de falaises à pic et recouvert à l'intérieur par un abondant manteau forestier *(chênes blancs et pins sylvestres sur la rive droite de la Vèbre, hêtres sur la rive gauche)*. Isolé au cœur de la forêt, l'auberge des Dauphins est une folie (1930) d'un milliardaire alsacien, copiée sur le petit trianon de Versailles.

À la sortie du défilé, jolie vue sur le « Roc », isolé à gauche ; à droite se dressent les rochers des Aiguilles.

Saoû

Que ce village semble petit devant les grands reliefs qui marquent l'entrée de la forêt de Saoû ! Petit, certes, mais agréable et dynamique. Il est célèbre pour la production du fromage de chèvre local : le picodon est d'ailleurs classé AOC.

À Saoû, campé à l'orée d'un bassin fertile, emprunter la D 538, puis peu après la D 136 sur la gauche en direction de Soyans.

Quand on vous dit que la forêt de Saoû est magique ! Mais il faut y aller pour comprendre.

Soyans

Le village est dominé par les belles ruines de son château qui a été brûlé à la Révolution.

Continuer sur la D 136 jusqu'à la D 6 que l'on prend en direction de Puy-St-Martin.

Par la D 107 gagner Roynac et son vieux village, puis le col du Devès. Prendre à gauche la D 105 vers le col de Tartaiguille et Marsanne.

La descente offre de très belles vues sur la vallée et le site de Marsanne.

Marsanne

Patrie d'**Émile Loubet**, président de la République de 1899 à 1906. Le bourg est dominé par les vestiges d'un village féodal, escaladant un éperon rocheux. En haut d'une ancienne porte fortifiée, église romane du prieuré St-Félix. Au Nord du village, dans un vallon de la forêt de Marsanne, la **chapelle N.-D. de Fresneau** édifiée par Bossan, architecte de Fourvière à Lyon, accueille un pèlerinage depuis le 12e s. *(le 8 septembre ou le dimanche le plus proche).*

Par la D 57, gagner Mirmande.

Mirmande

Laisser la voiture en bas du village. Ancien bourg fortifié dont les vieilles maisons s'étagent joliment au flanc d'une colline. Vers 1930, grâce au peintre **André Lhote** (1885-1962), s'y établit une colonie d'artistes séduits par le site. La montée à l'église Ste-Foy (12e s.), tout en haut du village, procure de belles vues sur la vallée du Rhône et les monts du Vivarais.

Rejoindre la N 7 que l'on prend vers le Nord jusqu'à Livron-sur-Drôme. Se diriger vers Allex par la D 93A.

Allex

Aquarium tropical du Val-de-Drôme – ♿ *Mai-sept. : 10h-12h, 14h-19h ; oct.-avr. : 10h-12h, 14h-18h. Fermé 1er janv. et 25 déc. 5,64€ (enf. : 4,12€). ☎ 04 75 62 62 11.* Résultat du travail acharné de passionnés depuis 1985, l'exposition présente différentes espèces de cichlidés (poissons tropicaux d'eau douce) venant de Madagascar, des grands lacs africains, d'Amérique centrale, d'Amazonie ou d'Asie.

Retour à Crest par la D 93.

Cruas

Signalée par les panaches de la centrale nucléaire, recouverte d'une pellicule poudreuse blanche par les cimenteries qui exploitent la falaise, Cruas paye un lourd tribut au développement industriel. Ce contexte difficile ne doit pas faire oublier son exceptionnel patrimoine constitué par son abbatiale et par le vieux village que domine le massif donjon-chapelle.

La situation

Cartes Michelin nos 76 pli 20 ou 246 pli 21 – Ardèche (07). Au pied des falaises de la rive droite du Rhône, Cruas est une étape historique importante entre La Voulte-sur-Rhône et Rochemaure. ℹ *9 pl. G.-Clemenceau, 07350 Cruas, ☎ 04 75 49 59 20.*

Le nom

Le torrent la Crule a beaucoup apporté au village, parfois trop. En plus des inondations lors de fortes crues (il fallait s'y attendre !), il est à l'origine du nom du village.

Les gens

2 200 Cruassiens. En 804, des moines bénédictins envoyés par saint Benoît d'Aniane, réformateur de l'ordre, fondent une abbaye à Cruas. La partie la plus ancienne de l'église remonte au 11e s. Pour se protéger des invasions et des inondations du Rhône, les bénédictins élèvent peu après, sur un replat rocheux de la falaise, une chapelle-refuge, intégrée plus tard dans un ensemble défensif qui lui vaudra le nom de « château des moines ». Aux 16e et 17e s., l'abbaye subit les attaques des huguenots, puis périclite. En 1741, l'évêque de Viviers en décide la suppression.

Imperturbable malgré le temps et les perturbations de son environnement, l'abbatiale de Cruas illustre à merveille le talent de ses bâtisseurs.

visiter

Ancienne église abbatiale★

De mi-avr. à mi-sept. : visite guidée (3/4h) 10h30-18h30, dim. et j. fériés 15h-19h ; de mi-sept. à mi-avr. : tlj sf lun. et dim. 14h-18h. Fermé 1er janv., 1er mai, 25 déc. 1,52€. ☎ 04 75 49 59 20.

C'est un bel édifice roman situé en contrebas de la rue centrale. La façade sur la route est dominée par une puissante tour-lanterne, sur plan carré, à étages en retrait. Au-dessus de la croisée du transept s'élève une deuxième tour, surmontée d'un gros lanternon circulaire à toit conique. En contournant l'édifice, on remarque l'élégante homogénéité de sa décoration de bandes lombardes et la sobre ordonnance du chevet.

> **C'est Byzance !**
> Derrière le maître-autel, l'abside conserve un pavement en **mosaïque**, de style byzantin, représentant les prophètes Élie et Énoch encadrant deux arbres de vie. La mosaïque porte la date : 1098, visible à droite.

Intérieur – Très sombre, il comprend une nef voûtée en berceau et flanquée d'étroits collatéraux. Le sol a été fortement exhaussé du 15e au 18e s., à la suite d'inondations. Entre la nef et les bas-côtés, de robustes piliers s'ornent de chapiteaux sculptés : remarquez notamment les aigles qui s'affrontent sur un pilier à gauche.

Crypte★ – L'église repose sur une crypte du 11e s., établie sous le chœur qui présente une voûte d'arêtes sur colonnes monolithes décorées de chapiteaux archaïques ; la plupart montrent un animal isolé, oiseau ou quadrupède. L'ensemble de ce bestiaire constitue un remarquable spécimen des débuts de la sculpture romane.

Le chœur est prolongé par une tribune monastique (fin du 12e s.) qui s'étend sur les deux premières travées de la nef. Elle est surtout intéressante par son système de voûte, significatif de l'évolution de l'architecture passant du roman au gothique : les arêtes des travées sont renforcées de gros tores se croisant à la façon d'ogives.

Donjon-chapelle

Prendre la rue Jean-Jaurès : à environ 200 m, emprunter à gauche une route en montée ; laisser la voiture sur une esplanade et atteindre les ruines à pied. En sais. : 10h30-18h30, dim. 15h-19h ; hors sais. : 14h-18h. ☎ 04 75 49 59 20.

L'édifice évoque un donjon : ses tourelles d'angles et les imposantes arcatures soutenant son couronnement crénelé cachent au regard la chapelle primitive du 12ᵉ s. En contrebas, remarquez un ensemble de maisons médiévales en cours de consolidation.

Centre nucléaire de production d'électricité de Cruas-Meysse

3,5 km au Sud de Cruas, à l'Ouest de la N 86. ♿ Visite guidée (2h1/2) tlj sf w.-end 8h30-18h sur demande préalable (3 j. av.). Âge minimum 10 ans. Pièce d'identité exigée. Gratuit. EDF-CNPE de Cruas-Meysse, Mission Communication, BP 30, 07350 Cruas. ☎ 04 75 49 30 46.

Situé sur les territoires des communes de Cruas et de Meysse, il comprend 4 tranches relevant de la filière à eau sous pression (REP) utilisant l'uranium enrichi comme combustible. L'ensemble des installations produit environ 5 % de la production totale d'électricité en France. Un centre d'information à l'entrée permet au visiteur de se familiariser avec le fonctionnement d'une centrale nucléaire.

TITANESQUE

Une des tours de refroidissement (hauteur : 155 m) du centre de production nucléaire est décorée d'une immense **fresque** signée J.-M. Pieret. Le sujet principal, un enfant, vient donner un peu d'humanité à la monumentale centrale.

La Dombes★

Qualifiée de « mauvaise Bresse » par Edgar Quinet, la Dombes a pris sa revanche sur une nature ingrate en devenant un haut lieu de la gastronomie. Elle doit sa physionomie originale et son charme très particulier à la présence d'environ un millier d'étangs qui parsèment sa surface. Les fermes en pisé, les châteaux en carrons (briques rouges) et les villages fleuris agrémentent les vastes paysages que survolent, par milliers, toutes sortes d'oiseaux venus pêcher ou se reposer sur ses étangs.

La situation

Cartes Michelin nᵒˢ 74 plis 1, 2 ou 244 plis 3, 4, 14, 15 – Schéma p. 145 – Ain (01).

Entre Lyon et Bourg-en-Bresse, délimité par l'Ain et la Saône, le plateau de la Dombes n'oppose que ses « côtières », parfois abruptes, aux reliefs de la montagne beaujolaise. *ℹ 33 r. du Gouvernement, 01600 Trévoux, ☎ 04 74 00 36 32, ou pl. du Champ-de-Foire, 01400 Châtillon-sur-Chalaronne, ☎ 04 74 55 02 27.*

Le nom

Deux hypothèses plausibles s'affrontent pour l'origine du nom : une étymologie germanique signifierait « étangs » tandis que la version scandinave évoquerait le « brouillard ». Une seule certitude, malgré son « s » final, il s'agit de la Dombes car la région est parvenue à une réelle unité politique.

Les gens

Les familles de Beaujeu et de Thoire-Villars se sont longtemps disputé le territoire. La Dombes est érigée en principauté par François Iᵉʳ, après la confiscation des biens du connétable de Bourbon en 1523 ; à Trévoux, sa capitale, siégea un Parlement souverain qui resta en place jusqu'au milieu du 18ᵉ s.

RESTAURATION

Auberge des Bichonnières – *Rte d'Ars-sur-Formans - 01330 Ambérieux-en-Dombes - 11 km à l'O de Villars-les-Dombes par D 904 - ☎ 04 74 00 82 07 - fermé 15 déc. au 15 janv., dim. soir et lun. sf juil.-août et mar. midi - réserv. obligatoire - 20,58/38,11€.* Cette ancienne ferme typique de la vallée de la Dombes est une étape plutôt agréable pour se restaurer autour de spécialités régionales concoctées par le jeune chef. Plusieurs menus vous permettront de les découvrir, attablé en terrasse aux beaux jours.

LA TECHNIQUE DU PISÉ

Le pisé est le mode de construction traditionnel de la Dombes, région dépourvue de carrières de pierre. La terre argileuse qui se trouve sous la terre arable est prête à servir à la construction sans être cuite ni adjointe à un liant. Il faut d'abord aérer la terre à pisé pour lui faire prendre du volume : c'est le « frassage ». Après avoir établi un coffrage en bois, la terre frassée y est versée, puis on la dame avec un « pisou », instrument en bois plein, avant de laisser sécher le mur. Les angles et soubassements sont protégés par des briques ou des galets.

La brume n'est pas encore levée mais les pêcheurs trient déjà le fruit de leur pêche.

comprendre

L'ÉVOLAGE

Tour à tour, les étangs sont mis en eau et empoissonnés : c'est l'évolage qui dure six à sept ans, puis mis en culture (assec) pendant un an, grâce à un procédé de labours en « billons », facilitant le drainage rapide du sol. La pêche avec environ 2 000 t de poissons par an (carpes, tanches, brochets) fait de la région la première région productrice de France pour le poisson d'étang.

Les étangs – Le sol ingrat a incité très tôt les habitants à transformer leurs terres en étangs, fermés par des levées de terre battue, les chaussées ; le Grand Étang de Birieux, l'un des plus vastes, mais aujourd'hui morcelé, date du 14e s. Au Moyen Âge, les seigneurs apprécient les étangs dont l'entretien n'exige qu'une main-d'œuvre réduite. Au 16e s., la Dombes en compte près de 2 000. La trop grande étendue des eaux stagnantes provoque l'instauration d'un climat malsain ; la durée moyenne de vie, en Dombes, est, sous l'Ancien Régime, très faible. Mais au 19e s., sous l'impulsion des moines de l'abbaye N.-D. des Dombes, la superficie en eau diminue de moitié. Les surfaces ainsi libérées sont converties en cultures.

Aujourd'hui, l'eau couvre encore environ 10 000 ha. La plupart des étangs sont intermittents et constituent une chaîne de pièces d'eau contiguës qui se vident les unes dans les autres lors de la vidange précédant la pêche. Cette opération se fait à partir d'une vanne, le **thou**, installée à l'extrémité de l'étang de tête. À l'automne, on ne manquera pas d'assister à la pêche dans un étang.

La Dombes est également un centre important de production laitière et de viande bovine. L'élevage de chevaux de demi-sang demeure une activité traditionnelle : il n'est pas rare d'apercevoir, enfoncés dans l'eau des étangs, des chevaux paissant la « brouille », sorte de trèfle des marais dont ils sont friands. Le paysage si particulier de la Dombes a servi de cadre au film de Y. Bellon, *L'Affût* (1991).

circuit

LA ROUTE DES ÉTANGS*

Circuit de 99 km au départ de Villars-les-Dombes – avec la visite des villes, compter une journée. Quitter Villars à l'Ouest par la D 2.

Bouligneux

Dans un site typique se dresse le **château** du 14e s. en briques, à l'aspect de maison forte.

Sandrans

LES POYPES

Caractéristiques de la Bresse et de la Dombes, les poypes sont d'anciennes mottes castrales ; très répandues au Moyen Âge, elles étaient parfois de véritables forteresses de terre cernées de fossés.

Ce village est renommé pour sa **poype**, sur laquelle on a reconstruit au 19e s. une maison bourgeoise. Aujourd'hui subsiste un tertre bien identifié entouré d'un fossé en eau et coiffé d'une tour circulaire en briques. L'**église**, en partie romane, est dans sa simplicité l'une des plus caractéristiques de la Dombes : nef unique ; abside décorée d'une arcature romane dont les curieux pilastres en forme de fuseau portent des silhouettes humaines très étirées ; poutres de gloire à l'entrée du chœur. Remarquez l'ensemble des statues et les fonts baptismaux gothiques.

Châtillon-sur-Chalaronne *(voir ce nom)*

À la sortie Est de Châtillon prendre la D 17 en direction de St-Paul-de-Varax.

St-Paul-de-Varax

Établi au milieu des étangs et des bois de la Dombes, ce village a conservé une belle église romane et un château représentatif de l'architecture régionale.

Église – Elle date du 12e s. La nef lambrissée est prolongée par un transept non saillant voûté en coupole. La façade Ouest frappe par son bel appareil de pierres et son ordonnance d'arcatures en plein cintre. Deux arcs aveugles encadrent le portail central ; au tympan est représenté le Christ en majesté entre deux anges. Une petite porte s'ouvre du côté droit de l'église ; son tympan, fâcheusement mutilé, évoque un épisode de la vie de saint Antoine.

Château – C'est l'un des plus jolis manoirs *(on ne visite pas)* de la Dombes. Ses grands toits, ses murs de briques et sa tourelle d'angle se reflètent dans un petit étang.

Prendre au Nord la N 83 puis à droite la D 64A.

Lent

Ce village conserve de beaux monuments du 16e s., notamment un beffroi restauré au 18e s. et des maisons de bois. L'origine de l'église romane remonte au 9e s., mais son architecture date du 16e s.

Dompierre-sur-Veyle

Regroupé autour d'une vieille église romane, il voisine avec le plus grand étang de la région : le Grand Marais, 100 ha.

En empruntant la D 70 en direction de St-Nizier-le-Désert, on longe sur la gauche les importantes étendues d'eau du Grand Marais.

St-Nizier-le-Désert

Agréable halte où sont aménagées des aires de loisirs (pêche, promenade).

Prendre la D 90 qui coupe la N 83 et conduit à Marlieux. Traverser le village et rejoindre la D 7. À la sortie du tournant, prendre une petite route en direction de Beaumont.

Beaumont

Sur la coquette petite place du hameau s'élève la chapelle **Notre-Dame de Beaumont**. Autrefois très fréquentée par divers pèlerinages, elle a connu une longue période d'abandon. De récentes restaurations ont mis au

Miraculeusement bien conservées, les peintures de la chapelle de Beaumont ont retrouvé leur éclat d'antan.

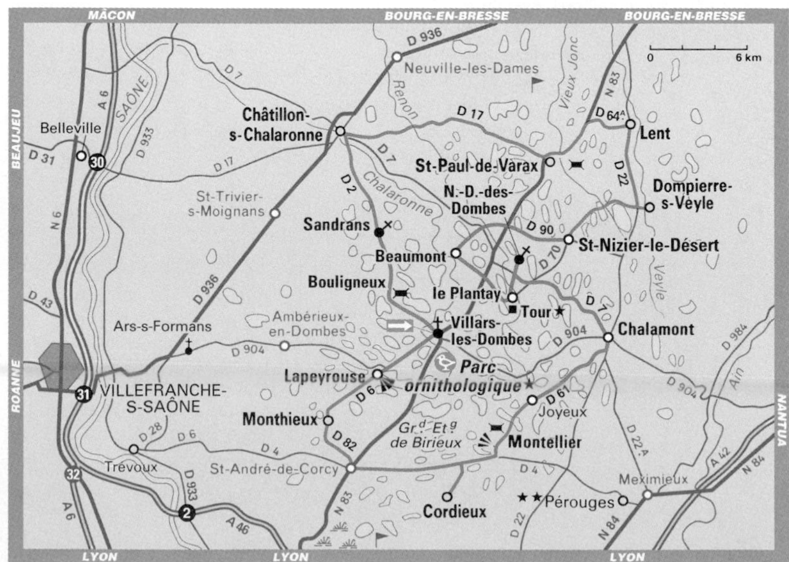

jour de splendides **peintures murales★** du 15e s. *Possibilité de visite guidée sur demande auprès de M. Gantier. ☎ 04 74 42 86 35.*

Revenir en arrière sur la petite route d'arrivée jusqu'au premier embranchement. La route qui commence sur la droite passe par le hameau des Villardières, traverse la N 83 et rejoint le Plantay.

Le Plantay

Environnée des eaux de l'étang du Grand-Châtel, la **tour du Plantay★** *(on ne visite pas)* est remarquable par son appareil de grosses briques rouges décoré de pierres blanches.

Symbole emblématique de la région, la tour du Plantay surveille impassiblement ces vastes étangs

Abbaye Notre-Dame-des-Dombes

Fondée par les cisterciens au 19e s., elle a contribué à la mise en valeur des terres cultivables et à l'assainissement de la région. Sa contribution héroïque à la Résistance a valu à l'abbaye d'être décorée de la Légion d'honneur en 1946.

Chalamont

À 334 m d'altitude, c'est le point culminant de la Dombes. L'îlot de la rue des Halles, dans le bourg, conserve quelques maisons anciennes du 15e s. restaurées, avec des étages en encorbellement et un vieux lavoir.

Poursuivre par la D 61 en direction de Joyeux.

On remarque à Joyeux une belle demeure du 19e s.

Avant le village du Montellier, on aperçoit sur la droite le château.

Le Montellier

Le **château** *(on ne visite pas)*, le plus imposant de la Dombes, construit en briques, est flanqué à une extrémité d'un donjon primitif dressé sur sa poype.

Dans le village, l'église d'origine gothique renferme un beau retable sculpté du 18e s.

Cordieux

On y remarque un beau manoir en briques rouges.

Reprendre la D 4 en direction de St-André-de-Corcy, puis après avoir franchi la N 83, se diriger vers Monthieux par la D 82.

Monthieux

La belle église romane en briques roses abrite les tombeaux des seigneurs de Damas. Le manoir de Breuil, du 16e s., possède un intéressant puits sarrasin.

Poursuivre vers Ambérieux et prendre la D 6 à droite.

Lapeyrouse

Du monument aux morts, jolie vue sur la chaîne des Alpes et, au premier plan, sur les étangs du Grand Glareins et le château de Glareins, du 15e s. *(on ne visite pas).*

Revenir à Villars par la D 904.

Vallée de l'Eyrieux★

C'est à ses vastes et lumineux vergers que la vallée doit sa célébrité. La réalité est beaucoup plus contrastée : la haute vallée porte la marque d'un caractère montagnard accusé, aux raides versants ombragés de châtaigniers et d'épicéas, c'est le pays des Boutières ; en aval du Cheylard, le torrent s'enfonce en gorges, puis bassins adoucis et étranglements rocheux alternent jusqu'à sa plaine terminale, à son débouché dans la vallée du Rhône.

La situation

Cartes Michelin nos 76 plis 18 à 20 ou 244 plis 34 à 36 – Ardèche (07).

L'Eyrieux, qui prend sa source à 1 120 m d'altitude, au Nord de St-Agrève, dégringole des hauts plateaux vivarois pour venir se jeter dans le Rhône, après une course de 70 km. *Pl. E.-Jargeot, 07800 La Voulte-sur-Rhône, ☎ 04 75 62 44 36.*

Torrentiel

Le régime de l'Eyrieux est celui d'un torrent. En raison de la pente du cours supérieur, les orages d'automne gonflent subitement la rivière et ses affluents. De 0,8 m³/s, le débit peut monter à 3 600 m³/s en quelques heures. Lors de la grande crue de septembre 1857, les eaux atteignirent 17,25 m dans l'étranglement de Pontpierre, près de St-Fortunat.

Le nom

Moins célèbre que sa consœur méridionale, l'Ardèche, la rivière Eyrieux a quand même donné son nom à une vallée accueillante que domine une corniche très sauvage.

Les gens

De vieux hameaux isolés s'agrippent sur les versants rayés par les murettes des cultures en terrasses. Les bourgades les plus importantes se sont fixées dans les petits bassins intérieurs de la vallée, au débouché des affluents. Quelques-unes connaissent une certaine activité industrielle comme le Cheylard (peausserie, tissages...). Mais le caractère dominant de la vallée provient de la culture du pêcher.

comprendre

La vallée des pêchers

Les pêchers transforment au printemps cette rude vallée en un ruissellement de pétales roses. Des champs de légumes verts et de fraisiers complètent cette culture.

Un verger modèle – Le développement des vergers de l'Eyrieux tient à des conditions naturelles particulièrement favorables : un sol léger, perméable et chaud, se drainant bien ; une vallée abritée du mistral et des vents du Sud, où les gelées printanières sont rares ; des débuts d'été chauds, facilitant la maturation.

Des éclairages parfois irréels renforcent le côté sauvage de la vallée de l'Eyrieux.

carnet pratique

RESTAURATION

• À bon compte

Montagut – *Pl. Église - 07190 St-Sauveur-de-Montagut - ☏ 04 75 65 40 31 - fermé 1er au 15 janv., 4 au 25 sept., dim. soir et lun. - 12,20/39,64€.* Auberge d'esprit rustique dans un petit village ardéchois dominé par les ruines d'un château. Salle à manger au décor frais et vaste terrasse où l'on propose une cuisine classique. Repas plus simples servis au bar fréquenté par une clientèle locale.

Auberge de Duzon – *07440 Alboussière - ☏ 04 75 58 29 40 - fermé 2 janv. au 2 fév., dim. soir et lun. d'oct. à juin - 14,48/36,59€.* Au cœur d'un village, cet ancien relais de poste entièrement rénové a beaucoup de charme. Ses quelques chambres rappellent celles des magazines de décoration avec leurs meubles hétéroclites et leurs détails soignés. Plusieurs menus servis dans une salle campagnarde.

HÉBERGEMENT

• À bon compte

Camping L'Ardéchois – *07190 St-Sauveur-de-Montagut - 8,5 km à l'O de St-Sauveur par D 102 dir. Albon - ☏ 04 75 66 61 87 - ardechois.camping@wanadoo.fr - ouv. 14 avr. au 25 sept. - réserv. conseillée - 107 empl. : 24,34€.* Ici, vous goûterez aux joies de la nature ardéchoise : ce camping à l'ambiance familiale vous offre les eaux claires de sa petite rivière et l'ombrage de ses emplacements pour des vacances paisibles... Piscine et club-enfants.

Des pêches comme s'il en pleuvait... difficile de résister à la tentation !

Cette réussite est due, pour une grande part, à la volonté des hommes. Les premiers essais de plantation, à **St-Laurent-du-Pape**, demeurée une commune pilote, datent de 1880. Les méthodes de production, patiemment améliorées depuis cette époque, ont été adoptées par les cultivateurs des régions voisines. Peu à peu les vergers ont gagné du terrain dans la vallée, mais suite à l'introduction de la mécanisation, la production des pêchers plantés au flanc des versants a fortement régressé.

La production – Chaque verger n'occupe que 1,5 ha en moyenne. Cette division s'explique par les exigences d'une culture quasi artisanale. Un arbre fournit, en pleine production, de 25 à 40 kg de fruits. Un hectare produit couramment 10 à 16 t de pêches.

La pêche de l'Eyrieux s'est imposée par sa qualité sur le marché national et à l'exportation. L'ensemble de la production de la vallée avoisine les 10 000 t par an.

itinéraire

ENTRE PÊCHERS ET CHÂTAIGNIERS

Quitter La Voulte au Nord en direction de Beauchastel.

Beauchastel

Cet ancien village classé se blottit au pied des ruines de son château. Il faut grimper au milieu d'un dédale de ruelles et de passages couverts pour gagner la Maison du Patrimoine et la terrasse qui offre une très belle **vue** sur St-Laurent-du-Pape et la vallée.

Reprendre la D 21 en direction de St-Laurent-du-Pape.

L'Eyrieux est réputée pour son caractère versatile mais traverse ici en toute quiétude St-Laurent-du-Pape.

St-Laurent-du-Pape

Peut-être grâce à son pont qui traverse l'Eyrieux, St-Laurent est la véritable porte de la vallée et un agréable lieu de séjour.

Continuer à suivre la vallée en direction du Cheylard.

À droite de la route, les vergers se succèdent et constituent un magnifique spectacle au printemps.

Rendez-vous

Au printemps, à la fin du mois de mars, on ne manquera pas de parcourir la D 120 ; c'est la féerie des pêchers en fleur. L'étalement de la floraison, qui commence par les vergers de la basse vallée, crée une extraordinaire symphonie de rose pâle, de carmin et de pourpre.

St-Sauveur-de-Montagut

Dominé par les ruines du château de Montagut (*accessible par la D 244 et un chemin forestier*), le village est au confluent de l'Eyrieux et de la Glueyre.

Prendre avant le pont la D 102 en direction de St-Pierreville. La route longe la vallée de la Gluyère dans laquelle une plage a été aménagée. La route suit la rivière presque jusqu'à St-Pierreville. Le spectacle de cette nature sauvage et escarpée est de toute beauté.

Il faut traverser la rivière pour arriver à St-Pierreville. Déjà apparaissent de nombreux châtaigniers aisément reconnaissables aux branches mortes qui couronnent les cîmes. La maladie a fait des ravages avant d'être pro gressivement contrôlée.

Le ramassage des châtaignes n'est pas très automatisé et certains pratiquent encore, comme ici, les techniques traditionnelles.

St-Pierreville

Bienvenue dans la capitale du châtaignier. Pour bien s'en convaincre, il suffit d'aller manger à l'hôtel-restaurant ou de se rendre à la **maison du Châtaignier**. Une exposition didactique et quelques vidéos vous éclaireront sur les évolutions de cette activité et sur la lutte contre la maladie. Mais attention, il faut venir en octobre pour la cueillette ! On peut heureusement la déguster toute l'année et les nombreux produit présentés ne manqueront pas de vous combler. *D'avr. à fin nov. : vac. scol., w.-end, j. fériés 14h-18h (juil.-août : tlj 10h-12h, 15h-19h). Fermé 1er mai. 3,20€ (enf. : 1,83€). ☎ 04 75 66 64 33.*

Musée vivant de la Laine et du Mouton – ♿ *Juil.-août : visite guidée (2h) à 10h, 14h, 15h, 16h, 17h ; fév.-juin : mer., dim., vac. scol. et j. fériés à 15h. Fermé janv. 4,58€ (enf. : 3,35€). ☎ 04 75 66 63 08.*

☺ La châtaigne n'est pas l'unique activité de la région car les moutons s'accommodent très bien de ces terrains si difficiles à cultiver. L'entreprise Ardelaine présente les différentes races de mouton et la qualité très inégale de leurs laines : ne cherchez pas, le meilleur, c'est le mérinos. Toutes les étapes du travail de la laine sont présentées et le parcours se termine logiquement à la boutique pour apprécier le résultat.

circuit

CORNICHE DE L'EYRIEUX★★★

Circuit de 70 km – environ 2h1/2. Quitter St-Laurent-du-Pape par la D 120 et prendre rapidement à droite la D 21 en direction de Vernoux.

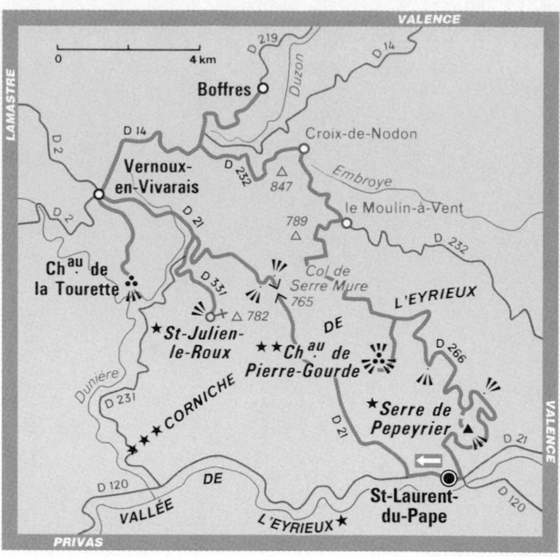

Cette très belle route de crête offre, à la montée vers le col de Serre-Mure (alt. 765 m), des vues sur les serres du Vivarais, le haut bassin de l'Eyrieux, le pays des Boutières et sur le versant Ouest du piton de Pierre-Gourde. À l'approche de Vernoux, au cours de la descente rapide dans les gorges de la Dunière, apparaît le château de la Tourette.

Tourner à gauche dans la D 231, puis la D 331.

St-Julien-le-Roux

Du cimetière entourant l'église, on découvre un vaste **horizon★** montagneux, au-dessus des ruines du château de la Tourette.

Les D 331, D 231 et D 21 ramènent à Vernoux.

Fantomatique

Le château de la Tourette revient de loin et sa silhouette ruinée semble bien mystérieuse au clair de lune ! Le corps principal est un énorme donjon gardant une partie de son couronnement de mâchicoulis et de corbeaux.

Vernoux-en-Vivarais

Sur le plateau vivarois, entre l'Eyrieux et le Doux, au centre d'une cuvette harmonieuse, Vernoux offre de loin une agréable silhouette de gros bourg, ramassé autour de la haute flèche de son église (19e s.).

Château de la Tourette – *Laisser la voiture sur l'aire aménagée de la ferme de Pailler et terminer à pied : 1/2h AR. Partant de Vernoux, une petite route goudronnée et fléchée « La Tourette » mène directement en voiture au château.*

Les ruines de ce bastion, qui marquait jadis l'entrée des États du Languedoc, comptent, dans un **site★** très sauvage, parmi les plus évocatrices du Vivarais. Des ruines, la vue plonge sur le ravin de la Dunière dessinant une série de méandres profondément encaissés.

Rejoindre Boffres, 8,5 km au Nord-Est par la D 14 et D 219.

Boffres

Bâti sur un ressaut de terrain, en demi-cercle au pied de sa toute simple église de granit rose et des vestiges d'un ancien château fort, le village perché de Boffres domine un paysage rural encadré de châtaigneraies.

À quelques centaines de mètres du village, un buste en bronze dû au sculpteur ardéchois Gimond, érigé en bordure de la route, évoque la mémoire de **Vincent d'Indy**.

Vincent d'Indy (1851-1931)

Célèbre compositeur, Vincent d'Indy est né à Paris mais est issu d'une famille de la région. C'est au château des Faugs, à l'Ouest de Boffres, qu'il venait chercher l'inspiration de son œuvre musicale (*Symphonie cévenole*, 1886, *Jour d'été à la montagne*), notant des thèmes au cours de ses promenades. Il composa son opéra *Fervaal*, un matin de brouillard sur les crêtes du mont Mézenc.

Rejoindre le carrefour avec la D 14 et prendre, à gauche, la D 232.

La route serpente à flanc de coteau, offrant de belles vues sur Vernoux-en-Vivarais au centre de sa cuvette ; au fond, à gauche, s'étend la dépression du Duzon. Après Croix-de-Nodon, on découvre une ample échappée vers la vallée du Rhône ; la route, bordée de taillis et de bois maigres, domine alors, en premier plan, la profonde vallée boisée de l'Embroye.

Au Moulin-à-Vent, prendre à droite la D 266.

Après un long passage boisé, la route emprunte un tracé en corniche assez impressionnant, face au piton de Pierre-Gourde, en avant des crêtes fermant la vallée de l'Eyrieux.
À droite de la D 286 s'amorce le chemin d'accès au château de Pierre-Gourde, non revêtu. Laisser la voiture, à un col, en vue des ruines.

Panorama du château de Pierre-Gourde★★

Ce château féodal en ruine occupe un **site**★ magnifique. ▶ Au pied du piton qui portait le donjon apparaissent les vestiges du corps de logis, des pans de murs de l'enceinte fortifiée et du village féodal.

Contourner les ruines par la gauche pour atteindre une plate-forme rocheuse qui sert de belvédère.
Au cours de la descente, deux virages panoramiques offrent des vues impressionnantes sur la vallée de l'Eyrieux, dont les plans détachés de serres se répètent à l'infini, et sur la vallée du Rhône, à gauche.

À 5 km environ de Pierre-Gourde, un panneau, à droite de la D 266, indique la direction du serre de Pepeyrier. Laisser la voiture à 250 m en direction du relais de télédiffusion, et monter sur le rebord du serre.

Panoramique
Le belvédère découvre le Rhône, à travers l'échancrure du Bas-Eyrieux, et, dans l'axe, les Trois-Becs, entre la barre du Vercors, les Baronnies et le Ventoux. À l'opposé, l'échine déchiquetée de la Croix de Bauzon domine la trouée du Haut-Eyrieux ; le sommet du Mézenc limite à l'horizon le réseau compliqué des serres vivarois.

Vue du serre de Pepeyrier★

1/4h à pied AR. Très belle **vue** du serre sur le débouché de l'Eyrieux et ses vastes vergers de pêchers, Beauchastel et la plaine du Rhône ; au fond, le Ventoux se détache distinctement.

LES BOUTIÈRES★★

Circuit de 64 km au départ de St-Agrève. Description p. 295.

Feurs

On ne refait pas l'Histoire et c'est dommage pour Feurs qui a connu une réelle prospérité au temps des Gaulois dont elle était une place commerciale importante. La situation n'est pas si grave car elle bénéficie, aujourd'hui encore, de sa position stratégique dans la vallée de la Loire. Cet atout lui apporte pas mal d'activités et en fait une étape pratique pour rayonner dans la plaine forézienne.

La situation

Cartes Michelin nos 88 pli 5 ou 244 pli 2 – Loire (42).
Entre Roanne et St-Étienne, la ville de Feurs est établie au centre de la plaine, sur la rive droite de la Loire.
Pl. du Forum, 42110 Feurs, ☎ 04 77 26 05 27.

Le nom

Qui l'eût cru ? Déjà citée par Ptolémée au 3e s., Feurs est une ancienne place commerciale dont le nom dérive du nom latin *forum* (marché, place).

Les gens

7 669 Foréziens. La campagne de fouilles entre 1978 et 1981 confirme une occupation gauloise antérieure à la conquête de César.

Restauration
L'Assiette Saltoise – *42110 Salt-en-Donzy - ☎ 04 77 26 04 29 - fermé 31 janv. au 21 fév., vac. de fév., lun. soir, mar. soir et mer. - 12,20/23,63€.* Cette auberge de campagne jouxte la petite église romane au cœur d'un paisible village rural. Dans cette vieille maison, devancée par une terrasse ombragée d'une tonnelle et de tilleuls, le cadre est simple mais la cuisine du terroir est généreuse et soignée.

visiter

Musée d'Assier

3 r. Victor-de-Laprade. Tlj sf mar. 14h-18h. Fermé 1er janv., 1er mai, 25 déc. 1,52€. ☎ 04 77 26 24 48.
Il est consacré à l'archéologie gauloise et gallo-romaine ainsi qu'aux arts et traditions populaires. Dans le parc, reproduction d'une *villa* où sont exposés une mosaïque découverte à Feurs, des marbres et des éléments lapidaires.

La riche décoration du portail rappelle, s'il en était besoin que l'église est bien dédiée à Notre-Dame.

Église Notre-Dame

C'est un édifice à trois nefs, de style gothique flamboyant. Le clocher, très ouvragé, refait au 19e s., porte une horloge à jaquemart de la fin du 15e s. Le chœur du 12e s. subsiste en partie. À droite de celui-ci, une *Vierge à l'Enfant* de J.-M. Bonnassieux. Les boiseries et les stalles (18e s.) proviennent du prieuré de Pommiers.

découvrir

LA PLAINE DU FOREZ

Dès que l'on s'écarte des grands axes pour emprunter ses petites routes sinueuses, la cuvette intérieure du Forez réserve d'agréables découvertes.

Les buttes volcaniques, qui émergent de la plaine comme les îlots rocheux, portent de vénérables sanctuaires : St-Romain-le-Puy, Montverdun. À leur pied, les cultures alternent avec les bocages, les étangs et les vieilles fermes closes.

Le Forez, par Honoré d'Urfé

Les premières pages de *L'Astrée*, roman pastoral d'Honoré d'Urfé, s'imposent à l'esprit : « ... il y a un pays nommé Forez qui, en sa petitesse, contient ce qui est le plus rare au reste des Gaules ; car étant divisé en plaines et en montagnes, les unes et les autres sont si fertiles et situées en air si tempéré que la terre est capable de tout ce que peut désirer le laboureur... Au cœur du pays est le plus beau de la plaine, ceinte comme d'une forte muraille de monts et arrosée du fleuve de Loire qui passe presque par le milieu, non point encore enflé et orgueilleux, mais doux et paisible... ».

Pouilly-lès-Feurs

7 km au Nord de Feurs par la N 82 et la D 58.

Ancien bourg fortifié dont l'église romane, intéressante, dépendait d'un **prieuré** clunisien ; remarquez surtout la façade, très sobre, et, à l'intérieur, l'homogénéité de la construction du 12e s. *Visite le dim. : sur demande préalable auprès de la mairie. ☎ 04 77 26 05 84.*

À l'Ouest de Pouilly, un petit pavillon Renaissance conserve un fronton sculpté et une loggia à l'étage.

À vos jumelles

Si vous avez des jumelles, n'hésitez pas à les emporter car cela facilitera l'observation des oiseaux. Dans tous les cas il y a possibilité d'en emprunter (sur le grand observatoire) ou d'en louer pour votre parcours. N'oubliez pas votre patience car les animaux ne se déplaceront pas rien que pour vous.

La Valette

7 km au Nord-Est de Feurs par la D 113. À 2 km à l'Est de Salvizinet, emprunter à droite, après le pont sur la Charpassonne, le chemin d'accès revêtu s'amorçant devant l'auberge. Humble **église** rurale, au flanc du vallon de la Charpassonne. C'est un petit édifice roman à nef unique et chœur surélevé ; mobilier typiquement forézien, d'une naïve rusticité.

Chambéon

Écopole du Forez – *6 km au Sud de Feurs par la N 89 et la D 107. Fléché à partir de Chambéon et de Magneux-Haute-Rive. ♿ 14h-18h (mai-sept. : dim. et j. fériés fermeture à 19h). Fermé 1er janv. et 1er mai. 3,05€. ☎ 04 77 27 86 40.*

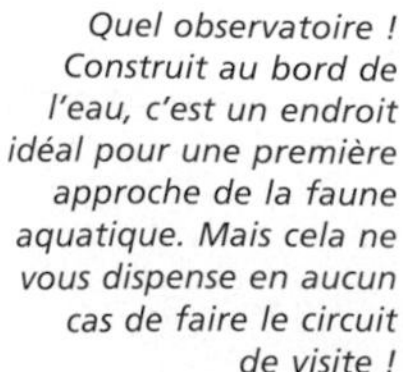

Quel observatoire ! Construit au bord de l'eau, c'est un endroit idéal pour une première approche de la faune aquatique. Mais cela ne vous dispense en aucun cas de faire le circuit de visite !

À proximité de l'aéroport de St-Étienne, mais aussi et surtout de la Loire, l'Écopole est une zone préservée en milieu humide devenue un observatoire idéal pour étudier les oiseaux migrateurs et la faune aquatique. Un grand centre d'observation et un sentier d'interprétation de 6 km invitent à découvrir les secrets de la nature sur les berges de la Loire.

Château de **Fléchères**★

Le sauvetage et surtout la renaissance d'un monument sont toujours des moments intenses et émouvants. C'est particulièrement le cas à Fléchères où chaque étape de sa réhabilitation apporte son lot de découvertes. L'architecture extérieure, tout d'abord, ne peut manquer d'étonner par son originalité ; il s'agit en effet d'un exemple rare de château construit autour d'un temple protestant. L'intérieur n'est pas en reste grâce à ses magnifiques fresques qui n'attendent que la magie de la restauration pour réapparaître près de quatre siècles après leur création.

L'étonnante et rigoureuse silhouette du château serait sévère sans la présence de cette fontaine ornée de sympathiques marmousets.

La situation

Carte Michelin nos 74 pli 1 ou 244 pli 14 – Ain (01). À 6 km au Nord-Est de Villefranche-sur-Saône et 12 km au Nord de Trévoux, Fléchères se trouve sur la commune de Fareins, à proximité de la Saône. Le château est situé dans un parc de 30 ha dont les allées ombragées sont d'engageantes invitations à la promenade.

Le film

Quel rapport y-a-t-il entre Fléchères et *Le Diable par la queue*, film de Philippe de Broca (1968) dans lequel Yves Montand donne la réplique à Madeleine Renaud et à Marthe Keller ? Cette œuvre célèbre a été tournée à Fléchères et on ne peut s'empêcher de penser que le « butin » caché dans le parc serait encore le bienvenu pour rendre au château son lustre d'antan !

Les gens

C'est à Jean de Sève, échevin et prévôt des marchands à Lyon, que l'on doit ce château édifié rapidement à partir de 1616. Calviniste convaincu et bénéficiant de la « haute justice », il pouvait organiser librement des réunions pour le culte dans son domaine.

TOUT UN SYMBOLE !
Le troisième étage était consacré au temple éclairé par sept fenêtres. On ne s'étonnera donc pas de la symbolique des trois magnifiques lucarnes (Trinité) qui sont au-dessus. Les conséquences de cette disposition se retrouvent aux étages inférieurs car on ne pouvait faire cohabiter le religieux et le privé.

visiter

D'avr. au 11 nov. : w.-end 10h-12h, 14h-18h (de mi-juin à mi-sept. : tlj 10h-12h, 14h-18h30). 5€ (enf. : 3€). ☎ 04 74 67 86 59.
L'allure toscane des anciens communs atténue la fonction militaire encore suggérée par les vestiges de l'ancien pont-levis. Le château s'élève en effet à la place

Château de Fléchères

d'une ancienne place forte qui contrôlait un gué sur la Saône. L'entrée dans la cour est du plus bel effet, dévoilant progressivement la rigoureuse façade rythmée de fenêtres à meneaux et encadrée de tours coiffées de dômes. Mais il faut également voir celle du côté jardin pour apprécier son originalité qui est due à une logique très religieuse. Les appartements sont limités aux ailes, d'ailleurs surbaissées, tandis que dans le corps central, l'immense pièce principale située sous le temple pouvait accueillir les réunions des calvinistes.

La découverte de cette surprenante organisation ne saurait faire oublier celle d'un exceptionnel ensemble de **fresques★★** italiennes (1630) attribuées à Pietro Ricci. Ainsi la **salle des Perspectives** et surtout la **salle de la Comédie italienne** qui ont été superbement restaurées laissent imaginer la richesse de ce patrimoine qui n'a pas fini d'enrichir nos connaissances de la peinture « à fresque » de cette période.

D'une fraîcheur incroyable, ces fresques renaissent miraculeusement après des siècles d'une existence mouvementée.

Monts du **Forez**★★

Pays des hautes chaumes, des jasseries et de l'estive, les monts du Forez ou « montagnes du Soir » offrent des paysages contrastés, souvent assombris par les noirs bois de sapins. Mais au-dessus, souvent masqués par les brumes et les nuages, les sommets étonnent par leurs vastes landes dénudées paraissant abandonnées. Cet étrange paysage devient presque lunaire sous certains éclairages ; seuls, des rochers granitiques, de profondes tourbières ou des buissons de genêts marquent ces rudes étendues.

Hébergement et Restauration

Gaudon – *63880 Le Brugeron - 6 km au S de La Chambonie par D 101 et D 37 - ☎ 04 73 72 60 46 - fermé 15 déc. au 1er fév., lun. soir et mar. d'oct. à mai - 11,43/34,30€.* Au cœur des monts du Forez, à l'entrée du village du Brugeron, cette maison traditionnelle de 1929 vous dépannera utilement. Son décor est certes démodé mais ses petites chambres sont claires. Côté restaurant, quatre menus et une formule sont proposés.

La situation

Cartes Michelin nos 88 plis 4, 16, 17 ou 239 plis 22, 23 – Loire (42) et du Puy-de-Dôme (63). Les monts granitiques du Forez forment, sur 45 km, une chaîne centrale de laquelle se détachent des chaînons parallèles séparant les pittoresques vallées qui se dirigent d'une part vers la Dore et d'autre part vers la Loire. Le versant Est domine la plaine du Forez ; il est moins abrupt que le versant Ouest qui tombe brusquement sur le fossé de la Dore.

Le nom

Feurs, Forez, c'est toujours la même racine latine (*forum* = marché, place) qui désigne aussi bien la plaine que la montagne forézienne.

Les gens

La célébrité déjà incontournable est bien sûr notre Aimé Jacquet national. Mais il ne faudrait pas oublier la société matriarcale forézienne qui a longtemps animé les hautes chaumes *(lire la rubrique sur l'estive).*

découvrir

PARC NATUREL RÉGIONAL DU LIVRADOIS-FOREZ

Les monts du Forez sont une petite partie du **Parc naturel régional Livradois-Forez**, créé en 1984 et couvrant plus de 300 000 ha. Ses objectifs sont : la revitalisation d'un milieu rural en déclin, la présentation et la promotion du patrimoine local, notamment artisanal et industriel. Par ailleurs, le parc cherche à favoriser le tourisme vert.

Logo du Parc naturel régional Livradois-Forez.

Maison du parc

À St-Gervais-sous-Meymont. *Tlj sf w.-end 8h45-12h30, 13h30-17h30, ven. 8h45-12h30, 13h30-16h30 (juil.-août : w.-end 9h-12h, 14h-17h). Gratuit. Fermé j. fériés. ☎ 04 73 95 57 57. www.parc-livradois-forez.org*

1 PAR LE COL DU BÉAL★

Compter une journée

Boën

Dominant la rive gauche du Lignon, Boën *(prononcez Bo-in)* marque la limite entre la plaine et la montagne foréziennes.

Château de Boën – *Fermeture provisoire pour travaux. Réouverture prévue en 2002. ☎ 04 77 24 08 12.*
Cette élégante demeure du 18e s. montre plusieurs salles aux riches décorations, notamment un salon à l'italienne. Dans les combles a été aménagé un **musée de la Vigne** qui rappelle la florissante activité viticole du Forez au travers des outillages ou alambics et de la reconstitution d'une loge de vignerons.

Quitter Boën par la N 89, puis à 2,5 km, prendre à gauche la D 6 vers Sail-sous-Couzan.

« VIDE-GOUSSET »
Boën est la patrie de l'**abbé Terray** (1715-1778), contrôleur général des Finances à la fin du règne de Louis XV. Les mesures impopulaires qu'il dût prendre pour rétablir l'équilibre du budget, compromis par les dépenses de la Cour, lui valurent le surnom de « vide-gousset ».

Sail-sous-Couzan

Ce village tranquille est devenu depuis peu un lieu de pèlerinage pour les passionnés de foot qui veulent connaître les lieux où Aimé Jacquet a fait ses premières armes ou plutôt ses premières passes. Inévitable, le stade qui porte son nom près de la rivière offre une belle vue sur le château. Il ne faudrait pas quitter Couzan sans faire un petit tour à sa fontaine où coule une eau gazeuse déjà recommandée par un prieur au 17e s. La société d'exploitation semble bien vétuste mais on peut espérer que la commune saura relever le défi.

Emprunter, sur la route de St-Georges-en-Couzan (D 6), le chemin revêtu, à droite, menant en très forte montée jusqu'au pied des ruines où on laisse la voiture.

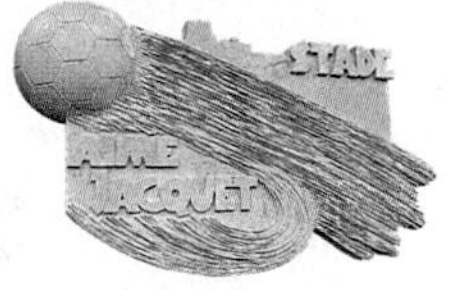

« Et un, et deux, et trois, zéro... » On ne présente plus « Mémé » Jacquet, celui qui a conduit les « Bleus » à la victoire un certain 12 juillet 1998.

Château de Couzan★

Fort de ses trois enceintes épaulées de puissantes tours, le château de Couzan se dresse sur un promontoire rocheux, étranglé entre les ravins du Lignon et du Chagnon. Il fut construit à partir du 11e s. par les Damas, issus d'une importante famille bourguignonne. Quand ils venaient au château, les seigneurs de Couzan résidaient dans la citadelle qui couronne la place forte.

Elle est progressivement restaurée et, en saison, un centre culturel (La Diana) y entretient une animation locale.

POINT DE VUE
Du promontoire rocheux situé derrière le château, à l'Ouest : vue sur les murailles de l'enceinte, ancrées sur le roc à pic au-dessus du Lignon. De part et d'autre des ruines, le **panorama★** offre un vigoureux contraste entre les âpres ravins du côté montagne et la plaine forézienne.

De retour à Sail-sous-Couzan, rejoindre à gauche la D 97 en direction de St-Just-en-Bas.

La route franchit le col de Croix-Ladret. Un tracé en corniche au-dessus de la haute vallée du Lignon dominée par Pierre-sur-Haute, précède l'arrivée à Jeansagnière.

Poursuivre vers le **col de la Loge** : le rideau de sapins s'entrouvre en clairière, délimitant une fraîche pelouse. Avant la Chamba, la forêt cède la place à un paysage pastoral ; le tracé, épousant une succession de cirques occupés par de beaux pâturages, offre de belles échappées vers la trouée de la Dore et le Livradois.

À 2 km après la Chamba tourner à gauche et poursuivre en direction du Brugeron.

La Chambonie

Village niché dans un cirque pastoral.

Aussitôt après une scierie, prendre à droite la D 37.

Après une longue montée forestière, la **vue** se dégage de façon magnifique sur la chaîne des monts Dôme. Après un nouveau passage forestier, on atteint la zone des hauts pâturages parsemés de jasseries.

Col du Béal★

Du col, on jouit d'un **panorama** étendu sur les monts d'Auvergne et du Lyonnais. Il forme un seuil entre les deux versants du Forez.

L'estive

L'homme, ou plutôt la femme, a essayé de s'accommoder de cet environnement hostile : en effet une société matriarcale a vu le jour et s'est développée dans les fermes d'estive à la belle saison ; c'est l'origine des jasseries. Tandis que les hommes travaillaient et moissonnaient dans la vallée, les femmes et les enfants rejoignaient les hauteurs avec le bétail (vache ferrandaise) pour fabriquer la fameuse fourme ou cueillir les « simples » (plantes médicinales).
Ce mode de vie difficile a lentement décliné et désormais il n'y a plus de jasseries en activité ; cependant, certaines d'entre elles ont été restaurées sous forme d'écomusées qui présentent les traditions et métiers de ces fières « amazones » de la montagne.

Pierre-sur-Haute★★

Promenade de 2h1/2 à pied AR, recommandée par temps clair, en montant directement à travers les chaumes par la ligne de crête, ou accès par télécabine. De mi-juil. à fin août : w.-end et j. fériés 13h30-17h30 (1/4h, en continu). 5,34€ AR. ☎ 04 77 24 83 11.

Le balcon du Forez

Du point culminant (signal et croix), à droite des installations militaires, le **panorama** englobe tout le Forez, les monts du Lyonnais et du Beaujolais, la Limagne, les monts Dôme, les monts Dore, le Cantal, les monts du Velay et du Vivarais.

Pierre-sur-Haute, point culminant des monts du Forez (1 634 m), est une montagne granitique en forme de dôme, couronnée par des installations de radars de l'armée. Les landes qui la tapissent, balayées par le vent, sont surmontées çà et là de gros éboulis rocheux. Des jasseries sont établies sur ses flancs.

Au cours de la descente rapide du col du Béal sur Chalmazel, trois types de paysages se succèdent : hautes chaumes, puis belle forêt de sapins et enfin une zone de pins et de prairies.

À 7 km du col du Béal s'embranche sur la droite la route qui mène aux pistes de ski et à la télécabine de Pierre-sur-Haute.

À l'arrivée sur Chalmazel, jolie vue plongeante sur le château.

Chalmazel*

Accroché au flanc du ravin de Lignon, ce bourg montagnard, animé par les sports d'hiver, est dominé par l'ancien **château des Talaru-Marcilly** (13e s.), grosse bastide flanquée de tours d'angle conservant son chemin de ronde et son souterrain de fuite. *Juil.-août : visite guidée (1h) 14h-18h ; sept. : w.-end 14h-18h ; juin : dim. 14h-17h 1,98€. ☎ 04 77 24 84 92.*

Prendre la D 101 en direction de Sauvain.

Sauvain

On ne saurait affirmer avec certitude que le village ait été fondé par les sylvains, sympathiques génies des bois, mais il y a de fortes présomptions !

Maison Sauvagnarde – *Juil.-août : tlj sf lun. 14h30-18h30 ; juin et sept. : dim. 14h30-18h30. 2,29€. ☎ 04 77 76 83 78.* Cette ancienne ferme du 17e s. appartenait au célèbre Louis Lépine, organisateur d'un fameux concours d'innovations. Les expositions illustrent la fabrication de la fourme et la vie dans la région au début du siècle.

Poursuivre la D 101 en direction de Montbrison. Aussitôt après avoir traversé le Lignon à Pont-de-Pierre, prendre à gauche la D 110 vers le col de la Pelletière. Par la Bruyère et Prélion (D 20), gagner Trelins où l'on prend à droite la D 20A.

Château de Goutelas

Dominant en terrasses la plaine du Forez, c'est une jolie demeure de la fin du 16e s., restaurée, qui accueille des stages et des séminaires. On peut pénétrer dans la cour d'honneur et faire le tour extérieur du bâtiment.

Faire demi-tour pour regagner Boën par la D 8.

En piste !

Ce ne sont pas les Alpes mais la station fait de gros efforts pour attirer les skieurs : une télécabine, plusieurs téléskis, une batterie de canons à neige et toutes sortes de pistes dont une éclairée. Que demander de plus ?

2 PAR LE COL DES SUPEYRES*

70 km – compter une demi-journée

Montbrison *(voir ce nom)*

Quitter Montbrison à l'Ouest par la D 101 qui remonte le ravin pelé et rocailleux du Vizezy. Un court crochet mène au village d'Essertines.

Essertines-en-Châtelneuf

Petite église gothique à décoration flamboyante. Du bourg, vue sur la plaine du Forez d'où émerge le piton de St-Romain-le-Puy.

Reprendre la D 101, puis tourner à gauche par la D 44A. À Roche, prendre à gauche la D 44 et poursuivre ensuite par la D 113 vers le col de Baracuchet.

La route offre quelques échappées sur la plaine du Forez. La montée se poursuit en traversant des vallons cultivés dominés par des hauteurs boisées. À l'approche du col, les arbres rabougrissent puis laissent la place à une vaste clairière d'où l'on aperçoit, à gauche, la vallée de l'Ance et, face à la route, la ligne de crête du Forez. La montée au col des Supeyres s'effectue au milieu des hautes chaumes tapissées de bruyères. Çà et là des jasseries apparaissent. On laisse à gauche les jasseries du Grand Genévrier qui seront visitées au retour.

Zone protégée

Attention ! Bien préservée grâce à son enclavement, la montagne forézienne comblera certainement les amoureux de la nature. Il convient de respecter les plantes rares ou même protégées, comme le lys martagon. Une règle essentielle : si vous devez cueillir des fleurs, n'arrachez jamais les racines ou les bulbes.

Indissociables des paysages foréziens, ces jasseries ont une large toiture de chaume qui descend jusqu'au sol.

VISITES GUIDÉES
Le pays du Forez, qui porte le label **pays d'art et d'histoire,** propose des visites-découvertes animées par des guides-conférenciers agréés par le ministère de la Culture et de la Communication. Renseignements à l'Office de tourisme ou sur www.vpah.culture.fr

Col des Supeyres

Alt. 1 366 m. Situé à l'Est du Parc naturel régional Livradois-Forez, il offre un paysage steppique de hautes chaumes mal drainées, d'une solitude prenante. On ressentira particulièrement cette impression de sauvage isolement en empruntant une amorce de route en direction de Pierre-sur-Haute, carrossable sur 1 km environ. Une table de lecture de paysage, « la Montagne des Allebasses », et un sentier à thème *(durée 2h30)*, aident à la compréhension de la vie dans la région (jasseries, vie d'estive...).

À la descente du col vers St-Anthème, la route longe le groupe de **jasseries du Grand Genévrier,** dont l'une est ouverte aux visiteurs.

Jasserie du Coq-Noir

La visite de cette ancienne ferme de transhumance instruit sur la vie pastorale en montagne, l'art de couvrir les toits de chaume et la fabrication des fourmes. On peut y faire collation de lait, de pain de seigle et de fourme de St-Anthème.

La descente vers St-Anthème offre des vues sur les sucs du Velay : Meygal, Lizieux, Mézenc et Gerbier-de-Jonc.

St-Anthème

Ce bourg abrite ses toits rouges au creux de la vallée de l'Ance.

Pour le retour à Montbrison, emprunter à St-Anthème la D 496.

Après le col de la Croix-de-l'Homme-Mort, la route offre de très jolies vues sur la plaine du Forez, les monts du Lyonnais et le mont Pilat.

Hauterives

Mais qu'est-ce qui peut attirer ces milliers de visiteurs à Hauterives ? Ce ne sont pas les ruines de son château médiéval, ni un grand musée, ni même son jardin botanique. Des sources généralement bien informées affirment que cette petite commune drômoise possède un fabuleux palais des Mille et Une Nuits aux allures de temple khmer. Une affaire à éclaircir de toute urgence !

La situation

Cartes Michelin n°s 88 pli 20 ou 246 pli 4 – Drôme (26). Au Nord de la Drôme, le village d'Hauterives est situé à 12 km au Sud de Beaurepaire et 25 km au Nord de Romans-sur-Isère. *R. du Palais-Idéal, 26390 Hauterives,* *04 75 68 86 82.*

Le nom

Anciennement appelée *Alta-Ripa*, Hauterives doit son nom à sa situation au bord d'une rivière, la Galaure.

Orné d'une incroyable parure de pierre, le Palais idéal semble sorti d'un monde imaginaire.

carnet pratique

Restauration

• *Valeur sûre*

Yves Leydier – *26330 Châteauneuf-de-Galaure - 6 km au SO de Hauterives par D 51 - ☎ 04 75 68 68 02 - fermé vac. de fév., 20 au 31 août, dim. soir, mar. soir et mer. - 25,92/32,01€.* Sur la place du village, cette jolie maison en galets de la Galaure ouvre sa façade arrière sur un grand jardin où les enfants pourront jouer en été. Les grands profiteront aussi de la verdure sur la terrasse ombragée, le temps d'un repas.

Hébergement

• *À bon compte*

Hôtel Le Relais – *☎ 04 75 68 81 12 - fermé mi-janv. à fin fév., dim. soir sf juil.-août et lun. - P - 17 ch. : 27,44/48,78€ - ☕ 5,34€ - restaurant 12,96/24,39€.* Façade en pierre apparente et volets blancs pour cet hôtel de village sis dans une grande maison ancienne. Refait petit à petit, il a bonne allure et même si ses chambres sont simples, elles sont proprettes et accueillantes. Une bonne adresse pour petits budgets.

Les gens

1 333 Hauterivois. Ils doivent beaucoup à un de leurs ancien facteur, Ferdinand Cheval, dont l'obstination et le talent sont à l'origine de l'étrange palais qui ne cesse d'attirer les foules.

comprendre

Du rêve à la réalité – À la fin du 19e s., le facteur d'Hauterives, **Ferdinand Cheval**, rapporte chaque jour chez lui des cailloux aux formes étranges ramassés au cours de sa tournée. Le soir, il les utilise pour édifier dans son jardin une singulière construction, inspirée de ses lectures et de ses rêves. Peut-être aussi est-il hanté, comme l'a suggéré André Breton, par les vestiges de fontaines pétrifiantes de cette région de la Drôme. La retraite venue, Cheval poursuit son travail, charriant inlassablement, en dépit des railleries des habitants, cailloux et sable dans une brouette. Au bout de trente-trois ans d'un labeur acharné, son palais est terminé. Cheval consacre alors les dix dernières années de sa vie à construire, de la même façon, son tombeau au cimetière. Il meurt en 1924.

Quand on vous dit que le facteur avait de l'imagination ! Celle du visiteur est également sollicitée pour une éventuelle interprétation.

visiter

Le Palais idéal*

Fév.-nov. : 9h30-17h30 (de mi-avr. à mi-sept. : 9h-19h) ; déc.-janv. : 10h-16h30. Fermé 1er janv. et 25 déc. 5€. ☎ 04 75 68 81 19.

Au milieu du jardin de l'ancien facteur, sur un quadrilatère d'environ 300 m² et à une dizaine de mètres de hauteur, se dresse la construction, hérissée d'ornements bizarres.

Le côté Est, le plus singulier, montre de grandes idoles féminines constituées d'un cailloutis rougeâtre. L'entrée du palais est située de l'autre côté. Des imitations de végétaux voisinent avec des réminiscences de palais orientaux ou moyenâgeux. L'intérieur est percé de galeries et de grottes. Par de petits escaliers, on accède à la plate-forme supérieure, au centre de l'univers fantastique du facteur. L'édifice est parsemé de sentences naïves et de « confessions », révélatrices de l'esprit de Cheval et de sa patiente obstination.

Lumière dans la nuit

Une visite même approfondie du monument est forcément insuffisante pour découvrir les innombrables secrets de cet étrange monument. Un éclairage nocturne très étudié permet de mettre en valeur certains aspects méconnus de sa décoration.

alentours

Manthes

9 km au Nord par les D 538, D 1 et D 137. L'**église** romane est plantée sur le rebord d'un coteau. Un beau vitrail du 14e s. décorant la fenêtre de l'abside représente saint Pierre et saint Paul. L'église est accolée à un **prieuré** clunisien. *Visite sur demande auprès de Mme Parade. ☎ 04 75 31 80 05 ou ☎ 04 75 31 98 39.*

La Motte-de-Galaure

12 km au Sud-Ouest d'Hauterives par la D 51. Le prieuré Ste-Agnès, restauré, a conservé deux arcades primitives de son cloître. L'**église** présente une charmante façade du 12e s., percée d'une fenêtre à arc polylobé, surmontée d'un fronton ajouré pour les cloches. À l'entrée du chœur, Vierge à l'Enfant en bois doré (16e s.) posée sur une colonne à fûts entrelacés provenant de l'ancien cloître. Accolée au transept Nord, la chapelle St-Antoine, de style gothique flamboyant, abrite un grand Christ en bois du 18e s.

Lac d'Issarlès★

Tel un saphir incrusté dans un profond cratère, le lac d'Issarlès apporte tout l'éclat des ses eaux d'un bleu intense à sa parure volcanique ponctuée de sucs. Ce joli lac de forme arrondie fait partie de l'ensemble hydroélectrique de Montpezat, ce qui provoque des variations de niveau de son plan d'eau ; il est maintenu en pleine eau pendant la période estivale durant laquelle il attire les amateurs de baignade.

La situation

Cartes Michelin nos 76 plis 17, 18 ou 239 pli 47 – Schéma p. 163 – Ardèche (07). Aux confins de l'Ardèche et de la Haute-Loire, le lac (alt. 1 000 m) apporte la fraîcheur de ses eaux aux rudes reliefs volcaniques.

Le nom

Non loin du village d'Issarlès, qui lui a donné son nom, le lac est un lieu de villégiature très prisé des vacanciers. Un village s'est créé près du plan d'eau et a logiquement pris le nom de « Lac d'Issarlès ».

Les gens

Fondeurs en hiver (ski de fond), promeneurs et baigneurs en été, le lac attire toutes sortes de vacanciers suivant les saisons.

découvrir

Tour du lac

Le lac occupe un cratère volcanique de 90 ha profond de 138 m. Il est possible d'en faire le tour (environ 5 km de circonférence) ; une bonne partie de la promenade est en sous-bois mais il est conseillé de se renseigner car les bords sont parfois inondés en fonction de l'activité hydroélectrique.

carnet pratique

Restauration

• À bon compte

Le Carrefour des Lacs *– 07470 Coucouron - 13 km au SO du lac d'Issarlès par D 16 - ☎ 04 66 46 12 70 - fermé déc. à fév. - 12,96/27,44€.* À l'entrée du village de Coucouron, cette auberge familiale est dans un carrefour, comme son nom l'indique. Derrière le petit hall, sa salle à manger campagnarde avec ses murs de pierres apparentes et sa cheminée ne manque pas de charme. Plusieurs menus.

Hébergement

• À bon compte

Hôtel du Nord *– 07510 Ste-Eulalie - 16 km à l'E du lac d'Issarlès par D 16 et D 122 - ☎ 04 75 38 80 09 - fermé 11 nov. au 17 fév., mar. soir et mer. sf juil.-août - P - 15 ch. : 40,40/56,41€ - ☕ 5,49€ - restaurant 14,94/26,68€.* Sur la route du Gerbier-de-Jonc, cette auberge de campagne dans un petit village peut vous dépanner utilement. Reprise par les enfants des anciens propriétaires, elle est peu à peu rénovée et ses chambres sont très bien tenues. Gentille cuisine familiale à prix doux.

Ce n'est pas un mirage ! Cet incroyable bleu et cette forme presque parfaite font de ce lac un joyau très recherché.

Point de vue*

1/4h à pied AR. Emprunter, à l'extrémité Sud du village, le chemin montant à gauche de la plage. Suivre ce chemin à travers les pins, jusqu'aux vestiges d'une habitation troglodytique creusée dans un affleurement rocheux.
Un peu plus loin, un second rocher forme un excellent belvédère au-dessus du lac et de son cadre forestier. De cette plate-forme, un sentier dégringole vers la rive sablonneuse, que l'on pourra suivre au retour.

circuit

AU PAYS DES SUCS ET DE LA LAUZE

Compter une journée. Quitter le Lac d'Issarlès par la D 16 vers le Béage où l'on prend la direction de Ste-Eulalie.

Ste-Eulalie

Commune du Gerbier-de-Jonc et donc des sources de la Loire, le village est également réputé pour ses toits de genêts qui disparaissent malheureusement du paysage. Juste à côté de l'église, on peut encore admirer une de ces anciennes maisons particulièrement bien entretenue.
Continuer sur la D 122 en direction de Lachamp-Raphaël jusqu'au carrefour avec la D 378.

Un peu d'étymologie

Le mot « Gerbier » est la latinisation de la racine indo-européenne « *gar* » signifiant rocher. Quant au mot « Jonc », c'est un dérivé du latin *jugum*, montagne. Littéralement, Gerbier-de-Jonc signifie donc le mont rocheux, en dépit de l'image plaisante d'une gerbe de joncs...

Ferme de Bourlatier*

Juil.-août 10h-19h ; de fin mai à fin juin et sept. : 11h-18h. Possibilité de visites guidées (1/2h) juil.-août tlj : 14h30, 15h30, 16h30, 17h30 ; juin et sept. : sam. et dim. 14h30, 15h30, 16h30. 2,3€. ☎ 04 75 38 84 90.

Elle semble interminable... Il a fallu beaucoup de passion et de courage pour restaurer l'immense ferme de Bourlatier, le plus bel exemple de ferme à toiture de lauzes.

Magnifique témoin de l'architecture à toits de lauzes, cette grande ferme seigneuriale a été totalement restaurée selon les règles de l'art. Sa partie la plus exceptionnelle est sa superbe charpente en forme de carène renversée qui doit supporter les quelque 150 tonnes – excusez du peu ! – de la toiture.

Prendre au carrefour la D 378 en direction des Estables et du Gerbier-de-Jonc.

Gerbier-de-Jonc★★

On ne peut pas manquer son étonnante silhouette qui se détache à 1 551 m d'altitude, sur la ligne de crête séparant les bassins de la Loire et du Rhône. Il évoque de loin une meule ou un immense tas de gerbes.

Le Gerbier, qui appartient au massif du Mézenc, est constitué de roches phonolithiques, se délitant en plaques qui forment des éboulis instables et semblent l'habiller d'une carapace écailleuse.

Au pied du versant Sud-Ouest naissent plusieurs filets d'eau qui forment les sources de la Loire.

Voilà un filet d'eau bien modeste. Il s'agit pourtant de la source de la Loire, un des plus beaux fleuves français.

Accès – C'est en venant de St-Martial, au Nord-Est, ou de Ste-Eulalie, au Sud, en remontant le vallon pastoral de la Loire naissante, que la découverte du Gerbier-de-Jonc est la plus frappante.

Ascension – La montée est rude mais assez courte *(3/4h à pied AR)*. Du sommet, le **panorama★★** est impressionnant. Du côté Nord-Est, le regard plonge au-dessus de la trouée de l'Eysse, affluent de l'Eyrieux ; du fond des ravins monte le sourd grondement du torrent. La vue est particulièrement belle vers le Sud-Est, découvrant un vaste horizon de crêtes et de sucs, hérissant l'échine de la montagne, entre Eyrieux et Ardèche. Le mont Alambre, le Mézenc et le suc de Sara bornent l'horizon au Nord, le suc de Montfol à l'Ouest. Reconnaissable à sa forme tabulaire, le suc de la Barre forme un premier plan tout proche au Sud. Une partie de la chaîne des Alpes est visible par temps clair.

Poursuivre sur la D 378 vers les Estables.

Très agréable parcours de crête, en particulier à l'approche du rocher des Pradoux.

Ancienne chartreuse de Bonnefoy

1 km au départ de la D 378. Site très verdoyant. De la chartreuse, fondée au 12e s. et reconstruite après les guerres de Religion, ne subsistent qu'une tour carrée et la façade d'honneur datant de la reconstruction des bâtiments au 18e s.

La D 378A puis la D 36 mènent aux Estables.

Les Estables★

À 1 367 m d'altitude, sur les contreforts du Mézenc, ce village montagnard est le plus élevé du Massif Central. Grâce aux remonte-pentes installés sur les flancs du mont d'Alambre (1 691 m) et aux nombreuses pistes de ski de fond, le tourisme hivernal s'y est considérablement développé.

L'Auberge
Sur la place, Les Estables. Pour découvrir les produits des fermiers du Mézenc, petit détour conseillé dans cette ancienne auberge qui propose toutes sortes de spécialités de la montagne ardéchoise : fromages de pays, miels, confitures, tartes aux châtaignes...

Traverser le village dans le sens Sud-Nord pour prendre à droite vers le mont Mézenc par la Croix de Peccata.

Mont Mézenc★★★

Le massif volcanique du Mézenc *(prononcer : Mézin)* forme une barrière naturelle déterminant la ligne de partage des eaux entre l'Atlantique et la Méditerranée. Il culmine à 1 753 m au mont Mézenc, qui a donné son nom à l'ensemble du massif.

Prolongé au Nord par le Meygal, au Sud-Est par le Coiron, le Mézenc constitue le centre d'une traînée volcanique coupant l'axe des Cévennes. Il est flanqué à l'Ouest par les monts granitiques de la Margeride, à l'Est par les plateaux cristallins du Haut-Vivarais. Un vaste domaine skiable, dit « **zone nordique du Mézenc** », se prête l'hiver à la pratique du ski de fond *(voir p. 36)*. Plus de 100 km de pistes entretenues et aménagées sont répartics sur les communes de Fay-sur-Lignon, Chaudeyrolles, Freycenet-la-Cuche, les Estables et St-Front.

Des versants d'aspect contrasté – Du côté du Velay, le Mézenc offre l'aspect d'un immense plateau dénudé. En été, il évoque l'image d'une véritable steppe balayée par le vent, parsemée de fermes basses aux toits de chaume ou de lauzes. Le versant vivarois présente un paysage des plus tourmentés, s'enfonçant brutalement en direction du Rhône. Les torrents ont mis à nu le soubassement granitique.

De splendides coulées basaltiques – Au flanc des vallées, l'érosion a dégagé d'amples coulées basaltiques, particulièrement remarquables dans le cours supérieur de l'Ardèche et de ses affluents : la Volane, la Bourges, la Fontaulière, le Lignon. Ces coulées, en forme d'orgues prismatiques, ont créé des sites célèbres : cascade du Ray-Pic, chaussée de Thueyts, éperons de Pourcheyrolles, Jaujac, Antraigues.

La flore des sommets – Le Haut-Mézenc possède une flore qui fera la joie des botanistes. Le séneçon leucophylle n'apparaît, dans tout le Massif Central, qu'au sommet du Mézenc : c'est la fameuse « herbe du Mézenc », aux feuilles argentées et aux capitules d'un beau jaune vif. Grande violette des montagnes, anémone des Alpes, gentianes de toutes sortes, trolles, arnicas, épilobes, saxifrages sont les plus répandus. Mais c'est à la floraison des narcisses, au mois de juin, que la montagne offre sa plus belle parure. Un marché traditionnel de plantes médicinales, la « foire des Violettes », se tient à **Ste-Eulalie**, chaque année *(voir p. 161)*.

Un cortège royal – Les sucs phonolithiques apparus à la fin de l'ère tertiaire forment, de part et d'autre du mont Mézenc, un cortège majestueux : au Nord, le mont Signon (1 454 m), à l'Est, la montagne de Roche-Borée

Le Dentroctonus

La forêt du Mézenc revient de loin. Vous avez certainement remarqué que les sapins ne semblent pas au mieux de leur forme. Ils étaient en effet attaqués par un insecte, le *Dentroctonus* et il a fallu lui trouver un prédateur d'origine russe pour en venir à bout.

Inépuisable, la flore du Mézenc cache de véritables merveilles comme cette mélampyre des champs.

et le suc de Touron (1 380 m) ; au Sud-Est, le suc de Sara (1 520 m), le Gerbier-de-Jonc (1 551 m), les sucs de Montivernoux (1 441 m) et de l'Areilladou (1 448 m) ; au Sud, les sucs du Pal et de Bauzon ; au Sud-Ouest, le suc de Montfol (1 601 m) ; à l'Ouest, le Rocher-Tourte (1 535 m) et le mont d'Alambre (1 691 m).

Deux accès sont possibles, mais le plus fréquenté et le mieux signalé est celui par la Croix de Boutières.

Accès par la Croix de Boutières – *2,5 km au départ des Estables par la D 631 à l'Est. Laisser la voiture à la Croix des Boutières (alt. 1 508 m).*

Le rocher qui domine le col de la Croix de Boutières, à droite, offre une belle **vue**★★ sur le suc de Sara, la montagne de Roche-Borée et les Boutières.

Prendre le GR 7 (1h1/4 à pied AR) qui s'élève, à gauche, vers le sommet.

Par le replat intérieur séparant les deux sommets, on gagne le sommet Sud (1 753 m).

Accès par la Croix de Peccata – *3 km au départ des Estables. Laisser la voiture à la Croix de Peccata (alt. 1 570 m), puis prendre, à droite, le sentier (1h à pied AR).*

Il s'élève sous bois, puis serpente au milieu des bruyères et des genévriers.

Obliquer à gauche vers le sommet Nord (1 749 m), surmonté d'une croix.

Pour les lève-tôt

Si le temps le permet, le lever du soleil derrière les Alpes est un spectacle inoubliable, mais qui impose de partir des Estables de très bonne heure et chaudement vêtu.

Panorama★★★ – Du sommet, un **panorama** immense se révèle : au Nord, le Meygal et les monts du Forez ; à l'Ouest, le bassin du Puy, le Velay et les monts d'Auvergne ; au Sud, le lac d'Issarlès et un horizon de sucs ; à l'Est, les gorges de la Saliouse et de l'Eysse creusent, vers le Haut-Eyrieux, le pays des Boutières aux trouées profondes entrecoupées de crêtes, de serres et de pics : des plans multiples, enchevêtrés, se dessinent jusqu'à la vallée du Rhône. Au-delà apparaissent les Alpes dont on distingue, par temps clair, les principaux sommets.

Par la Croix de Peccata rejoindre la D 274 au Nord. Au croisement avec la D 39, possibilité de rejoindre Fay-sur-Lignon sur la droite

Fay-sur-Lignon

Au flanc d'un piton phonolithique, Fay-sur-Lignon *(prononcer : faï)* offre, aux confins du Velay et du Vivarais, l'aspect d'une bourgade montagnarde : les maisons basses semblent se serrer pour mieux résister en hiver aux rafales de la « burle » glacée. Un foyer de ski de fond attire les amateurs de neige, l'hiver.

Reprendre la D 39 en direction de St-Front.

St-Front

Ce vieux village adossé à une butte offre une **vue**★ excellente sur le versant Nord-Est du Mézenc et le mont d'Alambre. Remarquez, au centre du bourg, l'église de montagne avec son clocher-peigne typique (11e s.).

Prendre à droite la D 263 qui conduit au lac de St-Front. Rejoindre la D 39 par le bois de Chaudeyrac et continuer en face sur la D 500 vers Le Monastier.

On découvre un immense plateau à pâturages qui, à la fin de l'été, prend l'aspect d'une véritable steppe. À gauche, au flanc du Mézenc, trois sombres témoins basaltiques évoquent des tours en ruine, d'où leur nom de « Chastelas » ; pour les habitants de la région, ce sont les « Dents du Mézenc » ou « Dents du Diable ». Un peu plus loin sur la gauche se dresse le rocher d'Aiglet et, en arrière, le mont Alambre.

Quelques kilomètres après, prendre à droite la D 36 et la D 361 vers Moudeyres.

Moudeyres

Le village conserve de nombreuses chaumières typiques du plateau du Mézenc. La **ferme des Frères Perrel** notamment, avec ses murs de basalte, son toit de

Il suffit de quelques fleurs pour donner à cette architecture traditionnelle un charme irrésistible.

chaume coiffant les bâtiments d'exploitation et ses lauzes couvrant l'habitation proprement dite, a conservé son ameublement et son outillage traditionnels. *De mai à fin oct. : visite guidée (3/4h) 10h-12h, 14h30-19h. 3,05€. ☏ 04 71 05 12 13.*

Au centre du village, un clocheton signale la maison de la « Béate ».

Faire demi-tour et regagner la D 500 que l'on prend à droite vers Le Monastier-sur-Gazeille.

Le Monastier-sur-Gazeille *(voir ce nom)*
Prendre à gauche la D 38 vers Issarlès.

Château de Vachères *(voir p. 232)*
7,5 km, au Sud-Est du Monastier par la D 38. On ne visite pas.
Rejoindre le Lac d'Issarlès.

Lalouvesc

Une basilique dans ce modeste village ? Rien de si étonnant en fait si l'on connaît le culte que vouent les Ardéchois à St-François-Régis depuis sa mort tragique en 1640. Lieu de pèlerinage, Lalouvesc n'en est pas moins une agréable station climatique établie sur un col à 1 050 m d'altitude ; elle occupe un site apprécié pour la pureté de l'air et des sources, entre deux monts boisés de conifères.

La situation

Cartes Michelin n°s 76 pli 9 ou 246 pli 19 – Ardèche (07). À 25 km au Sud-Ouest d'Annonay, Lalouvesc occupe une zone montagneuse encadrée par le suc de Mirabel et les montagnes de Chaix et du Besset.
ℹ R. St-Régis, 07520 Lalouvesc, ☏ 04 75 67 84 20.

Le nom

Le nom de Lalouvesc *(prononcer Lalouvé)* a bien évolué au cours des siècles : Alaudisco, Alauvesco, Alavesc, La Louvée, La Louvesc... Sa forme la plus ancienne pourrait être *Alaudacum* (villa d'Alauda) et pourrait désigner une terre attribuée à un vétéran de la légion d'Alauda (alouette) qui était composée de soldats gaulois élevés au rang de citoyens romains.

Les gens

494 Louvetous. On y vénère la mémoire de saint François-Régis mort en 1640, ainsi que celle de **sainte Thérèse Couderc** (1805-1885), canonisée en 1970.

HÉBERGEMENT
Fort du Pré – *43290 St-Bonnet-le-Froid - 11 km au NO de Lalouvesc par D 532 – ☏ 04 71 59 91 83 - fermé 1er déc. au 31 janv., dim. soir et lun. sf juil.-août - P - 34 ch. : 44,97/64,03€ - ☕ 6,40€ - restaurant 14,94/42,69€.* Jolie ferme restaurée isolée en pleine nature. Vous apprécierez ses activités de loisirs (piscine couverte, fitness) et ses chambres colorées. La chatoyante salle à manger est prolongée d'une véranda, elle-même ouverte sur une verdoyante terrasse. Produits du terroir.

Toujours vénéré à Lalouvesc, saint François-Régis accueille tendrement les pèlerins venus le prier.

L'Apôtre du Vivarais

Né à Fontcouverte, près de Narbonne, en 1597, **Jean-François Régis** entre au noviciat des jésuites à Toulouse où il est ordonné prêtre en 1630. C'est l'époque de la Contre-Réforme : les évêques envoient à travers leur diocèse des « missionnaires » chargés moins de convertir les protestants irréductibles que de ranimer la foi catholique dans les campagnes. Dès ses premières missions, Jean-François Régis, par son humilité et sa flamme, sait gagner le cœur des populations simples et farouches des Boutières et des hauts plateaux du Velay et du Vivarais. Lalouvesc n'est encore qu'un humble village quand, fin 1640, l'apôtre vient y prêcher une mission à la veille de Noël. Égaré sur les pentes de la montagne de Chaix, dans la tempête de neige et la « burle » glacée, il passe la nuit dans une cabane de bûcheron où il prend froid. Il meurt à Lalouvesc le 31 décembre. Les habitants gardent jalousement son corps : des miracles se produisent. Il fut canonisé en 1737.

visiter

Basilique

Construite au 19e s. par Bossan, l'architecte de Notre-Dame de Fourvière à Lyon, elle se dresse, comme l'église qu'elle a remplacée, sur le lieu de la tombe du saint. À l'intérieur, une châsse en bronze abrite ses reliques.

À proximité de la basilique, les pèlerins peuvent visiter, outre la chapelle St-François-Régis, élevée sur le lieu de la mort du saint, un petit musée avec diorama, une œuvre de Serraz et des souvenirs de saint François-Régis, et le couvent du Cénacle où se trouvent la chapelle et la châsse de sainte Thérèse-Couderc. Pèlerinages le 16 juin, le dimanche suivant, le 15 août et le dernier dimanche d'août.

Point de vue★

De la table d'orientation située devant la basilique se découvre un vaste **panorama** sur la vallée du Rhône et les Alpes au-dessus de la trouée de l'Ay.

Après avoir vu Fourvière à Lyon, on ne s'étonnera pas de l'originalité de cette basilique signée du même architecte, Bossan.

circuit

LES PLATEAUX DU HAUT-VIVARAIS★

Circuit de 62 km – environ 2 h1/2. Quitter Lalouvesc par la D 532, direction Tournon, puis emprunter à droite la D 236 vers Lamastre.

La route contourne la montagne du Besset. Le parcours, agréablement ombragé, offre des échappées vers le Mézenc et des **vues★** sur les villages perchés de Lafarre et Molières.

Col du Buisson

Alt. 920 m. *Laisser la voiture sur le parking.* Au-delà du village de Pailharès, au Nord-Est, la **vue** porte, par temps clair, sur le Mont Blanc, les Grandes Rousses et la Meije ; au Sud se profilent la vallée du Doux, et, plus à l'Ouest, les monts Mézenc et Gerbier-de-Jonc. À l'intersection des D 273 et D 236 s'étend un **village ardéchois en miniature**, réalisé en granit du pays. ♿ *Avr.-oct. : 14h-19h (juin-août : 10h-20h). 1,52€.* ☎ *04 75 23 14 77.*

Emprunter la D 273 à gauche.

Pailharès

Le village conserve le dessin rectangulaire de son ancienne enceinte fortifiée.

St-Félicien

L'**église** est intéressante pour ses parties romanes : arcature du collatéral Nord, avec ses pilastres surmontés de colonnes engagées.

À St-Félicien, emprunter, à gauche, la D 115.

Le parcours en corniche offre de belles **vues★** en direction de la vallée du Rhône.

À Satillieu, emprunter la D 480 en direction de St-Symphorien-de-Mahun, puis prendre une route à gauche.

Veyrine

L'**église** est un édifice roman en granit d'une simplicité attachante, notamment la façade avec son porche creux orné de tores.

À l'intérieur, remarquez, à l'entrée du chœur, deux frustes chapiteaux : à droite, la Descente du Christ aux limbes ; à gauche, Ève recevant du serpent, dans une main, la pomme qu'elle place, de l'autre main, dans la bouche d'Adam. *Pour visiter, s'adresser chez M. et Mme Deygas.* ☎ *04 75 34 95 37.*

Retour à Lalouvesc par la D 578A, s'élevant au flanc de la montagne de Chaix.

L'Ardéchoise

Le petit village de St-Félicien s'anime chaque année au mois de juin en recevant des milliers de sportifs qui viennent se mesurer dans la célèbre course de vélo. Plusieurs épreuves de différents niveaux se succèdent avant une arrivée disputée à Lalouvesc.

Lamastre

Lamastre, tout le monde descend ! En venant de Tournon par l'autorail ou par le sympathique train à vapeur on a pu apprécier cette étonnante vallée du Doux qui conduit à Lamastre. La ville doit beaucoup à cette rivière qui entraînait ses moulins et de nombreux ateliers. Les châteaux sont bien ruinés et assistent, sans doute avec étonnement, à l'essor touristique et au succès du festival rock de la cité.

La situation

Cartes Michelin nos 76 Nord du pli 19 ou 246 pli 19 - Ardèche (07). 35 km à l'Ouest de Valence, Lamastre est situé à 373 m d'altitude sur les rives du Doux qui le relie à Tournon. L'ancienne ville haute est dominée par le château de Pécheylard tandis que sur les bords du Doux se développe la ville basse, le Savel.

ℹ *Pl. Mongolfier, 07270 Lamastre,* ☎ *04 75 06 48 99.*

Le nom

Lamastre, autrefois La Mastre, pourrait être une simplification du latin *magistra* désignant la « tour maîtresse » du château de Pécheylard.

Les gens

2 567 Lamastrois. La ville a fusionné en 1790 avec Macheville et Retourtour.

Hébergement et Restauration

Hôtel du Midi – *Pl. Seignobos* – ☎ *04 75 06 41 50 - fermé fin déc. à mi-fév., ven. soir, dim. soir et lun. - P - 12 ch. : 55,64/87,66€ - ☕ 11,43€ - restaurant 29,73/68,60€.* Au cœur du village, cet hôtel installé dans deux maisons est agréable. Ses chambres ressemblent à celles de nos grands-mères, coquettes et meublées à l'ancienne, et son jardinet est charmant... Cuisine soignée servie en menus uniquement.

visiter

Église

Située en haut de la ville, dans le vieux quartier de Marcheville, c'est une construction de style roman, aux pierres d'une jolie coloration rose. Seule l'abside, décorée extérieurement d'une baie polylobée, date du 12e s. ; le reste de l'édifice est une reconstruction moderne. De la terrasse de l'église, vue plongeante sur la ville, dominée par les vestiges d'un château féodal.

alentours

Point de vue de Rochebloine★★

Quitter Lamastre à l'Ouest par la D 236. Au début de la montée, la route offre une vue sur les ruines du château de Retourtour. Jusqu'à Nozières, le parcours en corniche découvre des **vues★** étendues sur les crêtes séparant le Doux et l'Eyrieux, puis, à droite, sur la butte de Boucieu-le-Roi. À 2,5 km au-delà de Nozières, un chemin se détache à gauche ; le sentier qui le prolonge mène aux ruines de Rochebloine.

Dans un virage prononcé à droite, un chemin *(1/4h à pied AR)* mène à l'extrémité du promontoire où subsistent quelques vestiges d'un château fort. La **vue** est saisissante sur le haut bassin du Doux.

Le Mastrou

Reconnaissable à son panache de fumée, ce petit train à vapeur **(chemin de fer du Vivarais)** reste le meilleur moyen de découvrir les paysages sauvages de la vallée du Doux. *Trajets Lamastre-Tournon (2h). Juil.-août : tlj dép. en autorail à 8h, en vapeur à 16h ; mai-juin et sept. : tlj sf lun. ; avr. : w.-end et j. fériés ; oct. : 1er et 2e w.-end, 3 derniers dim. Retour assuré, il est conseillé de se renseigner. ☎ 04 78 28 83 34.*

Desaignes

7 km à l'Ouest. Bien des vestiges, dont ceux d'une voie romaine, attestent l'importance du village à l'époque gallo-romaine. Il deviendra, bien plus tard, la ville la plus peuplée du Vivarais. De cette grandeur passée Desaignes a gardé une partie de son enceinte, son château du 14e s. (musée de le Vie rurale) ainsi que de nombreuses maisons gothiques. Son plan d'eau fait le bonheur des vacanciers qui viennent s'y prélasser et s'y baigner.

circuit

ENTRE DOUX ET EYRIEUX★

64 km - environ 3h. Quitter Lamastre au Sud, en direction de Vernoux (D 2), puis emprunter à droite la D 283 vers Cluac.

Le tracé offre de jolies vues sur le vallon de la Sumène et le bassin supérieur du Doux.

À Cluac emprunter la D 21, à droite.

La descente sur Nonières offre une vue sur un horizon hérissé de sucs volcaniques ; puis, au cours de la montée vers St-Julien-Labrousse, par la D 241, un virage dévoile une ample **vue★** sur les sucs du massif du Mézenc.

Chalencon

Ce vieux bourg, jadis fortifié, était le siège d'une importante baronnie. De l'esplanade du monument aux morts, située dans la partie la plus ancienne du bourg, vue plongeante sur les gorges de l'Eyrieux.

Vernoux-en-Vivarais *(voir p. 150)*

Château de la Tourette *(voir p. 150)*

Quitter Vernoux par la D 14 et revenir à Lamastre, par la D 105 et le col de Montreynaud, D 2.

Le parcours ombragé de châtaigniers est agréable ; remarquez les maisons basses du plateau de Châteauneuf-de-Vernoux. Du col, on découvre une vue sur le bassin de Lamastre et la haute vallée du Doux, dominés au Nord par les monts de Lalouvesc.

Largentière

Son nom sonne agréablement et laisse imaginer une ville agréable et prospère. La réalité n'est pas si différente car même si les mines d'argent se sont taries, la ville a bien préservé le cadre de l'ancienne ville médiévale encore dominée par son puissant château et l'étonnant palais de justice à l'allure de temple grec. Ce riche patrimoine s'intègre avec bonheur dans le séduisant val de Ligne dont elle est le principal atout.

carnet pratique

Restauration

• ***Valeur sûre***

La Bastide du Soleil – *07110 Vinezac - 8 km à l'E de Largentière par D 103 et D 423 - ☎ 04 75 36 91 66 - fermé 16 nov. à fév., mar. et mer. sf juil.-août - 21,34/43,45€.* Cette belle demeure du 17e s. est tout à fait dans le ton du charmant village de Vinezac. Son décor contemporain est élégant et lumineux avec ses murs jaunes et ses chaises rétro. Les amateurs de vieilles pierres apprécieront son superbe escalier d'époque... Plusieurs menus.

Hébergement

• ***À bon compte***

Camping Le Moulinage – *07110 Montréal - 5,5 km au SE de Montréal par D 5, D 104, puis D 4 vers Ruoms - ☎ 04 75 36 86 20 - ouv. avr. à sept. - réserv. conseillée - 90 empl. : 18,29€.* Un terrain qui ne cesse de changer ces dernières années : des réalisations comme le mini-golf ou l'aménagement de la berge le rendent de plus en plus agréable. Piscine, snack et libre-service.

• ***Valeur sûre***

Hôtel Le Chêne Vert – *À Rocher - 4 km au N de Largentière par D 5 - ☎ 04 75 88 34 02 - fermé 2 nov. au 31 mars et lun. en oct. - P - 25 ch. : 50,31/60,98€ - ☕ 6,86€ - restaurant 14,94/30,18€.* Au bord d'une petite route, cet hôtel de campagne est néanmoins une adresse tranquille. Ses chambres, plus grandes dans l'annexe récente, sont fonctionnelles et propres. Le restaurant propose quelques menus autour d'une cuisine familiale.nus autour d'une cuisine familiale.

La situation

Cartes Michelin nos 80 Nord du pli 8 ou 240 plis 3, 4 – Ardèche (07). Le château et la route de Chassiers offrent de splendides belvédères sur la vieille ville dont on distingue bien les contours et le tracé des ruelles.
i 41 av. de la République, 07110 Largentière, ☎ 04 75 39 14 28.

Le nom

La cité doit son nom à des mines d'argent, exploitées, du 10e au 15e s. Plusieurs tentatives de reprise en 1863 et 1962 n'ont duré que quelques années.

Les gens

1 990 Largentièrois. Ce sont les évêques de Viviers, barons de Largentière, qui ont contrôlé la ville jusqu'au début du 18e s. Mais ce contrôle était en fait très relatif car ils ont dû partager le pouvoir et les revenus avec les comtes de Toulouse, fortement intéressés par l'exploitation des trop fameuses mines.

Au fil de la soie

Richesse méconnue de la Vallée de la Ligne, le travail de la soie eut ses heures de gloire au 19e s. Une exposition présentée dans une ancienne filature retrace cette activité. *Le Moulinet, route de Valgorge, 07110 Largentière, ☎ 04 75 39 20 30.*

se promener

LE VIEUX LARGENTIÈRE*

Porte des Récollets

Très beau vestige des anciens remparts de la ville, cette porte du 15e s. contrôle toujours l'accès à la vieille ville, dédale de ruelles étroites, parfois bordées d'hôtels particuliers.

La belle cité médiévale de Largentière s'étage au-dessus de la vallée de la Ligne.

Hôtel de ville

Il est installé, en partie, dans une sobre demeure du 15e s., flanquée d'une tourelle d'angle et d'une fenêtre à anse de panier.

Église

Située sur une plate-forme, cette église gothique (13e s.) est intéressante par sa haute abside à trois pans. La flèche est néo-gothique.

visiter

Château

L'ancienne demeure des barons de Largentière, du 15e s., domine la rivière et la vieille ville. Sa tour carrée (12e s.) qui constitue la base du château actuel était une véritable forteresse. Tribunal et prison après la Révolution, hôpital jusqu'en 1996, il abrite aujourd'hui le **musée international du Facteur**. *De mi-fév. à fin nov. : visite guidée tlj sf mar. 15h-19h (de mi-juin à mi-sept. : tlj 10h-12h, 15h-19h, dernier dép. 1h av. fermeture). 4,57€ ☎ 04 75 39 16 79.*

alentours

Montréal

1,5 km par la D 5, les D 212 et D 312, au Sud.

Dominé par d'imposantes tours carrées, vestiges d'une forteresse (13e s.) qui défendait jadis les mines de Largentière, le village est surtout intéressant pour ses belles et hautes maisons rurales, en moellons de grès soigneusement appareillés.

Les mines d'argent méritaient bien cette fière sentinelle : le village de Montréal fait toujours forte impression.

Chassiers

1,5 km par la D 103, au Nord-Est.

Une église fortifiée originale domine ce vieux bourg vivarois établi en terrasse face aux plateaux de la Basse-Ardèche.

Église – Elle remonte au 14e s. On en découvre la vue la plus imposante de la place centrale du bourg, au pied du chevet. Au-dessus du mur plat de l'abside fortifiée apparaît la flèche du clocher à arêtes dentelées ; une tour, ancienne pièce maîtresse des fortifications, constitue son soubassement. Un escalier, au Sud de l'église, permet de gagner la petite esplanade au niveau de la façade. Celle-ci est surmontée d'une jolie bretèche armoriée.

Chapelle St-Benoît – *Visite sur demande préalable à la Mairie. ☎ 04 75 39 11 16.*

Elle est située en contrebas de la rue principale. C'est un édifice roman très simple, avec ses deux nefs accolées et ses deux absides distinctes.

À VOIR

Dans la nef de gauche, remarquez les anciennes lanternes, les ostensoirs de procession et les bougeoirs disposés sur les stalles.

Château de la Mothe-Chalendar – 14e-16e s. À l'entrée Sud du bourg, c'est une construction basse, à l'allure de maison forte avec ses tours et ses échauguettes percées de meurtrières.

Tauriers

2 km au Nord-Ouest, par la D 305, petite route s'amorçant place Mazon, près de l'église.

Village autrefois fortifié, perché sur un éperon au-dessus de la vallée de la Ligne.

Vinezac

8 km à l'Est, par la D 103 et la D 423.

L'**église** romane de ce vieux bourg est remarquable par sa haute abside polygonale et son clocher à gargouilles. *De juil. à fin août. Mairie. ☎ 04 75 36 81 20.*

circuit

LES GORGES DE LA BEAUME

Circuit de 40 km – environ 2h. Quitter Largentière par la D 5 et la D 212 au Sud, et gagner Joyeuse.

Joyeuse

Dominé par les vestiges de son château (actuelle mairie), le bourg conserve dans sa partie haute quelques maisons anciennes et des passages couverts étonnants.

HISTOIRE D'UN NOM

Quel nom engageant et réjouissant pour cet ancien village qui fut le berceau d'une famille illustre aux 16e et 17e s ! Le vicomte de Joyeuse, maréchal de France, eut plusieurs fils qui s'illustrèrent diversement : l'aîné, favori de Henri III, épousa la sœur de la reine ; le deuxième devint archevêque, puis cardinal, présida les États généraux de 1614 et sacra Louis XIII à Reims ; un autre enfin, tour à tour soldat et capucin, commanda les ligueurs du Midi contre Henri IV, puis fut gouverneur du Languedoc avant de retourner au couvent.

Musée de la Châtaigneraie – *Ouv. toute l'année tlj sf mar. Fermé 1er janv. et 25 déc. 3,81€ (enf. : 3,05€). ☎ 04 75 39 90 66.*

Complémentaire de la maison de la Châtaigne à St-Pierreville, le musée de Joyeuse expose une collection d'outils mais aussi et surtout de très beaux meubles en châtaignier présentés dans une salle voûtée du 17e s. Un sentier de découverte a été aménagé dans une ancienne châtaigneraie des environs.

Partant de Joyeuse, la D 203 suit, à partir des Deux-Aygues, les gorges supérieures de la Beaume.

D'âpres aiguilles schisteuses alternent, ici, avec de gros chaos granitiques ; la vallée, resserrée, est très sauvage.

Retour à Largentière par la D 24 et la D 5.

Ce petit meuble patiné par le temps a été taillé dans un tronc de châtaignier ; c'est l'une des très belles pièces du musée de la Châtaigneraie.

Gorges de la Loire★

De la Loire tout le monde connaît la partie prestigieuse de son cours agrémentée d'un somptueux cortège de châteaux. Moins connus sont ses débuts dans les âpres reliefs volcaniques du Massif Central. Son parcours sauvage franchit des coulées basaltiques comme à Arlempdes avant de tailler de profondes gorges en arrivant vers St-Étienne. Mais l'homme a considérablement modifié l'œuvre de la nature en créant les grandes retenues de Grangent ou de Villerest.

La situation

Cartes Michelin nos 73 pli 18 ou 76 plis 7, 8, 17, 18 ou 239 plis 10, 11, 23, 34, 35, 46, 47 – Loire (42). Le cours de la Loire occupe un ancien fossé marin qui a subi le contrecoup de la surrection alpine, à la fin de l'ère tertiaire. De véritables fosses d'effondrement, bassins du Puy, du Forez, de Roanne, ont obligé le fleuve à se tailler un passage dans les plateaux séparant ces bassins.

Le nom

Citée par César sous le nom de *Liger*, la Loire aurait une origine préceltique désignant une zone marécageuse.

Les gens

La Loire a été utilisée très tôt à des fins commerciales comme en témoigne l'oppidum gaulois d'Essalois. Les habitants étaient des Ségusiaves qui profitèrent de leurs bonnes relations avec Rome.

carnet pratique

Restauration

• À bon compte

Ferme-auberge Les Granges – *43140 La Séauve-sur-Semène - 12 km à l'E de Monistrol par N 88 dir. St-Étienne, puis D 12 et fléchage - ☎ 04 71 61 00 82 - fermé janv., fév., dim. soir et lun. - ⊄ - réserv. obligatoire - 14,48/20,58€.* Dans un hameau en pleine campagne, cette ferme vous accueille très simplement pour un repas préparé comme à la maison : au menu, volaille, porc et veau sous la mère. Le soir, un menu « casse-croûte » autour de la rapée (galette de pomme de terre), bon marché.

Hébergement

• À bon compte

Chambre d'hôte Les Revers – *43130 Retournac - 8 km au SE de Retournac par D 103, puis fléchage « Les Revers » - ☎ 04 71 59 42 81 - jean-pierre.chevalier6 @libertysurf.fr - fermé sept. à mars - ⊄ - 4 ch. : 27/37€.* Par amour de la nature, cette famille de Stéphanois a choisi de se retirer dans ce lieu extraordinairement isolé, entre prés et forêts... Lui, passionné de chevaux, les élève et organise des balades avec ses hôtes... Chambres sobres et ambiance décontractée.

La vallée de la Loire s'offre un superbe décor autour de Chamalières.

itinéraires

LA HAUTE VALLÉE VELLAVE*

1 Du Gerbier-de-Jonc au Puy-en-Velay

115 km – compter une journée

Gerbier-de-Jonc** *(voir p. 162)*

La route descend le long du vallon pastoral de la Loire. À Ste-Eulalie et près d'Usclades-et-Rieutord, on aperçoit encore des maisons à toit de chaume. Après Usclades, la route longe le lac artificiel de la Palisse. Peu après un passage forestier, belle coulée basaltique à gauche, dominant la Loire. La route franchit la vallée encaissée du Gage.

Vieux châteaux et sanctuaires

De belles forteresses en ruine et quelques vieilles demeures regardent la rivière, perchées sur des éperons rocheux ou sur le flanc des versants bien exposés : Arlempdes, Bouzols, Lavoûte-Polignac, Roche-Baron, St-Victor, Grangent, St-Maurice-sur-Loire...
Des églises romanes, souvent des prieurés à l'origine, jalonnent la route des gorges ; la plus remarquable est celle de Chamalières-sur-Loire.

Lac d'Issarlès* *(voir ce nom)*

À ce premier parcours montagnard succède un tracé accidenté s'écartant à maintes reprises de la Loire qui s'enfonce en gorge dans le plateau vellave.

Arlempdes* *(voir ce nom)*

Goudet

Petit hameau dominé par les ruines du château de Beaufort.

St-Martin-de-Fugères

De la D 49, en haut du bourg, **vue*** sur le bassin du Puy, les gorges de Peyredeyre et les monts du Velay.

Le Puy-en-Velay*** *(voir ce nom)*

2 Du Puy-en-Velay à Retournac

58 km – compter une journée

Quitter le Puy-en-Velay au Nord, par la D 103.

En sortant du bassin du Puy, la Loire s'enfonce dans les gorges de Peyredeyre.

À Peyredeyre, prendre à droite la D 71.

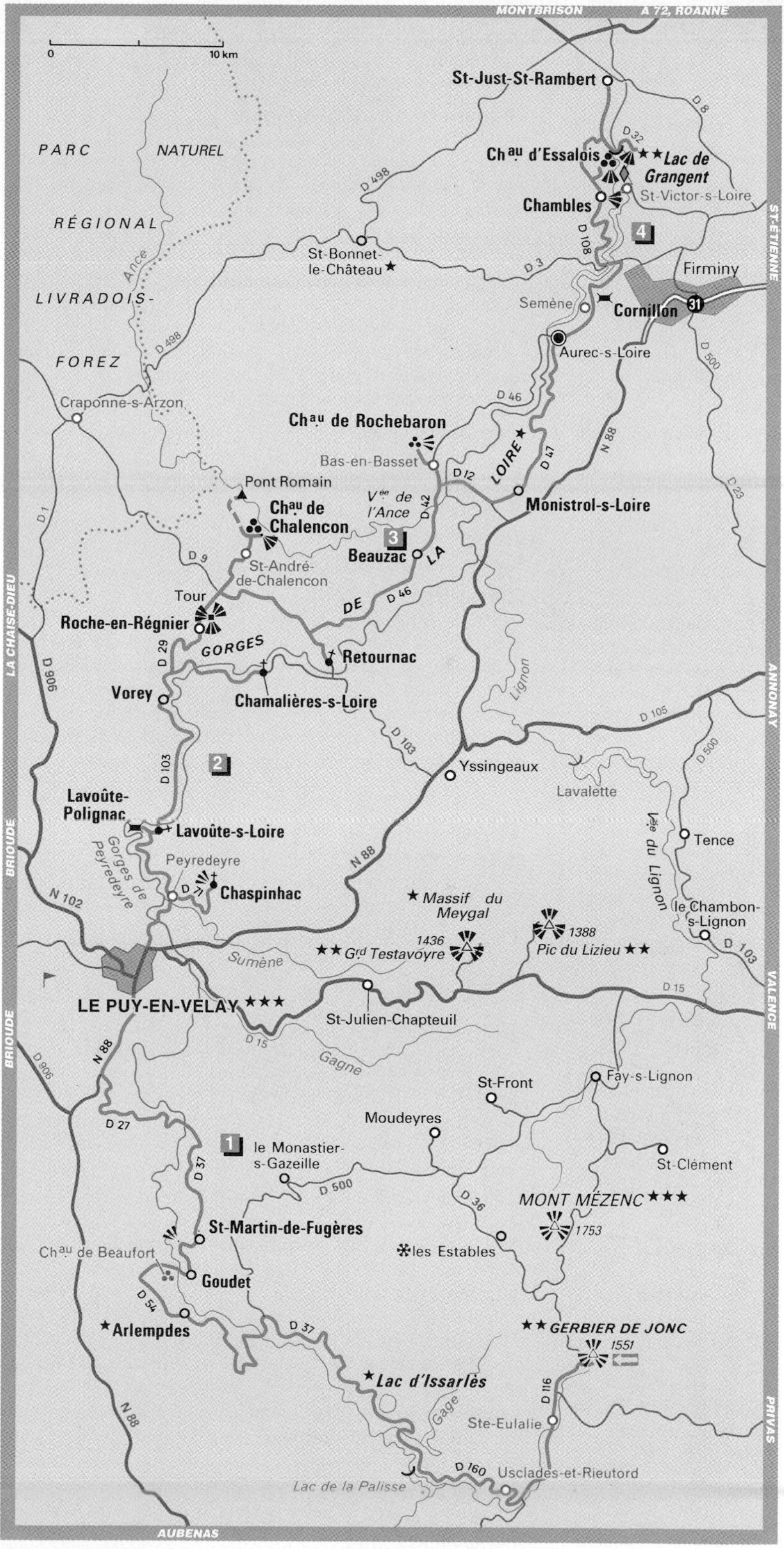

Chaspinhac

La route pittoresque surplombe la vallée de la Sumène avant d'atteindre le hameau de Chaspinhac dont la modeste **église** romane, au bel appareil en pierre volcanique rouge, renferme de beaux chapiteaux sculptés.

L'apparition du château de Lavoûte-Polignac marque l'entrée dans le riant bassin de l'Emblaves où la vallée s'épanouit, au pied d'un cirque dominé par des pitons de formes variées.

Château de Lavoûte-Polignac

Juin-sept. : visite guidée (3/4h) 10h-13h, 14h-19h ; avr.-mai et oct. : 14h-18h (hors sais. : sur RV pour les visites en sem.). Fermé Toussaint-Pâques. Tarif non communiqué. ☎ 04 71 08 50 02.

Déjà possession des Polignac au 13e s., il était destiné à servir de manoir de plaisance alors que Polignac était la forteresse. L'unique corps de bâtiment, restauré après la Révolution, vaut surtout pour son site perché, à l'intérieur d'une « voulte » (boucle) de la Loire.

La visite est intéressante par les évocations que permettent les **souvenirs★** de famille (mobilier, tableaux, tapisseries, correspondance).

Lavoûte-sur-Loire

La petite **église** romane, à nef unique, abrite, au-dessus du maître-autel, un remarquable **Christ★** en bois sculpté du 13e s. *Mai-sept. : 9h-19h.*

Vorey

Station climatique d'été.

Chamalières-sur-Loire

L'HOMMAGE D'UN REPAS
En 937, l'évêque du Puy donne la terre de Chamalières à l'abbaye du Monastier qui y fonde un couvent de bénédictins. Les liens de dépendance avec l'abbaye mère se desserrent progressivement, pour se réduire en fin de compte à un simple repas, offert symboliquement chaque année aux moines du Monastier.

Sur la rive droite de la Loire, en aval du Puy-en-Velay, le bourg s'allonge en terrasse au pied du mont Gerbizon (1 064 m), face à la ligne des monts Miaune dont le dernier mamelon porte les ruines du château d'Artias. Chamalières mérite un arrêt pour son église romane. Elle appartenait à un ancien prieuré bénédictin assez prestigieux que se sont disputé les plus grandes familles du Velay et du Forez. Des bâtiments conventuels, il ne subsiste aujourd'hui que des vestiges. L'église a été restaurée au début du 20e s.

Église★ – *De juin à sept : dim. 14h-18h. ☎ 04 71 57 41 43.*
L'édifice date du début du 12e s. Extérieurement, la partie haute de la nef, du côté Sud, qu'on découvre en premier, est décorée, au-dessus du bas-côté, d'une belle arcature en plein cintre se poursuivant autour de l'abside.

L'intérieur comprend une nef de trois travées en berceau, flanquée de bas-côtés, à voûtes d'arêtes. L'intérêt essentiel du monument réside dans son **abside**, remarquable par sa voûte en cul-de-four, d'une ampleur exceptionnelle. À mi-hauteur de la voûte, au-dessus des oculi, les petits orifices disposés sur trois rangs correspondent chacun à un vase acoustique, ou *échéa*, noyé dans la maçonnerie.

Mobilier – À droite, en entrant, se trouve une célèbre sculpture romane, à l'origine pilier monolithe de l'ancien cloître, utilisé plus tard comme bénitier, son faîte ayant été creusé d'une vasque. Sur le pilier gauche du transept, du côté du maître-autel, une peinture murale (13e s.) représente la Vierge en majesté, entre deux anges. Au fond du bas-côté Sud est conservée la porte romane primitive de l'église, aux vantaux de bois sculptés (12e s.).

Quatre belles statues-colonnes, disposées dos à dos, constituent l'imposant bénitier de Chamalières ; on reconnaît David, Salomon, Isaïe et Jérémie.

Ancien cloître – Une porte s'ouvrant dans le bas-côté gauche de l'église donne accès aux vestiges du cloître roman, établi jadis en terrasse au-dessus de la Loire.

Peu après la sortie de Chamalières, prendre à gauche la D 35 qui traverse la Loire et conduit à Roche-en-Régnier.

Roche-en-Régnier

Vieux village perché sur la rive gauche et dominé par un chicot volcanique portant une ancienne tour de défense.

Au pied de la tour, **panorama★** sur les monts du Velay, du Forez et les sucs d'Yssingeaux.

Prendre sur la droite la D 29 en direction de St-André-de-Chalencon. À St-André-de-Chalencon, emprunter la petite route s'amorçant derrière le chevet de l'église, puis celle passant en contrebas du cimetière, à gauche. À environ 1,8 km, laisser la voiture au parc de stationnement aménagé en vue des ruines (1/4h à pied AR).

Château de Chalencon

Les ruines du château de Chalencon occupent une position forte sur un piton rocheux, à la limite du Velay et du Forez.

Chalencon était le fief d'origine d'une des plus anciennes familles du Velay qui compta parmi ses membres plusieurs évêques du Puy-en-Velay.

Le coup d'œil

L'arrivée sur Chalencon est superbe : en haut du vieux village silencieux, une belle tour ronde crénelée se dresse au centre d'une enceinte carrée. À l'extrémité droite de l'éperon, la façade de l'ancienne chapelle seigneuriale s'inscrit harmonieusement dans le site. Du pied de la tour, vue sur les gorges de l'Ance que franchit le pont du Diable.

Promenade de l'Ance – En revenant à la voiture, empruntez à droite le sentier en descente menant à un second pont ancien situé en amont.

Le **site★**, très retiré, au fond des gorges, permet une agréable promenade.

Revenir en arrière vers la D 9 que l'on prend jusqu'à Retournac.

Retournac

L'**église**, en partie romane, se signale extérieurement par sa construction en pierres d'une belle coloration jaune, son clocher massif et sa couverture de lauzes. L'abside est flanquée de deux absidioles et décorée d'un motif de grosses perles.

À l'intérieur, remarquez la coupole sur trompes, la sobre élégance du chœur, une Vierge à l'Enfant, œuvre italienne du 16e s., l'autel moderne de P. Kaeppelin et des vitraux d'H. Guérin.

ENTRE FOREZ ET VIVARAIS★

3 De Retournac à Aurec

35 km – environ 2h

Quittant le petit bassin de Retournac, la route *(D 46)*, tracée sur le plateau rive gauche, s'écarte un moment de la Loire qui s'épanouit de nouveau en aval dans le bassin du Basset.

Beauzac *(voir p. 234)*

Château de Rochebaron *(voir p. 234)*

3/4h à pied AR.

Monistrol-sur-Loire *(voir ce nom)*

4 D'Aurec à St-Just-St-Rambert

30 km – environ 3h

À partir d'Aurec-sur-Loire commence **le lac de retenue de Grangent★★** : de Semène à la crête du barrage, le parcours en **corniche★★** escarpée *(D 108, puis D 32)* offre des vues sur les méandres sauvages en partie submergés.

Cornillon

Le **château** *(on ne visite pas)*, perché sur un éperon, domine les gorges de la Loire ; ce fut jadis le siège d'une des plus importantes baronnies du Forez.

Ravachol

François-Claudius Kœnigstein (1859-1892), alias Ravachol, a bien sinistre réputation. Anarchiste criminel, il s'est illustré sur les bords de la Loire, à N.-D.-de-Grâce, en assassinant un vieil ermite le 18 juin 1891. Il commettra de sanglants attentats à Paris l'année suivante avant d'être guillotiné le 11 juillet 1892.

Chambles

Ce site est l'un des plus beaux des gorges de la Loire : à côté de l'église trapue, la tour de l'ancien château se dresse sur le rebord d'un haut escarpement, dominant les méandres de Grangent. Cette tour est caractéristique du système défensif des châteaux du Moyen Âge par son entrée située à mi-hauteur, qui n'était accessible qu'avec une échelle escamotable ; une porte plus récente permet de grimper au sommet *(accès difficile)*, d'où s'étend un vaste **panorama★** sur le Forez et le Lyonnais ; à gauche, silhouettes des châteaux de Vassalieux et d'Essalois.

2 km après Chambles prendre à droite, la petite route vers le château d'Essalois.

Château d'Essalois

Sa robuste silhouette se détache au-dessus des gorges escarpées, et de ses ruines restaurées s'étend une **vue★★** impressionnante sur le lac et l'île de Grangent.
À proximité du château, un oppidum celtique témoigne de l'importance stratégique des lieux.
Sur l'autre rive, des sites comme le plateau de la Danse (site préhistorique) ou St-Victor-sur-Loire (base nautique) permettent d'autres points de vue sur les gorges. Ces lieux ont une histoire, faite de légendes, de guerres et de vie religieuse, qui leur donne, aujourd'hui encore, une part de magie et de mystère.

Accroché au-dessus des gorges de la Loire, le château d'Essalois offre un impressionnant panorama sur l'île de Grangent.

Île de Grangent

Le lac artificiel a isolé la languette d'une échine rocheuse portant les vestiges du château de Grangent (tour du 12e s.) et une petite chapelle coiffée de tuiles rouges. De la D 32, sur la rive droite, **vue★** dans un virage *(à 750 m de la crête du barrage)*.

St-Just-St-Rambert

Situé au débouché des gorges de la Loire, dans le Sud de la plaine du Forez, St-Rambert, ancien bourg gallo-romain d'*Occianum*, est accroché au flanc d'une butte ; St-Just, la partie moderne de la localité, s'étend sur la rive droite.

Les « saint-rambertes »

St-Rambert a donné son nom à des embarcations en sapin, les « saint-rambertes », qui étaient fabriquées sur place pour transporter le charbon et le vin. Arrivées à destination, elles étaient détruites ou vendues car on ne pouvait leur faire remonter le courant.

Église St-André★ – *Prendre la clé à l'Office de tourisme lun.-sam. 9h-12h, 14h-18h. ☎ 04 77 52 05 14.*
C'est un robuste édifice des 11e et 12e s. Deux clochers le surmontent : au-dessus de la façade s'élève un clocher-tour fortifié (11e s.) et à la croisée du transept se dresse le **clocher★** proprement dit, du 12e s. À l'intérieur, les arcs situés entre la nef et les bas-côtés sont de plus en plus larges à mesure que l'on approche du chœur, ce qui a pour effet de donner plus de profondeur à la perspective. À la croisée du transept, une coupole sur trompes soutient le clocher central.

Chapelle St-Jean – *Visite combinée avec l'église St-André sur demande auprès de l'Office de tourisme.*
Cet édifice du 11e s., qui servait de baptistère, flanque l'église au Nord.

Musée des Civilisations « le Prieuré » – *Tlj sf mar. 14h-18h. Fermé 1er janv., 1er mai, 25 déc. 3,81€. ☎ 04 77 52 03 11.*
L'histoire locale est représentée par des objets d'art évoquant saint Rambert et le passé de la cité. Caricatures de Cham, Daumier, etc. D'autres salles abritent des collections de divers pays en particulier une collection d'art africain et océanien : **bronzes★** du Bénin, et un beau masque égyptien en obsidienne (18e dynastie).
En aval de St-Rambert, à l'entrée de la cuvette du Forez, la Loire, grossie à Andrézieux par les eaux du Furan descendues de la région stéphanoise, devient un fleuve de plaine, aux rives basses.

Lyon★★★

« Porte du Midi » trop souvent contournée par des vacanciers trop pressés, Lyon cultive à la perfection ses traditions de savoir-vivre qui font le bonheur de ses hôtes. Fourvière, la « colline qui prie », et la Croix-Rousse, « la colline qui travaille », dominent un site de confluence exceptionnel qui a mérité son inscription au Patrimoine mondial de l'Unesco. Sa richesse est à la mesure de ses 20 siècles d'histoire, immense et variée. Parfois qualifiée de discrète, voire de réservée, Lyon est en fait une ville généreuse et accueillante qui ne manquera pas de séduire ceux qui lui consacreront un peu de leur temps.

La situation

Plans de ville Michelin n°s 30 ou 31 et cartes Michelin n°s 88 plis 7, 8 ou 246 plis B, C, F, G – Schéma p. 184 –Rhône (69).
La Saône et le Rhône offrent le magnifique spectacle de leurs cours contrastés, au pied des deux célèbres collines de Fourvière et de la Croix-Rousse, face à la basse plaine dauphinoise. Venue du Nord, la Saône contourne le petit massif du Mont-d'Or et s'engage dans le défilé de Pierre-Scize, creusé entre Fourvière et la Croix-Rousse. Le Rhône arrive des Alpes en un large flot qui bute contre la Croix-Rousse ; à l'époque romaine, le confluent se situait au pied de la colline. Les alluvions du Rhône l'ont repoussé vers le Sud ; la presqu'île ainsi formée est devenue le centre vital de la ville. Les pentes de Fourvière et de la Croix-Rousse offrent de nombreux belvédères sur la ville. Certains d'entre eux sont célèbres : observatoire de la basilique de Fourvière, place Rouville et rue des Fantasques sur la Croix-Rousse.

Pl. Bellecour, 69002 Lyon, ☎ 04 72 77 69 69. www.lyon-france.com

Le nom

D'après une légende celtique, deux princes, Momoros et Atepomaros, s'arrêtèrent un jour au confluent et décidèrent d'y construire une ville. Tandis qu'ils creusent les fondations, une nuée de corbeaux s'abat autour d'eux. Reconnaissant dans cette manifestation une intervention divine, ils appellent leur cité *Lugdunum* (colline des corbeaux).

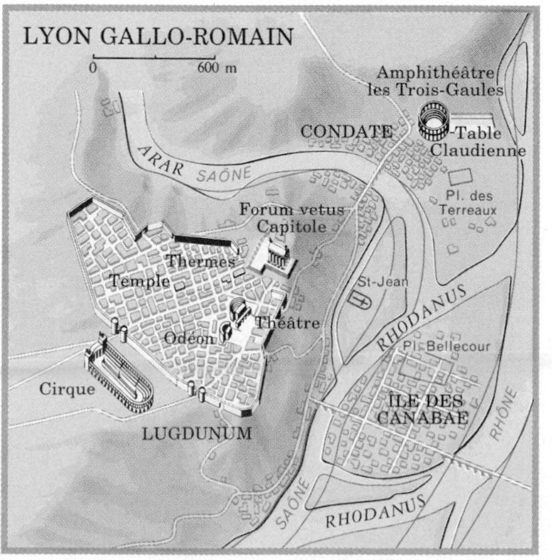

Top 50
Un petit détour devant la « fresque des Lyonnais célèbres », rue de la Martinière, donne une petite idée des innombrables célébrités locales. Que ce soient des inventeurs comme les frères Lumière, des écrivains comme St-Exupéry, des religieux comme l'abbé Pierre, des journalistes comme Bernard Pivot...

Rendez-vous
Le Festival de musique du Vieux Lyon (juil. /nov.-dec.), ☎ 04 78 38 09 09.
Les Nuits de Fourvière, théâtre, danse, concerts cinémas (mi-juin à mi-sept.), ☎ 04 72 32 00 00.
La Biennale d'Art contemporain/Danse (sept.-oct.), ☎ 04 72 40 26 26.
La Fête des Lumières (8 décembre)
Se reporter au Calendrier festif en début de guide.

« C'est Guignol, c'est Guignol, avec son long bâton... ». Toujours aussi populaire, il est devenu un symbole de la ville de Lyon.

Les gens

Les 1 348 832 Lyonnais se reconnaissent volontiers dans le personnage de **Guignol**, sympathique marionnette qui porte sous son bonnet noir une petite tresse qu'il appelle son « sarcifis ». Sous la naïveté et la gentillesse du personnage perce un esprit moqueur qui sait déceler les ridicules et s'en amuser. Il incarne parfaitement l'âme du « gone » lyonnais : un gros bon sens, une ironie narquoise, un peu d'esprit frondeur et une pointe de poésie. Sa femme **Madelon**, avec laquelle il a souvent des scènes de ménage, est une épouse modèle mais ronchonneuse. L'inséparable ami, c'est le truculent **Gnafron** dont le nez rubicond traduit un net penchant pour le beaujolais ; lui demande-t-on sa profession, il la définit ainsi : « Les gens qui ont reçu de l'éducance nous appellent savetiers, ceux qui n'en ont pas reçu nous appellent gnafres. »

comprendre

La capitale des Gaules – Décidé à conquérir la Gaule, César établit ici son camp de base ; après sa mort, l'un de ses lieutenants, Munatius Plancus, y installe des colons romains, en 43 av. J.-C. Peu après, Agrippa, qui a reçu d'Auguste la mission d'organiser la Gaule, choisit Lugdunum pour capitale.

Le réseau des routes impériales s'établit au départ de Lyon : cinq grandes voies rayonnent vers l'Aquitaine, l'Océan, le Rhin, Arles et l'Italie. Auguste séjourne dans

Dès la tombée du jour, Lyon se pare de ses habits de lumière pour séduire les promeneurs de la nuit.

la cité. L'empereur Claude y naît. Au 2e s., des aqueducs conduisent à Fourvière l'eau des monts voisins.
Sur les pentes de la Croix-Rousse s'étend la ville gauloise, Condate. L'amphithéâtre des Trois Gaules (dont on a retrouvé en 1958 l'inscription votive) et le temple de Rome et d'Auguste voient se réunir chaque année la bruyante Assemblée des Gaules.

Des échanges fructueux
La ville, gouvernée par sa curie, a le monopole du commerce du vin dans toute la Gaule. Les nautes de son port sont de puissants armateurs ; ses potiers, de véritables industriels. Les riches négociants occupent un quartier à part, dans l'île des Canabae, à l'emplacement actuel d'Ainay.

Le christianisme à Lyon – Lyon est devenue le rendez-vous d'affaires de tous les pays. Soldats, marchands ou missionnaires arrivant d'Asie Mineure se font les propagateurs du nouvel Évangile et bientôt grandit dans la ville une petite communauté chrétienne.
En 177 éclate une émeute populaire qui aboutit aux célèbres martyres de **saint Pothin**, de **sainte Blandine** et de leurs compagnons *(voir p. 207)*. Vingt ans plus tard, lorsque Septime Sévère, après avoir triomphé de son compétiteur Albin que Lyon avait soutenu, décide de livrer la ville aux flammes, il trouve encore à Lyon 18 000 chrétiens qu'il fait massacrer ; parmi eux, figure saint Irénée, successeur de saint Pothin.

Lyon au Moyen Âge – Après le règne de Charlemagne, legs et dots font passer Lyon de mains en mains. Finalement la ville tombe sous l'autorité temporelle de ses archevêques.
C'est une grande époque de construction. À Lyon et dans tout le Lyonnais fleurissent églises et abbayes. Le pont du Change est lancé sur la Saône ; le pont de la Guillotière, œuvre des Frères Pontifes, permet de franchir le Rhône.

La chapelle Sainte-Blandine de la basilique St-Martin-d'Ainay illustre bien le culte des Lyonnais pour la sainte martyrisée dans l'amphithéâtre des Trois Gaules.

Fête des Lumières

Le culte de la Vierge s'est perpétué à travers les siècles. Le **8 décembre**, la fête de l'Immaculée Conception est célébrée à Lyon avec un éclat particulier. Le soir, des milliers de lampions multicolores éclairent les fenêtres de la ville. Cette fête a pour origine l'inauguration de la Vierge dorée de Fourvière en 1852. Des inondations retardèrent le travail du sculpteur Fabish, qui ne put livrer la statue le 8 septembre. La cérémonie fut reportée au 8 décembre, fête de l'Immaculée Conception. Ce jour-là, de très fortes pluies firent annuler la fête nocturne ; contre toute attente, elles cessèrent « miraculeusement » à l'heure prévue. Les Lyonnais illuminèrent spontanément leurs balcons avec des milliers de lumignons. Cette tradition religieuse est devenue une fête populaire, avec la participation de la municipalité et des commerçants qui inaugurent leurs étalages de Noël.

Au début du 14e s., Lyon est rattaché directement au pouvoir royal et obtient le droit d'élire douze consuls : la commune est proclamée à l'Île-Barbe en 1312. Les consuls, issus de la riche bourgeoisie, lèvent les impôts et assurent la police. Le petit peuple, volontiers porté à la « rebeyne » (rébellion), et qui n'hésitait pas à assiéger l'archevêque dans son palais, découvre alors que la main des consuls est encore moins tendre que celle du clergé.

Le triomphe des lettres et des arts au 16e s. – À la fin du 15e s., la création des foires et le développement de la banque attirent les commerçants de l'Europe entière. La vie mondaine, intellectuelle et artistique s'épanouit, stimulée par la venue de François Ier et de sa sœur, la reine Marguerite.

La Belle Cordière

Une Lyonnaise, **Louise Labé (1524-1566)**, incarne l'esprit de l'époque, tant par sa grâce et sa beauté, que par sa veine poétique. À vingt ans, Louise sait le grec, le latin, l'espagnol, l'italien et la musique. Le goût des aventures la fait partir pour le siège de Perpignan, abandonnant les « habits mols des femmes » et « envieuse de bruit ». Revenue à Lyon, mariée au bonhomme cordier Ennemond Perrin, la « Belle Cordière » ouvre son salon aux poètes, aux artistes et aux érudits, comme le fera Mme de Sévigné un siècle plus tard.

De célèbres « libraires » : Jean Meumeister, Jean de Tournes, Guillaume Roville portent au loin le renom de l'imprimerie lyonnaise qui compte 100 ateliers en 1515, puis plus de 400 en 1548.

Peintres, sculpteurs, céramistes, imprégnés de culture italienne, préparent la Renaissance française.

À Lyon brillent des poètes comme Maurice Scève et Clément Marot, des conteurs comme Rabelais ; médecin à l'Hôtel-Dieu, ce dernier publie coup sur coup, en 1532 et 1534, à l'occasion des foires, son *Gargantua* et son *Pantagruel*.

L'essor des sciences au 18e s. – Après l'essor littéraire et artistique, les sciences prennent leur revanche au 18e s. avec les **frères Jussieu**, illustres botanistes, **Bourgelat** qui fonde à Lyon, en 1762, la première école vétérinaire d'Europe. En 1783, **Jouffroy** expérimente sur la Saône la navigation à vapeur avec son « Pyroscaphe » qui ne lui rapportera guère que le surnom ironique de « Jouffroy la pompe ».

En 1784, Joseph de Montgolfier et Pilâtre de Rozier réussissent, aux Brotteaux, une des premières ascensions en aérostat. Quelques années plus tard, Ampère le grand physicien et Jacquard avec son métier à tisser révèlent à leur tour un génie inventif *(voir p. 65)*.

« Lyon n'est plus » – Le 12 octobre 1793, le Comité de salut public rend le célèbre décret « Lyon fit la guerre à la liberté, Lyon n'est plus ». Et, pour punir la ville de la résistance qu'elle a opposée à la Convention, la Terreur y prend un caractère terriblement violent. Couthon prescrit la destruction des maisons de Bellecour. Le nom de Lyon est changé en celui de « Commune affranchie ». Chaque jour, d'innombrables Lyonnais périssent, victimes de l'exaltation des agents de Robespierre.

L'industrie de la soie – C'est la soie qui, au 16e s., a fait de Lyon une grande ville industrielle. Jusqu'alors, la plus grande partie des étoffes de soie venait d'Italie. En 1536, le Piémontais **Étienne Turquet** propose d'amener à Lyon des tisseurs génois et d'y établir une manufacture. Soucieux de combattre l'exportation d'argent provoquée par l'achat de soieries étrangères,

François Ier accepte et poursuit ainsi la politique de Louis XI qui avait déjà supprimé taxes et impôts sur le travail de la soie. En 1804, **Jacquard**, s'inspirant d'une machine de Vaucanson, invente un métier qui, utilisant un système de cartes perforées, permet à un seul ouvrier de faire le travail de six. Le quartier de la Croix-Rousse se couvre alors de ses maisons-ateliers caractéristiques : leurs étages élevés abritent les métiers sur lesquels les « **canuts** » tissent la soie fournie par le fabricant.

En 1875, une véritable révolution se produit dans l'industrie soyeuse. L'introduction du métier mécanique et le changement de la mode qui n'est plus aux étoffes façonnées ou brochées réduisent les canuts à la misère. Seuls subsistent à Lyon quelques métiers destinés à la fabrication d'étoffes spéciales de très grand prix.

Importée d'Italie ou du Japon, la soie naturelle ne représente plus, actuellement, qu'un infime pourcentage des quantités traitées mais le tissage, dit « de soierie » utilisant des fibres de toutes origines (verre, carbone, bore, aramide), reste un art lyonnais. Le savoir-faire traditionnel des soyeux trouve, notamment, des applications directes dans l'élaboration de pièces hautement sophistiquées (techniques Michel-Brochier) servant à l'industrie aéronautique, spatiale et même électronique. Ces activités sont étroitement liées à la chimie pour la recherche et la combinaison de molécules nouvelles (Rhône-Poulenc Fibres).

Un rien sévère, Herriot est une incontournable figure locale qui a profondément modifié le visage de la ville.

Les grands travaux – Une des caractéristiques de la ville de Lyon est la qualité de son développement qui a respecté les périodes antérieures. Cela n'a pas toujours été évident car même le quartier Renaissance du Vieux Lyon a failli disparaître sous le pic des démolisseurs. Mais aujourd'hui Lyon peut décliner son histoire au fil de ses quartiers ; chacun a sa caractéristique, son histoire, son âme. Cette richesse, Lyon la doit en bonne partie à ses maires qui l'ont transformée avec sagesse et audace. Le plus connu est sans conteste **Édouard Herriot (1872-1957)** qui a veillé pendant plus de 50 ans à la destinée de la ville. On lui doit une politique d'urbanisation énergique confiée en partie à Tony Garnier.

Les foires de Lyon – Au Moyen Âge, Lyon est l'une des « clefs du royaume », à la frontière des pays de Savoie, Dauphiné, Italie et Allemagne d'un côté, Beaujolais, Bourgogne, Languedoc, Forez et Auvergne de l'autre. Le jour où, en 1419, le Dauphin, futur Charles VII, comprenant la valeur commerciale d'une telle situation, y établit deux foires franches par an, il fit de Lyon l'un des plus grands entrepôts du monde.

À partir de 1463, grâce à Louis XI, les foires ont lieu quatre fois par an, encourageant la création du Change,

Laurent Mourguet et le guignol lyonnais

Laurent Mourguet (1769-1844) était un ouvrier de la soie qui se reconvertit en forain et arracheur public de dents. La tradition de cette époque voulait que l'on attirât les clients en improvisant des saynètes avec des poupées animées. Mourguet utilisa donc ce moyen « publicitaire » avec la marionnette vedette en ce début du 19e s. : Polichinelle. Il innova rapidement avec l'apparition de Gnafron, et vers 1808 de Guignol. Devant le succès remporté par les premières représentations, il se consacra uniquement à ces spectacles. Les représentations se déroulaient dans un « castelet » mobile en plein air ou dans un café, pour distraire un public populaire. Celui-ci se sentit immédiatement en harmonie avec ce nouveau personnage qui venait lui parler de lui-même dans une langue qui était la sienne et qui jouait un rôle de gazette en commentant les faits de la journée, les événements de la ville et des quartiers. Bientôt l'audience s'élargit et Mourguet joue un peu partout à Lyon, au Petit Tivoli et dans la grande allée des Brotteaux où le dimanche on doit disposer un triple rang de chaises.

Un lion sur la mairie de Lyon ? Rien de si étonnant même si ces homonymes ont des origines très différentes.

origine de la Bourse actuelle, et du Tribunal de la conservation, d'où sortiront plus tard les tribunaux de commerce.

Rétablie en 1916 après une longue interruption, la Foire internationale de Lyon, qui se tient chaque année à Chassieu, dans le vaste parc des expositions, « Eurexpo », maintient sa tradition de grande place d'affaires internationale. Elle est doublée de salons spécialisés comme Ipharmex (pharmacie), Infora (informatique), Eurobat (bâtiment et construction) ou le Salon des métiers de bouche.

Un carrefour européen – La ville de Lyon est située au milieu d'un réseau autoroutier la reliant dans le sens Nord-Sud à l'Europe du Nord et méditerranéenne et dans le sens Ouest-Est au Massif Central, à la Suisse et à l'Italie via St-Étienne, Clermont-Ferrand, Genève, Annecy, Chambéry et Grenoble.

Baptême princier

Antoine de Saint-Exupéry, aviateur et écrivain connu pour son « Petit Prince », est né à Lyon en 1900. La ville lui a rendu hommage en 2000 ; à cette occasion l'aéroport Lyon-Satolas est devenu Lyon-Saint-Exupéry.

Depuis 1981, en complément de nombreuses liaisons ferroviaires rapides avec l'ensemble de la France, Lyon bénéficie d'une desserte accélérée par le Train à Grande Vitesse (TGV). L'aéroport international de St-Exupéry, à l'Est de la ville, desservi par une ligne TGV, connaît un trafic important qui le place au 4e rang français. L'aéroport de Bron est dévolu à l'aviation d'affaires. Par ailleurs le port Édouard-Herriot, au Sud de Gerland, connaît un trafic notoire de chalands lourds remontant jusqu'à Auxonne sur la Saône (32 km au Sud-Est de Dijon) ; une ligne fluvio-maritime directe sans transbordement a été ouverte avec Le Pirée en 1984, Alger en 1986 et Haïfa en 1991.

Le nouveau visage de Lyon – Les années 1930 avaient vu surgir les ensembles de gratte-ciel de Villeurbanne et du quartier des États-Unis qui représentaient alors une réalisation audacieuse. L'après-guerre a été marqué par un plan d'urbanisme structuré, d'où sont issus les vastes ensembles de Bron-Parilly, Rillieux-la-Pape, Vénissieux, la Duchère et Vaulx-en-Velin.

À la construction des tunnels routiers de la Croix-Rousse et de Fourvière, des voies sur berge du Rhône, de l'aménagement du quartier de la Part-Dieu et du port Édouard-Herriot succède la poursuite de la restauration du Vieux Lyon, de la rénovation des quartiers Mercière-St-Antoine et Tolozan-Martinière, de l'aménagement du quartier du Tonkin à Villeurbanne. Dans l'ancienne gare des Brotteaux, qui a reçu le premier TGV en 1981, a été aménagée une grande brasserie dirigée par P. Bocuse. À l'Est de Lyon, la ville nouvelle de l'Isle-d'Abeau a été conçue pour équilibrer le développement de la métropole régionale.

La gare de St-Exupéry, à l'architecture futuriste, est signée par l'architecte espagnol Calatrava. Elle assure les liaisons nationales du TGV avec l'aéroport régional.

Tel un oiseau qui prend son envol, l'aérogare de St-Exupéry attend les voyageurs qui veulent gagner d'autres cieux.

Depuis 1993, l'autoroute de contournement Est de la ville permet de désengorger notablement le quartier du tunnel de Fourvière et les voies sur berge du Rhône. Malgré de longues polémiques, le périphérique à péage Nord-Ouest (TEO) est également terminé.

Pour assurer son avenir, par ailleurs, Lyon développe plusieurs technopoles. C'est ainsi qu'entre le Rhône et le parc de la Tête-d'Or, la « **Cité internationale** » accueille un nouveau Centre des congrès internationaux de 2 000 places et abrite dans un bâtiment aux formes audacieuses le siège d'Interpol (Organisation internationale de police criminelle), ainsi qu'un ensemble hôtelier et le musée d'Art contemporain. À l'Est, autour du campus universitaire de la Doua, s'implantent d'importants bureaux de recherches techniques.

Le quartier de Gerland, où est installé le stade municipal, rénové et agrandi à l'occasion de la Coupe du monde de football 1998, poursuit sa mutation.

Répertoire des rues des plans de LYON

BRON

- Bonnevay (Bd L.) **DQ**
- Brossolette (Av. P.) **DQ**
- Droits-de-l'Homme (Bd des) **DQ**
- Mendès-France (Av. Pierre) **DR** 103
- Pinel (Bd) **CQ**
- Roosevelt (Av. Franklin) **DQR** 143
- 8-Mai-1945 (R. du) **DQ** 188

CALUIRE ET CUIRE

- Strasbourg (Rte de) **CP**

CHAMPAGNE

- Lanessan (Av. de) **AP**

CHAPONOST

- Aqueducs (Rte des) **AR**
- Brignais (Rte de) **AR**

CHASSIEU

- Gaulle (Bd Charles-de) **DQ**

ÉCULLY

- Champagne (Rte de) **AP** 25
- Dr-Terver (Av.) **AP** 38
- Marietton (R.) **AP** 99
- Roosevelt (Av. Franklin) **AP** 142
- Vianney (Chemin J.-M.) **AP**

FRANCHEVILLE

- Chater (Av. du) **AQ**
- Table-de-Pierre (Av.) **AQ**

LA MULATIÈRE

- Dechant (R. S.) **BR**
- Mulatière (Pt de la) **BQ** 111
- Rousseau (Q. Jean-Jacques) **BQ**
- Semard (Q. Pierre) **BR**

LYON

- Algérie (R. d') **FX**
- Annonciade (R. de l') **FV**
- Antiquaille (R. de l') **EY**
- Audran (R.) **FV**
- Baleine (R de la) **FX**
- Barodet (R.) **EV**
- Barre (R. de la) **FY**
- Bât-d'Argent (R. du) **FX**
- Belfort (R. de) **FV**
- Bellecour (Pl.) **FY**
- Bellevue (Pl.) **FV**
- Bertone (Pl. M.) **FV**
- Bodin (R.) **FV**
- Bœuf (R. du) **EFX**
- Bombarde (R.de la) **FX**
- Bonaparte (Pt) **FY**
- Bondy (Q. de) **FX**
- Bon-Pasteur (R. du) **FV**
- Bourgogne (R. de) **BP** 14
- Brest (R. de) **FX**
- Burdeau (R.) **FV**
- Buyer (Av. B.) **AQ**
- Calas (R.) **FV**
- Canuts (Bd des) **FV**
- Capucins (R. des) **FV**
- Carmélites (Mtée des) **FV**
- Carmes-Déchaussés (Mtée des) **EX**
- Carnot (Pl.) **FY**
- Célestins (Pl. des) **FY**
- Célestins (Q. des) **FY**
- Célu (R.) **FV**
- Chambaud de la Bruyère (Bd) **BR** 23
- Chambonnet (R. Col.) **FV**
- Change (Mtée du) **EFX**
- Change (Pl. du) **FX**
- Charcot (R. Cdt) **ABQ**
- Chardonnet (Pl.) **FV**
- Charité (R. de la) **FY**
- Chartreux (R. et Imp. des) **EV**
- Chazeaux (Mtée des) **EX**
- Chazette (Pl. L.) **FV**
- Chemin-Neuf (Mtée du) **EXY**
- Chenavard (R.) **FX**
- Chevreul (R.) **FY**
- Childebert (R.) **FY** 27
- Claude-Bernard (Q.) **FY**
- Claudia (R.) **FX**
- Cléberg (R.) **EY**
- Colbert (Pl.) **FV**
- Comédie (Pl. de la) **FX**
- Comte (R. A.) **FY**
- Condé (R. de) **EFY**
- Constantine (R. de) **FX**
- Courmont (Q. Jules) **FXY**
- Couturier (R. V.) **EFV**
- Crimée (R. de) **FV**
- Croix-Rousse (Bd de la) **EFV**
- Croix-Rousse (Gde Rue de la) **FV**
- Croix-Rousse (Pl. de la) **FV**
- Cuire (R.) **FV**
- Delorme (R. Philibert) **FV**
- Denfert-Rochereau (R.) **EV**
- Désirée (R.) **FX**
- Diderot (R.) **FV**
- Dr.-Gailleton (Q. du) **FY**
- Duhamel (R.) **FY**
- Dumont-d'Urville (R.) **FV**
- Dupont (R. P.) **EX**
- Épies (Mtée des) **EY**
- États-Unis (Bd des) **CQR**
- Fantasques (R. des) **FV**
- Farges (R. des) **EY**
- Feuillants (Petite rue des) **FV**
- Feuillée (Pt de la) **FX**
- Forez (Pl. du) **FV**
- Fourvière (Mtée de) **EXY**
- Fourvière (Pl. de) **EX**
- Franklin (R.) **FY**
- Fulchiron (Q.) **EFY**
- Gadagne (R. de) **FX** 63
- Galliéni (Pt) **FYZ**
- Garillan (Montée du) **EFX**
- Garnier (Av. T.) **BR**
- Genas (Rte de) **CDQ**
- Gerson (Pl.) **FX**
- Giraud (Crs du Gén.) **EV**
- Godart (R. J.) **FV**
- Gonin (Passage) **EVX**
- Gorjus (R. Henri) **EV**
- Gourguillon (Mtée du) **EY**
- Gourju (Pl. A.) **FY**
- Gouvernement (Pl. du) **FX**
- Grande-Côte (Mtée de la) **FV**
- Grenette (R.) **FX**
- Griffon (Pl. et R.) **FV**
- Grognard (R.) **FV**
- Guillotière (Pte de la) **FY**
- Ivry (R. d') **FV**
- Jacobins (Pl. des) **FX**
- Jacquart (R.) **EV**
- Jayr (Q.) **BP**
- Joffre (Q. du Mar.) **EY**
- Joliot-Curie (R.) **AQ**
- Juin (Pont Alphonse) **FX** 84
- Juiverie (R.) **FX**
- Kitchener Marchand (Pt) **EY**
- Lacassagne (Av.) **CQ**
- La-Fayette (Pt) **FX** 88
- Lainerie (R.) **FX** 91
- Lasalle (R. Ph. de) **EV**
- Lassagne (Q. A.) **FV**
- Leynaud (R.) **FV**
- Mail (R. du) **FV**
- Marseille (R. de) **FYZ**
- Martinière (R. de la) **FX**
- Max (Av. Adolphe) **FY**
- Mercière (R.) **FX**
- Mermoz (Av.) **CQ**
- Millaud (Pl. Ed.) **EV**
- Montauban (R. de) **EX**
- Morand (Pt) **FX** 107
- Moulin (Q. Jean) **FX**
- Mulatière (Pt de la) **BQ** 111
- Neuve-St-Jean (Pl.) **FX** 113
- Nicolas-de-Lange (Mtée) **EX**
- Ornano (R.) **EV**
- Pasteur (Pt) **BQ** 115
- Pasteur (R.) **FYZ**
- Pêcherie (Q. de la) **FX**
- Pelletier (R.) **FV**
- Perron (Mtée du) **FV**
- Philibert-Delorme (R.) **FV**
- Pinel (Bd) **CQ**
- Plat (R. du) **FY**
- Platière (R. de la) **FX** 121
- Point-du-Jour (Av.) **ABQ**
- Poncet (Pl. A.) **FY**
- Pouteau (R.) **FV**
- Pradel (Pl. Louis) **FX**
- Prés.-Édouard-Herriot (R.) **FX**
- Prof.-P.-Santi (Av.) **CQ**
- Punaise (Ruelle) **FX** 129
- Radisson (R. Roger) **EXY**
- République (Pl. et R. de la) **FXY**
- Rockefeller (Av.) **CQ** 138
- Rolland (Quai Romain) **FXY**
- Romarin (R.) **FVX**
- Roussy (R. Ph.) **EV**
- Rouville (Pl.) **EV**
- Sala (R.) **FY**
- Sathonay Pl.) **FV**
- Scize (Q. P.) **EX**
- St-Antoine (Q.) **FX**
- St-Barthélemy (Mtée) **EXY**
- St-Georges (Passerelle et R.) **EFY**
- St-Jean (Pl.) **EY**
- St-Jean (R.) **FX**
- St-Paul (Pl.) **FX**
- St-Paul (R.) **EX**
- St-Polycarpe (R.) **FVX** 151
- St-Sébastien (Mtée) **FV**
- St-Simon (R.) **ABP** 153
- St-Vincent (Passerelle) **FX**
- St-Vincent (Q.) **EFX**
- Ste-Catherine (R.) **FX** 155
- Ste-Hélène (R.) **FY**
- Tabareau (Pl.) **EV**
- Tables-Claudiennes (R. des) **FV**
- Terme (R.) **FVX**
- Terraille (R.) **FX**
- Terreaux (Pl. des) **FX**
- Thiaffait (Passage) **FV**
- Thomas (Crs A.) **CQ** 168
- Tilsitt (Q.) **FY**
- Tolozan (Pl.) **FVX**
- Tourette (R. de la) **EV**
- Tramassac (R.) **FX**
- Trinité (Pl. de la) **EFY**
- Trois-Maries (R. des) **FX**
- Turquet (Imp.) **EY**
- Université (Pt de l') **FY**
- Vaubécour (R.) **EFY**
- Vernay (R. François) **FX**
- Viaduc (Chemin du) **EX**
- Victor-Hugo (R.) **FY**
- Villeneuve (R.) **FV**
- Vollon (Pl. A.) **FY**
- Voraces (Cour des) **FV**
- Wilson (Pt) **FY**
- 25ᵉ-R.T.S. (Av. du) **ABP**

OULLINS

- Jean-Jaurès (Av.) **BR**
- Jomard (R. F.) **AR**
- Perron (R. du) **BR** 119

PIERRE-BÉNITE

- Ampère (R.) **BR**
- Europe (Bd de l') **BR** 43
- Voltaire (R.) **BR**

ST-DIDIER-AU-MONT-D'OR

- St-Cyr (R. de) **BP**

ST-FONS

- Farge (Bd Y) **CR**
- Jean-Jaurès (Av.) **CR** 79
- Semard (Bd Pierre) **BR** 159
- Sembat (R. Marcel) **BR** 161

ST-GENIS-LAVAL

- Beauversant (Ch. de) **AR**
- Clemenceau (Av. Georges) **AR**
- Darcieux (R. François) **ABR**

ST-PRIEST

- Aviation (R.de l') **DR**
- Briand (R. Aristide) **DR**
- Dauphiné (R. du) **DR**
- Gambetta (R.) **DR**
- Grande-Rue **DR**
- Herriot (Bd Édouard) **DR** 77
- Lyonnais (R. du) **DR**
- Maréchal (R. H.) **DR** 97
- Parilly (Bd de) **DR**
- Rostand (R. Edmond) **DR** 145
- Urbain-Est (Bd) **DR**

STE-FOY

- Charcot (R. du Cdt) **ABQ**
- Châtelain (R.) **AQ**
- Fonts (Ch. des) **AQ** 55
- Franche-Comté (R.) **BQ** 59
- Provinces (Bd des) **BQ**

TASSIN

- Foch (Av. Mar.) **AQ** 53
- Gaulle (Av. de) **AQ**
- République (Av.) **AQ** 134
- Vauboin (Pl. P.) **AQ**
- Victor-Hugo (Av.) **APQ** 175

VAUX-EN-VELIN

- Allende (Av. Salvador) **DP** 3
- Böhlen (Av. de) **DQ**
- Cachin (Av. M.) **DP**
- Dumas (R. A.) **DQ**
- Gaulle (Av. Charles-de) **DP** 67
- Grandclément (Av.) **DP**
- Marcellin (Av. P.) **DP**
- Péri (Av. Gabriel) **DP**
- Roosevelt (Av. F.) **DQ**
- Salengro (Av. Roger) **DQ**
- Sucrerie (Pont de la) **DP**
- 8-Mai-1945 (Av.) **DP**

VÉNISSIEUX

- Bonnevay (Bd L.) **CR**
- Cachin (Av. M.) **CR** 18
- Cagne (Av. J.) **CR**
- Charbonnier (Chemin du) **CDR**
- Croizat (Bd A.) **CR**
- Farge (Bd Y.) **CR**
- Frères-Bertrand (R.) **CR** 61
- Gaulle (Av. Charles-de) **CR**
- Gérin (Bd L.) **CR**
- Grandclément (Pl. J.) **CR**
- Guesde (Av. J.) **CR**
- Joliot-Curie (Bd I.) **CR**
- Péri (R. Gabriel) **CR**
- République (Av. de la) **CR**
- Thorez (Av. M.) **CR**
- Vienne (Rte de) **CQR**

VILLEURBANNE

- Blum (R. L.) **CDQ**
- Bonnevay (Bd L.) **CP**
- Chirat (R. F.) **CQ** 29
- Croix-Luizet (Pont de) **CDP**
- Genas (Rte de) **CDQ**
- Jean-Jaurès (R.) **CQ** 80
- Poudrette (R. de la) **DQ**
- Salengro (Av. Roger) **CP**
- Tolstoï (Cours) **CQ**
- Zola (R. Émile) **CP**
- 4-Août-1789 (R. du) **CQ**

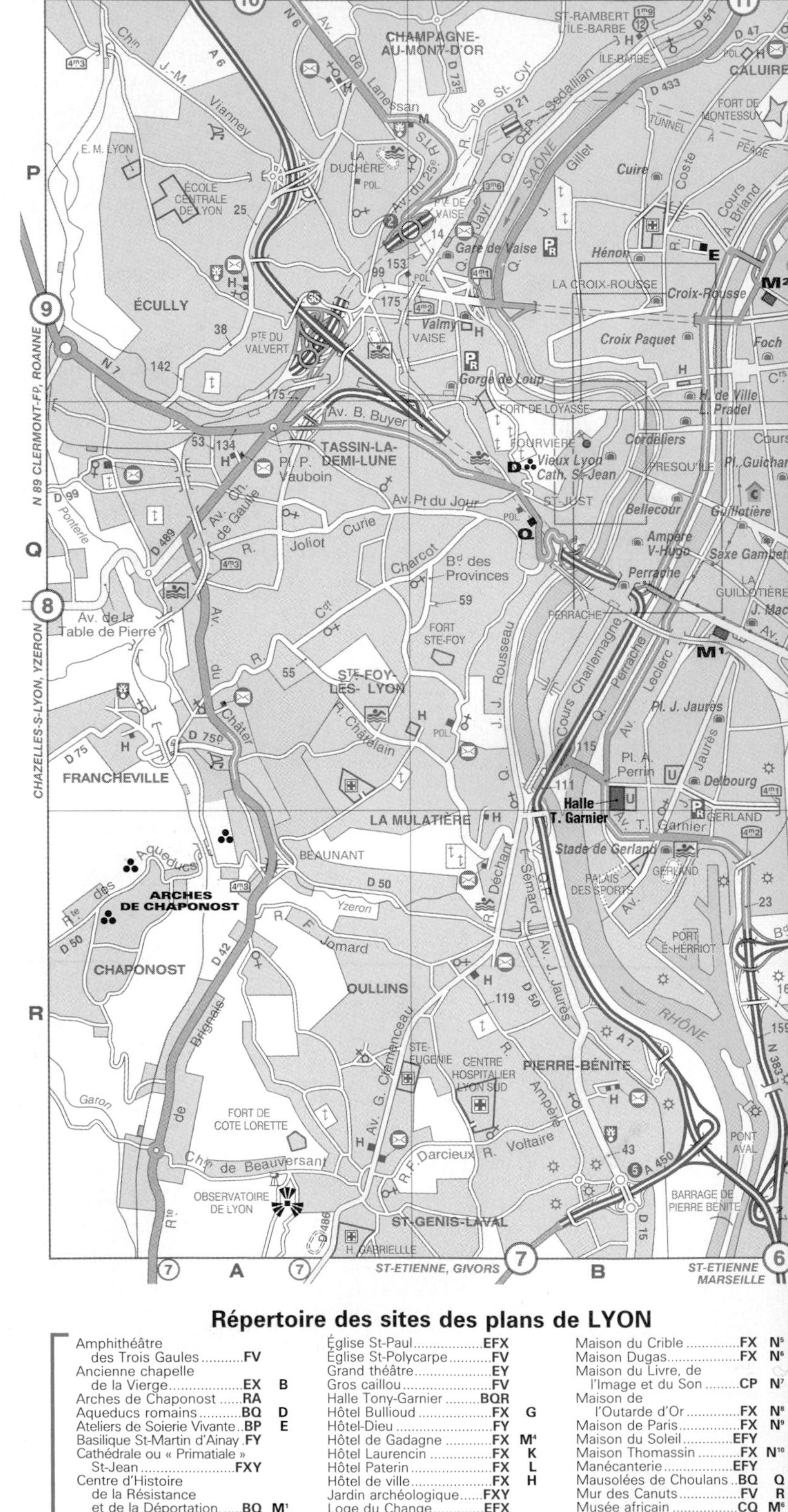

Répertoire des sites des plans de LYON

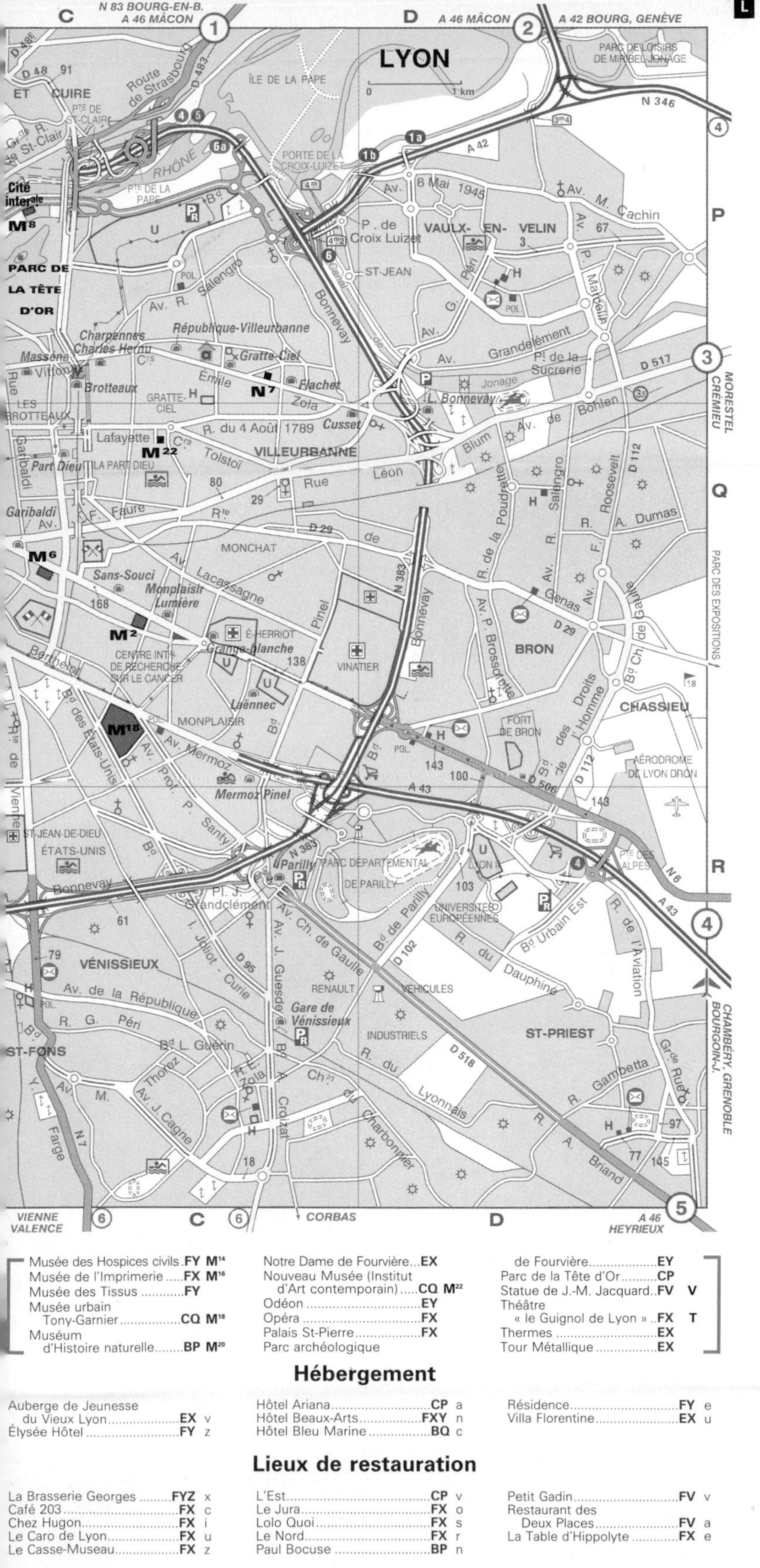

- Musée des Hospices civils FY M[14]
- Musée de l'Imprimerie FX M[16]
- Musée des Tissus FY
- Musée urbain Tony-Garnier CQ M[18]
- Muséum d'Histoire naturelle BP M[20]
- Notre Dame de Fourvière EX
- Nouveau Musée (Institut d'Art contemporain) CQ M[22]
- Odéon EY
- Opéra FX
- Palais St-Pierre FX
- Parc archéologique de Fourvière EY
- Parc de la Tête d'Or CP
- Statue de J.-M. Jacquard FV V
- Théâtre « le Guignol de Lyon » FX T
- Thermes EX
- Tour Métallique EX

Hébergement

- Auberge de Jeunesse du Vieux Lyon EX v
- Élysée Hôtel FY z
- Hôtel Ariana CP a
- Hôtel Beaux-Arts FXY n
- Hôtel Bleu Marine BQ c
- Résidence FY e
- Villa Florentine EX u

Lieux de restauration

- La Brasserie Georges FYZ x
- Café 203 FX c
- Chez Hugon FX i
- Le Caro de Lyon FX u
- Le Casse-Museau FX z
- L'Est CP v
- Le Jura FX o
- Lolo Quoi FX s
- Le Nord FX r
- Paul Bocuse BP n
- Petit Gadin FV v
- Restaurant des Deux Places FV a
- La Table d'Hippolyte FX e

Transports

Cartographie – Les plans du guide Vert peuvent être complétés par les plans Michelin nos 30 ou 31 et par la carte n° 110 (Environs de Lyon).

Accès – Pour les automobilistes, excellente desserte autoroutière : A 6, A 7, A 42, A 43. La ville est également très bien desservie par un service régulier de TGV qui la relie à Paris en 2h. Les gares de Perrache et de La Part-Dieu sont à proximité immédiate du centre-ville par le métro. Des dessertes aériennes à partir des grandes villes permettent de rejoindre l'aéroport de Lyon-St-Exupéry, lui même relié au centre-ville par des navettes.

Parc des Célestins

Parkings – Le stationnement dans une grande cité n'est jamais simple, mais la ville de Lyon a aménagé des parkings souterrains dans les lieux stratégiques. L'originalité de Lyon est d'avoir confié la réalisation de certains parkings (Célestins, Terreaux, République.) à de grands architectes. Ce sont donc de vraies œuvres d'art, qui peuvent se visiter. Le plus spectaculaire est sans doute le **parc Célestins**, dû à Buren, qui peut être observé à partir d'un périscope installé sur le square jouxtant le théâtre.

Transports urbains – Adapté aux besoins des touristes, le ticket-liberté, valable 1j., est le moyen le plus économique permettant d'utiliser, sans limitation du nombre de voyages, toutes les lignes du réseau urbain lyonnais (métro, tramway, autobus, funiculaire, trolley-bus). Renseignements auprès des agences et Points Services **TCL**, dont les principaux sont situés : 43 r. de la République, 11 bd Vivier-Merle, gare routière de Perrache et agence Bellecour, station métro A et D (fermé dim.). ☎ 04 78 71 70 00 et à l'Office de tourisme. 3615 TCL et www.tcl.fr

Visites

Les programmes de visite à Lyon – Se renseigner à l'Office de tourisme sur la **Lyon City Card**, passeport individuel qui offre des formules avantageuses pour 1, 2 ou 3 jours. Si l'on ne peut réserver qu'**une journée** à la découverte de Lyon, la matinée doit être

PRINCIPAUX TRANSPORTS EN COMMUN

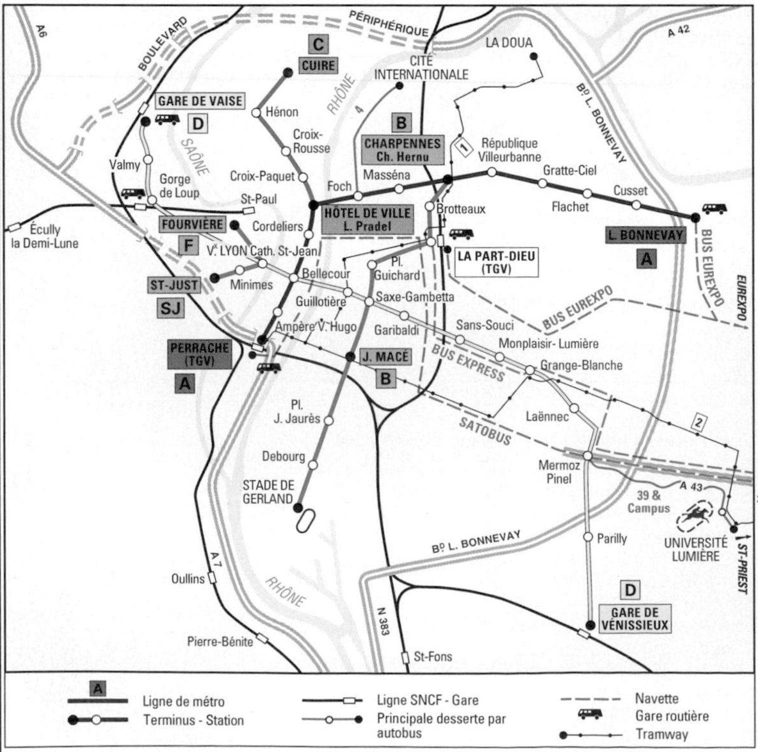

A Ligne de métro
Terminus - Station
Ligne SNCF - Gare
Principale desserte par autobus
Navette
Gare routière
Tramway

consacrée au Vieux Lyon (à pied), à la terrasse de Fourvière et aux théâtres romains (en utilisant le funiculaire), à l'exclusion des musées s'y trouvant ; dans l'après-midi, la Presqu'île avec le musée des Tissus et, au choix, la visite du musée des Beaux-Arts ou la promenade sur les pentes de la Croix-Rousse.

Deux jours permettront d'explorer plus à fond la colline de Fourvière et les divers musées, et de flâner le long de la Saône, la première journée. Le lendemain sera consacré à la visite à pied de la presqu'île et de ses musées (des Tissus, de l'Imprimerie, des Hospices civils), et à une des promenades proposées dans le quartier de la Croix-Rousse.

Une troisième journée serait réservée au Centre d'histoire de la Résistance et, au choix, au musée automobile Henri-Malartre à Rochetaillée ou au Château de la Poupée au parc Lacroix-Laval.

Circuits organisés – L'Office de tourisme propose des circuits à pied, en bus, en bateau, en taxi ou en hélicoptère. Des **visites-conférences** sont organisées régulièrement dans différents quartiers de la ville : le Vieux Lyon, la Croix-Rousse, la cité Tony-Garnier.

Les Visites Insolites – Les toits de la basilique de Fourvière (visite des combles, du carillon, des galeries) recèlent bien des surprises et offrent une vue imprenable sur le Site Historique de Lyon. ☎ 04 78 25 13 01.

Visites guidées – Lyon, qui porte le label **Ville d'art et d'histoire**, propose des visites-découvertes animées par des guides-conférenciers agréés par le ministère de la Culture et de la Communication. Renseignements à l'Office de tourisme ou sur www.vpah.culture.fr

Promenades en bateaux-mouches – Circuit de l'Île-Barbe (1h) : mai-août : dép. à 14h, 17h et parfois 18h, w.-end à 14h30, 15h30, 16h, 16h30 et 17h30 ; avr. et sept.-oct. : à 14h, 17h et parfois 18h. Circuit du confluent (1h1/4) : mai-août : dép. à 15h, w.-end à 14h et 17h ; avr. et sept.-oct. : à 15h. Croisières nocturnes (1h) : de mi-juil. à fin août : sam. à 21h30. Embarcadère : quai des Célestins. Réservations : **Naviginter**, 13 bis quai Rambaud, 69002 Lyon. ☎ 04 78 42 96 81.

Restauration

• *À bon compte*

Le Café 203 – *9 r. du Garet - ☎ 04 78 28 66 65 - fermé 24 déc. au 3 janv. - 8,38€ déj. - 9,15/10,67€.* Certains le fréquentent pour sa cuisine de marché, proposée à l'ardoise et servie dans un cadre bistrot. D'autres viennent pour des nourritures spirituelles : exposition de livres, citations de jeunes auteurs et écoute de bandes sonores. Il y a toujours une bonne raison de traîner ses guêtres au 203.

100 Gabac – *23 r. de l'Arbre-Sec - ☎ 04 78 27 29 14 - 11€.* Avis aux non-fumeurs : le petit frère du café 203 est un endroit affranchi de toute volute de fumée. Côté décor, on retrouve les mêmes éléments : bois blond, laiton et tons rouges. Côté assiette, petits plats du marché, pâtes et gaufres à prix serrés.

Le Casse-Museau – *2 r. Chavanne - ☎ 04 72 00 20 52 - fermé août, dim. et lun. - réserv. obligatoire - 9€ déj. - 11,43/12€.* Le « bistrot sans chiqué » de Tante Paulette date de 1947... Certes, les pâtes fraîches, salades composées et casse-croûtes ont remplacé son célèbre poulet à l'ail, mais le vin coule toujours à flots et l'ambiance est restée conviviale. Pas cher et bien connu des Lyonnais.

Comptoir du Mail – *14 r. du Mail (Croix-Rousse) - ☎ 04 78 27 71 40 - fermé dim., lun. et j. fériés - 11,60/14,70€.* Ce restaurant a vite été adopté par les gens du quartier qui goûtent sa cuisine traditionnelle inspirée par le marché et son accueil convivial. Décor simple, avec nappes à carreaux rouge et blanc et menus inscrits sur les miroirs accrochés aux murs.

Chez les Gones – *102 cours Lafayette (Halle de Lyon) - ☎ 04 78 60 91 61 - fermé dim. et lun. - 12€.* Ce bouchon installé au cœur des halles fait chaque jour le plein d'adeptes qui apprécient sa cuisine typiquement lyonnaise, son service tout sourire et sa bonne humeur ambiante. Petite terrasse à l'étage pour les beaux jours.

Le Petit Gadin – *17 r. Austerlitz - ☎ 04 78 28 62 33 - fermé 5 au 25 août, mar. et mer. en hiver, lun. soir, sam. midi et dim. - 10€ déj. - 13/19€.* Il faut franchir la porte de ce restaurant qui ne paye pas de mine, juste en face du Caillou de la Croix-Rousse, pour comprendre ce qui nous a séduit... Son ambiance, sympathique et chaleureuse, ses fresques et enfin son jardin, très prisé en été, nous ont convaincus, et vous ?

Le Vieux Lyon – *44 r. St-Jean - ☎ 04 78 42 48 89 - 13,50/20€.* Tous les gourmands lyonnais connaissent ce chaleureux bouchon qui depuis 1947 entretient le bonheur de la convivialité. Salle à manger tout en longueur décorée de photos de Brassens, Brel... ou Herriot. Dans l'assiette, « lyonnaiseries » maison.

La Brasserie Georges – *30 cours de Verdun - ☎ 04 72 56 54 54 - 15,55/23,32€.* C'est ici que se brassait et se buvait autrefois la bière Rinck. Cette brasserie reste un rendez-vous prisé des Lyonnais. Son immense salle classée avec ses banquettes rouges, ses lustres Art déco et ses fresques passées mérite à elle seule une visite.

Brasserie Georges

● ***Valeur sûre***

Le Jura – *25 r. Tupin - ☎ 04 78 42 20 57 - fermé 28 juil. au 28 août, lun. de sept. à avr., sam. de mai à août et dim. - réserv. obligatoire - 16,01€.* Non loin de la rue de la République, ce bouchon-là semble exister depuis toujours ! Avec son décor qui date des années 1920 et sa « mère » aux fourneaux, il a gardé une belle authenticité, confirmée par la cuisine typique arrosée des vins du patron...

Brunet – *23 r. Claudia - ☎ 04 78 37 44 31 - fermé dim. et lun. - réserv. conseillée - 16,70/29€.* Un vrai bouchon lyonnais avec sa façade en bois, ses tables au coude à coude, ses goûteux petits plats arrosés d'une gouleyante sélection de vins servis au pichet et ses serveurs en tablier noir. Belle vaisselle à l'effigie de Guignol et agréable terrasse d'hiver.

L'Est – *14 pl. J.-Ferry, gare des Brotteaux - ☎ 04 37 24 25 26 - 19,06/24,09€.* Dernier bastion de Bocuse à Lyon : la gare de Brotteaux. Dans un décor de grande brasserie style rétro, des trains électriques font le tour de la salle... Côté cuisine, une équipe jeune sert des plats de tous les pays à des prix très sages et ça marche fort ! Terrasse en été.

Restaurant des Deux Places – *5 pl. F.-Rey - ☎ 04 78 28 95 10 - fermé 15 juil. au 15 août, sam., dim. et lun. - 21,50€.* À deux pas de la place Sathonay, ce petit restaurant a tout du bouchon de tradition : décor chargé d'objets rustiques, ambiance conviviale et cuisine pur jus avec quelques spécialités comme les langues d'agneau tiédies... Quelques tables en terrasse l'été.

La Table d'Hippolyte – *22 r. Hippolyte-Flandrin - ☎ 04 78 27 75 59 - fermé sam. midi, dim. et lun. - 23/45€.* Dans une petite rue proche des halles de la Martinière, une adresse cosy où se mêlent dans un savant fouilli, bibelots, vieux miroirs, fleurs séchées et objets encombrants. Eclairé à la bougie, c'est le cadre idéal pour un repas aux chandelles... Cuisine traditionnelle de bon aloi.

Lolo Quoi – *42 r. Mercière - ☎ 04 72 77 60 90 - 23/26€.* Dans cette rue piétonne où se succèdent bouchons et restaurants de chaîne, voici une adresse branchée incontournable. Décor minimaliste et éclairage soigné pour une cuisine italienne moderne et des pâtes aux saveurs recherchées : les Lyonnais adorent !

Le Caro de Lyon – *25 r. du Bât-d'Argent - ☎ 04 78 39 58 58 - fermé dim. - 22€ déj. - 24€.* Derrière l'Opéra, ce restaurant conçu comme une bibliothèque vous reçoit dans une ambiance intime soignée où se mêlent bois blond, lustres de Murano, objets anciens et chaises de couleurs. Sa cuisine inspirée des saveurs du Sud a conquis le Tout-Lyon, chic et décontracté.

Hébergement

Bon week-end à Lyon – La ville de Lyon est championne de cette opération qui se développe dans de nombreuses villes françaises. À la deuxième nuit d'hôtel offerte s'ajoutent des cadeaux, ainsi que de nombreuses réductions pour les visites de la ville et des musées. Pour obtenir la liste des hôtels et les conditions de réservation, se renseigner à l'Office de tourisme.

● ***À bon compte***

St-Pierre-des-Terreaux – *8 r. Paul-Chenavard - ☎ 04 78 28 24 61 - fermé 15 j. en août, 15 j. Noël au J. de l'An - 16 ch. : 29/43€ - ☕ 5,40€.* Cet hôtel est fort pratique pour résider en ville, face au musée St-Pierre et à deux pas de l'opéra. Ses chambres, fonctionnelles et bien tenues, sont très bien insonorisées. L'accueil est plaisant et les prix modérés.

Villages Hôtel – *93 cours Gambetta - ☎ 04 78 62 77 72 - P - 104 ch. : 34,30€ - ☕ 3,81€.* Cet hôtel de chaîne offre de nombreuses commodités - situation centrale, proximité de la gare et du métro - et des chambres confortables et spacieuses, toutes équipées de lits king size. Une bonne adresse pour les budgets limités.

● ***Valeur sûre***

Savoies – *80 r. Charité - ☎ 04 78 37 66 94 - P - 46 ch. : 42,69/53,36€ - ☕ 4,57€.* Façade rehaussée de blasons savoyards dans le quartier de la gare de Perrache. La propreté des chambres standard - mobilier simple et moquettes aux teintes pastel - , un garage fort commode et des prix raisonnables en font une adresse appréciée de la clientèle.

Élysée Hôtel – *92 r. du Prés.-E.-Herriot - ☎ 04 78 42 03 15 - 29 ch. : 44,82/62,05€ - ☕ 6,86€.* Un petit hôtel familial pour s'offrir les trépidations de la Presqu'île à moindre coût... À deux pas de la place des Jacobins, dans une rue animée, ses petites chambres rouges et jaunes sont modestes mais plutôt gaies et bien tenues. Adresse sympathique.

Hôtel La Résidence – *18 r. V.-Hugo - ☎ 04 78 42 63 28 - 67 ch. : 53,36/57,93€ - ☕ 5,79€.* Ici, vous serez au cœur de la vie lyonnaise : cet hôtel tenu par la même famille depuis 1954 est dans une rue piétonne, tout près de la place Bellecour. Certes, les chambres sont d'une autre époque, avec leur mobilier 1970, mais elles sont bien tenues.

Hôtel Bleu Marine – *4 r. du Mortier - ☎ 04 78 60 03 09 - P - 126 ch. : 71,65/85,37€ - ☕ 9,15€.* Dans une petite rue du quartier de la Guillotière, à 5 mn à pied de la place Bellecour, cet hôtel moderne à la façade vitrée est plutôt agréable : ses chambres toutes identiques, fumeurs ou non-fumeurs, sont claires, fonctionnelles et bien équipées.

Hôtel Ariana – *163 cours É.-Zola - 69100 Villeurbanne - ☎ 04 78 85 32 33 - P - 102 ch. : 45,43/64,03€ - ☕ 7,62€.* Un hôtel tout ce qu'il y a de plus pratique au milieu des grands immeubles de Villeurbanne : moderne, il propose des chambres climatisées et insonorisées, sobrement décorées de meubles cérusés gris.

Le temps d'un verre

Café de la Cathédrale – *41 r. St-Jean - ☎ 04 78 37 15 10 - lun.-sam. 7h-1h, dim. 10h-1h.* Sis à l'angle de la place St-Jean, ce bar restitue avec bonheur l'ambiance des années 1950 : posters d'Elvis Presley et Gene Vincent, gadgets américains accrochés aux murs, disques d'époque et télé plaquée bois. Clientèle éclectique.

Bar de la Tour Rose – *22 r. du Bœuf - ☎ 04 78 92 69 10 - tlj 17h-2h.* Ce bar d'hôtel de standing occupe l'emplacement d'un ancien jeu de Paume où Molière en personne est venu donner une représentation. Réputé pour sa cave à cigares, l'établissement organise des concerts de jazz tous les vendredis et samedis. Sur la carte, 60 cocktails dont 40 créations.

Le Bartholdi – *6 pl. des Terreaux - ☎ 04 72 10 66 00 - tlj 8h-1h.* C'est à coup sûr l'une des plus grandes et des plus belles terrasses de la ville, juste en face des chevaux de la fontaine Bartholdi, le célébrissime sculpteur de la statue de la Liberté. La brasserie est ouverte non stop. Chaque mois, vous pouvez participer à un débat sur l'architecture, les sciences, l'Italie, les relations internationales, la politique et la philosophie. Les salons du 2e étage sont réservés aux réunions, séminaires, cocktails, soirées concert.

Le Cintra – *43 r. de la Bourse - ☎ 04 78 42 54 08 - lun.-sam. 7h30-5h.* Situé à côté de la Chambre de Commerce, cet établissement est le lieu de rendez-vous chic par excellence : hommes et femmes d'affaires aiment se retrouver là pendant l'animation piano-bar (à partir de 22h chaque soir) après avoir négocié des contrats mirifiques... On apprécie également le décor en bois du Liban, créé en 1921.

Sorties

Café Léone – *8 r. de la Monnaie - ☎ 04 78 92 93 70 - juil.-août : tlj 12h-14h, 19h-1h ; sept.-juin : lun.-sam. 12h-14h, 19h-1h.* Avec ses tapas servies sur le comptoir comme à Barcelone, sa bière San Miguel et ses corridas à la télé, ce café est un vrai bar espagnol, animé et tapageur comme on les aime... Vous pouvez réserver la salle pour vos soirées.

Eden Rock Café – *68 r. Mercière - ☎ 04 78 38 28 18 - lun.-mar.12h-1h, mer.-jeu.12h-2h, ven.-sam.12h-3h - fermé trois sem. août.* Au cœur d'une rue piétonne très animée le soir, ce bar occupe un bâtiment classé monument historique. Le décor est magnifique et la carte vaut le coup d'œil : si vous n'avez jamais goûté au filet d'autruche, c'est l'occasion ou jamais ! Concerts de blues, de rock et de funk toutes les fins de semaine.

Fish Club – *21 quai Victor-Augagneur - ☎ 04 72 84 98 98 - jeu. 19h-5h, ven.-sam. 22h-5h.* Cette discothèque branchée et select, toute décorée de métal, occupe une immense péniche amarrée au quai. Après avoir dansé sur les derniers tubes à la mode (techno, latino) vous pouvez venir fumer une cigarette et contempler la ville à partir de la terrasse. Beaucoup de soirées étudiantes toute l'année.

Hot Club – *26 r. Lanterne - ☎ 04 78 39 54 74 - mar.-sam. 21h-1h - fermé de fin juil. à mi-sept.* Tous les amateurs de jazz fréquentent le Hot Club lyonnais, installé dans une cave comme ses illustres prédécesseurs de Saint-Germain-des-Prés... Du style New Orléans au jazz fusion en passant par les standards de Duke Ellington et de la bossa nova, tous les styles y sont généreusement représentés. Le samedi après-midi est gratuit et les consommations sont très abordables.

Rue Ste-Catherine – C'est la rue où l'on consomme des kebabs. Vous y trouverez surtout The Albion Public House, le pub le plus british de Lyon, avec son écran géant et ses traditionnels concours de fléchettes. Plus petite mais plus poétique, la Taverne du Perroquet Bourré qui est un bar tout en bois spécialisé dans le rhum. L'Abreuvoir est également très recommandable et vous pourrez y écouter de la bonne chanson française.

The Rambler – *7 r. Pizay - ☎ 04 78 30 53 59 - lun.-sam. 20h-3h.* Foyer de la celtitude, ce pub chaleureux organise tous les mois des soirées irlandaises, écossaises, galloises ou bretonnes. Le bar est tenu par un couple hors normes : une charmante rousse et un ancien champion de France de pêche à la mouche... 20 tirages de bière. Whiskies écossais, irlandais et américains. C'est aussi la « Rugby Club House » du Lyonnais.

Tombé du Ciel – *9 r. Port-du-Temple - ☎ 04 78 42 69 30 - mar.-sam. 15h-3h.* Situé volontairement dans une rue « chaude » où s'exerce le plus vieux métier du monde, ce bar hors normes est tenu par deux missionnaires des Oblats de Marie. Selon la volonté de leur fondateur, Eugène Mazenot (reconnu saint par l'Église), Dominique et Éric ont fondé ce bar pour rencontrer et aider des personnes en difficulté, dans une ambiance conviviale. « On ne vient pas ici pour prier comme dans une église, mais pour dialoguer » insiste Éric. Une belle initiative.

Casino Le Lyon Vert – *200 av. du Casino - 69890 La Tour-de-Salvagny - ☎ 04 78 87 02 70 - tlj 10h-4h.* Le démon du jeu vous titille (vous êtes majeur et vous avez une tenue correcte) ? Vous souhaitez simplement tenter votre chance pour épicer la soirée ? Ou retrouver l'ambiance de Casino, le film de Scorsese ? Alors pas d'hésitation : ici, vous attendent 400 machines à sous, poker vidéo, roulettes et black jack. L'établissement comprend aussi un restaurant et un bar.

Spectacles

Au pied dans l'Plat – *18 r. Lainerie - ☎ 04 78 27 13 26 - www.dinerspectacle.free.fr - lun.-sam. 20h30 - fermé de mi-juil. à déb. sept.* Ce cabaret très prisé des Lyonnais, installé dans une belle cave voûtée du 15ᵉ propose, comme son nom l'indique, des dîners-spectacles à tendance satirique dans une ambiance débridée et rabelaisienne. Un succès non démenti depuis 30 ans...

Auditorium-Orchestre National de Lyon – *149 r. Garibaldi - ☎ 04 78 95 95 95 - www.auditoriumlyon.com ou orchestrelyon.com - billetterie : lun.-ven. 11h-18h, sam. si concert 14h-18h - fermé de déb. août à fin août.* L'auditorium Maurice Ravel accueille régulièrement l'Orchestre National de Lyon qui, sous la baguette d'Emmanuel Krivine, fête cette année ses 30 ans d'existence... En 1998-1999, la musique baroque a été à l'honneur avec Philippe Herrewegue et Fabio Biondi. Mais les amateurs de musique du monde ont aussi pu découvrir les musiques de Bali et les chants des Pygmées Aka. Possibilité d'assister à des projections de films musicaux.

Maison de la Danse – *8 av. Jean-Mermoz - ☎ 04 72 78 18 18 - www.maisondeladanse.com - billetterie : lun.-ven. 11h45-18h45 - fermé de mi-juil. à mi-août.* Du flamenco aux claquettes en passant par les ballets et les danses traditionnelles d'Occident et d'Orient, vous pénétrez ici dans le temple de la danse... les plus grands noms se succèdent ici : Maurice Béjart, Carolyn Carlson, Découflé, la danseuse espagnole Cristina Hoyos, le Ballet National de Cuba et Grupo Corpo.

Opéra National de Lyon – *1 pl. de la Comédie - ☎ 04 72 00 45 45 - www.opera-lyon.org - billetterie : lun.-sam. 11h-19h.* Idéalement situé, c'est l'un des plus beaux monuments de la ville grâce à son immense et splendide verrière réalisée par Jean Nouvel. D'une capacité de 1 100 places, l'Opéra réunit un orchestre (60 musiciens), un ballet (30 danseurs), un chœur (26 chanteurs), une troupe et une maîtrise... Avec Ivan Fischer à la baguette, l'Opéra national de Lyon possède une stature internationale. Un amphithéâtre de 200 places propose une programmation plus variée (classique, jazz, musiques du monde).

Théâtre des Célestins – *4 r. Charles Dullin - ☎ 04 72 77 40 00 - courrier@celestins-lyon.org - billetterie : mar.-sam. 12h-18h - fermé août et j. fériés.* La plus grande salle de théâtre à l'italienne de Lyon s'affirme comme un lieu de création et de diffusion majeur. L'éclectisme et la diversité de sa programmation reflètent la volonté d'ouverture que développent Les Célestins, Théâtre de Lyon en direction de tous les publics. Le Théâtre fermera en juin 2003 pour rénovation.

Guignol de Lyon – Compagnie des Zonzons – *2, r. Louis-Carrand.* *Voir p. 198.*

Achats

Marchés – Le dimanche matin, **marché de la Création**, quai Romain-Rolland et **marché de l'Artisanat**, quai Fulchiron. Les **bouquinistes** occupent le quai de la Pêcherie, chaque après-midi. Vente de produits régionaux et petits bouchons aux Halles de Lyon, 102 cours Lafayette.

Commerce – Les grands magasins (Galeries Lafayette, Printemps, Grand Bazar) se situent dans le 2ᵉ arrondissement entre la place de la République et la place des Cordeliers. Le Centre commercial de La Part-Dieu, un des plus grands d'Europe, réunit 260 magasins et restaurants. La Cité des Antiquaires s'est installée avec ses 150 boutiques, 117 bd Stalingrad à Villeurbanne.

Spécialités – Parmi les nombreuses spécialités de la ville, ses charcuteries et triperies s'accompagnent volontiers d'un bon beaujolais. Si vous cherchez une rosette, une andouillette ou des quenelles de Lyon, rendez vous chez le charcutier-traiteur **Reynon**, 13 r. des Archers ou chez **Pignol**, 8 pl. Bellecour ; si vous préférez goûter différents produits autour d'un verre de beaujolais, c'est aux Halles qu'il faut aller.

Les promenades dans les quartiers anciens et les secteurs piétonniers peuvent aussi être l'occasion de découvrir des friandises lyonnaises parmi lesquelles figurent en bonne place les « bugnes », pâtisseries faites de pâtes sucrées et torsadées, ainsi que les « cocons » et les « coussins », sucreries décorées de motifs empruntés à l'industrie de la soie.

Marché de la Création

Atelier de Guignol – *4 pl. du Change - ☎ 04 78 29 33 37 - mer.-dim. 11h-19h.* Une boutique qui vaut le détour puisqu'il s'agit de l'un des derniers fabricants de marionnettes en France... Le Guignol lyonnais créé en 1808 par Laurent Mourguet domine bien sûr la production, avec Gnafron et Madelon. Mais vous pouvez aussi commander votre marionnette sur mesure, ou apporter une photo qui servira de modèle. L'Atelier propose également des cours de manipulation.

L'Atelier de Soierie – *33 r. Romarin - ☎ 04 72 07 97 83 - lun.-sam. 9h-12h, 14h-19h - fermé j. fériés.* Lyon fut la capitale française de la soie à partir du 16ᵉ s. Aujourd'hui, l'Atelier de Soierie perpétue ce

Coussins de Lyon

savoir-faire, mêlant l'utilisation de métiers traditionnels et la peinture à la main. Entre autres spécialités, la panne de velours, exclusivement réalisée à Lyon, est une mousseline de soie et de velours façonnée en relief puis peinte à la main. Superbe !

Pignol – *8 pl. Bellecour - ☎ 04 78 37 39 61 - lun.-sam. 8h-19h30 ; août : mar.-sam.* Ce traiteur très réputé exerce ses talents depuis 1954. Après des débuts artisanaux rapidement couronnés de succès, la famille Pignol a multiplié les conquêtes et possède aujourd'hui sept restaurants et deux unités de production... Pour la finale de la Coupe Davis et les Jeux Olympiques d'Albertville, c'est à Pignol que fut confié le soin de réaliser les repas.

Quenelles Giraudet – *2 r. du Col.-Chambonnet - ☎ 04 72 77 98 58 - lun. 14h30-19h, mar.-jeu. 8h30-12h30, 14h30-19h, ven., sam. 8h30-12h30, 14h-19h30 - fermé 3 sem. août.* La maison Giraudet fabrique ses fameuses quenelles depuis 1910 dans le plus pur respect de la tradition bressane. Dans la boutique, vous pourrez également apprécier plus de 20 sauces garanties sans arôme ajouté ni conservateur.

Voisin – *28 r. de la République - ☎ 04 78 42 46 24 - lun. 14h-19h, mar.-sam. 9h-19h30.* Cette maison fabrique une cinquantaine de chocolats, pâtes de fruits, fruits confits et autres savoureuses spécialités lyonnaises. Elle approvisionne aussi ses 19 boutiques de l'agglomération lyonnaise en cafés fraîchement torréfiés et en thés grands crus. Un *must*!

découvrir

LES PLACES DE LA PRESQU'ÎLE

Visite : une journée ; les musées sont décrits dans la rubrique « visiter ».

Véritable cœur de la ville, la Presqu'île regroupe autour de la place Bellecour les grands quartiers centraux de Lyon. Sa fonction commerçante y est définie depuis longtemps ; jusqu'au 19e s., celle-ci s'exerçait principalement autour de la rue Mercière. Deux grands axes piétonniers la traversent entre la place des Terreaux et la gare de Perrache : la rue de la République au Nord et la rue Victor-Hugo au Sud.

La rue de la République, animée de grands magasins, boutiques, cinémas et brasseries, est bordée d'immeubles caractéristiques des constructions lyonnaises du 19e s. avec des façades percées de hautes fenêtres dont le linteau s'orne d'un lambrequin en tôle découpée ; deux autres rues commerçantes ont un tracé s'orientant du Nord au Sud : la rue du Président-Herriot et la rue Paul-Chenavard.

Les quartiers situés au Sud de la place Bellecour épousent les contours de l'ancienne île des Canabae, où se développa l'abbaye d'Ainay.

Véritable cœur de Lyon, la Presqu'île offre de très belles vues sur les quais de Saône et le Vieux Lyon.

LA PRESQU'ÎLE

Childebert (R.)	FY 27
Juin (Pt Alphonse)	FX 84
Lafayette (Pt)	FX 88
Morand (Pt)	FX 107
Platière (R. de la)	FX 121

Hôtel de Gadagne	FX	M4
Hôtel de ville	FX	H
Musée de la civilisation gallo-romaine	EY	M10
Musée des Hospices civils	FY	M14
Musée de l'Imprimerie	FX	M16

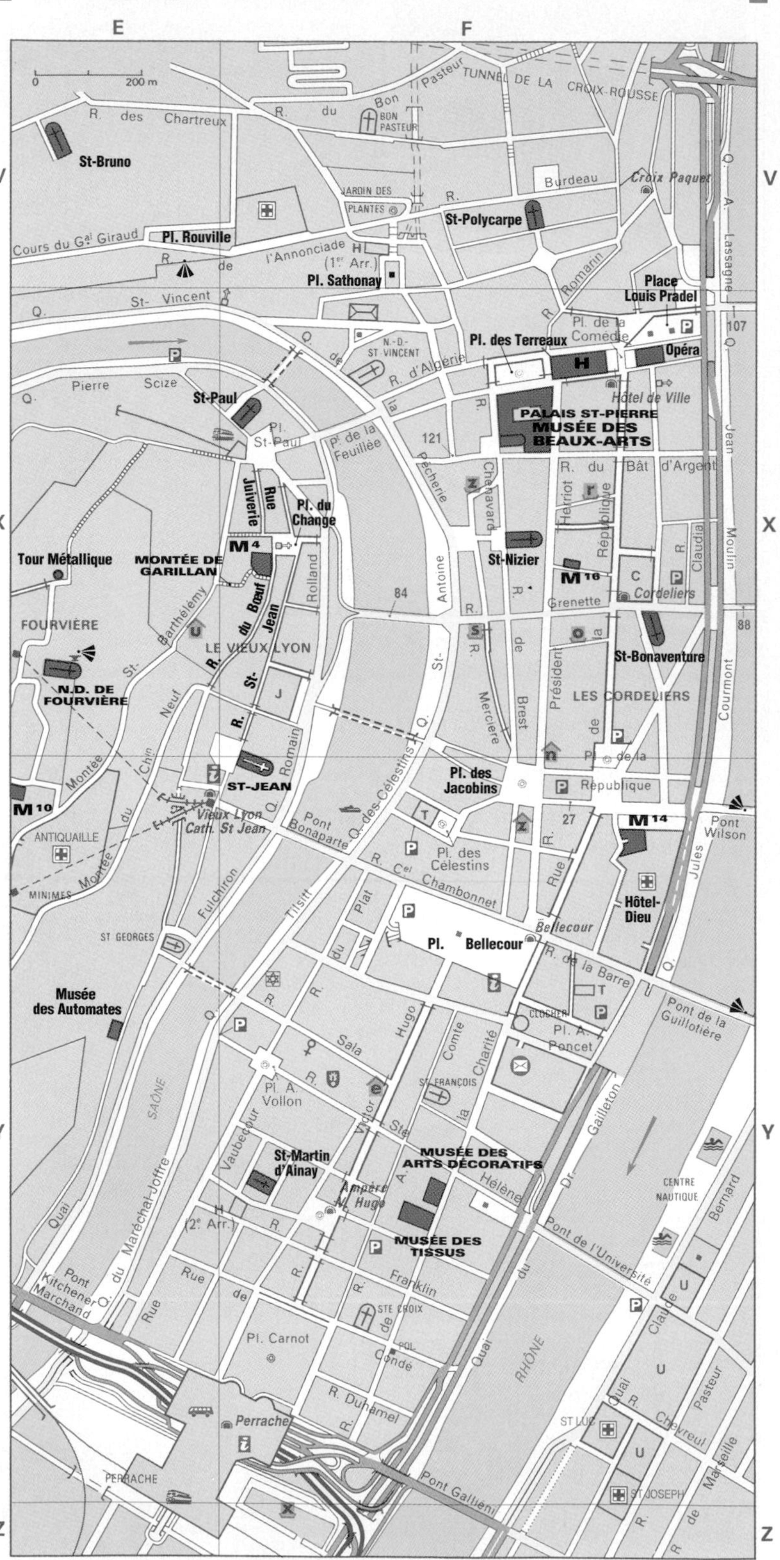

Place Bellecour

Cette célèbre place, dominée à l'Ouest par la silhouette curieuse de la basilique de Fourvière, est l'une des plus vastes de France (310 m sur 200). Les immenses façades symétriques qui la bordent à l'Ouest et à l'Est, de style Louis XVI, datent de 1800.

Sous le nom de « cheval de bronze », les Lyonnais désignent la statue équestre de Louis XIV. Deux bronzes des frères Coustou, le Rhône et la Saône, orientés vers les rives concernées, ornent son piédestal qui porte, sur les deux faces, cette inscription : « *Chef-d'œuvre de Lemot, sculpteur lyonnais.* »

Une première statue équestre du grand roi, œuvre de Desjardins (1691), avait été dressée ici dès 1713 ; considérée comme un symbole de la royauté, elle fut renversée, brisée et fondue sous la Révolution. La statue actuelle (1828) fut à son tour menacée en 1848 ; elle allait être jetée lorsque le commissaire extraordinaire de la République la sauva en présentant comme une atteinte à la royauté le remplacement de la pompeuse inscription en l'honneur de *Ludovicus Magnus* par un hommage au talent de Lemot.

Au Sud-Est de la place, isolé, devant l'hôtel des Postes, s'élève le clocher de l'ancien **hôpital de la Charité** (17e s.).

Au Nord-Est, la Banque nationale de Paris a succédé à une salle où furent données les premières projections du cinématographe Lumière *(voir p. 67 : La Sortie de l'usine Lumière)*.

LIFTING

Véritable symbole de la ville, l'immense place avec ses arbres plus que centenaires (150 ans environ) est un lieu incontournable pour les Lyonnais ou les visiteurs de passage. Elle a beaucoup souffert de l'implantation du métro et du parking souterrain. Un grand projet de rénovation va lui rendre sa jeunesse et même l'agrémenter d'un petit canal (côté Nord).

Harmonieuse synthèse des styles classique et moderne, l'Opéra projette Lyon dans le 21e s.

Place Louis-Pradel

Décorée d'une fontaine et de sculptures d'Ipoustéguy, elle allie les formes anciennes et modernes.

Opéra de Lyon – Face à l'hôtel de ville, au Sud de la place, le nouvel opéra est l'aboutissement d'une heureuse modernisation. La façade de l'ancien théâtre a été conservée et les huit muses du fronton semblent soutenir l'immense verrière semi-cylindrique, œuvre de l'architecte Jean Nouvel. L'intérieur, outre le foyer rococo d'origine, abrite un amphithéâtre pour les concerts, une salle à l'italienne de 1 300 places, ainsi qu'un restaurant situé sous la verrière.

L'édifice prend une dimension particulière lorsque les éclairages nocturnes, à dominante rouge, mettent en valeur les contrastes de son architecture.

Sa réhabilitation réussie a été récompensée par son élévation au rang d'Opéra national.

LE COMPTE N'EST PAS BON

Sur le fronton de l'Opéra, huit muses apportent leur grâce légendaire à la belle façade. Tout serait pour le mieux si les impératifs de la symétrie n'avaient limité leur nombre à huit. Une petite enquête a pu déterminer que c'est Uranie, la muse de l'astronomie, qui a fait les frais de cette rigoureuse disposition.

Place des Jacobins

Elle est dominée par la majestueuse fontaine des Jacobins élevée en 1886 à la mémoire de quatre artistes lyonnais, portant le costume de leur époque : Philibert Delorme (architecte), Hippolyte Flandrin (peintre), Guillaume Coustou (sculpteur) et Gérard Audran (graveur).

Les quatre chevaux frémissants de la fontaine Bartholdi symbolisent les Fleuves allant à l'Océan.

Place des Terreaux

Pour la voir selon sa plus belle perspective, se placer du côté Nord, près des terrasses de café.

La place, égayée par les vols de pigeons, est le cœur de l'animation lyonnaise. Elle tire son nom du comblement, au moyen de terres rapportées ou terreaux, d'un ancien lit du Rhône ; c'est tout près d'ici que se trouvait le confluent, à l'époque romaine.

En 1642, Cinq-Mars y fut décapité, en présence d'une foule de spectatrices venues voir tomber une aussi jolie tête.

La célèbre **fontaine★** monumentale en plomb est due au sculpteur **Bartholdi**. Au Sud, la place est bordée par la façade du palais St-Pierre (17e s.).

Le réaménagement de 1994, confié à Buren, a conduit à la mise en place d'un dallage en granit assorti de 14 piliers et de 69 jets d'eau ; un éclairage nocturne élaboré vient compléter ce nouvel agencement.

Hôtel de ville – Cette remarquable construction, en partie Louis XIII, élevée d'après les plans de Simon Maupin, forme un grand rectangle de bâtiments, cantonné de pavillons et enserrant une cour d'honneur : l'originalité de celle-ci réside dans ses deux niveaux, séparés par un portique en hémicycle.

Longer l'édifice par la rue Joseph-Serlin.

Sur la place des Terreaux, la façade primitive a disparu à la suite d'un incendie en 1674. Jules Hardouin-Mansart et Robert de Cotte, chargés de la réfection, transformèrent profondément cette façade ; les pavillons latéraux et le beffroi furent coiffés d'un dôme. Au centre, un grand tympan arrondi, soutenu par des atlantes, est orné, sous les armes de la ville, d'une statue équestre de Henri IV.

LE VIEUX LYON★★★

> **L'ACCÈS AUX TRABOULES**
> Les traboules sont des passages privés habituellement fermés par les riverains. Des conventions permettent d'assurer le libre accès à un certain nombre d'entre elles ; il est conseillé de faire le circuit le matin en n'hésitant pas à utiliser les boutons d'ouverture des portes. Pour plus de détails, lire « *Le Vieux Lyon - Old Lyon* », par M.-A. Nicolas (Éd. lyonnaise d'art et d'histoire).

Étiré sur plus de un kilomètre de longueur entre la Saône et Fourvière, le Vieux Lyon se compose des **quartiers St-Jean**, au centre, **St-Paul**, au Nord, et **St-Georges**, au Sud. C'était autrefois le centre de la cité, où se regroupaient toutes les corporations, notamment les ouvriers de la soie – on comptait 18 000 métiers à tisser à la fin du règne de François Ier. Négociants, banquiers, clercs, officiers royaux y habitaient de magnifiques demeures. Près de 300 d'entre elles ont été conservées, formant un exceptionnel ensemble urbain de l'époque Renaissance.

Dans ce secteur sauvegardé, objet de très importants travaux de restauration, on remarque la variété de la décoration de ces logis, le soin apporté à leur construction et leur hauteur, qu'explique le manque de place : ces maisons vieilles de quatre siècles ont fréquemment quatre étages d'origine. Des étages supplémentaires furent très tôt ajoutés pour pouvoir exposer les métiers à tisser à la lumière.

Une des caractéristiques du Vieux Lyon sont ses nombreuses **traboules** *(du latin « trans ambulare », circuler à travers)*, notamment entre la rue St-Jean, la rue des Trois-Marie et le quai Romain-Rolland, la rue St-Georges et le quai Fulchiron. Faute de place pour aménager un large réseau de rues, ces passages perpendiculaires à la Saône relient les immeubles par des couloirs voûtés d'ogives ou de plafonds à la française et des cours intérieures à galeries Renaissance.

L'aspect des logis, reflétant la date de leur construction, échelonnée du 15e au 17e s., permet d'y distinguer plusieurs styles.

Les **maisons fin gothique** se signalent par l'élégante décoration de leur façade de style flamboyant : arcs polylobés ou en accolades, fleurons, gâbles sculptés et ornés de crochets. Les fenêtres s'ordonnent souvent sur un rythme dissymétrique. Un couloir voûté d'ogives conduit à une cour intérieure où une tourelle d'angle abrite l'escalier à vis.

Les **maisons Renaissance fleurie** sont les plus belles et les plus nombreuses. La structure n'a pas changé, mais l'ensemble de la construction est plus important. De nouveaux détails décoratifs, d'inspiration italienne, apparaissent. Les tourelles d'escalier, polygonales, sont d'une parfaite exécution. Chaque cour possède ses galeries superposées, à arcs surbaissés.

Les **maisons Renaissance française** sont moins nombreuses. On y relève le retour à l'antique avec l'apparition des « ordres ». Le célèbre architecte Philibert Delorme, d'origine lyonnaise, lance ce nouveau style avec sa galerie sur trompes, 8 rue Juiverie. L'escalier, souvent rectangulaire, est établi au centre de la façade.

Les **maisons fin 16e s. et préclassiques** se signalent par la rigueur des lignes. La décoration des façades se concentre au rez-de-chaussée : frontons triangulaires avec claveau central en relief, appareil en bossage. Les galeries sur cour trahissent une influence florentine : arcades en plein cintre, reposant sur des colonnes rondes.

Au cours de la visite, appréciez au passage : statues de la Vierge dans les cours ou dans les niches d'angle, enseignes sculptées, impostes et grilles en fer forgé, traboules, vieux puits, amusants culs-de-lampes des retombées d'ogives des couloirs voûtés.

Du Vieux Lyon, on admire souvent les façades et les traboules. Les montées sur Fourvière dévoilent le bel ensemble de ses toitures qui annoncent déjà le Midi.

Quartiers St-Jean et St-Paul

Circuit au départ de la place St-Jean.

Place St-Jean

Au centre se dresse une fontaine à quatre vasques surmontée d'un petit pavillon ajouré abritant la scène du baptême du Christ. Elle est bordée à l'Est par la primatiale St-Jean et la manécanterie.

Manécanterie – Sur la place St-Jean, à droite de la façade, s'élève un édifice du 12e s., la manécanterie ou maison des chantres. Enfoncée de 0,80 m par suite de l'élévation du sol, la façade, décorée d'une arcature aveugle, surmontée d'incrustations de brique rouge, de colonnettes et niches à personnages, a conservé, malgré des remaniements, une allure romane.

Primatiale St-Jean★ – *Possibilité de visite guidée dans le cadre de la visite du Vieux-Lyon. S'adresser à l'Office de tourisme.*

Commencée au 12e s., la cathédrale ou « primatiale » (siège du primat) St-Jean est un édifice gothique, élevé à partir d'une abside romane. Elle se signale extérieurement par ses quatre tours, deux à la façade et deux sur les bras du transept, qui dépassent de peu la hauteur de la nef. Les lignes horizontales de la façade sont mises en valeur par les gâbles aigus des portails et la pointe du pignon central, surmonté d'une statue du Père éternel. Les trois portails à gâbles et quadrilobes étaient ornés de statues, détruites pendant les guerres de Religion par les troupes du baron des Adrets ; mais les piédroits ont conservé leur remarquable **décoration★**, du début du 14e s.

Plus de 300 médaillons forment une suite de scènes historiées : au portail central, les Travaux des mois, le Zodiaque, l'histoire de saint Jean-Baptiste, la Genèse ;

La façade de la cathédrale St-Jean, élevée au 15e s., a constitué la dernière étape de la construction.

au portail de gauche, les histoires de Samson, de saint Pierre et l'Apocalypse ; à droite, la légende de Théophile. À l'intérieur, remarquez l'absence de déambulatoire qui caractérise les églises du Lyonnais. La nef *(illustration p. 75)*, avec ses voûtes d'ogives sexpartites retombant sur de fines colonnes engagées, présente une belle unité gothique.

Le **chœur**★★ constitue avec l'abside la partie la plus ancienne de l'église : la construction du soubassement date du 12e s. La décoration de l'abside est un exemple typique de l'art roman dans la vallée du Rhône. Au pourtour de l'abside, une série de pilastres cannelés supporte une arcature aveugle, surmontée d'une frise de palmettes en inscrustations de ciment brun-rouge *(voir la cathédrale St-Maurice de Vienne)*.

Deux autres frises de même style se développent au-dessus et au-dessous du triforium qui, avec ses pilastres et son arcature en plein cintre, contraste avec celui, gothique, de la nef.

Le **trône de l'évêque** est adossé au mur de l'abside. Remarquez, au-dessus du simple pilastre qui lui sert de dossier, un petit chapiteau roman représentant le Christ.

Des **vitraux** du début du 13e s. garnissent les fenêtres basses du chœur. Les médaillons de la fenêtre centrale, consacrés à la Rédemption, sont les plus remarquables. Les vitraux des fenêtres hautes (13e s.), très restaurés, montrent des figures de prophètes.

Les roses du transept et la grande rose de la façade portent des verrières gothiques. Dans le croisillon gauche, une **horloge astronomique**★ *(illustration p. 74)*, remontant au 14e s., donne une curieuse sonnerie dite de l'hymne à saint Jean, avec chant du coq et jeu d'automates représentant l'Annonciation. *Jeux d'automates à 12h, 14h, 15h et 16h.*

SOLENNITÉS

La cathédrale a abrité, en 1245 et 1274, les deux conciles de Lyon ; au siècle suivant, elle fut le théâtre de la consécration du pape Jean XXII. En 1600, Henri IV y épousa Marie de Médicis. Plus près de nous, en 1943, s'y sont déroulées les fêtes du 6e Grand Pardon ; ces fêtes se célèbrent environ une fois par siècle lorsque la Fête-Dieu coïncide, le 24 juin, avec la Saint-Jean-Baptiste, titulaire de l'église.

La **chapelle des Bourbons**★, de la fin du 15e s., présente une parure flamboyante d'une remarquable finesse.

Contourner la cathédrale par la droite (rue St-Étienne) et gagner le jardin archéologique.

Jardin archéologique

Sur le site de l'église St-Étienne, au Nord de l'actuelle primatiale, ont été mis au jour les vestiges de plusieurs édifices qui se sont succédé depuis le 4e s. : thermes gallo-romains, baptistère paléochrétien, arcade de l'église Ste-Croix (15e s.).

L'étroite rue Ste-Croix conduit à la rue St-Jean.

Rue St-Jean★★

C'était l'artère principale du Vieux Lyon, empruntée par les cortèges royaux et les processions religieuses.

Juste à droite, l'ancien « **hôtel de la Chamarerie** », au n° 37, fut édifié au 16e s. pour le chamarier de la primatiale, responsable de la surveillance du cloître. Sa façade, remaniée au 19e s., est de style gothique flamboyant.

Au croisement avec la rue de la Bombarde, s'engager légèrement sur la gauche pour admirer la Maison des Avocats.

Principale artère traversant une bonne partie du Vieux Lyon, la rue St-Jean est très animée grâce à ses nombreux bouchons et ses boutiques d'artisanat.

Avec ses galeries à arcades reposant sur des colonnes massives et ses dépendances revêtues de crépi rose, la **Maison des Avocats★** forme, côté rue de la Bombarde, un bel ensemble du 16e s., d'inspiration italienne.

Le n° **58** se distingue par son puits à voûte tripartite, accessible à la fois de la cour, de l'escalier et de l'échoppe.

Le n° **54**, ouvre sur **la plus longue traboule** du Vieux Lyon qui traverse cinq cours avant d'aboutir au 27 rue du Bœuf.

Le n° **52** était la résidence de l'imprimeur Guillaume Leroy (fin 15e s.). Il comporte un escalier à vis logé dans une tour ronde dont les baies s'appuient sur des arcs rampants.

Le n° **50** est un bel exemple rénové d'une cour ornée de galeries et d'un escalier à vis.

On retrouve les mêmes éléments au n° **42** qui a conservé un ancien passage en encorbellement supporté par des consoles sculptées.

Au n° **36**, maison de la fin du 15e s., où une tour polygonale abrite l'escalier à vis ; les clefs de voûte des galeries sont ornées d'écussons aux deux premiers niveaux, et le puits est couvert d'un dais en coquille orné de perles.

Prendre presque en face la rue du Palais-de-Justice et tourner à gauche dans la rue des Trois-Maries.

Véritables trésors du Vieux Lyon, les cours restaurées offrent de belles surprises.

Rue des Trois-Maries

Elle tire son nom de la niche ornant le fronton du n° **7**, et abritant la Vierge entre deux saintes femmes.

Du côté impair s'ouvrent de nombreuses traboules qui descendent vers la Saône ; le n° **9**, par exemple, donne sur le 17, quai Romain-Rolland.

Au n° **5**, à côté, autre niche, à coquille, montrant une Vierge à l'Enfant.

Le n° **3** est un bel immeuble Renaissance française dont l'escalier, au centre de la façade, est surmonté d'une tour ; on retrouve cette disposition au n° 5, place du Gouvernement.

Revenir au n° 6 et « trabouler » en traversant deux cours pour aboutir au 27 rue St-Jean.

Rue St-Jean *(suite)*

La façade du n° **27** possède des fenêtres à meneaux encadrées de pilastres cannelés.

Le n° **28** cache une magnifique **cour★★** ; son imposante tour renferme un escalier à vis ; les voûtes d'une des galeries sont ornées de décors surprenants.

Le n° **24** est l'**hôtel Laurencin** ; une tour octogonale, crénelée au niveau supérieur, abrite l'escalier à vis. Les loggias des galeries superposées sont voûtées sur croisées d'ogives.

Traverser la place de la Baleine et gagner la place du Gouvernement.

Place du Gouvernement

La façade du n° **5**, avec ses portails surmontés d'impostes en fer forgé et d'un balcon de pierre, est du début du 17e s. Au n° **2** se situe l'**hôtel du Gouvernement** (16e s.), dont on atteint la **cour★** haute par un long passage couvert d'ogives ; du puits, à droite, ne subsiste plus que le couronnement à coquille (traboule avec le 10 quai Romain-Rolland).

Regagner la rue St-Jean et la suivre jusqu'à la place du Change.

Place du Change

À l'origine place de la Draperie, elle fut, aux 15e et 16e s., fréquentée par les changeurs de monnaie. La **loge du Change** est pour une grande partie l'œuvre de l'architecte Soufflot qui transforma l'édifice d'origine de 1747 à 1750 : à l'étage, des colonnes engagées sont surmontées de chapiteaux ioniques et d'entablements sculptés. Depuis 1803, le bâtiment est affecté au culte de l'Église réformée.

Au n° **2**, en face, la **maison Thomassin** possède une façade édifiée au 15e s. dans le style du 14e s. : au 2e étage, les baies accolées par des meneaux et se terminant par des arcs trilobés s'inscrivent dans des arcs en ogive où apparaissent des blasons.

Continuer tout droit et remonter la rue Lainerie.

Rue Lainerie

Peu homogène, elle a conservé quelques maisons intéressantes côté pair.

Le n° **18**, par exemple, présente un superbe **couloir voûté★** dont les ogives retombent sur des culs-de-lampe sculptés.

Au n° **14**, la **maison de Claude de Bourg** a été construite en 1516 pour ce riche magistrat lyonnais et présente une riche façade fleurie très caractéristique avec ses accolades abondamment sculptées. À hauteur du 2e étage, une niche d'angle à coquille abrite une Vierge.

On peut rejoindre, sur la droite, la rue Louis-Garrand où est situé le théâtre de Guignol.

Le Guignol de Lyon – Compagnie des Zonzons

2 r. Louis-Carrand - ☎ 04 78 28 92 57 - zonzons@club-internet. fr - billetterie : mar.-ven. 9h30-12h, 14h-18h, sam.-dim. 14h-18h - fermé août et janv.

Pour les enfants, la compagnie des Zonzons propose des pièces mêlant le burlesque et le fantastique, un peu dans la tradition des cartoons de Tex Avery, histoire de donner au personnage de Guignol un petit coup de jeune... Pour les adultes, les spectacles sont plus mordants et s'inspirent des événements de la vie lyonnaise. Festival « Moisson d'avril » des arts de la marionnette.

La rue Lainerie se termine par la place St-Paul où l'on peut voir la gare et, un peu en retrait, l'**église**. *14h-18h. ☎ 04 78 28 34 45.*

Tourner à gauche dans la rue Juiverie.

Rue Juiverie★

Les Juifs en furent expulsés à la fin du 14e s. ; les banquiers italiens, qui s'y installèrent, firent élever de somptueuses demeures.

L'**hôtel Paterin** ou « maison Henri IV », au n° **4**, est un important témoin de l'art de la Renaissance ; l'**escalier**, dans la cour d'honneur, avec ses trois séries d'arcades superposées reposant sur des colonnes massives produit un bel effet. À droite, dans une niche, buste de Henri IV.

Au n° **8**, la 2e cour de l'**hôtel Bullioud** montre la célèbre **galerie★★** de Philibert Delorme, joyau de l'architecture de la Renaissance française à Lyon, qu'il édifia en 1536, à son retour de Rome. La façade Renaissance de la **maison d'Antoine Groslier de Servières** (n° **10**) présente, au rez-de-chaussée, cinq arcades surmontées de frontons en marbre noir, triangulaires ou brisés.

Le n° **21** se distingue par ses fenêtres accolées aux frontons cintrés. Son sous-sol cache une cave gallo-romaine.

Entre les nos 16 et 18, la pittoresque **ruelle Punaise**, pentue, rejoint la montée St-Barthélemy ; au Moyen Âge, elle servait d'égout à ciel ouvert.

Des trompes soutenant les pavillons d'angles décorés à l'antique, une frise dorique richement décorée, l'hôtel Bullioud a sans conteste la plus belle galerie du Vieux Lyon.

Au n° **20**, maison construite par un gentilhomme prospère du 15ᵉ s. : E. Grolier. La façade est ornée de fenêtres à meneaux flanquées de colonnettes. Dans la cour, remarquez la tour qui abrite un escalier à vis, et les galeries voûtées d'ogives.

Le n° **22**, dite **maison Baronat,** possède une tourelle d'angle en encorbellement surplombant la montée du Change.

Au n° **23**, à l'angle formé avec la rue de la Loge s'élève la **maison Dugas** dont la longue façade est ornée de bossages et de têtes de lions.

Tourner à gauche dans la rue de la Loge, puis à droite dans la rue Gadagne.

Hôtel de Gadagne★

Il s'étend du n° 10 au n° 14 de la rue de Gadagne et constitue le plus vaste ensemble Renaissance du Vieux Lyon. En 1545, il fut acheté par les frères Gadagne, banquiers d'origine italienne à la fortune colossale ; « riche comme Gadagne » devint un dicton lyonnais. Remarquez, côté rue, sur la façade en retrait, la tour à pans coupés avec, à sa gauche, la grille du soupirail, chef-d'œuvre de serrurerie. Dans la cour intérieure, deux corps de bâtiments aux vastes fenêtres à meneaux sont reliés par trois étages de galeries. Le puits, coiffé d'un dôme à écailles, a été transféré ici de la maison du Chamarier *(37 rue St-Jean - voir p. 181)* ; il est attribué à Philibert Delorme.

L'hôtel abrite le musée historique de Lyon et le musée international de la Marionnette.

Connue pour ses etablissements hôteliers la rue du Bœuf invite à la flânerie au milieu de ses vénérables façades colorées.

Musée historique de Lyon★ – *Tlj sf mar. 10h45-18h. 3,81€ (billet incluant le musée de la Marionnette). ☎ 04 78 42 03 61.*

Les salles du rez-de-chaussée, aménagées en **musée lapidaire★**, présentent des bas-reliefs et sculptures provenant d'églises ou abbayes lyonnaises anciennes, notamment d'Ainay, de St-Pierre et de l'île Barbe (bas-relief de l'Annonciation, manteau de cheminée dit « Couronne de Charlemagne »). Les trois autres étages sont en partie consacrés à l'histoire de Lyon, de la Renaissance au 19ᵉ s. Au hasard des salles, on peut également admirer des faïences, étains, meubles lyonnais, une remarquable collection de faïences de Nevers des 17ᵉ et 18ᵉ s. Nombreux documents et objets concernant la Révolution à Lyon, ainsi que des souvenirs de Napoléon Iᵉʳ (clés de la ville, 18ᵉ s.). Deux autres salles retracent l'histoire du compagnonnage avec présentation de chefs-d'œuvre et d'emblèmes de compagnons. Peintures et estampes représentent la ville.

Musée international de la Marionnette★ – Au 1ᵉʳ étage de l'hôtel Gadagne, il rassemble autour de Guignol et des marionnettes à gaine créées par Laurent Mourguet *(p. 181)*, une collection exceptionnelle de marionnettes (à tringle, fils, tige et théâtres d'ombres) provenant de France, d'Angleterre, de Belgique, de Hollande, de Venise, de Turquie, de Russie et d'Extrême-Orient.

Au Sud de l'hôtel de Gadagne s'ouvre la montée du Garillan.

Traverser la place du Petit-Collège et gagner la rue du Bœuf.

Rue du Bœuf★

Elle présente de beaux ensembles Renaissance, parfois occupés par des établissements hôteliers haut de gamme.

Au n° **6**, l'hôtel « **La Cour des Loges** » occupe un bel ensemble restauré de quatre immeubles. On peut, avec discrétion ou à l'occasion d'un petit rafraîchissement, admirer la cour et ses galeries en U étagées sur 3 niveaux.

> **INEXACT !**
> La rue du Bœuf doit son nom à une statue de bœuf, enseigne attribuée à M. Hendricy et située à l'angle de la place Neuve-St-Jean : il n'y a pas besoin d'être naturaliste distingué pour remarquer qu'il s'agit en fait d'un taureau !

Le n° **14** donne sur une cour à tour polygonale et galeries dont les arcs suspendus sont surmontés d'une frise grecque.

Au n° **16**, la **maison du Crible★**, du 17ᵉ s., possède un riche portail à bossages et colonnes annelées, dont le fronton est orné d'une petite *Adoration des Mages*, attribuée à Jean de Bologne. Une allée voûtée d'ogives repo-

VIEUX LYON-FOURVIÈRE

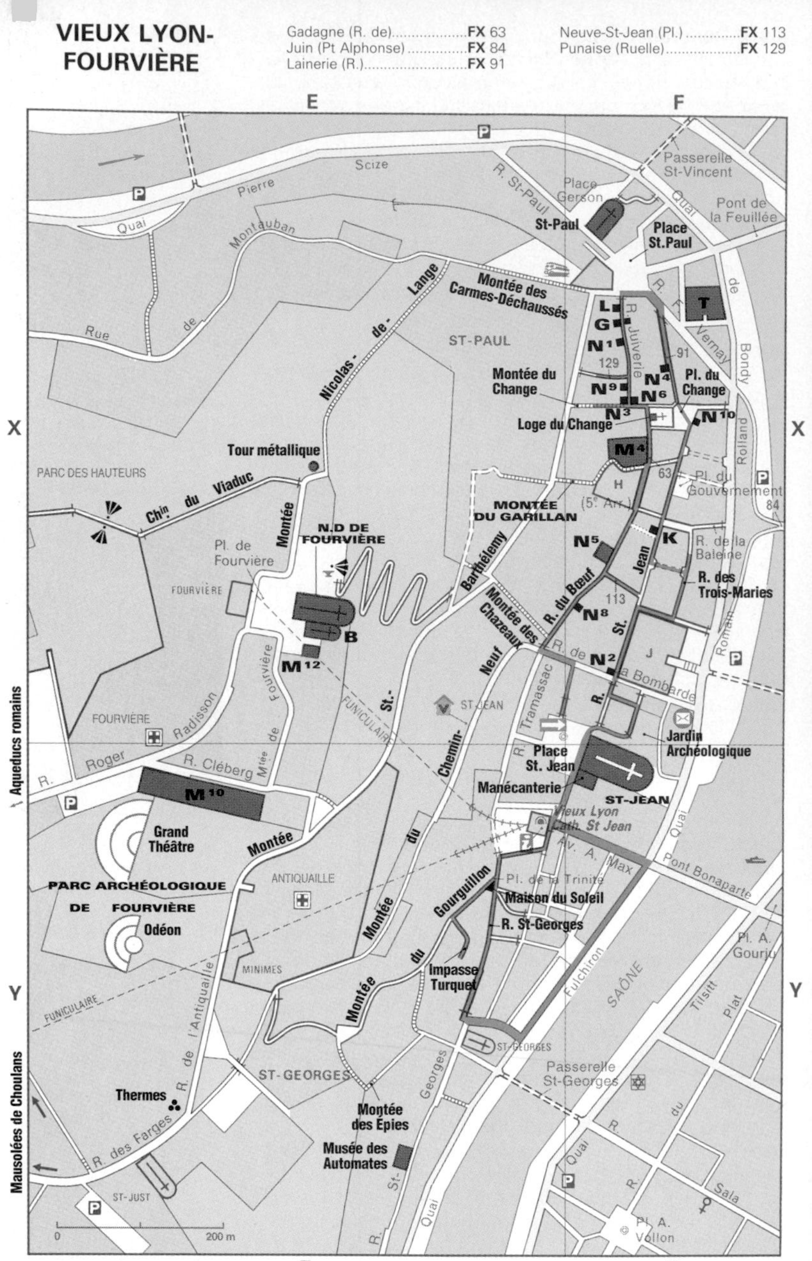

sant sur des culs-de-lampe sculptés mène à une cour intérieure, dont l'élégante tour ronde, aux ouvertures décalées, doit à son célèbre crépi le nom de « **Tour rose** ». *Ne pas monter vers les jardins suspendus.*

La « Tour Rose » est également le nom du célèbre complexe hôtelier qui a déménagé au n° **22** : il est possible, avec l'aimable autorisation de l'hôtel, de découvrir ses deux cours étagées ; un verre dans le bar de l'établissement peut être une occasion de contempler l'un des deux murs de jeu de paume du Vieux Lyon encore visibles.

Place Neuve-St-Jean

Ancienne rue transformée en place sous le Consulat, signalée à une extrémité par l'enseigne de la rue du Bœuf et à l'autre par une niche qui abrite une statue de saint Jean-Baptiste. Au n° **4**, en retrait, vaste demeure avec un bel escalier sur arcs rampants correspondant à des galeries à arcs surbaissés.

Reprendre la rue du Bœuf.

La **maison de l'Outarde d'Or** se signale, au n° **19**, par son enseigne en pierre sculptée ; la cour est surtout intéressante par ses deux tourelles : l'une, ronde, sur trompe, l'autre, en encorbellement, de section rectangulaire sur une pyramide renversée.

Le n° **27** est la traboule la plus longue (qui communique avec le 54, rue St-Jean).

Le n° **36** s'ouvre sur une belle cour ornée de galeries restaurées ; il est intéressant de les comparer (en se retournant) à celles du n° **38**, restées obturées par des constructions parasites. La plupart des galeries avaient été fermées avec la paupérisation du quartier, pour gagner de la place et avoir une meilleure isolation.

Le n° 31 traboule vers la rue de la Bombarde (à droite). Prendre en face (ou presque) la rue des Antonins qui ramène à la place St-Jean.

De la station de métro St-Jean s'offre la possibilité d'utiliser la correspondance avec le funiculaire ou « ficelle » menant à Fourvière, et d'y revenir après avoir visité la basilique, le musée de la Civilisation gallo-romaine et les théâtres romains. Une visite rapide du quartier St-Georges peut agréablement compléter celle que vous venez de faire.

Les fins gastronomes connaissent bien la Tour Rose qui est également le nom de cette belle tour emblématique du quartier.

Quartier St-Georges

Gagner la rue Mourguet que l'on remonte jusqu'à la place de la Trinité.

Place de la Trinité

Maison du Soleil – Rendue célèbre par le décor de Guignol, elle agrémente la place d'un charme vieillot ; les niches d'angle de sa façade abritent, à droite, la statue de saint Pierre, à gauche, celle de la Vierge. L'emblème du soleil surmonte une fenêtre à meneaux plats au 1er étage.

À l'intérieur *(accès par le n° 2 rue St-Georges)*, la cour présente des balcons en ellipse.

Montée du Gourguillon

Sur les pentes de Fourvière, c'était au Moyen Âge la voie couramment empruntée par les charrois se rendant en Auvergne ; on a peine à imaginer les lourds équipages gravissant une pente aussi raide. C'était également la communication directe entre le cloître St-Jean des chanoines-comtes et St-Just, la ville fortifiée des chanoines-barons. Au n° 2, maison Renaissance. Un peu plus haut, l'**impasse Turquet** (à gauche) est plutôt pittoresque avec ses vieillottes galeries de bois.

Rue St-Georges

Au rez-de-chaussée du n° **3**, les arcs sont en anse de panier, et l'imposte du portail est décorée de deux lions debouts en fer forgé. Au n° **3 bis**, l'imposte est ornée d'un phénix sur son bûcher. Au n° **6**, la maison du 16e s. possède une jolie cour intérieure (galerie d'art) ; l'escalier à vis est logé dans une tour ronde à ouvertures sur rampants.

Le n° **10** traboule vers le n° 12.

Continuer jusqu'au n° 100 si vous voulez voir le musée « La Renaissance des Automates ».

Musée « La Renaissance des Automates » – *100 r. St-Georges. ♿ 14h30-18h. 6,50€ (enf. : 4€). ☎ 04 72 77 75 28 ou ☎ 04 72 77 75 20.*

Plus de 250 automates en fonctionnement sont présentés selon des thèmes culturels, traditionnels et régionaux.

Sinon, tourner à droite au niveau de l'église St-Georges et revenir par le quai Fulchiron.

Au passage, remarquez, au n° 7, une maison de style mauresque réalisée par l'architecte Bossan.

Il n'y a plus de saison, même pour les rois mages qui sont de permanence au musée des Automates.

Lyon, ville lumière

Célèbre par la Fête des Lumières qui l'illumine tous les 8 décembre avec des milliers de bougies, la ville de Lyon avait sans doute des prédispositions pour valoriser son éclairage public ; elle l'a prouvé par la réalisation du « Plan lumière » qui a pour objectifs la sécurité et la mise en valeur de son patrimoine. Plus d'une centaine de sites et monuments ont été choisis pour bénéficier de mises en lumière cohérentes qui leur donnent une nouvelle dimension. La basilique de Fourvière se détache comme un phare au sommet de la colline ; l'Opéra se projette dans le futur avec son immense verrière rougeoyante ; les places des Terreaux ou de la Bourse, les quais de Saône ou du Rhône s'illuminent chaque soir d'éclairages indirects et de toute une palette de couleurs chaudes ou froides selon les lieux. Le « crayon » de La Part-Dieu, le port St-Jean, l'Hôtel-Dieu et de nombreux autres monuments de la ville participent à ce vaste spectacle qui crée une atmosphère empreinte de poésie et de magie. Cette invitation à la vie nocturne, relayée par le développement des animations, fait de « Lyon by night » une étape incontournable. Un guide « *Plan lumière* » est disponible dans les bureaux de l'Office de tourisme.

La descente va mieux que la montée, en tout cas pour le cœur ! Heureusement, il existe aussi le funiculaire pour accéder à Fourvière.

LA COLLINE DE FOURVIÈRE

Visite : une journée – voir plan p. 200

Le nom « Fourvière » viendrait de *Forum vetus*, situé au cœur de la colonie romaine établie en 43 av. J.-C. et dont subsistent quelques vestiges : théâtre, odéon, aqueducs... Le forum, occupant l'emplacement de l'actuelle esplanade de la basilique, se serait effondré en 840.

À partir du 3e s., la colline fut abandonnée et on remploya les pierres pour reconstruire la ville en contrebas. Au Moyen Âge, la colline fut en grande partie remise en culture (surtout celle de la vigne). Au 17e s., de nombreux ordres religieux y implantèrent des établissements, ce qui inspira à l'historien Michelet le mot célèbre : Fourvière, la « colline qui prie » face à la Croix-Rousse, la « colline qui travaille ».

Aujourd'hui, Fourvière avec sa basilique, ses monuments romains, son musée, constitue comme les quartiers anciens qu'elle domine de plus de 100 m un pôle touristique très visité.

Les montées

Escaliers tortueux ou rues en forte pente, les « montées » escaladent la colline de Fourvière tout en offrant des vues plongeantes sur la vieille ville. Chacune possède son charme particulier.

Montées des Carmes-Déchaussés et Nicolas-de-Lange

La première doit son nom au monastère fondé au début du 17e s. et occupé aujourd'hui par les Archives départementales ; elle comporte 238 marches. Si l'on y ajoute les 560 marches de la deuxième, c'est un total de 798 marches qu'il faut descendre pour atteindre la place St-Paul en partant de la tour métallique de Fourvière.

Montée du Change

Elle réunit la rue de la Loge et la montée St-Barthélemy. À la descente, ses degrés offrent une vue amusante sur les flèches de l'église St-Nizier, surgissant des immeubles bordant la Saône.

Montée du Garillan*

Elle est remarquable par ses escaliers en chicane (224 marches).

Montée des Chazeaux

Avec ses 228 marches fort raides, elle rejoint la montée St-Barthélemy.

Montées du Chemin-Neuf et St-Barthélemy

De ces montées, on domine les toits du Vieux Lyon et la primatiale.

Montée du Gourguillon *(voir quartier St-Georges, Vieux Lyon)*

Montée des Épies

Elle grimpe au-dessus du quartier St-Georges et domine l'église St-Georges, édifice néo-gothique dû à Bossan, architecte de la basilique de Fourvière.

Sanctuaire de Fourvière *(voir plan p. 200)*

L'histoire des édifices religieux élevés à l'emplacement du forum romain en l'honneur de la Vierge couvre une période de près de huit siècles. L'actuelle basilique, couronnant de sa silhouette massive la colline de Fourvière, fait partie intégrante du paysage lyonnais.

Basilique Notre-Dame★

Lieu de pèlerinage célèbre, la basilique a été élevée, sur les plans de l'architecte Bossan, après la guerre de 1870 à la suite d'un vœu de Mgr de Genouilhac : l'archevêque de Lyon s'était engagé à construire une église si l'ennemi n'approchait pas de la ville. Ses murailles crénelées pourvues de mâchicoulis et flanquées de tours octogonales constituent un mélange curieux d'éléments byzantins et moyenâgeux *(illustration p. 75)* ; l'abondance de la décoration intérieure - nef et crypte - n'est pas moins insolite. Dans la nef couverte par trois coupoles, des mosaïques relatent l'histoire de la Vierge, à droite dans l'histoire de France, à gauche dans l'histoire de l'Église. À l'entrée, façade Ouest, une dalle incrustée dans le pavement rappelle le passage du pape Jean-Paul II en 1986.

La décoration extérieure de la basilique, d'une blancheur immaculée, atténue la rigueur de l'édifice.

Les mauvaises langues parlent d'éléphant renversé, mais reconnaissez que la basilique de Fourvière a belle allure, mise en valeur par l'éclairage nocturne.

Ancienne chapelle de la Vierge

À droite de la basilique, la chapelle de pèlerinage proprement dite, du 18e s., abrite une Vierge miraculeuse (16e s.).

Musée de Fourvière

D'avr. à déb. déc. : 10h-12h, 14h-17h30. 2,29€ (enf. : gratuit). ☎ 04 78 25 86 19.

Aménagé dans la chapelle et les bâtiments des jésuites, il abrite une collection de statues en bois polychromes (12e -19e s.), différents projets conçus au 19e s. pour la basilique et de nombreux ex-voto.

Points de vue

L'**esplanade** située à gauche de la basilique offre une **vue★** célèbre sur la Presqu'île et la rive gauche du Rhône dominée par la tour du Crédit Lyonnais ; à l'arrière-plan vers l'Est se profile un horizon montagneux : Bugey, Alpes, Chartreuse et Vercors.

Pour avoir un **panorama★★** circulaire, on peut monter à pied à l'**observatoire** de la basilique (287 marches - table d'orientation) ; on découvre alors les monts du Lyonnais, le mont Pilat et le Mont-d'Or ; par beau temps, on distingue à l'Ouest la chaîne des Alpes avec le Mont Blanc et à l'Est, le Puy de Dôme. *Mai-sept. : 10h-12h, 14h-18h30 ; oct.-avr. : w.-end et j. fériés 13h30-17h30. 1,52€. ☎ 04 78 25 13 01.*

Parc des Hauteurs

Prendre un chemin à gauche juste avant la tour métallique. Cette ambitieuse réalisation a pour objectif la mise en valeur de l'ensemble de la colline de Fourvière par la création de promenades panoramiques. La principale originalité a été la construction du « chemin du viaduc », passerelle longue de 72 m, qui offre une belle **vue★** plongeante sur Lyon et la Croix-Rousse.

Tour métallique

Bâtie en 1893 sur le modèle de la tour Eiffel, mais en réduction (85 m de hauteur), elle sert aujourd'hui d'émetteur de télévision.

Parc archéologique de Fourvière★

De mi-avr. à mi-sept. : 7h-21h ; de mi-sept. à mi-avr. : 7h-19h. Gratuit. ☎ 04 72 38 81 90.
Le chantier de fouilles ouvert en 1933 a permis de mettre au jour, à Fourvière, des édifices publics antiques présentés dans un parc. Dans la rue des Farges, on remarque des thermes gallo-romains, et rue des Macchabées ainsi que quai Fulchiron (montée de Choulans) les vestiges de basiliques évoquant les premiers temps du christianisme.

Musée de la Civilisation gallo-romaine★★

♿ *Tlj sf lun. 10h-18h. Fermé 1er janv., 1er mai, 1er nov., 25 déc. 3,81€. ☎ 04 72 38 81 90.*
Sur la colline de Fourvière, au cœur du quartier du plateau de l'antique *Lugdunum*, l'architecte B. Zehrfuss a conçu un musée à l'originale architecture de béton, adossé à la colline et presque entièrement enterré. Ce musée présente par thèmes des collections essentiellement gallo-romaines trouvées en grande partie à Lyon et dans la région ; l'ensemble épigraphique est particulièrement riche.

Cette mosaïque de l'Ivresse de Bacchus *(début 3e s.) montre que le culte de la bonne chère est implanté depuis fort longtemps dans la région.*

Dans l'espace consacré à la préhistoire régionale est exposé le char processionnel de la Côte-St-André, datant de la période de Hallstatt (8e s. av. J.-C.). Les espaces suivants abordent la fondation de *Lugdunum*, son urbanisme, l'administration municipale et provinciale, l'armée, les religions, le théâtre et les jeux du cirque, la vie économique et domestique, le culte des morts et les débuts du christianisme en Gaule. Quelques pièces sont particulièrement remarquables : la **table claudienne★★★**, belle inscription sur bronze du discours de l'empereur Claude prononcé en faveur des Gaulois au Sénat romain en 48 ; le **calendrier gaulois** de Coligny gravé dans le bronze à l'époque romaine. D'autres pièces méritent l'attention : l'inscription dédicatoire de l'amphithéâtre des Trois Gaules, le buste de l'empereur Caracalla, le gobelet d'argent aux dieux gaulois, les larves ou masques funéraires, la mosaïque des Jeux du cirque. L'activité des potiers, verriers, ferronniers et orfèvres est illustrée par des céramiques, des vases, des outils et des bijoux. Le trésor d'orfèvrerie, découvert en 1992 dans le quartier de Vaise, est venu enrichir la collection.
Une vaste baie ménagée dans la salle où sont présentées les maquettes des théâtres romains permet d'en admirer les vestiges.

Théâtres romains

L'ensemble monumental dégagé dans la montée de l'Antiquaille comprend un théâtre construit sous Auguste (1er s. av. J.-C.) et agrandi à plusieurs reprises, et un odéon.

Grand théâtre

De dimensions analogues à ceux d'Arles et d'Orange (108 m de diamètre), ce théâtre, moins vaste que celui de Vienne, est le plus ancien de France.
La première construction est antérieure à l'ère chrétienne. Plus tard le nombre des gradins sera augmenté en prenant sur les promenoirs. Le dallage de marbre de l'orchestre a pu être reconstitué. L'anneau extérieur du théâtre montre des substructions où les archéologues reconnaissent le soin apporté par les constructeurs aux dégagements par des couloirs souterrains, et à l'assainissement du sol par un réseau de canalisations et d'égouts.

RIDEAU !
La machinerie du rideau de scène, abritée dans la fosse, est l'une des mieux conservées du monde romain ; une maquette de son dispositif est visible au musée.

Gravir l'escalier menant au sommet des gradins.

Le théâtre apparaît dans toute son ampleur. Une voie romaine, faite de grosses dalles de granit, permet de le contourner à la partie supérieure.

Par la voie romaine, descendre en direction de l'odéon.

Odéon

Les odéons, réservés à la musique et aux conférences, accueillaient une élite dans un cadre raffiné. Les dispositions d'ensemble sont identiques à celles du théâtre, mais les dimensions en sont plus réduites.
L'épaisseur du mur d'enceinte suggère qu'une véritable toiture, suspendue en porte-à-faux, abritait les gradins.

Remarquez le ravissant décor géométrique du dallage de l'orchestre, reconstitué à partir d'éléments trouvés sur place : brèche rose, granit gris et cipolin vert.

Quartier dominant le théâtre

Au-dessus de la voie dallée qui ceinture le théâtre, les fouilles récentes ont montré qu'il n'existait pas de temple de Cybèle comme on l'a longtemps affirmé. Dès la fin du 1er s. av. J.-C. est construite à cet emplacement une très vaste et riche demeure de plan centré, bordée côté rue par une série de boutiques ouvrant sur un portique. Un vaste édifice public la recouvre au début du 1er s. ap. J.-C. On en perçoit surtout, au-dessus du théâtre, les puissantes fondations destinées à prolonger vers l'Est une imposante plate-forme. À une date indéterminée fut construite une énorme citerne pour l'aqueduc du Gier.

Aqueducs romains

À l'entrée de la rue Roger-Radisson – ancienne voie d'Aquitaine – on peut voir, de part et d'autre de la chaussée, des vestiges intéressants de l'aqueduc du Gier, l'un des quatre qui alimentaient la ville en eau.

Mausolées de Choulans

Au centre de la place Wernert, trois mausolées rappellent l'existence d'une nécropole gallo-romaine située hors les murs.

C'est écrit...

Le mausolée central, le plus ancien (1er s. av. J.-C.), porte sur une face latérale une inscription rappelant que le monument fut érigé par les esclaves affranchis de Calvius Turpion.

LA CROIX-ROUSSE

Tirant son nom d'une croix de pierre colorée qui se dressait, avant la Révolution, à l'un de ses carrefours, le quartier de la Croix-Rousse conserve un caractère villageois et fut longtemps le dernier bastion du particularisme lyonnais. Les plus farouches Croix-Roussiens, enracinés sur « le plateau », contemplent encore de loin l'agitation d'en bas et passent parfois des mois sans y descendre. L'invention de nouveaux métiers à tisser par Joseph-Marie Jacquard (1752-1834) entraîna l'abandon des maisons basses du quartier St-Jean et l'installation des canuts, ouvriers de la soie, dans de grands immeubles sévères aux larges fenêtres laissant passer la lumière. Au 19e s. les rues retentissaient du « **bistanclaque** », bruit des métiers à bras actionnés par quelque 30 000 canuts. Les traboules (voir dans Vieux Lyon) de la Croix-Rousse, épousant la topographie du terrain, comportent de nombreuses marches. Elles permettaient de transporter les pièces de soie à l'abri des intempéries. En 1831, puis en 1834, elles furent le théâtre des sanglantes insurrections de canuts arborant le drapeau noir, symbole de misère, où était inscrite la devise fameuse : « Vivre en travaillant ou mourir en combattant. »

La Vogue

Chaque année, à l'automne, depuis 1865, sur le boulevard de la Croix-Rousse se déroule la « **Vogue** » (fête foraine), excellente occasion de déguster des marrons grillés et la crêpe du pays, la "matefaim".

La soie

Découverte en Chine, la soie (bave du « bombyx de mûrier ») s'implante en France par la volonté de Louis XI, en 1466. Elle ne se développe réellement qu'au 16e s. avec le choix de Lyon comme entrepôt de la soie et la plantation massive de mûriers. Cette expansion continue sous Louis XIV, favorisée par d'illustres novateurs comme Philippe de Lassalle, mais est brutalement stoppée par la Révolution. Dopée par une forte relance sous l'Empire, la soierie lyonnaise va atteindre son apogée vers 1850, avant que la pébrine ne décime les élevages français. La concurrence extérieure, la découverte de fibres artificielles et l'industrialisation massive ont depuis profondément modifié cette industrie ; mais la soierie lyonnaise est restée une référence au service de la mode et du luxe français.

N'est-ce pas plus beau qu'un ascenseur ? Très représentatif de la construction des immeubles de la Croix-Rousse l'immense escalier de la cour des Voraces nécessitait de bons mollets.

La colline qui travaille

Circuit au départ de la place des Terreaux. Rejoindre le n° 6 (près de la fontaine) qui traboule avec la rue Ste-Catherine. Prendre à droite et rejoindre la rue Romarin jusqu'à la rue St-Polycarpe que l'on remonte en direction de l'église.

La « **Condition publique des Soies** » s'ouvre au n° 7 par un porche dont l'arcade supérieure est décorée d'une majestueuse tête de lion et de feuilles de mûrier. Dans cet établissement, qui abrite aujourd'hui un centre culturel et social, on contrôlait, au 19e s., le conditionnement hygrométrique des étoffes de soie. En effet, en raison de la capacité de ce tissu d'absorber jusqu'à 15 % de son poids en eau, il s'avère nécessaire d'en garantir le poids loyal et marchand.

Remonter la rue de l'Abbé-Rozier.

Dans l'axe, se dresse l'**église St-Polycarpe**, des 17e et 18e s. Au n° 19 rue Leynaud (face au n° 14), s'ouvre, encadré par deux colonnes, le passage Thiaffait *(nombreuses boutiques)* qui aboutit par un escalier à double volée à la rue Burdeau. En face du n° 36 s'élève la montée du Perron conduisant à la **place Chardonnet**, dominée par le monument élevé à la mémoire du comte Hilaire de Chardonnet (1839-1924), inventeur de la soie artificielle.

Gagner la rue des Tables-Claudiennes que l'on prend sur la droite (escalier).

La Croix-Rousse ne résonne plus du « bistanclaque » des anciens métiers mais les savoir-faire se perpétuent à la Maison des Canuts et dans quelques ateliers.

Rue des Tables-Claudiennes

Elle doit son nom aux inscriptions sur bronze découvertes par le drapier Gribaud dans sa vigne *(voir le musée de la Civilisation gallo-romaine)*.

Le n° 55 traboule vers le 20 rue Imbert-Colomès. *Prendre en face le n° 29 qui traboule vers la cour des Voraces (escalier et chemin à droite, puis tourner à gauche au niveau d'une lanterne).*

La cour des Voraces

Impressionnante avec son gigantesque escalier, elle était, au siècle dernier, le lieu de réunion d'une confrérie de canuts, dite des Voraces ou des Dévorants.

Par la rue Bodin rejoindre la place Bellevue.

Comme son nom l'indique, la place est un bon belvédère sur la ville.

Prendre l'escalier qui monte en haut de la place et continuer, en face, dans un chemin en forte pente qui traverse un jardin. Il conduit au Gros Caillou.

Gros Caillou

C'est un bloc erratique déposé par les glaciers du quaternaire qui modelèrent le site de Lyon.

Il termine le boulevard de la Croix-Rousse qui offre une halte agréable et ombragée. Vous l'avez bien méritée après cette longue montée !

Prendre la première rue à droite pour rejoindre la rue de Belfort. Tourner à gauche dans la rue d'Ivry.

Mur des Canuts

À l'intersection du boulevard avec les rues Denfert-Rochereau et Pelletier se dresse un grand mur peint en trompe-l'œil (superficie : 1 200 m²), réalisé en décembre 1987 et réactualisé en 1997, évoquant de façon pittoresque la vie dans un quartier de la Croix-Rousse. Remarquez, aux fenêtres, Guignol, son épouse Madelon et le bailli.

Maison des Canuts

♿ *Visite guidée (1h) tlj sf dim. 8h30-12h, 14h-18h30, sam. 9h-12h, 14h-18h. Fermé lun. en août et j. fériés. 3,82€. ☎ 04 78 28 62 04.*

Aux nos 10 et 12, les artisans de la coopérative ouvrière de tissage à domicile (Cooptiss) font revivre les traditions des canuts lyonnais et apprécier les tissus de haute qualité. Au cours de la visite guidée, on peut voir fonctionner un métier à la grande tire et un métier de velours. Une exposition de tissus anciens (lampas, damas, brochés, velours aux fers et aux sabres), des tableaux et portraits tissés sur soie instruisent sur l'histoire de la soierie lyonnaise.

Pour visiter les ateliers de Soierie Vivante, repartir en arrière dans la rue d'Ivry jusqu'à la rue Dumont-d'Urville qu'il faut remonter (à gauche) vers la rue Richan (5e rue à droite).

Ateliers de Soierie Vivante★

21 r. Richan (hors plan). Tlj sf lun. et dim. 9h-12h, 14h-18h30, mar. 14h-18h30. Fermé en août et j. fériés. 3,05€. ☎ 04 78 27 17 13.

Cette association s'est créée en 1993 pour sauvegarder et mettre en valeur le patrimoine des métiers de la soierie à la Croix-Rousse. Elle propose, à partir de l'Atelier municipal de passementerie, plusieurs circuits de visite d'ateliers familiaux authentiques. La passementerie est expliquée dans l'Atelier municipal où l'on peut voir fonctionner de vénérables métiers en noyer. Quelques rues plus loin revit un atelier de tissage à bras qui, à l'étage, dans un cadre intact et typique des ateliers de la Croix-Rousse, conserve des métiers à grande largeur très rares. Les autres ateliers présentent, avec également de nombreuses démonstrations, le tissage mécanique, la guimperie et la peinture à la main.

Reprendre la rue d'Ivry jusqu'à la rue du Mail qui conduit à la place de la Croix-Rousse.

S'il a sa statue à la Croix-Rousse, on peut dire qu'il l'a bien mérité. Jacquard a révolutionné le travail de la soie pour des milliers de canuts.

Le travail de la soie

La soie est obtenue par l'« éducation » du bombyx dans des magnaneries : c'est la sériciculture. Après l'étape de la filature, la soie grège n'est pas assez résistante pour être tissée : il faut donc une opération préparatoire, le moulinage : assemblage et torsion du fil. Les bobines sont alors disposées sur un cadre, le cantre, puis déroulées en faisceau sur un ourdissoir ; les chaînes ainsi réalisées sont tendues sur le métier (fils parallèles) et sont croisées perpendiculairement par des fils de trame placés dans les canettes. Pour laisser passer la trame, les fils de chaîne sont soulevés par des cordelettes, les lisses, qui sont actionnées par différentes mécaniques dont la plus célèbre est celle de Jacquard (cartons perforés). Il existe plusieurs types de croisement possibles que l'on appelle armures : les principales sont le taffetas, le sergé et le satin.

Sur la place de la Croix-Rousse se dresse la statue de J.-M. Jacquard.

La deuxième partie du parcours est plus reposante car souvent en descente.

Pour commencer, traverser la place et descendre la rue des Pierres-Plantées (il fallait y penser !) jusqu'à une place au croisement avec la rue du Bon-Pasteur.

La place offre une très belle **vue★** sur la ville et sur la colline de Fourvière qui est à peu près à la même hauteur.

Prendre en contrebas l'escalier (montée de la Grande-Côte) et descendre jusqu'à la rue des Tables-Claudiennes (déjà familière). Tourner à droite et rejoindre l'amphithéâtre des Trois-Gaules.

En-dessous de l'amphithéâtre des Trois-Gaules, le Jardin des Plantes est décoré d'une belle fontaine.

Amphithéâtre des Trois-Gaules

Selon la dédicace découverte au fond d'un puits en 1958, ce lieu vénérable fut construit en 19 av. J.-C. par Rufus afin de réunir les délégués des soixante tribus gauloises. Agrandi sous l'empereur Hadrien, il connut une triste notoriété sous Marc Aurèle en devenant le lieu de supplice des nouveaux adeptes du christianisme, au nombre desquels figure **sainte Blandine** qui y périt en 177 (un poteau dans l'arène signale l'endroit du martyre). De

LA CROIX-ROUSSE

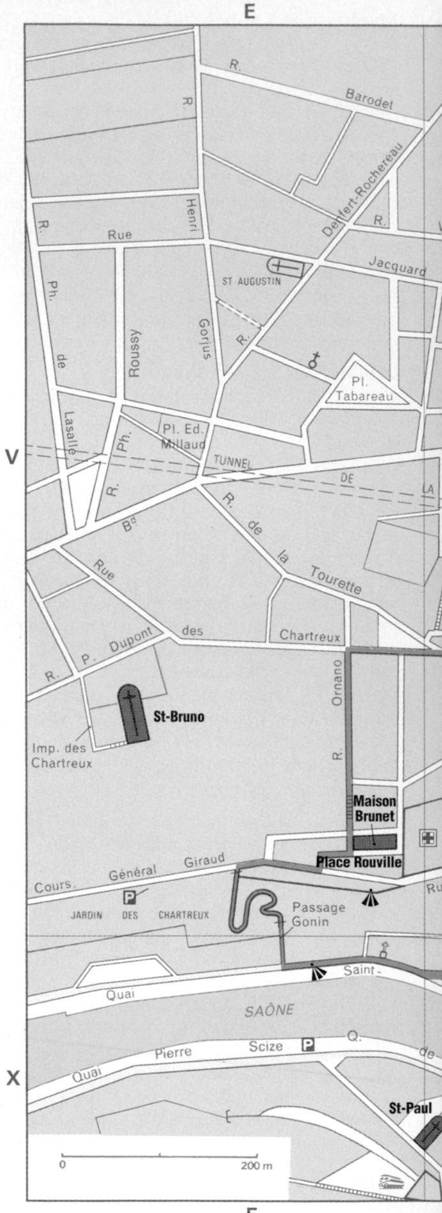

l'ensemble composé d'une arène entourée d'un caniveau et d'un podium qui supportait les gradins n'a été dégagée que la partie Nord.

Par la montée des Carmélites, la place Morel et la rue des Chartreux rejoindre la rue Ornano. Possibilité de rejoindre l'église St-Bruno (édifice baroque) en continuant la rue des Chartreux, la rue Dupont (à gauche) et l'allée des Marronniers.

La rue Ornano descend vers la place Rouville.

Place Rouville

Elle offre un joli **coup d'œil★** sur Lyon : de l'immense horizon de toits rouges de la Presqu'île émergent, à gauche, le beffroi de l'hôtel de ville, le quartier de La Part-Dieu dominé par la tour du Crédit Lyonnais, à droite, les flèches de St-Nizier ; la dernière boucle de la Saône est dominée par la colline de Fourvière, au pied de laquelle se dresse le clocher de St-Paul. Au Nord, les n°s 5 et 6 abritent la **maison Brunet** aux 365 fenêtres, caractéristique de l'habitat canut.

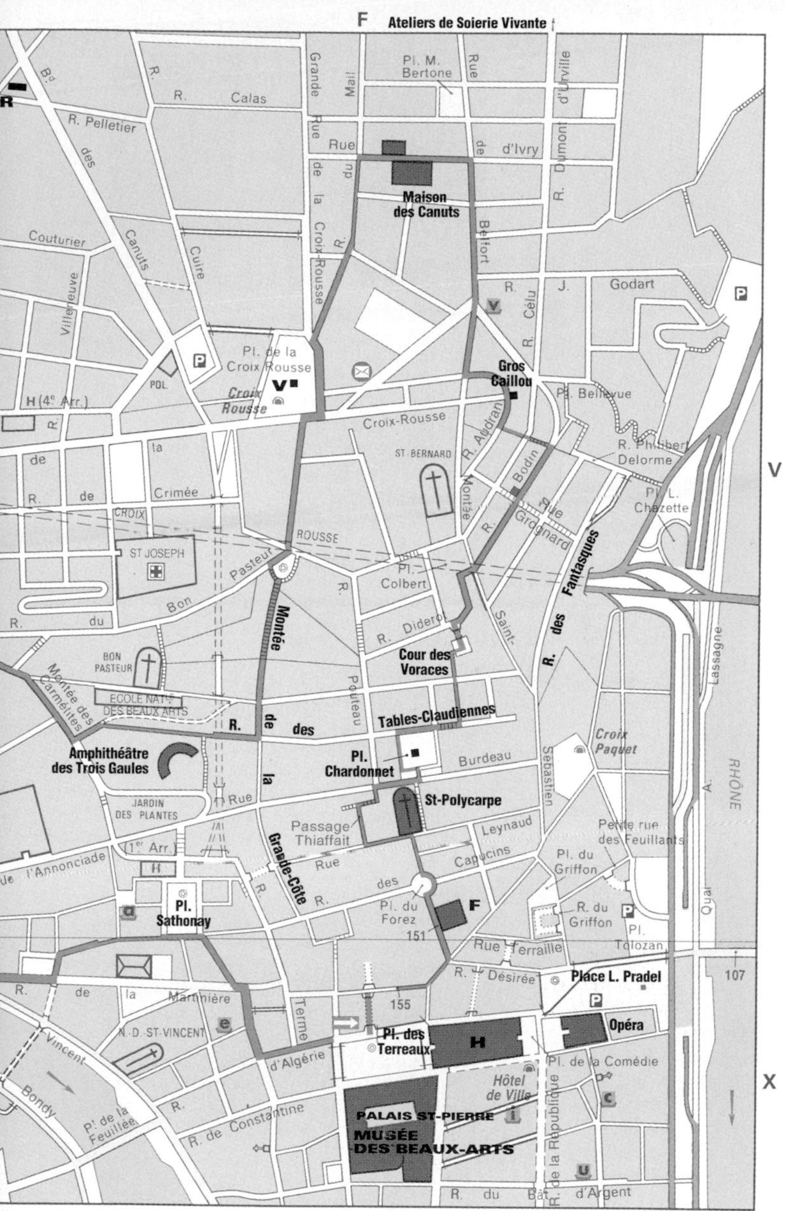

Descendre vers les quais de la Saône par le passage Gonin.

À l'Ouest, les terrasses ombragées du jardin des Chartreux dominent la rivière. Remarquez, à mi-pente, les terre-pleins réservés aux joueurs de boules.

Quai St-Vincent

Il offre des vues sur la boucle de la Saône.

Longer le quai jusqu'à la rue de la Martinière.

Au début de la rue, sur la droite, admirez le beau mur peint baptisé « **fresque des Lyonnais**★ »

ou « *À la rencontre des Lyonnais célèbres* », et réalisé par la Cité de la Création *(voir p. 217)*.

Par la rue du Sergent rejoindre la place Sathonay.

Place Sathonay

Elle est dominée au Nord par l'escalier monumental de la montée de l'Amphithéâtre, encadré par deux fontaines en forme de lions.

La rue Vittet conduit à la place Tobie-Robatel.

Mourguet et Guignol, Saint-Exupéry et le Petit Prince sont à l'honneur sur les fresques des Lyonnais.

Remarquez l'imposante annexe de l'école, dite « la Martinière des jeunes filles », construite au début du siècle ; elle représente bien, avec ses mosaïques polychromes et son portail en fer forgé, l'art de cette époque. *La rue Terme et la rue d'Algérie ramènent à la place des Terreaux.*

visiter

PRESQU'ÎLE

Église St-Bonaventure

Cet édifice, cher aux Lyonnais, a conservé son plan franciscain primitif.

Le large vaisseau répond aux nécessités de la prédication, tandis que le dépouillement et la simplicité architecturales témoignent du respect des fils de saint François pour toutes les formes de la pauvreté. Saint Bonaventure, gloire de l'ordre franciscain, mourut au 2e concile de Lyon, en 1274.

Église St-Nizier

Tlj sf lun. matin 7h30-19h30.

UNE SILHOUETTE CONNUE
Les flèches des clochers de St-Nizier constituent l'une des singularités du paysage urbain lyonnais. La flèche Nord, gothique, construite en briques, contraste avec la flèche ajourée du clocher Sud (19e s.).

Selon la tradition, l'église actuelle, dont la plus grande partie date du 15e s., s'élèverait à l'emplacement du plus ancien sanctuaire lyonnais. À l'extérieur, la nef est épaulée par des arcs-boutants doubles, bien visibles de la rue de la Fromagerie.

Le portail Renaissance, encadré de quatre colonnes doriques, est surmonté d'un cul-de-four à caissons dans sa partie supérieure. Il est surmonté d'un pignon néo-gothique.

L'intérieur, restauré, est caractérisé par sa décoration flamboyante (15e s.) : la voûte, nervurée, comporte des clefs ornées d'armoiries ; dans la 2e travée, une horloge couvre la clef. Un triforium très ouvragé orne tout le pourtour.

Dans une chapelle du croisillon Sud, remarquez la gracieuse **Vierge à l'Enfant*** de Coysevox.

Musée de l'Imprimerie**

13 r. de la Poulaillerie (métro Cordeliers). Tlj sf lun. et mar. 9h30-12h, 14h-18h. Fermé j. fériés. 3,81€ (enf. : gratuit). ☎ 04 78 37 65 98.

Les premières salles montrent l'importance de la banque lyonnaise et sa contribution à l'essor industriel et commercial de la ville dès le 16e s.

BOIS GRAVÉS
À noter l'exceptionnelle collection de 600 bois gravés ayant servi à illustrer la Bible ainsi que des bois gravés sur des dessins de Gustave Doré pour illustrer les œuvres de Rabelais.

Les salles suivantes retracent l'histoire admirable de l'imprimerie, des premières gravures sur bois à la découverte de la typographie, à l'évolution de l'art de la mise en pages, aux réalisations contemporaines de la photocomposition.

Parallèlement, des notices et un grand nombre d'éditions anciennes de grande valeur initient le visiteur à l'esthétique des caractères et du livre, à l'évolution des techniques de l'imprimerie, aux procédés de la taille

(estampes, bois gravés, cuivres gravés, eaux-fortes) et honorent les grands libraires, humanistes, illustrateurs et graveurs lyonnais.
Au cours de la visite, remarquez, en particulier, un admirable incunable placé sur un lutrin de fer forgé du 15e s., le « placard contre la messe » de 1534, le plan de la ville de Lyon gravé sur deux plaques de cuivre, et des presses anciennes, le prototype de la première photocomposeuse (1944).

Musée des Hospices civils

1 pl. de l'Hôpital (métro Bellecour). ♿ 13h30-17h30 ; oct.-juin : sam. 9h30-13h30 et 1er dim. du mois 14h-18h. Fermé j. fériés. 3,05€. ☎ 04 72 41 30 42.

Il est installé dans la partie 17e s. de l'Hôtel-Dieu, dont la longue façade s'allongeant sur le Rhône fut agrandie au 18e s. par Soufflot. Il présente une belle collection de faïences de pharmacies anciennes, des étains, des objets d'art, notamment un buste par Coustou et une Vierge par Coysevox, originaire de Lyon. Trois salles ont reçu des boiseries provenant de l'hôpital de la Charité, aujourd'hui disparu ; les plus remarquables sont celles de l'**Apothicairerie★**, d'époque Louis XIII, ornée de motifs sculptés (l'Arracheur de dents), et de la salle des Archives (18e s.).

Le sens du partage
On peut voir un ancien lit d'hôpital pour quatre malades et d'autres curieux témoignages des techniques médicales ou hospitalières d'autrefois

Ancienne église St-Pierre

À côté du n° 23 r. Paul-Chenavard.

Remarquez l'étroite façade du 12e s. et le sobre portail roman encadrant de superbes vantaux de bois du 18e s. L'édifice abrite les sculptures du musée des Beaux-Arts.

Palais St-Pierre★

L'édifice, construit aux 17e et 18e s., était l'une des plus anciennes abbayes bénédictines de Lyon, celle des Dames de St-Pierre, recrutées dans la haute noblesse. Intérieurement, les bâtiments conservent une partie de leur décoration primitive, d'inspiration italienne, notamment le réfectoire et l'escalier d'honneur. Désaffecté à la Révolution, le bâtiment fut transformé en musée au cours du 19e s. En 1884, Puvis de Chavannes peignit le *Bois sacré* dans l'escalier d'entrée au **musée des Beaux-Arts**.

Musée des Beaux-Arts★★★

♿ Tlj sf mar. 10h30-18h. Fermé j. fériés. 3,81€. ☎ 04 72 10 17 40.

De la place des Terreaux, entrez dans le jardin de l'ancien cloître dont les galeries sont surmontées d'une terrasse. Transformé au 19e s. en jardin, le cloître abrite des statues de Bourdelle, Duret et Rodin. Après huit années de travaux, le musée des Beaux-Arts de Lyon est aujourd'hui complètement rénové et figure désormais parmi les plus beaux musées de France. Ses collections se sont enrichies grâce la donation de 35 toiles impressionnistes et modernes de la collection Jacqueline-Delubac.
Le musée des Beaux-Arts présente un exceptionnel panorama représentatif de l'art mondial. Ses collections sont organisées en cinq départements : peinture, sculpture, Antiquité, objets d'art, médailles.

Peinture – Les salles exposent un choix d'œuvres des grandes périodes de l'art pictural européen, à commencer par la Renaissance italienne, avec l'***Ascension du Christ*** du Pérugin, don du pape Pie VII à la ville de Lyon, la délicate *Nativité* de Costa et un ensemble de l'âge d'or vénitien : *Bethsabée* de Véronèse, *Danaé* du Tintoret, deux scènes de bataille de Bassano. Le musée renferme également des œuvres des écoles bolonaise, napolitaine, florentine et romaine.
Tandis que Le Greco et Zurbaran illuminent de leurs œuvres la peinture espagnole, à côté de l'école de Cologne et de Cranach l'Ancien pour la peinture allemande, les artistes flamands et hollandais sont représentés par Gérard David, de Metsys et plusieurs œuvres de Rubens.

Pas facile à porter, mais si décoratif ! Le chapeau de La Jardinière *de S. St-Jean ne passe pas inaperçu.*

MUSÉE DES BEAUX-ARTS

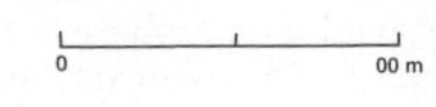

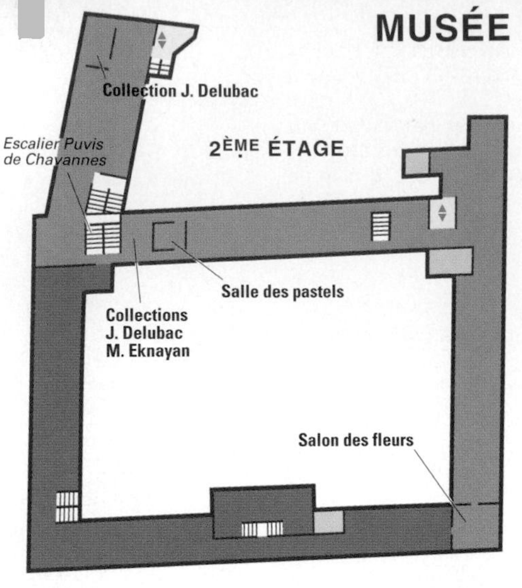

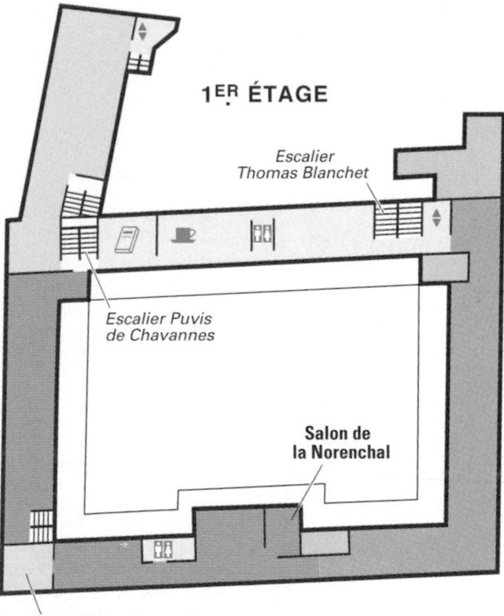

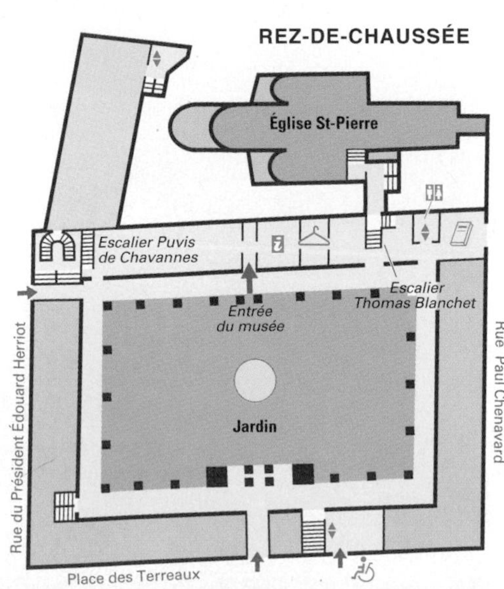

Peinture du XVe au XVIIIe s.

Peinture des XIXe et XXe s.

Sculpture

Antiquité

Objets d'Art

Médailles

Expositions temporaires

Fermé

Information

Ascenseur

Accès handicapés

Librairie

Café, petite restauration

Toilettes

Vestiaire

La section de peinture française comprend un ensemble important d'œuvres des maîtres du 17e s., dont Simon Vouet *(La Crucifixion)*, Jacques Blanchard *(Danaé)*, Philippe de Champaigne *(L'Adoration des bergers)* et Charles Le Brun *(La Résurrection du Christ)*, cependant que le 18e s. est représenté notamment par Greuze *(La Dame de charité)* et Boucher *(La Lumière du monde)*. Le « Salon des fleurs » annonce le passage au 19e s. avec une gracieuse statue de Juliette Récamier par J. Chinard, un charmant « *Buste de fillette* » de Houdon, et les compositions florales colorées d'A. Berjon. Une large place est consacrée à la peinture lyonnaise du 19e s. avec J.-M. Grobon, Fleury Richard et Pierre Révoil.

Peinture Lyonnaise
Figure emblématique de la peinture lyonnaise, Pierre Révoil dirigea l'école des Beaux-Arts pendant 25 ans.

À ces premiers maîtres succède une autre génération lyonnaise représentée par Bonnefond, Flandrin et surtout Janmot dont on peut admirer le « *Poème de l'âme* », constitué de 18 tableaux mystiques. De ce 19e s. florissant, le musée peut encore s'enorgueillir de toiles de David, Delacroix, Géricault ou Corot. La peinture impressionniste se taille aussi une belle part des salles dans lesquelles se bousculent Degas, Sisley, Renoir et Gauguin. Après les Nabis, Bonnard et Vuillard préludent à un panorama de la peinture du 20e s., illustrée, au début, par des compositions de Dufy *(Bateau pavoisé)*, Villon *(L'Écuyère)*, Braque *(Le Violon)*, Jawlensky *(Méduse)*, Chagall *(La Corbeille de fruits, Le Coq)*, Severini *(La Famille du peintre)*, Foujita *(Autoportrait)*. Parmi les artistes contemporains, on relève les noms de Masson *(Niobé)*, Atlan *(Bérénice)*, Max Ernst, Dubuffet et N. de Staël *(La Cathédrale)*.

Sublime
La Monomane de l'envie de Théodore Géricault, peint entre 1819 et 1822, est l'une des plus belles acquisitions du musée de Lyon.

La circulation a bien changé à Lyon depuis le siècle dernier comme en témoigne le Cours du Midi *de Louis Carrand.*

Sculpture – Le département des sculptures s'étend de la période romane au gothique et à la Renaissance.
Parmi les œuvres du 17e s. au début du 20e s., une attention particulière se prête aux bustes de Coysevox et Lemoyne, aux *Trois Grâces* de Canova, aux œuvres de Daumier jusqu'aux superbes marbres de Bourdelle, Maillot et Rodin.

Antiquité – Ce département est composé de trois sections organisées en salles thématiques. La mieux dotée est la **section égyptienne** qui couvre toutes les époques de l'ancienne Égypte ; le thème de « la vie après la mort » est illustré par de splendides sarcophages en bois polychrome, des amulettes ou des ouchebtis ; la période ptolémaïque est représentée par les portes monumentales du temple de Méhamoud ; les cultes et la vie quotidienne sont largement évoqués par des stèles et masques funéraires, des instruments et objets usuels. Du **Proche et Moyen-Orient**, remarquez la « Tête de prêtre » d'Assyrie, les têtes de statues de Chypre et les sarcophages en plomb de la Syrie romaine (3e-6e s.) constituent les plus belles pièces. La dernière section couvre les civilisations **grecque et romaine**. Une excep-

Ce jeune Bacchus semble avoir d'autres centres d'intérêt que les visiteurs qui se reposent dans l'agréable cour intérieure du palais St-Pierre.

tionnelle statue de Korê (jeune Athénienne) provenant de l'Acropole témoigne du degré de perfection atteint par la sculpture grecque antique tandis que les célèbres céramiques à figures noires rivalisent de beauté et de finesse avec la technique plus tardive des figures rouges, dans une vaste collection d'amphores, de cratères, d'hydries et autres vases.

Objets d'art – Cette section présente des collections très variées qui traversent les époques et les continents. Le Moyen Âge nous a laissé des ivoires très travaillés, comme le triptyque attribué au maître du diptyque de Soissons ; cette qualité de travail se retrouve sur les émaux romans et gothiques, souvent de Limoges, ou sur les pièces d'orfèvrerie (bras reliquaire de la fin du 15e s.). L'art islamique est très bien représenté par des céramiques, des bronzes, ou par un bassin iranien de 1347, au décor particulièrement soigné (or et argent). La Renaissance française est illustrée par une armure de cheval dont le décor est d'une exceptionnelle précision. Cette période correspond au développement des faïences hispano-mauresques, des majoliques italiennes parfois historiées (assiette de 1533, *Hercule et Cacus*, Urbino), et des émaux peints, tel le retable de 27 plaques attribué à Jean Ier Limosin (fin du 16e s.). Les périodes suivantes ne sont pas oubliées avec des faïences françaises du 18e s., le salon de « La Norenchal » (décor en trompe-l'œil caractéristique du néoclassicisme), le mobilier Art nouveau d'Hector Guimard...

Remarquez également la collection Raphaël Collin qui rassemble de nombreuses céramiques de la Chine, de la Corée et du Japon (6e-19e s.).

Médailles – La salle du médaillier, remarquable par son plafond à caissons, expose pour sa part plus de 40 000 pièces, de l'époque grecque à nos jours.

Basilique St-Martin-d'Ainay

L'édifice, consacré par le pape Pascal II en 1107, a subi d'importants remaniements. Le clocher-porche se termine par une pyramide encadrée de curieux acrotères d'angle qui lui donnent sa silhouette caractéristique. Remarquez la frise d'animaux courant sous la corniche entre le 2e et le 3e étage, et sa décoration à incrustations de briques.

À l'intérieur, la nef est séparée des collatéraux par de grosses colonnes d'origine romaine ; les arcades sont en plein cintre. Les **chapiteaux★** romans représentent à droite du chœur, Adam et Ève avec le serpent, l'Annonciation, le Christ en majesté ; à gauche, Caïn tue Abel, l'offrande de Caïn et d'Abel, Saint Michel terrassant le dragon, Jean-Baptiste montrant le Christ.

Sur le croisillon Sud s'ouvre la chapelle Ste-Blandine, primitivement indépendante de l'édifice principal et qui passe pour avoir abrité dans sa courte crypte les restes des martyrs de 177.

De l'angle des rues Bourgelat et Adélaïde-Perrin, on a une vue d'ensemble de l'église, dominée par le clocher de la façade et la tour carrée du transept.

Musée des Tissus★★★

34 r. de la Charité (métro Ampère-Victor-Hugo). Tlj sf lun. 10h-17h30. Fermé j. fériés. 4,58€. ☎ 04 78 38 42 00.

Fondé par la chambre de commerce de Lyon il y a plus d'un siècle et aménagé dans l'hôtel de Villeroy (1730), ce musée, qui abrite aussi le Centre international d'études des textiles anciens constitue un véritable « conservatoire » du tissu d'art et fait la fierté des Lyonnais. Les prestigieuses collections sont organisées autour de deux grands pôles : l'Occident et l'Orient

La première salle initie le visiteur aux différentes techniques utilisées dans le travail de la soie : le satin, le sergé, le taffetas, le velours... Les **tissus français**, sont présentés à travers un ensemble de magnifiques étoffes exécutées surtout à Lyon depuis le début du 17e s., époque où la « Fabrique » lyonnaise se distinguait par son savoir-faire. Une large place est faite à son illustre représentant, **Philippe de Lassalle**. On appréciera aussi le **Meuble Gaudin★**, célèbre tenture pour la chambre à coucher de Joséphine à Fontainebleau. Le début du 19e s. est marqué par le retour à l'antique : panneau à « Motif pompéien » d'après les danseuses d'Herculanum. Dans l'ancien théâtre décoré avec des grisailles de Psyché, de petits **portraits★** en velours illustrent le haut degré de finesse obtenu par le procédé Grégoire (peinture sur fil de soie), au cours d'un siècle qui voit se développer les tissus imprimés à grande échelle et l'engouement pour les « châles des Indes », comme le somptueux **Nou-Rouz★** dont le décor est inspiré de la Perse. La collection française se ponctue par des tapis contemporains.

Véritable vitrine du savoir faire lyonnais, le musée des Tissus expose de véritables merveilles comme cette broderie au point plat de l'époque Régence.

La section réservée à l'**Extrême-Orient** offre des pièces raffinées du 16e au 19e s. : panneaux brodés et peints, kimonos du Japon, robes impériales en K'o-sseu (tapisserie au petit point) de Chine. Le musée possède également un important ensemble de vêtements et d'**ornements liturgiques★** regroupant la production européenne du 12e au 18e s. D'Italie : des tissus palermitains et vénitiens, et de somptueux velours génois et florentins de l'époque Renaissance à décor stylisé de chardons et de grenades. D'Europe du Nord-Ouest, outre de précieux témoignages de l'art de la broderie, le musée possède des pièces caractéristiques de l'art franco-flamand du 15e s., tandis que l'Espagne est représentée par des tissus hispano-mauresques au décor fortement influencé par l'art arabe et d'admirables velours de soie du 16e s. Parmi les **costumes civils** l'exceptionnel **pourpoint★** (32 pièces) de Charles de Blois, du 14e s., constitue l'une des plus belles pièces.

De l'**Orient**, le musée possède de nombreux éléments caractéristiques de civilisations anciennes : tapisseries coptes en laine ou en lin provenant des fouilles d'Antinoé, tissus sassanides à décor de scènes de chasse ou d'animaux affrontés, délicates broderies de l'Égypte des Fatimides, étoffes byzantines. De magnifiques **tapis★**, provenant de Perse, Turquie, Chine et Espagne, du 15e au 19e s., complètent cet ensemble remarquable.

Unique

Les collections du musée ont reçu un renfort de choix avec une centaine de pièces d'orfèvrerie contemporaine : œuvres signées par les plus grandes maisons (Maeght, Alessi, Christofle) d'après de célèbres designers (Sottsass, M. Botta, S. Dali).

Musée des Arts décoratifs★★

30-34 r. de la Charité. Tlj sf lun. 10h-12h, 14h-17h30. Fermé j. fériés. 4,58€. ☎ 04 78 38 42 00.

Aménagé dans le cadre d'un hôtel construit en 1739, le musée est consacré principalement au décor de la vie au 18e s. ; ensemble de meubles portant pour la plupart l'estampille de grands ébénistes (commode d'Oeben, secrétaire de Riesener), objets d'art, tapisseries (Gobelins, Beauvais, Flandres, Aubusson), de porcelaines (St-Cloud, Sèvres, Meissen) et de faïences : remarquez notamment les productions de Lyon, Moustiers, Marseille et Paris (Pont-aux-Choux).

Parmi les salles consacrées à l'art du Moyen Âge et de la Renaissance, on s'attachera particulièrement à la galerie contenant plus de 200 faïences italiennes du 16e s.

LYON RIVE GAUCHE

Musée d'Art contemporain★

♿ *De déb. mars à déb. mai, de mi-juin à mi-août et de fin oct. à déb. janv. : tlj sf lun. et mar. 12h-19h. Fermé de déb. mai à mi-juin, de mi-août à fin oct., 1er janv. 1er mai, 14 juil., 25 déc. 3,81€. ☎ 04 72 69 17 18.*

Pôle moderne de Lyon la Cité internationale est tournée vers le futur comme en témoigne l'étonnant bâtiment d'Interpol.

Nouveau pôle culturel de la Cité internationale construit autour de l'atrium de l'ancien palais de la Foire, sa structure moderne permet une grande flexibilité et une bonne mise en valeur des œuvres. La collection est présentée sous forme de spectacle permanent, juxtaposition d'« espaces » régulièrement renouvelés. Les expositions sont très variées, car depuis sa première acquisition (*Ambiente Spaziale*, de Fontana), le musée est devenu un « centre de production » qui accueille les œuvres de Baldessari, Brecht, Filliou, Kosuth, Yvonnet et de nombreux autres artistes.

Muséum d'histoire naturelle**

Entrée bd des Belges. ♿ Tlj sf lun. 10h-18h. Fermé 1er janv., 1er mai, 1er nov., 25 déc. 3,05€. ☎ 04 72 69 05 00.

Créé en 1772, c'est le plus ancien et le plus important muséum de province. Il rassemble de belles collections concernant l'histoire naturelle ainsi que de riches sections d'archéologie et d'ethnologie mondiale, principalement d'Extrême-Orient ou de l'ancienne Égypte.

Les **collections asiatiques** *(niveau 5)*, particulièrement intéressantes, montrent des sculptures bouddhiques (statuettes et têtes) du Gandhara (Inde) et du Cambodge (art khmer), des objets relatifs au tantrisme tibétain (religion inspirée des « Tantras » ou livres sacrés), des céramiques chinoises. L'art japonais est représenté par des armes anciennes et surtout par la reconstitution de la « salle des Cigognes » de Kyoto au 17e s. Le continent africain et la Nouvelle-Guinée sont respectivement évoqués par des masques et des crânes tatoués.

Un peu squelettique aujourd'hui, le mammouth de Choulans était en son temps un poids lourd très respecté.

Surplombant la Grande Salle, la galerie de zoologie *(niveau 4)* illustre la diversité du règne animal : poissons, amphibiens, reptiles, oiseaux, mammifères en provenance de tous les continents.

La **Grande Salle** *(niveau 1)* abrite de très riches collections de **paléontologie** où figurent des vertébrés contemporains de l'homme (mammouth découvert à Choulans en 1859, ours des cavernes, grand cerf d'Irlande, tatou géant). La section de **minéralogie**, très complète, présente une collection unique de **chessylites**. Au même étage, des dioramas évoquent la faune et la flore typiques de la région lyonnaise ; amusante collection d'oiseaux-mouches d'Amérique du Sud.

Dans la section d'**égyptologie** *(niveau 0)*, le **grand sphinx de Médamoud** se distingue au milieu d'un ensemble de momies humaines et surtout animales (chat, crocodile, etc.), et d'objets prédynastiques (vases en brèche, palettes en schiste). Sur le même niveau, la vie de l'homme préhistorique est évoquée à travers son habitat, ses outils et ses petits objets d'art. Remarquez les momies de femmes péruviennes.

Centre d'histoire de la Résistance et de la Déportation*

14 av. Berthelot (métro Jean-Macé). Tlj sf lun. et mar. 9h-17h30. Fermé j. fériés. 3,81€. ☎ 04 78 72 23 11.

Ce musée est établi dans une partie des bâtiments qui ont abrité de 1882 au début des années 1970 l'École de santé militaire, et constitué de novembre 1942 à 1944 le siège lyonnais de la Gestapo. Le centre a pour vocation de perpétuer la mémoire des événements ayant trait à la Résistance, à la Déportation et à la Libération en France, et à Lyon en particulier.

Mémoire de temps difficiles, le centre d'histoire de la Résistance et de la Déportation ne pouvait qu'évoquer la tragique arrestation de Jean Moulin à Caluire en juin 1943.

La visite audioguidée s'effectue le long d'un circuit jalonné de vidéogrammes, diaporamas, documents d'archives et photographies. Au 1er étage, documents, affiches, extraits de films et diffusions de discours des personnalités de l'époque rappellent l'importance de Lyon dans l'éveil et le développement de la Résistance : événements locaux de juillet 1941 et premiers mouvements de la Résistance lyonnaise, exécutions massives et publiques des otages par les Allemands en août 1944, préludes à l'insurrection et la libération de la ville par les forces alliées, en passant par la rafle de Vénissieux en août 1942 et l'arrestation de **Jean Moulin** à Caluire en juin 1943.

Un autre ensemble de salles détaille le drame de la Déportation et la chronologie du génocide des Juifs. L'importance de l'information et de la propagande en temps de guerre est affirmée par la reconstitution d'une placette lyonnaise ornée de documents de propagande d'époque et d'un intérieur bourgeois meublé avec un poste de radio diffusant les célèbres « messages personnels » de Radio Londres. Le parcours s'achève par la projection d'un diaporama géant qui replace les évènements survenus à Lyon et en France dans le contexte mondial.

Les caves du bâtiment, utilisées comme cellules pendant l'Occupation, accueillent tout au long de l'année des expositions temporaires.

À l'entrée des bâtiments, l'aile droite va désormais accueillir l'Institut d'Études politiques (IEP).

Musée des Moulages d'art antique

Fermé pour déménagement, il doit rouvrir au 3 r. Rachais (métro Garibaldi). Sur RV. ☏ 04 72 84 81 12.

Musée africain

150 cours Gambetta (métro Garibaldi). Tlj sf lun. et mar. 14h-18h (dernière entrée 1h av. fermeture). Fermé 1er janv., Pâques, 1er mai, 25 déc. 4,5€. ☏ 04 78 61 60 98.

Appartenant à la société des Missions africaines, ce musée présente sur trois niveaux 2 500 objets provenant de l'Afrique de l'Ouest, notamment du Bénin et de la Côte-d'Ivoire.

Parmi les collections illustrant la vie quotidienne, sociale et religieuse de ces contrées, on remarque, au 1er étage, les figurines de bronze du Bénin, les armes et les ouvrages de passementerie touareg, et surtout, au 2e étage, un ensemble de poids géométriques et figuratifs (ashanti du Ghana et baoulé de Côte-d'Ivoire) servant à peser la poudre d'or. Au 3e étage, statuettes, masques et autres objets rituels témoignent d'un art où le symbole est roi.

Château Lumière

25 r. du Premier-Film, Lyon-Monplaisir (métro Monplaisir-Lumière). Tlj sf lun. 11h-19h. Fermé 1er janv., 1er mai et 25 déc. 5,34€. ☏ 04 78 78 18 95.

Antoine Lumière, père d'Auguste et de Louis, inventeurs du cinéma et de la plaque autochrome, fit construire de 1889 à 1901 cette demeure dans le style majestueux cher à la grande bourgeoisie de l'époque. Boiseries somptueuses, lustres sophistiqués, planchers en marqueterie constituent l'étonnant décor intérieur de cet édifice qui abrite l'Institut Lumière et accueille des rencontres autour de l'image fixe et animée. Une exposition retrace la vie de la famille Lumière, illustre l'invention du cinématographe ainsi que l'apparition des premiers autochromes et photographies couleur. Projections de films dans le hangar du premier film et soirées en extérieur pendant l'été *(se renseigner)*.

Musée urbain Tony-Garnier

Bd des États-Unis – plan n° 30 – De part et d'autre du boulevard, entre la rue Paul-Cazeneuve et la rue Jean-Sarrazin.

Cet ensemble immobilier collectif a été construit dans les années 1930 par l'architecte urbaniste lyonnais Tony Garnier. À compter de 1991, les façades aveugles de ces grandes bâtisses ont bénéficié d'une mise en valeur originale par le groupe d'artistes **« La Cité de la Création »**. Ayant fait le choix d'un musée de plein air, ce groupe a réalisé une importante série de peintures murales monumentales suivant les thèmes de l'œuvre de Garnier.

La cité industrielle, le stade Gerland, les abattoirs de La Mouche, toutes ces œuvres de Tony Garnier ont été reprises pour les immenses murs peints de la Cité de la Création.

se promener

DE LA CITÉ INTERNATIONALE À LA PART-DIEU

Cité internationale

Ce vaste ensemble, composé d'un imposant palais des congrès de 15 000 m², de cinémas (14 salles), d'hôtels et du musée d'Art contemporain a pris place entre le parc de la Tête d'Or et le Rhône. Un nouveau parc doit faire la transition entre celui de la Tête-d'Or et les berges du fleuve.

Parc de la Tête d'Or★

♿ *Avr.-sept. : 6h-23h ; oct.-mai : 6h-21h. Gratuit. ☎ 04 72 69 47 60.*

Ce parc à l'anglaise, qui couvre une superficie de 105 ha en bordure des centres de congrès, tire son nom d'une tradition d'après laquelle serait enterrée à son emplacement une tête de Christ en or. Des grilles monumentales dorées signalent l'entrée principale. Un passage souterrain permet de gagner l'île du Souvenir émergeant du plan d'eau et couronnée par le monument aux morts de Tony Garnier.

Poumon de la ville, le parc de la Tête-d'Or offre aux citadins de nombreuses possibilités de promenades à pied, à bicyclette, en pédalo ou en petit train

Jardin botanique – *9h-11h30, 13h30-16h45 ; possibilité de visite guidée lun.-ven. à 9h et 10h30. Gratuit. ☎ 04 72 82 35 00.*

Aménagé au Sud-Est du parc, il comprend 6 ha de plantes en extérieur, les **grandes serres** qui, sur 7 000 m², abritent une végétation exotique luxuriante, dont de nombreux palmiers, enfin un **jardin alpin** permettant d'effectuer un petit tour du monde des zones montagneuses et de découvrir leurs manteaux végétaux.

Jardin zoologique – ♿ *9h-17h (ouv. à 8h en été). Fauverie et vivarium : 13h-17h, w.-end 14h-17h. Gratuit. ☎ 04 72 82 35 00.*

Au Nord du jardin botanique, c'est l'un des plus anciens d'Europe (1858). Il compte 1 100 pensionnaires dont de nombreux animaux sauvages non européens. À l'Ouest du zoo s'étend le **parc aux daims**. Entre les deux, sur la place de Guignol, des animations sont proposées aux enfants : manège, jeux et **spectacles de Guignol** présentés par l'équipe du Véritable Guignol du Vieux Lyon. *Spectacles à 15h, 16h, 17h, 18h. 2,75€. ☎ 04 78 28 60 41 ou ☎ 04 78 93 71 75.*

Grande roseraie★ – *Avr.-sept. : 6h-23h ; oct.-mars : 6h-21h. Gratuit.*

Aménagée de l'autre côté du lac, le long de la Cité internationale, elle est riche de 70 000 plants environ, représentant 350 variétés qui forment une superbe parure entre juin et octobre.

Quartier de La Part-Dieu

D'après son nom, cet emplacement aurait été mis par quelque propriétaire au Moyen Âge sous la protection divine.

Sur un ancien terrain militaire couvrant 22 ha a été réalisé un vaste projet réunissant des services administratifs, des activités commerciales et bancaires, des sites culturels. L'ensemble, desservi par une dalle piétonne suspendue, comprend un grand nombre d'immeubles et de tours, parmi lesquels la cité administrative d'État, l'hôtel de la Courly, le centre commercial (3 niveaux de galeries marchandes couvrant 110 000 m^2), la maison de la Radio, la bibliothèque. Au Nord-Est se dresse **l'auditorium Maurice-Ravel** à l'architecture originale : en forme de coquille, il comporte une voûte d'une portée de 70 m.
La **tour « Crédit Lyonnais »**, familièrement appelée « crayon » par les citadins, domine le quartier de ses 140 m *(les derniers étages sont occupés par un hôtel)* ; devenue un second repère dans le paysage urbain, après les tours de Fourvière, elle arbore une couleur brique qui s'harmonise avec les toits des vieux quartiers.
À l'Est, la nouvelle **gare de La Part-Dieu**, réalisée pour permettre l'accueil du TGV, s'ouvre sur les deux façades Ouest et Est, les voies ferrées se trouvant au-dessus du bâtiment d'accueil. Des hôtels et des logements complètent cet équipement. Diverses sculptures modernes et des espaces verts agrémentent les esplanades. Le niveau zéro correspondant à la voirie urbaine est réservé à la circulation routière.

Quais du Rhône

À hauteur de l'Hôtel-Dieu, le quai Augagneur est bordé d'immeubles bourgeois imposants, construits à la fin du 19e s. Cette très belle promenade sous les platanes, égayée quotidiennement (sauf le lundi) par un marché en plein air, est particulièrement attachante par temps brumeux, lorsque le fleuve roule ses eaux tumultueuses.
À l'Est s'étend le quartier des Brotteaux aux rues géométriquement tracées ; il occupe l'emplacement de bancs de sable déposés autrefois par le Rhône, d'où il tire son nom. Du pont Wilson – *plan p. 192* –, la **vue★** s'étend, en face, sur les hauteurs de la Croix-Rousse, où s'étagent les hautes maisons des anciens canuts.
Au Sud du pont Wilson, le pont de la Guillotière remplace depuis 1958 un ouvrage établi au 13e s. par les Frères Pontifes. Il offre une bonne **vue** sur la colline de Fourvière.

QUARTIER DE GERLAND

La ligne B du métro est prolongée jusqu'au stade Gerland. Face au confluent du Rhône et de la Saône, le quartier de Gerland, dont la halle Tony-Garnier constitue le noyau central, est appelé à devenir une technopole. L'aména-

Le plus grand « crayon » du monde ! Du haut de ses 140 m, la tour du Crédit Lyonnais pourrait figurer dans le Livre des Records.

Mise en valeur par un éclairage nocturne particulièrement étudié la halle Tony-Garnier accueille de nombreux spectacles et manifestations.

gement en cours a déjà permis d'accueillir l'École normale supérieure, l'Institut Mérieux, l'Institut Pasteur et le palais des sports. La Cité scolaire internationale, œuvre des architectes Jourda et Perraudin, constitue un ensemble en verre ouvert sur le parc Gerland.

Halle Tony-Garnier

Dans le cadre de son projet de « Cité industrielle », l'architecte urbaniste lyonnais Tony Garnier crée en 1914 la Grande Halle des abattoirs de La Mouche. Sa structure métallique représente le symbole même de l'architecture de fer avec une surface de près de 18 000 m² d'un seul tenant sans piliers de soutènement, sous une hauteur de 24 m. Après un long abandon, cette « cathédrale » de fer a bénéficié d'une heureuse restauration, avec notamment la mise en valeur de la charpente par un important ensemble de vitrages permettant une transparence maximale de la toiture et des façades latérales. La halle doit devenir au terme de l'aménagement en cours du quartier, une « cité de l'image et du temps ».

SPECTACLES
Halle Tony Garnier – *20 pl. Antonin-Perrin - ☎ 04 72 76 85 85 - www.halle-tony-garnier.com - selon la programmation.*
Après une importante restauration cette vaste structure métallique peut à nouveau accueillir des manifestations aussi exceptionnelles que variées.

TONY GARNIER ET LA CITÉ INDUSTRIELLE

Tony Garnier naît à Lyon en 1869. Après ses études aux Écoles nationales des Beaux-Arts de Lyon et de Paris, il travaille dans l'atelier de Julien Guadet et se passionne très vite pour la conception d'une Cité industrielle. Son projet mêle une organisation rationaliste et fonctionnelle des lieux à une vision utopique d'une société qui n'aurait besoin ni de police, ni de religion, mais serait régie par la loi du travail. En architecture, il emprunte des éléments classiques à la Grèce et recourt à des matériaux encore mal connus, comme le béton armé.
En 1905, le nouveau maire, Édouard Herriot, lui confie la direction des « Grands Travaux ». Tony Garnier commence par un coup de maître, en construisant une immense halle (halle Tony-Garnier) au cœur des nouveaux abattoirs de La Mouche. Il poursuit en réalisant un stade olympique (stade de Gerland), un hôpital pavillonnaire (hôpital Édouard-Herriot), une école de tissage, le quartier d'habitation des « États-Unis », le monument de l'île du Souvenir au parc de la Tête-d'Or... Quand il meurt en 1948, il laisse une œuvre abondante et innovante qui aura influencé de nombreux architectes dont le célèbre Le Corbusier.

alentours

VILLEURBANNE

Jouxtant le quartier de La Part-Dieu, la ville de Villeurbanne doit son nom à son origine romaine ; la *Villa Urbana* était une importante exploitation agricole établie par les Romains sur la colline de Cusset. Le développement de la ville est assez récent, mais il est curieux de remarquer l'indépendance qu'elle a toujours marquée par rapport à Lyon. Après un premier afflux de soyeux à la fin du 19ᵉ s., le développement de la ville s'accélère au 20ᵉ s. Elle résiste aux pressions hégémoniques lyonnaises et consacre sa différence en construisant dans les années 1930, le spectaculaire quartier des Gratte-Ciel. La ville poursuit aujourd'hui son développement en misant fortement sur les ressources culturelles : le fameux Théâtre National Populaire (TNP), une médiathèque ultramoderne, un musée d'art contemporain, la cité des Antiquaires qui réunit pas moins de 150 boutiques (boulevard Stalingrad)...

Véritable institution depuis sa création, le Théâtre National Populaire (TNP) de Villeurbanne séduit toujours par sa riche programmation : ici Le Triomphe de l'Amour, *mis en scène par Roger Planchon.*

Les Gratte-Ciel

Métro Gratte-Ciel. Vers 1930, tandis que s'étend une grave crise économique, Villeurbanne offre des structures inadaptées à sa forte croissance démographique. À l'initiative de son maire, Lazare Goujon, un centre-ville est édifié, rapidement baptisé « cité des Gratte-Ciel », son architecture unique rappelant davantage les constructions d'Outre-Atlantique que celles des faubourgs lyonnais. Plus qu'une recherche d'originalité, cette réalisation de l'urbaniste M. Leroux résulte d'une volonté de démocratiser le cœur de la ville. L'entrée du quartier est annoncée par deux hautes tours de 19 étages qui ouvrent une perspective bordée de grands immeubles blancs. Les six blocs d'habitation regroupent près de 1 500 logements répartis sur 9 à 11 étages. L'avenue Barbusse se termine par l'imposant et austère **hôtel de ville** dû à R. Giroud, dont la façade rythmée de colonnes cannelées est dominée par un beffroi de 60 m. De l'autre côté, la place Docteur-Lazare-Goujon est fermée par le théâtre **TNP**, à l'origine le palais du Travail.

Nouveau Musée (Institut d'Art Contemporain)

11 r. du Docteur-Dolard (métro République). Descendre le cours de la République vers le cours Tolstoï qu'il faut traverser. ♿ *Juin-sept. : tlj sf lun. et mar. 13h-19h, mer. 13h-20h ; oct.-mai : tlj sf lun. et mar. 13h-18h, mer. 13h-20h. Fermé 1er janv., 1er mai, 25 déc. 4€ (enf. : gratuit).* ☎ *04 78 03 47 00.*

L'association Nouveau Musée, créée en 1978, s'est installée depuis quelques années dans cet espace, logiquement moderne, qui regroupe une section d'information et de documentation avec un espace de présentation d'art contemporain. Un partenariat efficace avec la FRAC (Fonds régional d'art contemporain) de Rhône-Alpes lui permet de proposer des expositions thématiques variées.

Maison du Livre, de l'Image et du Son

247 cours Émile-Zola (métro Flachet). ♿ *Tlj sf dim. 11h-19h, lun. 14h-19h, sam. 10h-18h (se renseigner pour juil.-août).* ☎ *04 78 68 04 04.*

Cette médiathèque réalisée en 1988 par le célèbre architecte Mario Botta est organisée sur cinq étages autour d'un puits central. Elle comprend des bibliothèques de prêt, une vidéothèque, une discothèque et une artothèque (prêt d'œuvres d'art contemporain).

L'OUEST LYONNAIS

Île Barbe

Masse de verdure d'où émerge la pointe d'un clocher roman, l'île Barbe abritait l'une des plus puissantes abbayes lyonnaises, fondée au 5e s. C'est aujourd'hui le domaine de calmes propriétés privées.

Parc départemental de Lacroix-Laval à Marcy-l'Étoile

Sortir de Lyon par le Nord-Ouest (direction Mâcon), puis suivre la D 7 en direction de Charbonnières.

Situé à l'Ouest de l'agglomération lyonnaise dont il constitue un des poumons verts, il couvre une superficie de 119 ha. Parmi ses aménagements, un intéressant parcours de course d'orientation.

Un **petit train touristique**, « *Le Furet* », offre une présentation ludique mais documentée du château et de son parc. *Vac. scol. : tlj sf lun. visite guidée en petit train (1/2h) 14h-19h; avr.-juin et sept.-oct. : mer., w.-end et j. fériés 14h-19h. Dép. à l'entrée du musée. 3€ (enf. : 2,5€).* ☎ *04 72 26 18 13.*

SORTIES

Théâtre National Populaire – ♿ *8 pl. Lazare-Gougeon - 69627 Villeurbanne -* ☎ *04 78 03 30 00 - presse@tnp-villeurbanne.com - Billetterie : sur place lun.-ven. 11h-18h, par tél. lun.-ven. 10h-18h.* Villeurbanne est une ville qui compte beaucoup sur ses ressources culturelles comme le Théâtre National Populaire (dit TNP) qui est sa plus grande réussite. Les créations contemporaines s'y succèdent toute l'année.

On est loin de la poupée Barbie ! Le château de la poupée illustre l'évolution des matériaux et des standards esthétiques de ces indispensables compagnes.

Château de la poupée★ – *Accès direct en voiture en direction de Charbonnières. ♿ Tlj sf lun. 10h-17h. Fermé 1er janv., 1er mai, 1er nov., 25 déc. 3,81€. ☎ 04 78 87 87 00.*
À l'extrémité Est du parc de Lacroix-Laval, un élégant château du 18e s. *(illustration p. 77)* abrite un exceptionnel ensemble de poupées, du 18e s. à nos jours, provenant d'une collection particulière. La visite s'effectue sur deux niveaux : au niveau supérieur « l'Univers de la poupée » correspondant à la création, la décoration et l'environnement de la poupée, et au niveau 1, le « Carrefour des regards » qui présente un historique de la poupée, objet d'art. Dans chaque salle des bornes vidéo guident le visiteur.

Dans un cadre imitant une mise en scène de théâtre, les étapes de la fabrication de la poupée ancienne sont détaillées, particulièrement celle des têtes : en papier mâché jusqu'au début du 19e s., elles deviennent en cire, puis en porcelaine et enfin en biscuit. La porcelaine et le biscuit proviennent tous deux de la terre de kaolin. À l'inverse de la porcelaine qui rend les visages blancs, le biscuit garde son teint mat après cuisson et permet d'approcher la coloration de la carnation humaine. La tête en biscuit est entièrement peinte.

Ailleurs sont exposés de beaux ensembles de maisons de poupées, de nurseries et habits du 19e s. Le rôle de la poupée dans l'action éducative en faveur de l'hygiène est mis en valeur avec l'invention et la popularisation du baigneur en celluloïd. La reconstitution d'un atelier actuel de moulages de poupées en plastique fait découvrir la complexité des étapes de fabrication. Remarquez la machine pour implanter les cheveux.

Charbonnières-les-Bains

10 km par le Nord-Ouest (direction Mâcon), puis N 7.

UN ÂNE CURISTE
La légende attribue la découverte, au 18e s., des vertus reconstituantes des eaux d'une source à un innocent aliboron. Pelé et galeux, abandonné par son maître, l'âne erre dans les bois et vient boire à la fameuse source. On le voit réapparaître, peu après, tout ragaillardi.

Dans un cadre de bois exploités jadis par des charbonniers, le vallon de Charbonnières constitue un lieu de détente traditionnel des Lyonnais. La source ferrugineuse fut officiellement mise au jour par un abbé en 1778. Un établissement de bains et un casino furent bientôt mis en service. En 1900, les curistes affluèrent et firent la réputation de cette station. L'établissement thermal a fermé avant d'être détruit il y a quelques années mais il reste un casino très fréquenté.

Le rallye automobile Lyon-Charbonnières est réputé pour ses étapes de montagne particulièrement sévères.

circuit

BORDS DE SAÔNE★ *38 km – environ 3 h*

Quitter Lyon par le Nord (direction Trévoux). Sur la gauche se détache l'imposante masse de verdure de l'île Barbe (voir p. 221). La D 433 longe la rive gauche de la Saône, bordée d'épais ombrages jusqu'à La Rochetaillée.

Les versants escarpés, dominant la Saône, ont accueilli depuis le 18e s. de nombreuses maisons de maîtres lyonnais et des petits châteaux.

Les berges, qui connurent l'intense activité des lavandières et des bateliers, devinrent ensuite des lieux de baignade et de détente champêtre pour les Lyonnais qui s'y rendaient en utilisant le « *Train bleu* » dont on peut voir un exemplaire au musée Henri-Malartre. De nos jours, les rives de la Saône ont retrouvé une animation les fins de semaine avec le chemin de halage en partie aménagé de la rive gauche.

POUR GUINCHER
À la belle saison, les « guinguettes » et les « clos », autrefois très nombreux sur les bords du fleuve, proposent de retrouver une ambiance de fête en dégustant une friture arrosée de beaujolais (notamment autour de Collonges, à l'île Roy et à Neuville-sur-Saône).

Musée de l'Automobile Henri-Malartre à Rochetaillée-sur-Saône★★

2 km après Fontaines-sur-Saône, suivre à droite les indications fléchées. Tlj sf lun. 9h-18h (avr.-oct. : w.-end et j. fériés 9h-19h ; juil.-août : tlj sf lun. 9h-19h). Fermé dernière sem. janv., 1er janv., 25 déc. 5,34€ (enf. : gratuit). ☎ 04 78 22 18 80.

On imagine bien cette Packard Carribean (1955) au soleil, accompagnée de rythmes exotiques ; elle a séduit une de nos plus grandes artistes, Édith Piaf.

Dans ce château du 15e s., restauré, acquis par la ville de Lyon et, dans son parc en terrasses au-dessus de la Saône, sont réunies de remarquables collections d'automobiles (1890 à 1986), cycles (1818 à 1960), motocycles (1904 à 1964) et véhicules de transports en commun (1886 à 1935), tous en état de marche. M. Henri Malartre gérait en 1929 une entreprise de démolition d'automobiles. Sa passion de collectionneur commença en 1931, avec une Rochet-Schneider de 1898 dont le moteur fonctionnait encore, puis deux ans plus tard, avec un double-phaéton Gobron-Brillié, pièce unique, de 1898 également.

Sur les 150 **automobiles** exposées, 50 modèles sont antérieurs à 1914, 18 sont de fabrication lyonnaise, rappelant que dans la région une centaine de constructeurs se sont lancés dans l'aventure automobile.

Certaines pièces sont uniques comme la Rochet-Schneider (1895), la Gobron-Brillié (1898), la Luc Court (1901), la Thieulin (1908) ; d'autres ont fait date dans le développement technologique, telles la Ford T (1910), la Peugeot BB (1913), la berline Voisin (1932). L'omnibus à vapeur Scotte (1892), la voiturette électrique Mildé (1900), le prototype de la 2 CV Citroën (1936), maquillé en camionnette pendant l'Occupation, cumulent les deux particularités.

À noter également : un coupé-docteur De Dion Bouton (1900), un taxi de la Marne (1914), un ensemble de trois voitures Sizaire (1908, 1924, 1927), une décapotable Bugatti (1930).

Célébrités

Le musée présente quelques voitures d'hommes célèbres : la Mercedes blindée (1942) d'A. Hitler, saisie en 1945 par la division Leclerc à Berchtesgaden, l'Hispano-Suiza (1936), coupé de ville utilisé par le général de Gaulle après la Libération de Paris, la Renault Espace utilisée par le pape Jean-Paul II lors de son passage à Lyon en 1986.

Exposées dans le Hall Gordini, les **voitures de course** ont été pilotées par les plus grands champions : Rolland Pilain (1923), Talbot Lago (1949), Gordini (1952).

Une série de **cycles** allant de la draisienne au vélo d'Anquetil comprend ces étonnants « Grands Bi ».

Plus de 50 **motocyclettes** sont présentées, parmi lesquelles une Herdtlé-Bruneau (1904), la Koehler-Escoffier (1935) de Georges Monneret, des side-cars et des Zundapp (1937) de l'armée allemande en Afrique et en Russie.

Un hall est consacré aux **transports en commun**. On y voit un tramway hippomobile à impériale ouverte (1880) et à conduite bi-directionnelle (les deux chevaux pouvant être attelés indifféremment à l'avant et à l'arrière pour éviter de tourner le véhicule) ; la « motrice salon » (1900) utilisée par le président Poincaré à l'exposition de Lyon, en 1914 ; le premier trolleybus lyonnais (1935).

Évasion

Témoin d'un autre temps mais d'un besoin constant de nature, la motrice du « *Train bleu* » est bien connue des Lyonnais. C'est elle qui passait, jusqu'en 1957, au pied de Rochetaillée pour aller vers les lieux de baignades et les guinguettes de Neuville-sur-Saône.

Poursuivre en direction de la D 433 que l'on prend à droite.

Neuville-sur-Saône

La ville est joliment située à un coude de la Saône. L'**église**, dominée par des clochers jumeaux du 17e s., abrite un ensemble de boiseries du sculpteur lyonnais Perrache (18e s.). *Mer. 16h30-18h30, ven. 9h30-11h30, sam. 9h30-11h30.*

Neuville, qui s'appelait jadis Vimy, fut, sous l'Ancien Régime, la capitale du Franc-Lyonnais.

Trévoux *(voir ce nom)*

La D 933 et la D 504 à gauche mènent à Villefranche-sur-Saône.

Villefranche-sur-Saône *(voir ce nom)*

Retour à Lyon par la N 6.

LE FRANC-LYONNAIS

Représentant la superficie d'un actuel canton, le Franc-Lyonnais était composé de treize « marches » s'étendant entre la Dombes et la rive gauche de la Saône. Une enclave isolée, en amont de Trévoux, formait le « Petit » Franc-Lyonnais. Le territoire principal allait de Genay, en amont de Neuville-sur-Saône, jusqu'au plateau de la Croix-Rousse qui échappait ainsi à la juridiction de Lyon. Les Francs-Lyonnais, pour s'être séparés volontairement du reste de la Bresse et du duché de Savoie, obtinrent de François Ier, en 1525, un véritable statut d'indépendance qui faisait de leur territoire une sorte de protectorat. Fort chatouilleux de leurs franchises et privilèges, refusant de payer aide, gabelle, taille et autres impôts, à l'exception d'un « don gratuit » de 30 000 livres au roi de France, tous les huit ans, les habitants - à peine 4 000 au total - avaient à leur tête un Syndic général. La création des départements, sous la Révolution, mit fin à l'histoire du Franc-Lyonnais.

Monts du Lyonnais★

C'est un véritable dépaysement qui attend le promeneur lyonnais à deux pas de son immense agglomération. Les paysages parfois tourmentés de cette région montagneuse offrent de belles balades dans un milieu naturel encore préservé.

La situation

Cartes Michelin nos 88, plis 6, 7, 18, 19 ou 244, plis 12, 13, 14, 23, 24 – Rhône (69). À l'Ouest de Lyon, les monts du Lyonnais ont souvent gêné les communications avec St-Étienne. La région regroupe un peu de plaine mais surtout des coteaux et des monts (700-900 m).

Les gens

La « fabrique » lyonnaise s'est implantée de bonne heure ici, employant à domicile la main-d'œuvre locale. Mais la région vit avant tout de l'élevage et les exploitations agricoles, limitées par le relief, utilisent encore, de manière exceptionnelle, la traction animale.

comprendre

Le relief – Les monts du Lyonnais sont coupés de profondes dépressions – Brévenne et Azergues au Nord, Gier au Sud – qui séparent la montagne des massifs voisins : Pilat, monts de Tarare et du Beaujolais.

À l'ère quaternaire, les glaciers ont raboté la partie orientale, donnant naissance au plateau lyonnais. Son rebord domine le Rhône de 100 à 150 m par un front de collines portant la trace d'anciennes moraines.

La vie économique – Cultures maraîchères, vignes et vergers occupent les basses vallées. Plus haut se dressent les sommets où les pâturages et les cultures réduisent la forêt à d'épais taillis de châtaigniers et de chênes. C'est une zone d'élevage et de production laitière. L'activité proprement industrielle est limitée aux localités les plus importantes : Chazelles-sur-Lyon, St-Galmier, Ste-Foy-l'Argentière.

TRADITIONNEL
Les vieilles maisons rurales, à la disposition caractéristique - trois bâtiments en équerre enserrant une cour généralement fermée - sont encore nombreuses.

découvrir

AQUEDUCS ROMAINS

Le plateau conserve de nombreux vestiges des aqueducs qui alimentaient le Lyon gallo-romain en eau. La ville recevait journellement 75 000 m^3 d'eau de ses quatre aqueducs : Mont-d'Or, Brévenne, Yzeron et Gier.

C'est l'aqueduc du Gier, le dernier construit, long de 75 km, qui a laissé le plus de vestiges. Sa construction, sous le règne d'Hadrien, au début du 2e s., fut particulièrement soignée : parement réticulé, à moellons clairs et foncés, disposés en nid d'abeilles, arcades à claveaux alternés de pierres et de briques, canal cimenté. Il était le seul à alimenter les hauteurs de la colline de Fourvière.

Le coup du siphon

Plus encore que par leur architecture, les aqueducs romains nous étonnent par la science hydraulique dont ils témoignent. La technique des ponts-siphons fait l'originalité des aqueducs lyonnais. Ils permettaient de franchir les vallées sans avoir recours à de gigantesques et coûteux ponts-aqueducs, comme celui du Gard.

Arches de Chaponost*

À **Beaunant**, dans le creux du vallon de l'Yzeron, envahi par les constructions suburbaines, subsiste une partie du pont-siphon.

Poursuivre par la D 50.

Au débouché sur le plateau, au « Plat de l'Air », la route offre, à droite, une jolie **perspective*** sur l'enfilade d'une quarantaine d'arches subsistantes, sectionnées en plusieurs tronçons.

Laisser la voiture à l'entrée du chemin et longer à pied l'aqueduc.

À l'extrémité de l'enfilade, l'ancien réservoir de chasse du pont-siphon de Beaunant est encore visible, sur la pile terminale. Un plan incliné, en maçonnerie, permet d'accéder au sommet. On distingue les orifices des tuyaux et l'enduit de ciment rougeâtre du canal *(1/4h à pied AR).*

Les anciennes arches de Chaponost, vestiges d'un aqueduc romain, semblent prêtes à affronter un autre millénaire.

Autres vestiges – D'autres vestiges subsistent à **Brignais** (mur réticulé), **Soucieu-en-Jarrest** (réservoir de l'aqueduc ou « chameau », en raison de sa silhouette bossue), **Craponne** (tourillons ou piles d'un réservoir) et **Mornant** : à 300 m du bourg – qui conserve une belle église gothique – empruntez sur la D 63, direction St-Sorlin, un sentier, à droite, menant au pied d'une arche, dans le creux d'un vallon *(5mn à pied AR).*

À Lyon même, on peut voir également des vestiges d'aqueduc comme l'entrée de l'ancienne voie d'Aquitaine, aujourd'hui rue Roger-Radisson.

itinéraires

1 DE LYON À ST-ÉTIENNE

128 km – compter une journée sans la visite de Lyon. Quitter Lyon, à l'Ouest, par l'autoroute A 6. À la sortie de Tassin-la-Demi-Lune, suivre la RN 7 sur 1 km pour prendre à gauche la D 7. À la Rivoire, prendre à gauche la D 70 et, à Pollionnay, la route à droite qui s'élève en forêt et offre, à la Croix-du-Banc, une belle vue, à droite, sur le bassin de l'Arbresle. Après Chevinay, prendre la D 24 à gauche.

Col de la Luère*

Agréable site forestier. Entre les cols de la Luère et de Malval, près du château de St-Bonnet-le-Froid, la route offre, à droite, une **vue*** sur la vallée de la Brévenne.

Au col de Malval, prendre deux fois à droite, la D 50 et une route forestière.

Parc animalier de Courzieu

De mars à déb. nov. : 10h-19h. 8,23€ (enf. : 6,40€). ☎ 04 74 70 96 10.

Un amphithéâtre naturel permet d'assister à des démonstrations et spectacles d'aigles, faucons, vautours et hiboux.

Ce parc de 20 ha fait découvrir par une promenade en sous-bois la vie des prédateurs d'Europe (loups, lynx, chats sauvages). Une structure d'accueil d'inspiration nordique (cabanes en rondins de mélèzes et toit en gazon), une aire de jeux de même inspiration et un jardin botanique agrémentent la visite.

Après le col de Malval, la D 113 ménage successivement des échappées sur la vallée du Rhône à gauche et la vallée de la Brévenne à droite. À environ 800 m au Sud du col, un **panorama**★ se dégage sur la plaine du Rhône, le Mont-d'Or à gauche, le mont Pilat à droite et, au fond, les contreforts des Alpes.

Yzeron

De l'église, la **vue**★ vers la vallée du Rhône s'inscrit dans l'axe de la trouée de l'Yzeron.

À St-Martin-en-Haut, prendre la D 113.

Signal de St-André★★

3/4h à pied AR. À environ 800 m au Nord-Ouest du bourg de St-André-la-Côte, un sentier, partant de la D 113, mène au sommet du signal (alt. 934 m). Un **panorama** se révèle face aux Alpes, et en arrière sur des villages perchés.

Riverie

Vieux bourg féodal établi sur un promontoire. De l'ancien chemin de ronde, vue bien dégagée en direction du Sud-Est.

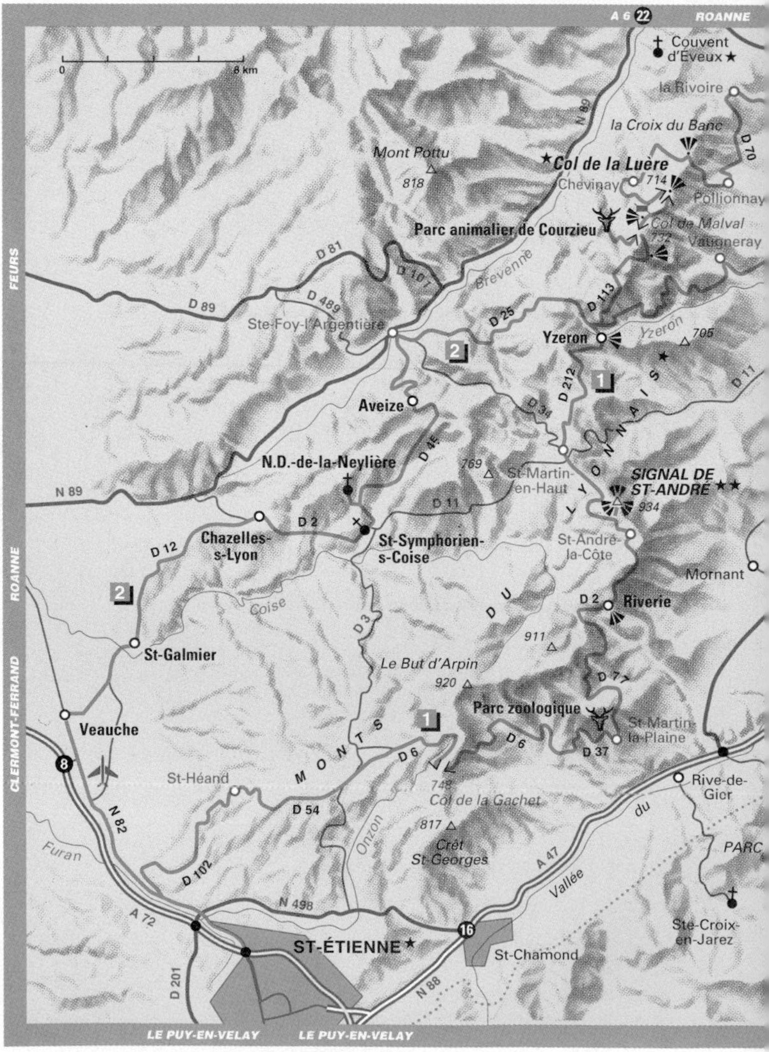

Quitter Riverie à l'Ouest par la D 2, puis à Ste-Catherine, suivre la D 77 jusqu'à l'entrée de St-Martin-la-Plaine, où l'on prend la D 37, à droite.

Parc zoologique de St-Martin-la-Plaine

Été : 9h-19h ; hiver : 9h à la tombée de la nuit. 7,62€ (-10 ans : 4,57€). ☎ 04 77 75 18 68.

À proximité de la vallée du Gier, ce parc s'attache aux problèmes de reproduction des espèces menacées dans leur milieu naturel. De nombreux animaux ont été placés en prêt, pour l'élevage, par d'autres zoos. Parmi les espèces présentes et devenues rares : des gorilles, tigres de Sibérie, loups à crinière des pampas d'Amérique du Sud, des binturongs, babiroussas...

SINGERIE

Dans la maison des gorilles, où sont recréées les conditions climatiques des forêts humides équatoriales, évoluent quelques représentants de ces grands anthropoïdes. Possibilité d'assister à leur repas (vers 14h).

Poursuivre par les D 37, D 6 et D 54.

Jusqu'à St-Héand, la route offre de belles échappées sur les monts du Lyonnais. En fin de parcours les vues plongent au-dessus de la vallée du Gier, à gauche, et du bassin de la Loire, à droite. De St-Héand, la D 102 descend dans la vallée du Furan.

Gagner St-Étienne par la N 82.

2 DE ST-ÉTIENNE À LYON

108 km – compter une journée sans la visite de Lyon. Quitter St-Étienne au Nord par la N 82 qui suit la vallée du Furan.

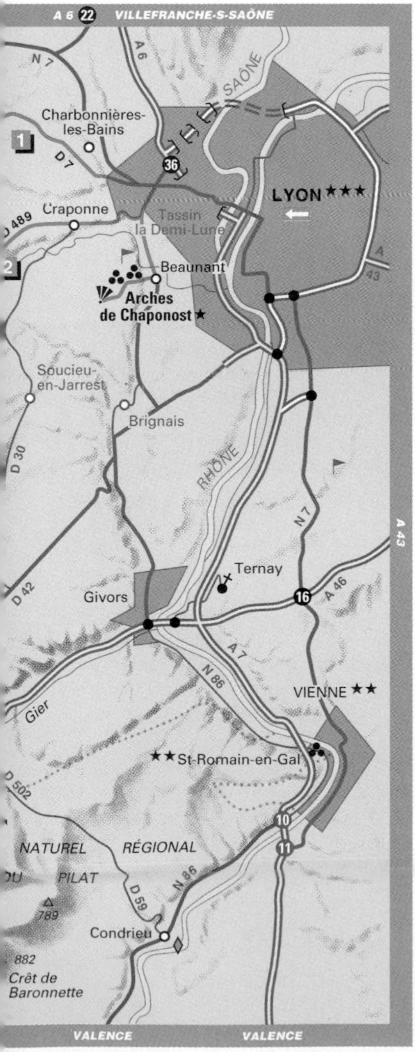

RESTAURATION

Auberge de campagne La Picoraille – *Pl. du Marché - 69440 Riverie - ☎ 04 78 81 82 87 - fermé janv. ; ouv. sam., dim. et j. fériés - ⊄ - 11,89/19,06€.* Dans une belle bâtisse du 14e s., cette auberge, créée il y a 20 ans par des agricultrices qui voulaient réunir citadins et ruraux autour de leur table, n'a rien perdu de son authenticité ! Cuisine paysanne préparée avec des produits fermiers.

Veauche

Sur le rebord d'un coteau dominant la Loire, Veauche, dont l'activité principale est la fabrication des bouteilles pour les eaux de St-Galmier, est connue des archéologues et des amateurs d'art. L'**église** était, à l'origine, un petit prieuré donné en 970 à l'abbaye de Savigny. Très modeste extérieurement, l'édifice a été presque entièrement rebâti aux 15e et 16e s. La partie préromane (deux premières travées de la nef) se distingue par une sobre arcature plaquée contre les murs des collatéraux. *S'adresser à la cure.*

St-Galmier

St-Galmier doit sa célébrité à des sources d'eau minérale, très appréciée comme eau de table, et distribuée sous le nom de Badoit.

Les eaux de la ville, connues dès l'époque romaine, ne devinrent vraiment réputées qu'au début du 19e s., grâce à l'esprit d'initiative de **A.-S. Badoit** qui, le premier en France, eut l'idée de mettre l'eau en bouteilles. Pour vaincre les préjugés de son époque – on pensait alors que l'eau ainsi transportée perdait ses propriétés –, Badoit organise une véritable campagne publicitaire, en France et à l'étranger : la société qui porte son nom connaît rapidement un essor important. Cette eau pétillante, froide et limpide, est riche en gaz carbonique, sels de calcium et fluorures. Elle est captée à une profondeur de 78 m et mise en bouteilles dans l'**usine** située près de la source. *Juil.-août : visite guidée (1h1/2) sur demande préalable tlj sf lun. et w.-end ; hors sais. : le 1er ven. du mois. Gratuit. Office de tourisme. ☎ 04 77 54 06 08.*

Église – C'est un édifice de style flamboyant à trois nefs. En entrant, à gauche, sous la tribune, très belle **Vierge du pilier★** de l'école de Michel Colombe (16e s.). Contre le 2e pilier de la nef, à droite, **triptyque★** de l'école flamande (15e s.) ; le volet central, en bois sculpté et doré, représente une Vierge à l'oiseau, entre sainte Barbe et sainte Catherine.

Hôpital – Il est installé dans un ancien couvent d'ursulines. La chapelle, à droite en entrant, possède un beau retable en bois sculpté, à colonnes torses, du 17e s.

Vieux quartier – *En sortant de l'hôpital, tourner à droite, puis emprunter à gauche la rue Félix-Commarmond.* Cette rue bordée de maisons anciennes mène place des Roches.

HALTE
Pour les adresses d'hébergement et de restauration, se reporter au « carnet pratique » de Chazelles-sur-Lyon.

Chazelles-sur-Lyon *(voir ce nom)*

St-Symphorien-sur-Coise

Son église gothique domine cet ancien bourg fortifié. C'est aujourd'hui un petit centre industriel où l'on fabrique du saucisson sec.

N.-D.-de-la-Neylière

Outre la chapelle, il est possible de visiter les musées d'Océanie et de Jean-Claude Colin, en s'adressant, au préalable, à la Neylière, 69590 Pomeys. ☎ 04 78 48 40 33.

Maison d'accueil des pères maristes bâtie sur une colline dominant la vallée de la Coise. Dans la chapelle très dépouillée mais ornée de vitraux et d'une fresque modernes, repose le père **Jean-Claude Colin** (1790-1875), fondateur de la Société de Marie.

Aveize

À la sortie Nord du bourg, de la D 4, **vue★** sur Ste-Foy-l'Argentière établie au creux de la dépression de la Brévenne.

La montée vers Montromant par la D 25 est étroite et très sinueuse. Dans un virage, avant le col de la Croix-de-Part, la route offre une belle vue sur la vallée de la Brévenne.

Rejoindre Lyon par Yzeron, les Arches de Chaponost et la D 50.

Aven de Marzal★

S'il fut longtemps difficile à repérer, cet aven est aujourd'hui entouré de gigantesques animaux préhistoriques qui marquent son emplacement. S'enfonçant sous le plateau des Gras, il est riche en concrétions de calcite, colorées par divers oxydes allant de l'ocre brun au blanc neigeux.

La situation

Cartes Michelin nos 80 pli 9 ou 245 plis 2, 15 ou 246 pli 23 - Ardèche (07). Proche de la route panoramique des gorges de l'Ardèche, l'aven de Marzal est situé entre St-Remèze et Bidon sur la D 201.

Le nom

Le nom patois de « marzal » désigne une graminée sauvage. Il fut donné vers 1810 au garde forestier de St-Remèze, Dechame, à la suite de l'amende qu'il avait infligée à sa femme coupable d'en avoir ramassé, pour ses lapins, dans le champ d'un voisin. Peu après, Marzal fut tué et jeté dans un puits dit « Trou de la Barthe ». Le crime découvert, les habitants de la région prirent l'habitude de donner à ce puits le nom de Marzal.

Les gens

L'aven ne fut véritablement connu qu'en 1892 lorsque le spéléologue Édouard Alfred Martel (1859-1938) en fit la première exploration. Mais une erreur de signalisation fit oublier sa situation exacte. Marzal fut redécouvert en 1949 par le spéléologue Pierre Ageron, après des années de recherches dans les fourrés du plateau des Gras.

visiter

Musée du Monde souterrain

♿ *Mêmes horaires de visite que l'aven de Marzal. Gratuit.* Il évoque les grands noms et les grandes étapes de la spéléologie en France par l'exposition de pièces authentiques comme les ouvrages majeurs, l'échelle et le bateau Berthon (1890) de Martel ; un équipement de spéléologue de 1892 ; la tenue de Robert de Joly ; le casque, le matériel électrique et le sac étanche d'Élisabeth et de Norbert Casteret...

Aven

Avr.-oct. : visite guidée (1h) 10h-18h ; mars et nov. : dim. et j. fériés 11h-17h. 6,71€ (enf. : 4,42€). ☎ 04 75 55 14 82 ou 04 75 04 12 45.

Température intérieure : 14° ; 743 marches. Un escalier métallique *(parcours assez pénible)* emprunte l'orifice naturel par lequel P. Ageron pénétra dans la grotte en 1949. L'aven, puits naturel, débouche dans la Grande Salle, ou salle du Tombeau. Tout près, ossements d'animaux tombés dans la grotte (ours, cerfs, bisons).

Grotte – La salle de la Pomme de pin est intéressante par la richesse de ses coloris. La salle des Colonnes a été le lit où cascadait une rivière souterraine disparue.
La salle des Diamants (à 130 m au-dessous du sol) marque le terme de la visite ; elle scintille de milliers de cristaux dans une féerie de reflets et de couleurs.

Excentriques, draperies, orgues de couleurs vives, formations en disques et en grappes de raisins... Les salles, particulièrement celle du Chien, présentent des concrétions très variées.

Zoo préhistorique

♿ *Mêmes horaires de visite que l'aven de Marzal. 6,71€ (enf. : 4,42€).*
Au long d'un parcours ombragé de 800 m, le visiteur découvre des reproductions grandeur nature, plus ou moins crédibles, de spécimens de la faune du primaire (dimétrodon, moschops), du secondaire (stégosaure, brachiosaure, tyrannosaure), jusqu'au mammouth du quaternaire.

Le Monastier-sur-Gazeille

Un village tout en longueur s'étire de part et d'autre d'une ancienne abbaye, sur les bords de la Gazeille, dont le nom pétille comme des bulles de champagne. Vous découvrirez avec plaisir son patrimoine attachant et son festival des cuivres qui propose des spectacles de qualité et fait naître au mois d'août un air de fête à vous ravir le cœur.

La situation

Cartes Michelin n°s 76 pli 17 ou 239 plis 46, 47 - Haute-Loire (43). À 21 km du Puy, à mi-distance entre le Mont Mézenc et la haute vallée de la Loire, le bourg du Monastier est un excellent point de départ pour randonner sur toute la partie Sud du Velay. La plus belle arrivée se fait par la petite D 27 qui longe la Gazeille.

Le nom

Ce joli village doit son origine au monastère bénédictin, implanté dès le 7e s. au bord de la Gazeille. Restauré après les ravages occasionnés par les bandes de Sarrazins, il fut un temps le rival de La Chaise-Dieu.

Les gens

1 734 Monastérois. Réputés pour « leur amour de la dive bouteille, leur liberté de langage et leurs dissensions politiques sans égales. Une vraie Pologne montagnarde » conclut **Robert Louis Stevenson**, de passage au Monastier. C'était en 1878, quand il traversait les Cévennes avec son ânesse Modestine.

L'Île au trésor, la Flèche noire... *R.L. Stevenson (1850-1894) a beaucoup voyagé et nous a bien fait rêver.*

Un peu d'histoire

Ce gros bourg de la Haute-Loire doit son nom à un monastère bénédictin, le plus ancien du Velay : son origine remonte à la fin du 7e s. Les bâtiments conventuels qui abritent actuellement la mairie sont ceux élevés au 18e s. sous la direction de l'abbé de Castries. Saint Calmin, comte d'Auvergne, fonde le monastère et en devient le premier abbé. En 728, **saint Théofrède,** son successeur, est massacré lors d'une incursion sarrasine. Le monastère, relevé de ses ruines, connaît durant plusieurs siècles un rayonnement extraordinaire. À la fin du 12e s., le domaine abbatial compte 235 dépendances ou prieurés, notamment Chamalières-sur-Loire en Velay, Veyrine et Thines en Vivarais. Le déclin est très rapide à partir du 16e s., quand des abbés commendataires succèdent aux abbés réguliers.

Restauration

Auberge des Acacias – *Rd-pt des Acacias - ☎ 04 71 08 38 11 - 10,21/20,58€.* Cuisine couleur locale et collection de phonographes pour ce restaurant qui a bonne presse ici. Profitez de son menu du terroir dans sa jolie salle aux murs jaunes et meubles de bois massif ou sur la terrasse, en écoutant les vieux 78 tours du patron... Quelques chambres.

visiter

L'abbatiale

Le sanctuaire roman élevé au 11e s. a été profondément remanié au 15e s.

Façade★ – Elle date du 11e s., vivement colorée avec ses pierres volcaniques sombres ou dorées dont l'assemblage *en pain d'épice* illustre une technique décorative répandue dans l'Auvergne et le Velay romans. C'est à l'étage, au-dessus du porche, que le jeu des couleurs est le plus marqué. La corniche du grand fronton triangulaire est décorée d'une frise d'animaux, de figures grotesques et de feuillages.

Intérieur – Vous serez frappé en entrant par le contraste entre la nef en pierre volcanique grise et le chœur de style flamboyant, en arkose claire. Transept et collatéraux ont conservé leurs voûtes romanes. Le chœur du 15e s. est entouré d'un petit déambulatoire sur lequel s'ouvrent cinq chapelles rayonnantes. La deuxième à droite, la plus tardive, est de pur style Renaissance, avec son plafond à caissons agrémenté d'écussons et de médaillons.

Dans le bas-côté Nord, un bel **orgue★** de 1518, restauré, attire l'attention par la délicatesse du décor peint et des claires-voies ornant le buffet. Dans la partie haute figurent, dans un écu, les armes de l'abbé Gaspard de Tournon ; de nombreuses restaurations datent de son abbatiat, entre 1504 et 1520.

Trésor– *De juin à fin sept. : 10h-12h30, 14h-19h. 1,52€. ☎ 04 71 08 37 76.*
Il est exposé dans la sacristie attenante au bas-côté Nord et abrite des pièces intéressantes.

Un trésor est caché dedans
Une Pietà en pierre polychrome du 15ᵉ s., deux étoffes de soie byzantines ayant enveloppé les reliques des saints fondateurs, une Vierge en bois polychrome du 17ᵉ s. composent ce trésor, dont la pièce maîtresse est le **buste-reliquaire★** de saint Théofrède, dit aussi saint Chaffre, en chêne recouvert de plaques d'argent serties de pierres précieuses.

La robustesse de l'abbatiale est allégée par la hauteur de la voûte et la vivacité des chapiteaux historiés de la nef.

Musée municipal

♿ *Juil.-août : tlj sf lun. 10h30-12h, 14h-18h ; sept. : tlj sf lun. 10h30-12h, 14h30-17h ; juin et oct. : tlj sf lun. 14h30-17h. Fermé nov.-mai. 1,52€. ☎ 04 71 03 80 01.*
Il est aménagé dans les belles salles voûtées du **château abbatial** (sous-sol et rez-de-chaussée). Le bâtiment actuel, cantonné de quatre grosses tours rondes et d'une tour qui renferme un escalier à vis, fut élevé en 1525, sur les fondations d'un château du 14ᵉ s., par Charles de Sennecterre (ou Saint-Nectaire), dont la famille fournit des dignitaires ecclésiastiques au Velay pendant un siècle et demi (blason aux 5 fuseaux surmontés d'une crosse).
Les collections illustrent l'ethnologie régionale (dentelles, costumes vellaves traditionnels), la préhistoire de la haute vallée de la Loire. **Une salle est consacrée à R.L. Stevenson,** une autre abrite un ensemble lapidaire composé de vestiges de l'abbaye. Au 1ᵉʳ étage, dans la tour Sud, la chapelle de l'abbé présente des vestiges de fresques du 17ᵉ s.

Un projet culturel porteur
Une partie du château abbatial sert de cadre à un centre artistique, implanté récemment pour s'occuper du festival des cuivres.
☎ 04 71 03 94 17.

Église St-Jean

Située à l'extrémité Sud du village, cette ancienne église paroissiale édifiée au 9ᵉ s., et très remaniée au 15ᵉ s. est d'une sobre élégance. Elle est en cours de restauration.

L'équipée de Stevenson

Durant l'automne 1878, le romancier britannique **R.L. Stevenson**, auteur de *L'Île au trésor,* cherche à satisfaire son humeur vagabonde et à retrouver la trace du vieil esprit camisard. Il traverse à pied les Cévennes, du Monastier à Alès, couchant à la belle étoile ou dans des auberges de fortune. Son carnet de voyage est une mine d'observations humoristiques et pertinentes sur la diversité des paysages et des personnages rencontrés au hasard de sa promenade. Pour porter l'invraisemblable sac de couchage qu'il s'est fait confectionner, Stevenson a fait l'acquisition d'une ânesse, aussitôt baptisée **Modestine**. Le conflit entre l'obstination du romancier et l'entêtement d'une ânesse du Velay durera autant que le voyage.

alentours

Viaduc de la Recoumène

2 km. Quitter Le Monastier au Sud par la D 500, puis la D 535 en direction d'Aubenas.
Ce bel ouvrage d'art, franchissant la Gazeille à près de 66 m de hauteur, fut construit entre 1921 et 1925. Comportant huit arches en basalte, il était destiné à former un jalon sur la ligne de chemin de fer Le Puy-Niègles (Ardèche), qui ne fut jamais mise en service. C'est à l'heure actuelle le seul site du Velay homologué pour le **saut à l'élastique** (frissons garantis !).

Compact mais élancé, le château de Vachères est un témoin bien mystérieux de la période féodale.

Château de Vachères

7,5 km au Sud-Est du Monastier par la D 38. On ne visite pas. Un donjon massif flanqué de tours à poivrières donne à ce château (13e s.), avec ses blocs de basalte noir noyés dans un mortier blanc, une belle image des temps médiévaux.

Freycenet-la-Tour

7 km à l'Est du Monastier par la D 500. La tour a disparu, mais ce village vaut le coup d'œil pour son église romane et les rives romantiques de l'étang des Barthes, niché au cœur d'une grande forêt domaniale.

Moudeyres *(voir p. 164)*

Monistrol-sur-Loire

L'important développement de la ville a heureusement épargné le bourg ancien qui surprend par son caractère méridional et ses ruelles médiévales bordées de maisons à génoise aux toits faiblement inclinés. C'est un agréable lieu de villégiature, un bon point de départ pour partir en promenade le long des gorges de la Loire ou au pays des sucs qui gravitent autour d'Yssingeaux.

La situation

Cartes Michelin nos 88 pli 17 ou 239 pli 35 – Haute-Loire (43). Le plus simple, pour arriver à Monistrol, est d'emprunter la N 88 depuis Yssingeaux ou St-Étienne, aménagée en voie rapide sur ce parcours. Le plus pittoresque est de suivre la D 12, venue de Bas-en-Basset et des gorges de la Loire. *ℹ 4 bis r. du Château, 43120 Monistrol-sur-Loire, ☎ 04 71 66 03 14.*

Le nom

La ville tire son nom d'un petit établissement monastique (« *monasteriolum* ») qui n'a pas laissé d'autres traces que son nom. Son climat et sa situation remarquable ont dû séduire les évêques du Puy-en-Velay qui en ont fait un de leurs séjours favoris et la seconde ville du diocèse, sous le nom de Monistrol-l'Évêque. Après Monistrol-en-Velay, la petite ville a pris son nom actuel de Monistrol-sur-Loire.

carnet pratique

Restauration

• ***Valeur sûre***

L'Air du Temps – *43590 Confolent - 4 km à l'E de Beauzac par D 461 - ☎ 04 71 61 49 05 - fermé 2 au 31 janv., 27 août au 4 sept., dim. soir et lun. - 14,94/50,31€.* Arrêtez-vous dans ce hameau en pleine nature, le temps d'un repas : l'une de ses maisons abrite un restaurant plutôt gourmand, tenu par un ex-boulanger-pâtissier. Sa carte, généreuse, aime les saveurs régionales et décline les menus à prix sages. Véranda.

Table du Barret – *Bransac - 43590 Beauzac - 3 km au S de Beauzac par D 42 - ☎ 04 71 61 47 74 - fermé fév., 1er au 15 nov., 24 au 30 déc., mar. soir sf juil.-août, dim. soir et mer. - 15,24/48,78€.* C'est un jeune couple qui a repris cette maison rose de 1915 pour en faire une jolie étape au bord de l'eau. Les chambres modernes sont agréables et la table soignée. Dans un décor chaleureux ou en terrasse, vous aurez le temps d'en goûter tous les parfums. Belle carte des vins.

Les gens

7 451 Monistroliens. Les gourmands fréquentent les Gastroleries, foire gastronomique organisée chaque mois de novembre. Quant à ceux qui ont « la passion du bois », ils disposent, tous les deux ans en avril, d'un salon où sculpteurs et ébénistes proposent leurs production de l'année.

Comme Ronsard et Du Bellay

L'humaniste forézien **Antoine Verd du Verdier**, ami des poètes de **la Pléiade**, rédigea à Valprivas, à côté de Monistrol, sa *Bibliothèque française*, premier essai de bibliographie en France.

Prenez garde en arrivant à France-Lame, aisément reconnaissable à l'immense épée enfoncée jusqu'à la garde dans le bâtiment.

visiter

France-Lame

♿ *Visite guidée (3/4h) tlj sf dim. 9h-12h, 14h-18h (dernière entrée 3/4h av. fermeture). 4,57€ (enf. : 2,29€). ☎ 04 71 75 60 60.*

La visite, très instructive, propose une démonstration sur une ancienne forge : étirage d'un fleuret.

Château des Évêques

Partant de la place Néron, une promenade plantée de tilleuls monte vers les grosses tours rondes de l'ancien château des Évêques (14e-18e s.), qui abrite aujourd'hui l'Office de tourisme et des expositions. Remarquez, à l'intérieur, les statues du Christ au jardin des Oliviers (16e s.) et la rampe en fer forgé (18e s.). *Juin-sept. : 9h30-12h, 14h30-18h30, dim. et j. fériés 9h-12h (juil.-août : dim. 15h-18h) ; oct.-mai : tlj sf dim. 9h-12h, 14h-17h30. Fermé 15 août. 1,52€. ☎ 04 71 66 03 14.*

Contourner le château par l'allée à droite.

De l'extrémité de la terrasse Ouest, vous bénéficierez d'une jolie vue sur la vallée de la Loire, Bas-en-Basset et le plateau de St-Bonnet.

Église

En sem. 9h-18h, ☎ 04 71 66 50 62.

Sa nef centrale avec ses deux colonnes (unique exemple en Velay) et la coupole du chœur ont seuls résisté aux destructions révolutionnaires. La tour-clocher du 17e s. a retrouvé son dôme d'origine.

Le noyau ancien

Emprunter, en partant de l'église, la rue du Commerce puis la première rue à droite. Égarez-vous pour le plaisir dans un lacis de ruelles et retrouvez-vous en plein Moyen Âge.

circuits

LA RIVE GAUCHE DE LA LOIRE

30 km – 2h environ. Quitter Monistrol par la D 12, en direction de Bas-en-Basset.

À environ 300 m au-dessus de la place des Marronniers, emprunter le chemin s'amorçant à gauche d'un mur d'enceinte (3/4h à pied AR).

Sur les vestiges d'une place forte établie au 10e s. fut élevé le château de Valprivas, édifice Renaissance, agréablement restauré.

Château de Rochebaron

On atteint les ruines du château féodal perché sur un éperon dominant la Loire, érigé entre le 11e et le 13e s., et précédé d'une triple enceinte. Seule reste intacte une tour ronde avec ses salles voûtées, reliées par un escalier à vis.

De l'extrémité du promontoire, **vue★** sur le Basset et la vallée de la Loire.

Reprendre la D 12 sur la droite, puis la D 125 à gauche. À Valprivas, gagner le haut du village, au-delà de l'église.

Château de Valprivas

Mai-sept. : visite guidée (3/4h) tlj sf lun. 10h30-12h30, 15h30-18h, w.-end et j. fériés 10h30-12h, 15h30-18h ; oct.-avr. : sur demande. Fermé vac. scol. Noël. 3,05€. ☎ 04 71 66 71 33.

Dans la cour d'honneur, la tour ronde abrite un rare escalier à vis tout en chêne, et présente un portail encadré de cariatides et surmonté d'un blason ; deux galeries superposées, à l'italienne, sont dotées au rez-de-chaussée de voûtes sur croisées d'ogives, à l'étage, d'un plafond à caissons.

Très expressives
Sur le mur Est une peinture murale figure la Résurrection des morts (A. Verd du Verdier est représenté en orant, à gauche) ; sur le mur Sud, une étonnante scène évoque l'Enfer.

La chapelle castrale, « reconsacrée » en 1493, est décorée de deux **peintures murales★**, réalisées à la fin du 16e s. par des artistes de l'atelier de P.-P. Rubens qui s'étaient fixés à Lyon après avoir travaillé au château de Fontainebleau. La visite fait encore découvrir de vastes pièces aux belles cheminées ; à l'étage dans la grande salle Renaissance reconstituée, les mélomanes apprécieront les concerts du **Centre culturel de Valprivas**.

Regagner Monistrol en empruntant la petite route qui redescend vers la vallée de l'Ance et traverse le hameau de Coutenson.

VALLÉE DE L'ANCE

46 km – compter une demi-journée. Quitter Monistrol par la D 12, en direction de Bas-en-Basset. Au pont, prenez à gauche la D 42, puis la D 44 vers Tiranges.

La route suit d'abord la riante **vallée de l'Ance**, puis, à partir du village du Vert, s'élève en **corniche★**. Entre Chales et les Arnauds, les amateurs de points de vue bénéficieront de belles échappées sur le bassin de la Loire, la vallée de l'Andrable et les monts du Velay.

À Tiranges, emprunter à gauche la D 24.

Au cours de la descente sur l'Ance, la tour de Chalencon apparaît sur un piton.

Poursuivre par la D 24 jusqu'au carrefour avec la D 9. Remonter la D 9, puis la D 29 à droite. Traverser le bourg de St-André-de-Chalencon et prendre la route qui longe le cimetière.

À 2 km, se garer et continuer à pied (15 mn AR).

Château de Chalencon *(voir p. 175)*

Regagner la D 46, en direction de Beauzac.

Beauzac

Rare !
La particularité de cette église est de posséder une crypte, ce qui est tout à fait original dans le Velay. C'est même le seul exemple. Elle se caractérise par une grande sobriété de lignes, et ne comporte pas de chapelles rayonnantes.

Sa petite **église** (12e-17e s.) présente un portail latéral flamboyant et un élégant clocher-peigne à trois étages ; sous l'abside se trouve une crypte romane.

Quelques maisons du bourg, imbriquées dans les anciens remparts percés de deux portes, montrent, à la naissance du toit, de curieuses galeries de bois reposant sur de gros corbeaux.

Retourner à Monistrol par le Pont de Lignon (D 461) et la N 88.

Montbrison

Montbrison, bâtie en cercle autour d'une butte volcanique, est dominée par le dôme (18e s.) de l'ancien couvent de la Visitation (actuel palais de justice) et par l'imposant clocher de son église gothique. Au 11e s., quelques maisons se groupent au pied du château des comtes du Forez. Des boulevards ombragés remplacent maintenant les anciens remparts de cette ville close. Différentes festivités culturelles animeront votre séjour. L'ancienne capitale du comté du Forez vit aujourd'hui surtout du commerce de la fourme, dont la finesse et le goût délicat restent sans égales.

La situation

Cartes Michelin nos 88 pli 17 ou 239 pli 23 – Loire (42). Montbrison est situé sur la D 8, à 34 km au Nord-Est de St-Étienne. *Cloître des Cordeliers, 42600 Montbrison, ☎ 04 77 96 08 69.*

Le nom

Une aimable tradition raconte que les Gaulois avaient dédié ce lieu à Briso, la déesse des songes.

Les gens

14 589 Montbrisonnais. Ceux de l'époque où vécut le célèbre Mandrin furent ravis de la bonne farce jouée au receveur des gabelles, qui vit, impuissant, le bandit subtiliser sa caisse.

Soulignons, à l'heure actuelle, les efforts de la Société historique et archéologique du Forez, la Diana, qui œuvre avec efficacité pour la sauvegarde du patrimoine et pour la connaissance du passé de la région.

Le saviez-vous ?
Muriel Robin, l'irrésistible comédienne, et **Pierre Boulez**, le célèbre compositeur créateur de l'IRCAM, sont tous deux nés à Montbrison à 30 ans d'écart exactement.

carnet pratique

Restauration

• *Valeur sûre*

Le Vieux Logis – *4 rte de Lyon - 42210 Montrond-les-Bains - ☎ 04 77 54 42 71 - fermé 1er au 15 mars, 1er au 15 sept., dim. soir et lun. - 18,29/36,59€.* Au cœur de la petite station thermale, ce restaurant familial niché dans un immeuble moderne propose une cuisine simple et généreuse. La formule plat-dessert du déjeuner et le premier menu, servis en semaine, sont raisonnables... Terrasse en été.

Hébergement

• *À bon compte*

Camping Le Bigi – *42600 Bard - 2 km au SO de Montbrison par D 113 dir. Lérigneux - ☎04 77 58 06 39 - ouv. 15 avr. au 15 oct. - ⊄ - réserv. conseillée - 46 empl. : 10,82€.* Sur le terrain d'une ancienne pépinière, aux portes des monts du Forez, ce camping est simple et très bien tenu. En plus des installations classiques, un abri-jeux pour les enfants et une petite piscine.

Marytel – *95 rte Lyon - 42600 Savigneux - 1,5 km à l'E de Montbrison par D 496 - ☎04 77 58 72 00 - P - 33 ch. : 39,64/44,21€ - ☕ 5,34€.* Cette construction récente en bord de route est protégée des bruits de la circulation par un double vitrage efficace. Les chambres, simples et fonctionnelles, sont bien tenues. Une étape avant tout pratique.

Sorties

Casino de Montrond-les-Bains - Le Saxo – *Rte de Roanne - 42210 Montrond-les-Bains - ☎ 04 77 52 70 70 - tlj 10h-4h ; discothèque : w.-end 22h-4h.- fermé Noël.* Si le démon du jeu vous titille, venez découvrir le casino de Montrond-les-Bains, ses 180 machines à sous et ses jeux traditionnels (roulette, black jack...). Vous pouvez fêter vos gains au Saxo, célèbre discothèque, ou sabrer le champagne au restaurant Le Dauphin.

Achats

La fourme de Montbrison, plus moelleuse que celle d'Ambert, est un fromage cylindrique dont la pâte onctueuse et persillée, a un goût délicat. Fabriquée sur les Hautes-Chaumes, elle est très parfumée. N'hésitez pas à en emporter chez vous. Pour faire vos emplettes, privilégiez le marché du samedi ainsi que les **journées annuelles** de la Fourme qui valorisent ce savoureux fromage (fourme alliée au pain bis et aux vins des côtes du Forez).

visiter

Collégiale N.-D.-d'Espérance

Fondée en 1226 par Guy II, comte du Forez, c'est une importante construction gothique restaurée en 1970. L'austérité de la façade est accentuée par l'aspect massif de la tour-clocher épaulée de contreforts. Le portail flamboyant, ajouté au 15e s., expose au tympan une jolie Vierge à l'Enfant du 14e s.

Intérieur★ – Il frappe par l'aspect harmonieux et la longueur de la nef. Remarquez la disposition des grandes fenêtres en triple lancette ; leur partie inférieure offre l'aspect d'un triforium aux arcatures trilobées. Le chœur, de style gothique rayonnant, abrite, à gauche, le tombeau de Guy IV. À l'extrémité du collatéral Nord, beau gisant du 14e s.

> **Les grandes orgues**
> Classé monument historique, l'orgue comporte un buffet réalisé par le facteur d'orgue alsacien **Callinet.** Il se compose de 46 jeux ou registres et de 4 claviers. **Le Concours international d'improvisation à l'orgue** se déroule tous les deux ans à Montbrison, en alternance avec le Grand Prix de Chartres.

La Diana

Visite guidée (3/4h) mar. 14h-17h, mer. et sam. 9h-12h, 14h-17h. Fermé j. fériés. 2,74€. ☎ *04 77 96 01 10.*

Construite à l'occasion du mariage du comte du Forez, Jean Ier, en 1296, cette salle servit plus tard de lieu de réunion aux prêtres du doyenné, en latin *decanatus*, d'où son nom de Diana. L'intérieur (14e s.) est remarquable par sa voûte en bois, divisée en petits caissons peints – près de 1 700 – représentant les armoiries, répétées plusieurs fois, de grandes familles françaises et maisons nobles du Forez. C'est assurément un édifice à ne pas manquer !

La salle donne accès à un musée lapidaire.

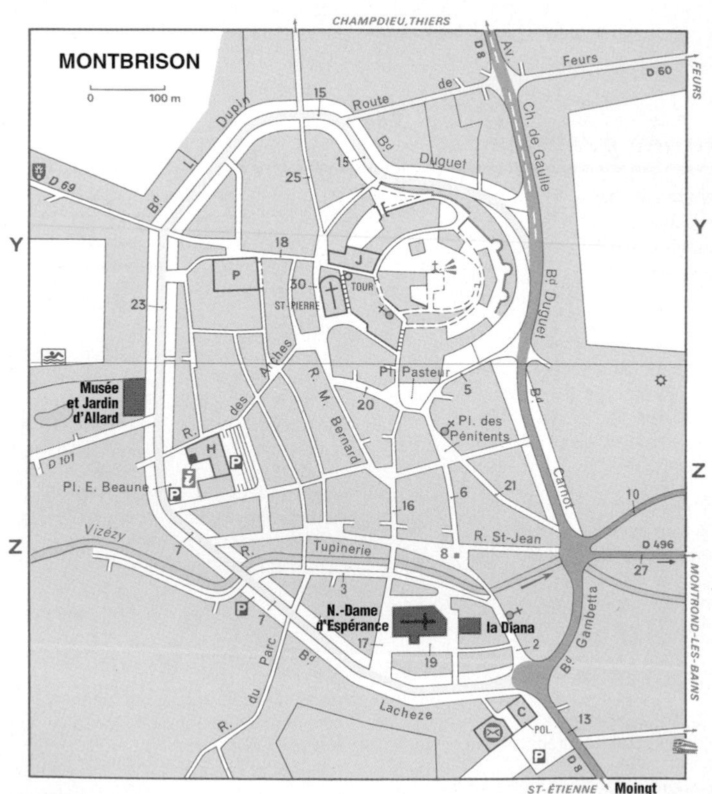

- Ancien Hôpital (R. de l') .... Z 2
- Astrée (Q. de l') .... Z 3
- Bout-du-Monde (R. du) .... Z 5
- Boyer (R. S.) .... Z 6
- Chavassieu (Bd) .... Z 7
- Combattants (Pl. des) .... Z 8
- Fg. St-Jean (R. du) .... Z 10
- Libération (Av. de la) .... Z 13
- Madeleine (Bd de la) .... Y 15
- Marché (R. du) .... Z 16
- Notre-Dame (R.) .... Z 17
- Palais-de-Justice (R. du) .... Y 18
- Papon (R. Loys) .... Z 19
- Pasteur (R.) .... Z 20
- Pénitents (R. des) .... Z 21
- Préfecture (Bd de la) .... Y 23
- Puy-de-la-Bâtie (R. du) .... Y 25
- République (R. de la) .... Z 27
- St-Pierre (R.) .... Y 30
- Tupinerie (R.) .... Z

Une belle bibliothèque, une décoration somptueuse, la Diana ne ménage pas ses effets pour séduire.

Musée d'Allard

Entrée : boulevard de la Préfecture. Tlj sf mar. 14h30-18h. Fermé 1er janv. et 25 déc. 2,44€. ☎ 04 77 96 39 15.
Situé dans l'ancien hôtel particulier de Jean-Baptiste d'Allard, ce musée est aménagé sur 4 niveaux.
Au sous-sol et au rez-de-chaussée sont rassemblées d'importantes collections de minéraux (beaux spécimens de roches fluorescentes) et d'oiseaux naturalisés. Au 1er étage est exposée une importante collection de **poupées** du monde entier (plus de 600 pièces).

À voir aussi une remarquable collection de bénitiers de chevet. Le musée s'est agrandi pour accueillir des petits trains et du matériel ferroviaire miniature.

Retour à l'enfance
Vous avez l'embarras du choix, depuis les « shaouabtis » découvertes dans les sarcophages égyptiens jusqu'aux poupées de mode du 18e s., en passant par les modèles précolombiens en terre cuite. Remarquez les dînettes anciennes et récipients miniatures, en porcelaine de Limoges ou de Chine et en faïence de Nevers.

Jardin d'Allard – Ce jardin public est agréablement tracé et ombragé. Il fut aménagé à la demande de Jean-Baptiste Allard, derrière son hôtel particulier.

Promenade dans la ville–Il faut prendre le temps de baguenauder un peu dans le centre ancien, qui cache de **beaux hôtels particuliers**, notamment rue St-Pierre *(nos 1, 7, 10, 11, 13 et 17)*, rue Puy-de-la-Bâtie *(nos 5, 9, 11, 14, 18, 19, 20)* et rue Martin-Bernard *(nos 5, 14, 23 et 25)*.
L'Office de tourisme a édité en plusieurs langues des itinéraires de balades qui vous guideront aussi vers le **palais de justice**, ancien couvent de la Visitation dont l'autre partie sert de cadre à un centre musical, la **butte du calvaire** *(point de vue actuellement inaccessible)*, la **chapelle des Pénitents**, transformée en centre culturel, et dont la façade 18e s. est attribuée à Soufflot.

alentours

Moingt

Sortie Sud de Montbrison, par la D 8. Cette ancienne cité, de fondation romaine, rappelle l'Italie avec ses cyprès sur fond de montagne, qui se détachent sur le bleu du ciel. Ce village possède l'**église** St-Julien dont le clocher est remarquable par ses chapiteaux à entrelacs datant du 11e s. *Ouv. dim.*
La place de l'église s'ouvre par une porte voûtée, flanquée d'une tour du 15e s., derniers vestiges d'un château médiéval.

Église de Champdieu*

4,5 km au Nord par la D 8. À la limite de la plaine et des monts du Forez, **Champdieu** possède une remarquable église romane construite pour un prieuré bénédictin. Au 14e s., l'église et l'ensemble des bâtiments du prieuré reçurent une puissante armature fortifiée.
L'église surprend par l'importance de son appareil défensif. Des deux clochers du sanctuaire, le plus remarquable, d'époque romane, est celui du transept, percé de

Fortifiée
De hautes arcatures forment mâchicoulis sur le flanc et le croisillon Sud de l'église ; un même système d'arcatures se développe le long des murs du prieuré établis en quadrilatère autour d'une cour dont l'église forme le côté méridional.

jolies baies en plein cintre. Le second clocher, sur la façade, date du 15e s. ; sa base forme le narthex. Au portail de la façade, à gauche, remarquez le chapiteau représentant une sirène à double queue.

Intérieur – On est frappé par la sobriété des lignes et l'influence très marquée du style roman auvergnat, le prieuré de Champdieu relevant de l'abbaye de Manglieu en Auvergne : nef centrale en berceau, collatéraux voûtés en quart-de-rond et croisillons saillants, percés à leur extrémité d'une arcature encadrant un arc en mitre caractéristique. Une arcature, à colonnettes et chapiteaux sculptés, décore l'abside principale.
Sous le chœur s'étend une crypte de la fin du 11e s., remarquable surtout pour sa partie centrale divisée en trois nefs par des colonnettes à chapiteaux sculptés.

Réfectoire – *Accès par une porte s'ouvrant à gauche de l'église.* Au rez-de-chaussée de la partie Ouest du prieuré, l'ancien réfectoire des moines a conservé sa décoration du 15e s. : plafond peint à caissons et, au-dessus de la cheminée, belle peinture murale représentant la Cène.

Les deux clochers massifs de l'église de Champdieu ne laissent aucun doute sur la solidité de cette église fortifiée.

St-Romain-le-Puy

7 km au Sud de Montbrison. L'église de l'ancien prieuré de St-Romain-le-Puy qui dépendait, dès la fin du 10e s., de l'abbaye St-Martin-d'Ainay, à Lyon, se dresse sur un piton volcanique émergeant de la plaine du Forez, dominant une verrerie de St-Gobain située au pied du pic. Une source minérale est exploitée au Nord-Est de la localité près de la D 8 (source Parot).

Église du prieuré* – *Accès en voiture à partir de la place Michalon jusqu'au parking situé à mi-pente. D'avr. à fin oct. : 14h30-18h30. ☎ 04 77 76 92 10.*

BELVÉDÈRE
De la plate-forme devant l'église, le panorama s'étend sur un vaste cercle montagneux : monts du Forez à l'Ouest, d'Uzore au Nord et de Tarare et du Lyonnais du Nord-Est au Sud-Est.

Par sa situation, son ancienneté, l'originalité de sa construction et de son décor sculpté, l'édifice est très curieux. On y relève la trace de plusieurs chantiers successifs. Les vestiges les plus anciens sont antérieurs au 10e s. (partie proche de la porte et, du côté droit, deux portes, murées, présentant des intercalations de briques). Les murs sont construits en moellons de granit rose ou gris, mêlés de blocs de basalte. Le chevet est la partie la plus intéressante avec son arcature en plein cintre et surtout la curieuse frise sculptée encastrée sous l'arcature et constituée de plaques rectangulaires ou carrées, décorées de motifs en relief très frustes.

Intérieur – Il frappe par son aspect archaïque et la dissymétrie du plan. Le sol de l'abside et du chœur est surélevé par rapport au niveau de la nef primitive. L'ensemble des chapiteaux est à décor géométrique.
Des vestiges de **peintures murales**, exécutées en plusieurs étapes du 12e au 15e s., sont visibles en différents endroits ; elles ont été restaurées.

Chalain-d'Uzore

7,5 km au Nord.
Le **château** (14e-16e s.) est surtout intéressant pour son ancienne salle de Justice, transformée en salle des Fêtes à la Renaissance (cheminée monumentale), et pour sa galerie aux portes sculptées. De la terrasse, jolie vue sur les monts du Forez. Jardins à la française. *De mi-juil. à fin août : visite guidée (3/4h) à 14h30, 15h30, 16h30. 3,81€.*

Montrond-les-Bains♰

11 km à l'Est. Quitter Montbrison à l'Est par la D 496.
Cette station thermale du Forez, où l'on soigne l'obésité et le diabète, a gardé un **château** dont les ruines se dressent sur une motte près de la Loire. Brûlé au 18e s., il a gardé intact son mur d'enceinte. On pénètre par un vaste porche orné de pilastres cannelés et de chapiteaux. Le corps de logis des 14e et 15e s., en partie ruiné, présente de belles fenêtres à meneaux et de monumentales cheminées. Belle vue sur la plaine et les monts du Forez à l'Ouest, le mont Pilat au Sud-Est. *Juin-août : tlj sf mar. 14h30-18h30 ; mai et sept. : dim. 14h30-18h30. 1,83€. ☎ 04 77 94 64 74.*

Même s'il n'est plus en grande forme, le château de Montrond-les-Bains dresse toujours avec fierté ses imposantes ruines au-dessus de la ville.

Sury-le-Comtal

10 km au Sud. Laisser la voiture sur la place de l'Église et se diriger vers l'entrée du château qui se trouve à droite de l'église.

Château – *De déb. juin à déb. sept. : visite guidée (1h) dim. et j. fériés 14h30-17h30. 3,81€. ☎ 04 77 52 05 14.*
La **décoration★** de ce château du 17e s. est constituée de riches boiseries et plafonds sculptés. Admirez dans le salon du cardinal de Sourdis les deux cheminées Louis XIII, l'une en pierre, l'autre en bois sculpté, et un cabinet dont les panneaux illustrent des scènes de *L'Astrée* ; dans le salon d'été, le plafond et, au 1er étage, dans la chambre de Marie de Médicis, les boiseries et les coquilles du plafond.
Également dans la chambre de Diane restaurée, le panneau de la cheminée, l'arche de l'alcôve et le plafond sont remarquables.

Église – *Visite en sem. et dim. ap.-midi sur demande préalable au ☎ 04 77 30 84 31.*
C'est un édifice gothique, couvert de belles voûtes d'ogives. Remarquez la clef de voûte du chœur, représentant le Père éternel entouré des quatre évangélistes et la première chapelle du collatéral gauche, d'époque Renaissance.

Le Mont-d'Or lyonnais★

Dominant la vallée de la Saône en amont de Lyon, le petit massif du Mont-d'Or constitue un pays au charme rural. Ses sommets offrent d'admirables points de vue. Les pentes exposées au Midi sont assez arides, piquetées de buis sauvages et d'arbustes. Les versants Nord sont plus boisés. Vergers, vignes, jardinets fleuris, petites cultures et pâturages composent le joli décor des vallons intérieurs.

La situation

Carte Michelin n° 244 pli 14 – Rhône (69).
Vu du Nord, le Mont-d'Or semble un récif émergeant de l'ample val de Saône en raison de ses dimensions modestes (6 km sur 12) et de l'altitude de ses sommets ; mont Verdun (625 m), mont Thou (609 m), mont Cindre (469 m). Les affleurements calcaires donnent au terrain une riche coloration ocrée. Carrières exploitées depuis le 15e s.

Le nom

Point de mine d'or à l'origine de ce nom pourtant déjà nommé *Mons aureus* au 10e s. Il pourrait être une déformation de *Monte tauro* (culte celtique du taureau).

Les gens

Célébrité locale, **A.-M. Ampère** est connu comme magicien de l'électricité. Ses découvertes en mathématiques, en physique et en chimie le placent au premier rang des pionniers de la science au 19e s.

RESTAURATION
Restaurant l'Ermitage – *Le Mont-Cindre - 69450 St-Cyr-au-Mont-d'Or - 2,5 km de St-Cyr-au-Mont-d'Or par D 92 dir. Le Mont-Cindre - ☎ 04 78 47 20 96 - fermé janv., dim. soir, lun. et mar. - 15/58€.*
Magnifiquement situé, ce restaurant domine tout Lyon, une partie du Mont-d'Or et les monts du Lyonnais... Une vue qui ne doit pas vous faire oublier la proximité de la jolie chapelle de l'Ermitage qui date du 12e s. ni la savoureuse cuisine traditionnelle servie ici.

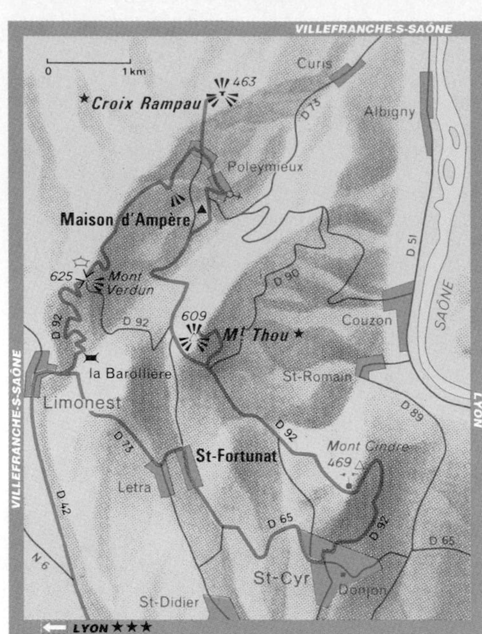

circuit

CIRCUIT DES SOMMETS

55 km – environ 2h1/2. Quitter Lyon par la N 6, et emprunter à droite la D 42 vers Limonest. Au centre du bourg, tourner à droite dans la D 73 puis, à la sortie du village, prendre, à gauche, la D 92 en direction du col du mont Verdun.

Préservé
Les restes de l'habitat ancien, de type méridional, des parcelles cultivées bordées de vieux murs de pierre sèche subsistent notamment autour de Poleymieux.

La route contourne le **château de la Barollière** (18e s.), flanqué de tourelles carrées, et offre de belles **échappées★** vers les monts du Lyonnais.

Le col du **mont Verdun** est occupé par un fort datant de 1875 *(accès interdit).*

Au col, tourner à gauche.

La descente offre de jolies vues sur le val de Saône.

Aux premières maisons de Poleymieux, prendre à gauche, puis à droite dans un chemin de terre sur 200 m. L'accès à la Croix-Rampau se fait à pied par un sentier en montée à gauche.

Croix Rampau★

Table d'orientation. Le **panorama** s'étend, par temps favorable, du Puy de Dôme au Mont Blanc.

Regagner le bourg de Poleymieux en se dirigeant vers l'église et remonter le vallon jusqu'à la maison d'Ampère.

Maison d'Ampère

Tlj sf mar. 9h-12h, 14h-17h45. 3,81€. ☎ 04 78 91 90 77.

Le savant lyonnais **A.-M. Ampère** (1775-1836) passa ici son enfance et ses premières années d'homme.

Dans la chapelle, à droite, on peut suivre une présentation audiovisuelle de la vie et de l'œuvre d'Ampère. La « chambre à recevoir » évoque le cadre de l'existence familiale ; la salle des « Trois Ampère » rappelle la vie du savant, celle de son père mort sur l'échafaud en 1793 et celle de son fils Jean-Jacques, historien et littérateur. Dans le **musée de l'Électricité★**, des appareils permettent d'exécuter les expériences fondamentales sur les courants, les aimants, etc.

Bienvenue dans le repaire de la fée électricité : toutes sortes d'appareils illustrent l'utilisation de cette forme d'énergie très... courante.

Prendre la direction de St-Didier et, au premier carrefour, obliquer à gauche vers le mont Thou.

Point de vue du mont Thou★

À 50 m du sommet *(terrain militaire, accès interdit)*, une esplanade offre une **vue** sur le val de Saône, le mont Cindre, Fourvière et l'agglomération lyonnaise.

À la descente du mont Thou, se diriger vers le mont Cindre. Contourner, par la droite, la tour-relais de télédiffusion, d'où la D 92 descend vers St-Cyr. À l'entrée de St-Cyr, dominé par un donjon, prendre à droite la D 65 en direction de Limonest, puis encore à droite la route menant à St-Fortunat.

St-Fortunat

Le village, étiré en ruelle sur une raide échine rocheuse, est amusant à découvrir. À mi-côte s'inscrit le portail flamboyant de son humble chapelle.

Du haut de St-Fortunat, prendre à gauche, redescendre vers St-Didier et, aussitôt, tourner à droite dans la D 73.

Vues sur les monts du Lyonnais, en arrière de Fourvière.

Retour à Lyon par Limonest et la N 6.

Montélimar

Prononcez le nom de Montélimar et, en écho, vous reviendra le mot « nougat ». C'est dire la popularité de cette friandise dont la cité, forte de sa position charnière qui ouvre sur l'Ardèche et la Drôme provençale, s'est fait une spécialité. Mais la gourmandise n'est pas le seul attrait d'une ville à l'ambiance déjà provençale, renommée pour ses cafés littéraires comme pour son musée de la Miniature.

La situation

Cartes Michelin n°s 81 pli 1 ou 246 plis 21, 22 – Drôme (26).

Des neuf portes que comportait l'enceinte, seule subsiste la porte **St-Martin** au Nord, qui donne accès au centre de la cité. Le cœur de la ville est agrémenté par les allées piétonnières récemment aménagées.

Allées Provençales, 26200 Montélimar, ☎ 04 75 01 00 20. www.montelimar.net

Un air de Provence

Montélimar se donne une allure franchement méridionale en aménageant les fameuses **Allées Provençales★**, larges voies semi-piétonnes qui regroupent plusieurs boulevards sur plus d'1 km. Devenues une halte de verdure incontournable, elles protègent le promeneur des assauts du soleil montilien ; il pourra ainsi en toute quiétude profiter des terrasses de cafés pour une pause rafraîchissante, ou lécher les vitrines des nombreuses boutiques de spécialités régionales.

Le nom

Montélimar doit son nom à une forteresse féodale, bâtie par les seigneurs d'Adhémar (ou Aymard) de Monteil, dont le dernier représentant fut au 17e s. le comte de Grignan, gendre de Mme de Sévigné, à l'emplacement de l'antique *Acunum Acusio* détruite par les Wisigoths. D'où son nom de *Montilium Aymardii* devenu peu à peu Montélimar.

Les gens

31 344 Montiliens. **Émile Loubet** (né à Marsanne en 1838) fut élu maire de Montélimar en 1870. Ce brave homme aux idées très modérées était apprécié de tous, ce qui ne pouvait que faciliter sa carrière politique : c'est ainsi qu'il fut élu en 1899 président de la République et qu'il mena à terme son septennat malgré une époque troublée par les polémiques liées à l'affaire Dreyfus et à la séparation de l'Église et de l'État.

La saga du nougat

Dans l'Antiquité, il était une gourmandise à base de miel, de noix et d'œufs dont le gastronome latin Apicius nous a livré la recette, le *nucatum*. Hélas, après les invasions barbares, le nucatum sombra dans un regrettable oubli. Au 16e s., cependant, apparut près de Marseille une friandise, également à base de noix, d'où son nom provençal de nougat. Mais le véritable nougat, le nôtre, était encore à venir : il fallut attendre qu'en 1650 **Olivier de Serres** acclimate l'amandier, originaire d'Asie, dans son domaine vivarois du Pradel. Dès lors, le destin de Montélimar était scellé ! Sa position stratégique, entre le plateau des Gras où la culture des amandes s'était généralisée, et la Provence et les Alpes, riches en miel, ne pouvait que faire un jour germer l'idée de mélanger les unes à l'autre : une industrie était née qui prit l'ampleur que l'on connaît lorsque des usines se créèrent dans la première moitié du 20e s. Souvent copié, rarement égalé, le nougat de Montélimar a donné à sa ville natale une renommée universelle.

Restauration

• À bon compte

Le Grillon – *40 r. Cuiraterie - ☎ 04 75 01 79 02 - fermé 3 au 23 juil., dim. soir et lun. - 13,42/27,44€.* Dans une petite rue de la vieille ville, ce restaurant à la façade discrète cache en fait une grande salle au fond de son couloir. Le jeune chef sert une cuisine enlevée. Plusieurs menus à prix tout doux.

Francis – *Rte de Marseille - 2,5 km au S de Montélimar par N 7 - ☎ 04 75 01 43 82 - fermé 25 juil. au 22 août, mar. soir, dim. soir et mer. sf j. fériés - 14,94/25,61€.* Une maison bien connue des habitants de la ville. Légèrement en dehors de Montélimar, avec sa façade neuve, son décor coloré et son mobilier récent, elle fait salle comble autour de ses menus gourmands... servis à des prix très étudiés. Bon appétit !

Hébergement

• À bon compte

Hôtel Beausoleil – *14 bd du Pêcher - ☎ 04 75 01 19 80 - P - 16 ch. : 42,69€ - ☕ 5,03€.* Cet hôtel installé dans une gentilhommière est une bonne petite adresse à prix serrés... Pratique, sur une place au centre de Montélimar, ses petites chambres sont nettes. Quelques-unes vraiment pas chères, sans douche ni toilettes, se louent surtout en été.

• Valeur sûre

Hostellerie du Château de Mazenc – *26160 La Bégude-de-Mazenc - 16 km à l'E de Montélimar par D 540 - ☎ 04 75 46 97 00 - fermé 11 oct. au 11 avr., dim. et lun. du 12 avr. au 30 mai - P - 21 ch. : 53,36/99,09€ - ☕ 8,38€ - restaurant 18,29/27,44€.* Dans un parc, ce château du 17e s., que certains trouveront un peu trop rénové, fut la demeure du président Loubet. Transformé en hôtel-restaurant, son décor associe belles pierres anciennes et meubles récents, de style provençal dans les chambres. Piscine.

Hôtel Les Hospitaliers – *26160 Poët-Laval - 5 km à l'O de Dieulefit par D 540 - ☎ 04 75 46 22 32 - fermé 2 janv. au 16 mars et 12 nov. au 20 déc. - P - 22 ch. : 60,98/134,16€ - ☕ 12,20€ - restaurant 24,39/29,73€.* Formidablement bien situé dans le village, cet hôtel installé dans un ensemble de belles maisons offre une vue superbe sur la vallée et les montagnes. Les chambres sont agréables et bien aménagées, comme l'ensemble de la demeure. Piscine et terrasse.

Sorties

Café Cantante – *18 r. Roger-Poyol - ☎ 04 75 00 01 30 - lun.-sam. 18h-2h.* Voici un très beau bar de nuit, typé et original, comme on en rencontre peu. Cette maison de maître de 1906 vaut le coup d'œil et d'ailleurs nombreux sont les peintres qui viennent y exposer leurs œuvres toute l'année. Vous y dégusterez des vins de la région servis au verre, des cocktails et des whiskies. Concerts de jazz et de salsa tous les jeudis soirs.

Pub Saint Louis – *19 bd Aristide-Briand - ☎ 04 75 01 03 89 - lun.-sam. 8h-2h, dim. 9h-2h.* En bordure des Allées provençales, le boulevard Aristide-Briand regroupe les principaux établissements de la ville, tous pourvus de belles terrasses ombragées. Parmi eux, le pub Saint-Louis qui, fort de ses 40 whiskies, de ses 30 bières et de ses 2 à 3 soirées mensuelles, fait figure de chef de file.

Théâtre Municipal – *1 pl. du Théâtre - ☎ 04 75 00 79 01 - billetterie : lun.-ven. 9h-12h, 14h-17h - fermé juil.-août.* Construit en 1885, dans le plus pur style néo-classique-troisième République (les sévères colonnes doriques voisinant avec de pulpeuses nymphes dénudées), le théâtre municipal est le symbole de « l'âge d'or » de Montélimar, époque bénie où l'enfant du pays, Émile Loubet, accédait à la présidence de la République... Programmant pièces de boulevard, spectacles de danse et concerts de musique classique, ce théâtre est l'un des principaux lieux culturels de la Drôme.

Achats

Au Rucher de Provence – *35 bd Desmarais - ☎ 04 75 52 01 59 - rucher.de.provence@wanadoo.fr - magasin : tlj 8h-19h30 ; fabrique : lun.-sam. 8h-11h30.* La famille Bonnieu fabrique du nougat haut de gamme sous deux marques : Stoupany, la plus ancienne marque montilienne exploitée depuis 1787, et Le Rucher de Provence qui a été lancé en 1938. Les nougats sont réalisés dans la pure tradition artisanale et, comme tient à le dire le patron, « vous ne trouverez notre nougat que dans notre magasin et nos points de vente à Montélimar » ! Vous pouvez visiter la fabrique, située juste derrière le magasin.

Nougat Chabert et Guillot – *9 r. Charles-Chabert - ☎ 04 75 00 82 00 - lun.-sam. 8h-19h - fermé j. fériés.* Pour les spécialistes « les nougats » comme pour le grand public, cette maison fondée en 1913 est LE nougatier de Montélimar. Sa renommée est telle qu'on ne compte plus les anciens employés, devenus patron de fabrique et qui se revendiquent maintenant comme ses disciples... Le cas le plus célèbre demeure celui du Rucher de Provence fondé en 1938 par Marcel Tournillon, neveu d'Henri Guillot.

Nougat Diane de Poytiers – *99 av. Jean-Jaurès - ☎ 04 75 01 67 02 - www.diane-de-poytiers.fr* - atelier : hiver : lun.-ven. *9h-12h, 14h-18h ; été : mar.-sam. 9h-12h, 14h-18h ; magasin : tlj 9h-12h30, 14h-19h. Visites guidées et commentées de déb. juin à mi-sept.* Diane de Poytiers est l' atelier artisanal le plus vieux de Montélimar (100 ans bientôt) et sa recette de fabrication date aussi des

Fabrication du Nougat (Diane de Poytiers)

fondateurs. Cette nougaterie est située sur votre droite en entrant dans la ville. Vous pourrez assister, au cours d'une visite guidée et dans une ambiance familiale, à la fabrication du nougat dans des chaudrons d'époque et déguster ces douceurs.

Visites d'entreprises

Fabriques de nougat – La visite se fera si possible le matin, pendant la fabrication. Les grandes fabriques industrielles sont équipées pour les groupes constitués : **Chabert et Guillot**, ou **Gerbe d'Or**. Les visiteurs individuels préféreront les fabriques artisanales telles que **Diane de Poytiers** ou le **Rucher de Provence**. La liste complète des installations ouvertes à la visite est disponible à l'Office de tourisme.

Calendrier

Foire mensuelle, le 2e mercredi du mois, au cœur de la ville.

Festival « Voix et Guitares du monde » en juillet.

Cafés littéraires de Montélimar, le 1er week-end d'octobre.

Concerts d'orgue réguliers dans la collégiale Sainte-Croix.

MONTÉLIMAR

Adhémar (R.) .... Z 2
Aygu (Av.) .... Z 4
Baudina (R.) .... Y 5
Blanc (Pl. L.) .... Z 6
Bourgneuf (R.) .... Y 8
Carmes (Pl. des) .... Y 9
Chemin-Neuf (R. du) .... Z 10
Clercs (Pl. des) .... Y 12
Corneroche (R.) .... Y 14
Cuiraterie (R.) .... Z 15
Desmarais (Bd Marre) .... Y 17
Dormoy (Pl. M.) .... Z 18
Espoulette (Av. d') .... Z 19
Europe (Pl. de l') .... Z 21
Fust (Pl. du) .... Y 23
Gaulle (Bd Gén.-de) .... Z 25
Julien (R. Pierre) .... YZ
Juiverie (R.) .... Y 28
Loubet (Pl. Émile) .... Z 29
Loubet (R. Émile) .... Z 30
Meyer (R. M.) .... Y 32
Monnaie-Vieille (R.) .... Y 34
Montant-au-Château (R.) .... Y 35
Planel (Pl. A.) .... Z 37
Poitiers (E. Diane de) .... Z 38
Porte-Neuve (R.) .... Z 39
Prado (Pl. du) .... Y 41
Puits-Neuf (R. du) .... Y 42
Rochemaure (Av. de) .... Y 47
St-Martin (Montée) .... Y 50
St-Pierre (R.) .... Y 51
Villeneuve (Av. de) .... Y 54

Maison de Diane de Poitiers .... Z E
Musée de la Miniature .... Z M
Tour de Narbonne .... Y N

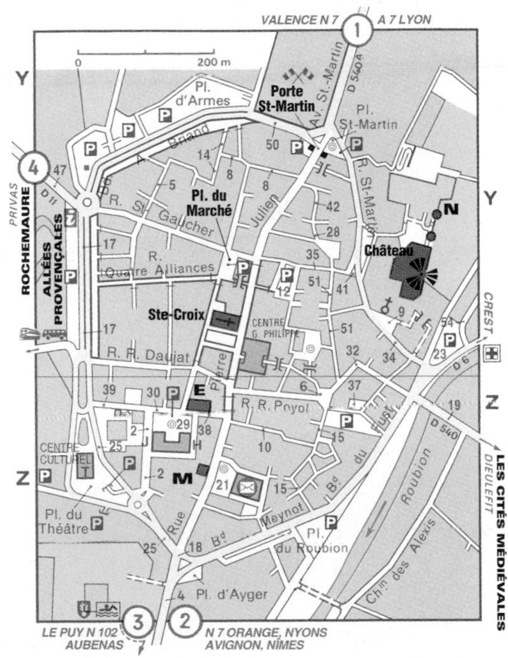

se promener

Vieille ville

La **collégiale Ste-Croix**, du 15e s., a beaucoup souffert des guerres de Religion et a connu plusieurs campagnes de restauration jusqu'au 19e s. Elle possède un bel orgue Beckerath (1982), dont le buffet a été réalisé par J. Gourjon. Quant à la **place du Marché** avec ses façades colorées, ses balcons en fer forgé et ses arcades, c'est déjà la Provence ! La place Émile-Loubet est bordée au Nord par la **maison de Diane de Poitiers** qui présente une belle façade percée de fenêtres à meneaux.

Levez les yeux

Pour apercevoir les génoises, typiques du Bas-Vivarais, qui surplombent les rues autour de la collégiale.

visiter

Château

9h30-11h30, 14h-17h30 (été : 9h30-12h, 14h-18h). Fermé nov.-mars, 1er janv. et 25 déc. 4,57€ (3,05€, hors sais.). ☎ 04 75 00 62 30.

La forteresse primitive (12e s.) a été agrandie au 14e s. sous la domination papale. Elle servit de prison de 1790 à 1929. La visite se limite au logis seigneurial et au chemin de ronde.

Au Nord, se dresse la massive **tour de Narbonne**. Du rez-de-chaussée du donjon, un escalier à vis mène au chemin de ronde d'où un vaste **panorama** se découvre à l'Ouest sur la ville, et à l'Est sur les Préalpes drômoises. La façade Ouest du **logis seigneurial** est percée, au 1er étage, de **neuf belles fenêtres romanes**. Ce cadre majestueux et austère accueille régulièrement des **expositions temporaires** d'art contemporain.

Pour être dignes d'être exposées, les miniatures doivent être à l'échelle 1/12 et faites du même matériau que leur modèle.

Musée de la Miniature★

Juil.-août : 10h-18h ; sept.-juin : tlj sf lun. et mar. 14h-18h. Fermé en janv., 1er nov., 25 déc. 4,57€ (enf. : 3,05€). ☏ *04 75 53 79 24.*

Le succès du festival international de la Miniature est à l'origine de cette exposition installée dans la chapelle de l'ancien Hôtel-Dieu (19e s.). L'étonnante structure métallique indépendante qui s'élève sur trois niveaux a été choisie pour respecter l'architecture des lieux et mettre en valeur les collections. Les miniatures sont prêtées par des musées, des collectionneurs ou des artisans du club de la Miniature française, ce qui permet un renouvellement régulier. Des micro-miniatures, invisibles à l'œil nu, sont également présentées sous des oculaires ou des loupes. Le dernier étage est consacré à des expositions temporaires thématiques.

alentours

Château de Rochemaure★

Juil.-août : 10h-18h ; sept.-juin : tlj sf lun. et mar. 14h-18h. Fermé en janv., 1er nov., 25 déc. 4,57€ (enf. : 3,05€). ☏ *04 75 53 79 24.*

Dominant la plaine de Montélimar et le pont suspendu sur le Rhône (malgré son aspect moyenâgeux, il a été construit au 19e s.), les ruines de Rochemaure se tiennent sur une arête marquant l'extrême avancée du Coiron. Le **site★★** est impressionnant, et le contraste entre les prismes de basalte succédant, sur la rive du fleuve, aux escarpements calcaires, étonnant.

Une roche noire
C'est le basalte qui a valu au château son nom de Rochemaure, « maure » signifiant « noire ».

La forteresse (12e-14e s.), avec son village féodal protégé par une ceinture de remparts, appartint jusqu'en 1378 à une branche de la famille des Adhémar, alliée aux comtes de Poitiers, puis à des familles tout aussi prestigieuses comme les Lévis-Ventadour ou les Rohan-Soubise. Plusieurs fois assiégée par les huguenots aux 16e et 17e s., elle fut abandonnée au 18e s.

Ruines du château – *Dans Rochemaure, emprunter à hauteur de l'église la petite route, passant entre le monument aux morts et la mairie, fléchée « château ».*

Chapelle N.-D.-des-Anges – *À droite sur la route montant au château.* Cette chapelle du 13e s., détruite en 1567 par les protestants, fut reconstruite en 1596. De style

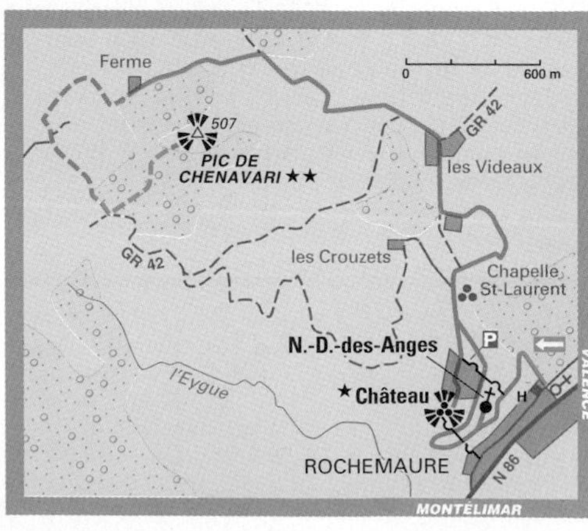

gothique, elle servit de sépulture aux propriétaires successifs du château. Au cours de la montée, on traverse deux fois l'enceinte du 14ᵉ s.

Tourner à gauche en débouchant sur le plateau et laisser la voiture au pied de l'enceinte fortifiée. Gagner les ruines, en empruntant la route goudronnée qui bifurque sur la gauche.

L'imposant **donjon** a été érigé au 12ᵉ s. sur un piton basaltique. La **vue★** s'étend au Nord sur les tours de réfrigération de la centrale de Cruas-Meysse, le barrage de Rochemaure, à l'Est, sur la plaine de Montélimar, au Sud, sur le défilé de Donzère ; en arrière-plan se profilent le massif du Vercors et le mont Ventoux.

Tirs croisés
Fierté du château, le donjon est constitué d'une tour carrée surmontée d'une tour pentagonale qui permettait aux archers de varier leur angle de tir.

Le vieux village – *En revenant du château, emprunter devant la mairie la rue du Faubourg, puis la rue de la Violle.*

Ces rues sont bordées de nombreuses maisons à façades médiévales ; remarquez une maison du 15ᵉ s. ornée d'une fenêtre d'angle à doubles meneaux. L'extrémité Sud du village est limitée par la porte des Tournelles surmontée de son mâchicoulis.

Pic de Chenavari★★

4,5 km au départ du château de Rochemaure. Au pied de la chapelle St-Laurent, prendre la route de droite, s'élevant jusqu'aux Videaux. Prendre alors à gauche le chemin des Freydières, puis continuer à monter, laisser à droite le chemin d'accès à une ferme et suivre à gauche une route non revêtue ; gagner un seuil (pylônes électriques).

De là on atteint facilement le sommet (3/4h à pied AR).

Du sommet (alt. 507 m), **vue** sur le Rhône, avec en avant-plan le donjon de Rochemaure ; plus à droite s'élèvent les collines de la Basse-Ardèche. Le Vercors et les Baronnies ferment l'horizon à l'Est. Du côté Sud s'étend en contrebas une vaste plate-forme basaltique dont le rebord est sculpté en orgues.

Le Teil

6 km à l'Ouest par la N 102. Sur la rive droite du Rhône, dominée par les ruines du château d'Adhémar de Monteil (13ᵉ s.), cette cité industrielle doit son développement à l'exploitation des falaises calcaires du talus vivarois.

Au début du 19ᵉ s., de petites entreprises locales exploitaient déjà des carrières à ciel ouvert pour la fabrication de chaux et de ciment.

De part et d'autre du Teil, en particulier à Lafarge, en aval, et Cruas, en amont, le paysage rhodanien est profondément marqué par cette activité.

Un illustre inconnu
C'est Édouard Pavin, dont la petite entreprise exploitait une carrière. L'achat d'un brevet américain, la construction du chemin de fer et le percement du canal de Suez allait en faire une société de rang mondial... et faire connaître le nom du lieu-dit où est extrait le calcaire : Lafarge.

À proximité des fours à chaux une pellicule blanchâtre recouvre végétation et maisons.

Église de Mélas – *Laisser la voiture sur la place, d'où l'on domine l'église. Accès par la porte de côté à droite.*

De dimensions modestes, cet édifice présente une nef centrale (12ᵉ s.), en berceau brisé sur doubleaux, flanquée de collatéraux en demi-berceaux ; celui de gauche est du 11ᵉ s. Une coupole sur trompes, très creuse, couvre le chœur. Remarquez, à gauche, dans la nef, deux beaux chapiteaux sculptés : le Sacrifice d'Abraham et le Pèsement des âmes (12ᵉ s.).

Baptistère★ – Sur le bas-côté gauche de l'église s'ouvre le baptistère (cette vocation a été parfois mise en doute) du 10ᵉ s., bâti à l'emplacement d'une nécropole primitive. L'intérieur se singularise par son plan alvéolé, inscrit dans l'octogone de la construction ; d'étroites et hautes niches (qui abritaient, peut-être, des reliques de saints) alternent avec les absides en cul-de-four, un peu plus profondes.

Notre-Dame-d'Aiguebelle

20 km au Sud de Montélimar par la D 56.

L'abbaye fut fondée en 1137 sous l'impulsion de saint Bernard, abbé de Clairvaux. D'un lieu désert, les moines firent une région prospère et l'abbaye, riche et renom-

Autour du cloître de l'abbaye d'Aiguebelle se répartissent les bâtiments abbatiaux : armarium (bibliothèque), salle capitulaire, grande salle, cuisine et réfectoire, logement des convers, cellier.

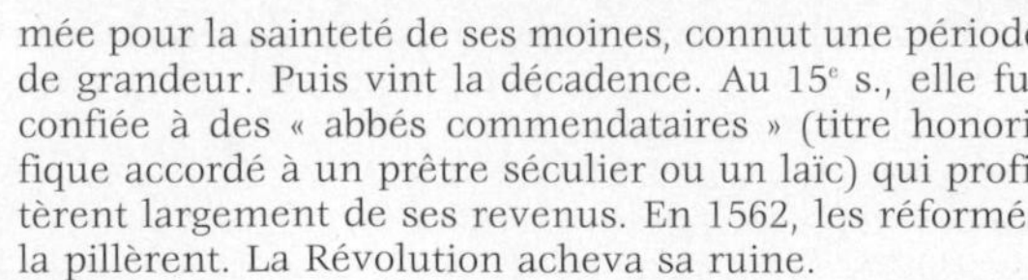

mée pour la sainteté de ses moines, connut une période de grandeur. Puis vint la décadence. Au 15e s., elle fut confiée à des « abbés commendataires » (titre honorifique accordé à un prêtre séculier ou un laïc) qui profitèrent largement de ses revenus. En 1562, les réformés la pillèrent. La Révolution acheva sa ruine.
Rachetée en 1815 et habitée de nouveau par les moines, elle reprend vie et c'est maintenant un monastère florissant où se fabrique une liqueur réputée.
L'abbaye est soumise au régime austère de la Trappe. Tout luxe est banni et la vie des moines est organisée selon la règle de saint Benoît : les heures de prière, de travail manuel ou intellectuel et de repos sont également réparties.

Église abbatiale – L'église abbatiale qui, seule se visite, adopte le plan cistercien traditionnel tout en y mêlant des éléments caractéristiques du style roman de transition. La nef se compose de trois travées qui communiquent avec les bas-côtés voûtés d'ogives par des arcades en plein cintre. Les croisillons du transept sont flanqués à l'Est de quatre absidioles semi-circulaires, probablement carrées à l'origine. Le chœur présente une voûte en cul-de-four à cinq pans et reçoit la lumière par trois baies en plein cintre.
Les champs et les jardins cultivés par les moines s'étendent autour de l'abbaye.

circuit

PETITES CITÉS MÉDIÉVALES★

Circuit de 78 km – environ 3h1/2. Quitter Montélimar par la D 540. À 2 km sur la droite s'élève une ancienne usine de moulinage, où on laisse la voiture.

Montboucher-sur-Jabron

La chaîne complète du travail de la soie est évoquée par une série de métiers d'époque utilisés pour la filature (dévidage du cocon), le moulinage (torsion du fil de soie) et le tissage.

Musée de la Soie – ♿ *De mars à fin nov. : tlj sf sam. et dim. matin 9h30-11h30, 14h30-18h30 (juil.-août : tlj sf dim. matin). 5,79€.* ☎ 04 75 01 47 40.
Aménagé dans un ancien moulinage il retrace l'aventure de la soie qui faisait vivre les magnaneries de la région au 19e s. Un petit montage audiovisuel initie à la sériciculture (« éducation » méthodique du bombyx du mûrier ou ver à soie).

Peu après le passage sous l'autoroute, prendre à droite vers Puygiron.

Remarquez dans la **plaine de la Valdaine**, les habitations rurales en calcaire. Un mur aveugle et un rideau de cyprès, côté Nord, les protègent du mistral.

Puygiron

Dominé par son ancien château (13e-16e s.), le village vaut surtout par son **site**★. Il offre une vue sur les Trois-Becs, Marsanne et le plateau du Coiron.

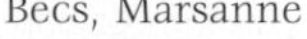

Revenir à la D 540, que l'on emprunte à droite.

La Bégude-de-Mazenc★

Au carrefour central du bourg moderne, emprunter, à gauche, la D 9 puis la petite route revêtue menant à l'entrée du vieux village perché ; y laisser la voiture.

On pénètre dans le lacis des ruelles par une porte fortifiée, s'adossant au chevet de l'église en partie romane. Les artisans d'art, qui ont investi la cité, contribuent à la relever peu à peu de ses ruines. Un chemin en forte montée mène au sommet de la butte couronnée d'une jolie pinède. Dans le vieux cimetière, remarquez le chevet à trois absidioles de la chapelle Notre-Dame (12e s.).

La D 540 remonte, en direction de Dieulefit, la vallée du Jabron.

Le Poët-Laval

Le village occupe un **site**★ escarpé et conserve un ensemble médiéval intéressant.

De l'ancienne église ne subsistent que le clocher et l'abside romane. L'ancien temple, aménagé au 17e s. dans la maison d'un chevalier du 15e s. au centre du village *(suivre les indications)*, abrite la bibliothèque (documents sur l'histoire régionale) et le **musée du Protestantisme dauphinois**. *Avr.-sept. : 15h-18h30. 3,81€.* ☎ *04 75 46 46 33.*

Reprendre la D 540.

La vallée du Jabron est jalonnée d'ateliers de potiers.

Unique
Miraculeusement conservé, le village perché de Poët-Laval a gardé une commanderie de Malte, un donjon du 12e s., des vestiges de remparts et des maisons du 15e s.

Dieulefit

Joliment située dans un élargissement de la vallée du Jabron, cette petite ville, de tradition protestante, vit du tourisme, du séjour des curistes, grâce à son centre de remise en forme, et de l'artisanat d'art qui a contribué à la renommée de ses poteries.

La D 538 descend la vallée du Lez, dominée par les vestiges féodaux de Béconne et le donjon de Blacon (14e s.).

Tourner à droite dans la D 14 vers Taulignan.

Taulignan *(voir le guide vert Provence)*

Grignan★ *(voir le guide vert Provence)*

Retour à Montélimar par la D 4.

Beaux **points de vue** en direction des contreforts du Vercors et vers le bassin du Roubion. À la descente du Fraysse, on aperçoit, en avant, les ruines imposantes du **château de Rochefort-en-Valdaine**, dominant le vallon boisé de la Citelles.

Montverdun

Curiosité géologique insolite, le « pic » de Montverdun est couronné par un ancien prieuré fortifié. C'est une éminence volcanique formée, à l'ère tertiaire, par les mouvements tectoniques qui ont donné naissance à la plaine du Forez.

La situation

Cartes Michelin nos 88 Sud du pli 5 ou 239 pli 23 – Loire (42). Le pic s'élève entre la vallée du Lignon et le mont d'Uzore. Le village s'est développé en contrebas.

Le nom

Montverdun est connu depuis le 10e s. sous le nom de *Mons Verdunus*. Certains rapprochent ce nom du mot gaulois *vero-dunum*, « grande citadelle », qui semble un peu flatteur.

Les gens

Le prieuré, fondé au 8e s. par **saint Porcaire**, fut confié au 13e s. aux bénédictins de l'abbaye de la Chaise-Dieu, qui en firent un domaine important en Forez. Le dernier moine s'y éteignit en 1700.

Sur le pic qui domine la ville, le prieuré dresse sa robuste et claire silhouette.

visiter

Ancien prieuré

Partant du bourg moderne, une route mène à la butte. Laisser la voiture à l'extérieur de l'enceinte. Avr.-oct. : visite guidée (1h) 14h-18h, dim. et j. fériés 15h-19h ; nov.-mars : tlj sf lun., dim., j. fériés 14h-18h. 2,29€. ☎ 04 77 97 53 33.
Du monastère fortifié ne subsistent plus que des soubassements en pierre, l'église et quelques vestiges des bâtiments conventuels, dont le logis prieural. Le cloître a complètement disparu.

Église – C'est un édifice des 12e et 15e s., dont la sévérité est accentuée par l'emploi de basalte noir. Remarquez un bénitier du 15e s. et un autel en bois doré du 18e s., dédié à la Vierge. Des peintures murales ont été dégagées : observez celles surmontant la porte dans le mur Nord, qui donne accès au cimetière.

Mémento
À gauche, dans le chœur, est exposée la châsse en argent finement ciselée (17e s.) de saint Porcaire, torturé par les Sarrasins au 8e s. Dans le transept, des pierres tombales sont encastrées dans le sol, dont celle portant l'effigie et l'épitaphe de **Renaud de Bourbon**, archevêque de Narbonne et prieur à Montverdun de 1466 à 1482 (croisillon Sud).

Cimetière – Il est jonché de croix en fonte, disposées dans un aimable désordre. Du cimetière, l'aspect fortifié du monastère apparaît plus évident : hautes murailles percées de meurtrières, tour crénelée. Les dimensions imposantes du clocher de l'église laissent supposer la présence passée d'un hourd.

Logis du prieur – Il a conservé sa remarquable **galerie en chêne★** du 15e s. À l'étage, dans la salle ornée d'une cheminée gothique aux armes de Renaud de Bourbon, a été dégagé un ensemble de décors peints superposés, dont les premiers dateraient du début du 13e s.

Point de vue★ – Du terre-plein, la vue s'étend sur le Forez, le Beaujolais, le Lyonnais, et barrant la perspective au Sud, le mont d'Uzore.

Morestel

Combien de voyageurs traversent la ville sans se douter de l'intérêt de cette ancienne « cité des peintres » ? Le site et la lumière si particulière de cette place forte ont en effet attiré, depuis le milieu du 19e s., de grands artistes tels que Corot, Daubigny ou Turner. Cette vitalité artistique perdure aujourd'hui dans la vieille ville restaurée qui accueille de nombreuses galeries d'art.

La situation

Cartes Michelin nos 88 Sud du pli 10 ou 244 pli 16 – Isère (38)
La fréquentation de la nationale (N 75) qui traverse la ville confirme l'importance stratégique des lieux. Bien au-dessus de cette agitation, le cœur de la ville bat au rythme des expositions qui s'y succèdent sans relâche.
100 pl. des Halles, 38150 Morestel, ☎ 04 74 80 19 59. www.morestel.com

Hébergement
Hôtel de France – *Grande-Rue - Rte de Grenoble – ☎ 04 74 80 06 22 - fermé 25 au 30 déc. - - 21 ch. : 30,49/39,64€ - 4,88€.* Cet établissement avant tout fonctionnel est une adresse utile à seulement 10 km du parc d'attractions Walibi Rhône-Alpes. Les chambres offrent un confort simple et moderne. L'accueil y est cordial.

Le nom

Si la ville est réputée pour sa lumière, l'origine du nom reste très obscure et il faudrait remonter à l'époque préceltique où *mor* désignait une butte. Quant à la région, sublimée par les plus grands peintres paysagistes, elle répond aujourd'hui au superbe nom de « Pays de la fine lumière dorée ».

Les gens

3 097 Morestellois. Parmi les peintres qui ont été séduits par la ville, **Auguste Ravier** (1814-1895), ami de Corot, termina ses jours à Morestel. Il s'est spécialisé dans les crépuscules dont il savait à merveille rendre les incroyables nuances.

visiter

Les espaces consacrés à la peinture sont nombreux et nous ne citons que les deux plus connus :

Maison Ravier

De déb. avr. à mi-nov. : 14h30-18h30. 3,05€. ☎ 04 74 80 06 80. Les peintres ont souvent bon goût comme en témoigne cette très belle maison dans laquelle l'artiste a vécu de 1867 à 1895. Rachetée par la ville, elle est aujourd'hui un centre culturel connu pour la qualité de ses expositions.

Tour médiévale

Cet ancien donjon est le principal vestige de la forteresse qui dominait la ville dès le 11e s. Il constitue un excellent belvédère sur la région et connaît une reconversion réussie en lieu d'exposition. *Juil.-août : 10h-12h, 14h30-18h30, dim. et j. fériés 10h-12h, 14h30-19h ; de sept. à mi-nov. et avr.-juin : 14h30-18h30, dim. et j. fériés 10h-12h, 14h30-19h. Gratuit. Fermé déc.-mars. ☎ 04 74 33 04 51.*

Au-dessus de l'agitation de la nationale, la ville de Morestel a inspiré de nombreux peintres paysagistes.

alentours

Château de Mérieu

8 km au Nord par la D 16. Datant, en majeure partie, du 17e s., il occupe un **site**★ magnifique sur la rive gauche du Rhône, dans un cadre de prairies et de bois se détachant sur les escarpements du Bugey méridional.

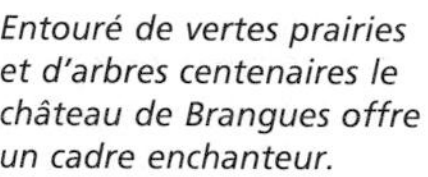

Entouré de vertes prairies et d'arbres centenaires le château de Brangues offre un cadre enchanteur.

Brangues

6 km à l'Est par la D 60A. Ce bourg du Bas-Dauphiné est remarquable par la belle apparence de ses maisons de calcaire blanc aux grands toits de tuiles plates ; beaucoup de demeures présentent encore des pignons à mantelure. Brangues intéressera les touristes sensibles aux souvenirs littéraires.

Un fait divers stendhalien – En 1827, un ancien séminariste, **Antoine Berthet**, originaire de Brangues, tira un coup de feu dans l'église du bourg sur l'épouse d'un notable de la région. Berthet, condamné à mort, fut guillotiné en 1828. De ce fait divers, Stendhal tira *Le Rouge et le Noir*.

Rouge et noir

Le roman de Stendhal qui parut au début de l'année 1830 se déroule dans une bourgade imaginaire du Jura. L'église, où eut lieu le drame, a été remplacée par un autre édifice, mais on peut voir encore, en contrebas du chevet, la petite maison qu'habitait Berthet, fort jolie d'aspect, avec son grand toit débordant et son grenier à fourrage.

La tombe de Paul Claudel – *Accès par la D 60 à l'Ouest de Brangues.* L'auteur du *Soulier de satin* (1868-1955) s'était attaché au château de Brangues, gentilhommière du 18e s. située au Nord-Ouest du bourg. Chaque année, il y réunissait autour de lui ses enfants et ses petits-enfants. C'est là qu'il a voulu être inhumé auprès de son épouse.

Centrale nucléaire de Creys-Malville

11 km au Nord. Visite guidée (3h) mar., jeu. et sam. à 9h ou 14h sur demande préalable (10 j. av.). Gratuit. Se munir d'une pièce d'identité. ☎ 04 74 33 34 82.
Du belvédère d'observation situé à l'extrémité du parking, la vue embrasse l'ensemble du site. Construite sur des alluvions du Rhône, face aux monts du Bas-Bugey, la centrale nucléaire équipée d'un réacteur à neutrons rapides refroidi au sodium est un prototype de taille industrielle de la filière des surgénérateurs

Chronique d'une fin annoncée

Baptisée « Superphénix », on le croyait immortel. Le surgénérateur doit pourtant être démantelé. La décision de son arrêt définitif a été prise en 1997.

Parc d'attractions Walibi Rhône-Alpes★

15 km au Sud. *Voir p. 381.*

Aven d'Orgnac★★★

On ne saura jamais assez remercier Robert de Joly pour cette remarquable découverte en août 1935. Ce qui n'était qu'un sombre gouffre a révélé un magnifique réseau de salles décorées d'une grande variété de concrétions. Façonnées par des eaux souterraines, les immenses salles ont été bouleversées par un tremblement de terre à l'ère tertiaire.

Hébergement et Restauration
Les Stalagmites – *07150 Orgnac-l'Aven - ☎ 04 75 38 60 67 - fermé 16 nov. au 28 fév. - 10,37/17,53€.* Une pension familiale simple, très accueillante et vraiment pas chère, dans le village même. Vous y mangerez une copieuse cuisine traditionnelle servie à l'ombre des arbres de la terrasse en été. Menu enfant. Chambres et studios à louer.

La situation

Cartes Michelin nos 80 pli 9 ou 245 pli 14 ou 246 pli 23 – Ardèche (07).

18 km au Sud de Vallon-Pont-d'Arc, l'aven est situé près de Barjac, sur le plateau d'Orgnac qui domine l'Ardèche.

Le nom

Appelé autrefois « le Bertras » par les habitants du pays, l'aven a donné son nom à un charmant village, Orgnac-l'Aven.

Les gens

C'est le fameux spéléologue **Robert de Joly** (1887-1968) qui explora cette grotte. Il fut un hardi explorateur de cette région des Cévennes où il résida. Il joua également un rôle fondamental dans la mise au point du matériel et de la technique d'exploration.

visiter

Température intérieure 13°. 788 marches à gravir ou à descendre. Avr.-sept. : visite guidée (1h) 9h30-12h, 14h-18h (juil.-août : 9h30-18h) ; oct. : 9h30-12h, 14h-17h. 7,32€ (enf. : 4,73€) ; grotte et musée 8,84€ (enf. : 5,64€). ☎ 04 75 38 62 51.

Opération Grand Site
Grand Site national depuis juin 2000, l'aven d'Orgnac a bénéficié d'importants programmes de recherches avant sa restructuration. Les travaux menés en accord avec le ministère de l'Environnement doivent améliorer la visite tout en garantissant la pérennité de cet ensemble aussi exceptionnel que fragile.

La salle supérieure, dans laquelle s'élève un énorme cône d'éboulis, est étonnante par ses dimensions et ses perspectives. La faible lueur qui tombe de l'orifice naturel de l'aven l'éclaire d'une teinte bleutée un peu irréelle ; à l'aplomb de cet orifice, la hauteur sous voûte atteint 40 m. Cette salle possède de magnifiques stalagmites, dont la diversité se constate aisément : l'aspect de « palmiers » des plus volumineuses, au centre, indique une formation par écoulement relativement rapide des eaux infiltrées dans la voûte ; les « pommes de pin » s'en distinguent par un étranglement de leur fût témoignant des variations du climat ; d'autres stalagmites, plus grêles, évoquant des « piles d'assiettes », résultent du lent suintement de hauts plafonds peu épais ; sous les plafonds bas prospèrent essentiellement les « cierges », bien lisses, au tracé rectiligne ou « en baïonnette ». La plupart du temps la hauteur de voûte n'a pas permis aux stalagmites de former des colonnes ; elles se sont épaissies à la base, atteignant parfois un diamètre imposant. Dans la **salle du Chaos**, encombrée de concrétions tom-

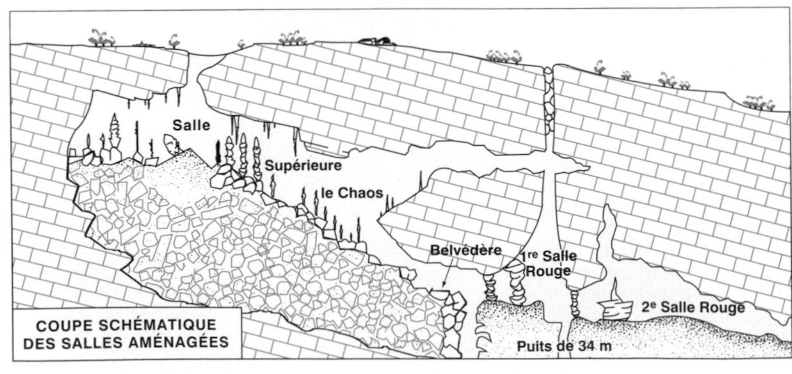

Voyage au centre de la terre à l'aven d'Orgnac, lieu de rencontre privilégié pour les stalactites et les stalagmites.

bées de la salle supérieure, de magnifiques draperies blanches, rouges ou brunes s'échappent d'une fissure de la voûte. L'éclairage variable offre l'attrait d'une découverte progressive des stalagmites et stalactites ; l'épaisseur de la voûte, bien plus importante qu'au-dessus de la salle supérieure, favorise la croissance de ces dernières en régularisant le débit des eaux d'infiltration.

Le décor fantastique de la première salle rouge s'agence autour de colossaux piliers de calcite. Les **salles rouges** doivent leur nom au manteau d'argile, résidu de la dissolution du calcaire, qui tapisse sol, parois et concrétions. Là s'ouvre aussi le puits intérieur le plus profond de l'aven (34 m), qui conduit à une autre cavité.

« Rando' souterraine » – *De déb. mars à mi-nov. : visite guidée (2h30) sur demande préalable 15 j. av. (juil.-août : mar., jeu., ven. 14h-17h sur demande préalable). Minimum 7 pers. 18,29€ (enf. : 16,46€). ☎ 04 75 38 62 51.*

Aux visiteurs passionnés s'offre la possibilité d'un contact unique et privilégié avec l'aven : le parcours des salles rouges, magnifique secteur demeuré tel que lors de sa découverte, exempt d'aménagement hormis l'éclairage électrique. Cette promenade effectuée en groupe restreint, raisonnable compromis entre la visite traditionnelle et le safari spéléologique, ne présente pas de difficulté et ne requiert aucun effort physique particulier.

Musée de Préhistoire – ♿ *Avr.-sept. : 10h-12h, 14h-18h (juil.-août : 10h-19h) ; oct. : 10h-12h, 14h-17h. Fermé 1er nov. au 28 fév. 4,95€ (combiné musée et grotte 8,84€). ☎ 04 75 38 65 10.*

Les salles ordonnées autour d'un patio rassemblent les produits des fouilles pratiquées en Ardèche et dans le Nord du Gard depuis le paléolithique inférieur jusqu'au début de l'âge du fer, soit de 350 000 à 600 ans av. J.-C. Des reconstitutions (cabane acheuléenne d'Orgnac 3, atelier de taille du silex ou grotte ornée de la Tête du Lion) introduisent dans le mode de vie des hommes préhistoriques.

L'Odyssée souterraine

Vous êtes en bonne condition physique, vous n'êtes pas claustrophobe, alors n'hésitez pas ! Partez pour une journée d'aventures spéléologiques dans une partie non aménagée de ce vaste réseau souterrain. Accompagné d'un guide diplômé d'État vous découvrirez ce monde grandiose et magique, peuplé de myriades de concrétions aux formes les plus étonnantes. Un moment inoubliable, sur rendez-vous uniquement.

Lac de Paladru ★

Le lac de Paladru occupe une dépression d'origine glaciaire parmi les collines verdoyantes du Bas-Dauphiné. Ses eaux couleur émeraude forment une jolie nappe étirée en longueur qui, pendant la belle saison, attire de nombreux Lyonnais et Grenoblois, amateurs de sports nautiques et de randonnées.

La situation

Cartes Michelin nos 88 pli 22 ou 244 pli 27 – Isère (38). À un peu plus de 20 km à l'Est de La Côte-St-André, ce lac de 390 ha est finalement très proche de Grenoble grâce à l'A 48.

i *R. des Bains, 38850 Charavines, ☎ 04 76 06 60 31.*

carnet pratique

RESTAURATION

• *À bon compte*

Hôtel Les Bains – *345 r. Principale - 38850 Charavines - 1km au S du Lac de Paladru par D 50 - ☎ 04 76 06 60 20 - fermé lun. en mars, avr., oct., nov. et mar. du 12 nov. au 9 mars - ⊭ - 12,96/19,06€.* Des bains, oui mais des bains... -marie et la plonge, dans l'évier ! Car le lieu est bien un restaurant. Son chaleureux décor à l'ancienne – parquet, mobilier bistrot, assiettes fleuries... – est très plaisant. Cuisine traditionnelle et une spécialité : la friture.

HÉBERGEMENT

• *À bon compte*

Chambre d'hôte Mme Ferrard – *145 chemin de Béluran, lieu-dit Vers-Ars, rte de Billieu - 38730 Le Pin - 1 km au SO du Lac de Paladru par D 17 - ☎ 04 76 06 68 82 - ⊭ - 5 ch. : 24,39/33,54€ - repas 12,20€.* Cette ancienne ferme peu à peu réhabilitée s'ouvre d'un côté sur le lac de Paladru, de l'autre sur les champs et les bois. Les chambres, douillettes, profitent presque toutes de la vue sur les eaux couleur émeraude ; trois possèdent une kitchenette.

VISITES GUIDÉES

Le Pays du lac de Paladru-Les Trois Vals, qui porte le label **Pays d'art et d'histoire**, propose des visites-découvertes animées par des guides-conférenciers agréés par le ministère de la Culture et de la Communication. Renseignements au musée du lac de Paladru à Charavines ou sur www.vpah.culture.fr

Les gens

Dans le film *On connaît la chanson*, le cinéaste Alain Resnais a fait évoquer par l'actrice Agnès Jaoui, le thème des chevaliers-paysans de l'an mil au travers d'une préparation de thèse.

comprendre

La civilisation du bois – Dans sa partie méridionale, le lac de Paladru recèle deux sites archéologiques immergés d'un grand intérêt. Loin de conforter l'existence de cités palafittes (bâties sur pilotis), la découverte de nombreux pieux et madriers émergeant par basses eaux a permis d'affirmer que ceux-ci constituaient l'ossature de maisons construites sur des hauts-fonds de craie lacustre, qui furent, à plusieurs reprises, affectés par des variations du niveau du lac. La variété et l'abondance des vestiges mis au jour, ainsi que l'analyse des pollens contenus dans les sédiments ont contribué à définir la nature du manteau forestier environnant et les activités quotidiennes des habitants, largement orientées vers l'exploitation du bois.

La bonne préservation des habitats a permis la reconstitution très élaborée du site, avec une maquette représentant les trois bâtiments identifiés.

La station des « Baigneurs » – Ce village néolithique d'agriculteurs a connu autour de l'an 2700 av. J.-C. deux phases d'occupation successives se rattachant à la civilisation Saône-Rhône. Grâce à la présence de manches de haches et de cuillères en bois, de silex taillés, de fusaïoles ainsi que de débris calcinés, on a pu mettre en évidence, outre la production artisanale, la pratique, après déforestation, de l'écobuage – fertilisation des sols par brûlage des arbres abattus – précédant la mise en culture (blé, pavot, lin).

Le site de Colletière – Actuellement noyé sous 6 m d'eau, il révèle un habitat fortifié établi à la fin du 10e s. à la suite d'une baisse sensible du niveau du lac correspondant à une embellie climatique. Les habitants ont vécu là jusqu'au début de l'an mil, lorsqu'une montée brusque des eaux les a obligés à quitter précipitamment les lieux en abandonnant leurs biens. L'intérêt archéologique exceptionnel de Colletière réside dans l'absence, depuis son immersion, de pillage ou de dégradation.

Les archéologues estiment probable une population d'une centaine d'individus. Le milieu lacustre a parfaitement protégé de nombreux objets usuels fragiles qui habituellement nous parviennent rarement : chaussures en cuir intactes, textiles, instruments rares de musique en bois (tambourin, hautbois, embout de cornemuse), des jeux (intégralité d'un jeu d'échecs) et même des jouets reproduisant des armes (arbalète).

Vers 1040, à l'abandon des habitats littoraux, la colonisation du lac de Paladru se poursuit avec l'apparition sur les collines environnantes des premières « mottes castrales ». Remplacées pour bon nombre d'entre elles par des constructions en pierres au cours du 13e s., elles constituent les noyaux des futurs fiefs des grandes familles dauphinoises : tour de Clermont, les Trois Croix (à Paladru), château de Virieu...

POLYVALENCE

Les habitants étaient à la fois cultivateurs, éleveurs et pêcheurs. La découverte d'équipements d'équitation, de lances et d'armes lourdes atteste qu'ils assuraient aussi la défense de la communauté. Cette société préféodale était régie par des règles égalitaires devant le travail et paraissait subvenir largement à ses besoins.

Tout y est ! Eau couleur lagon, pédalos, planches à voile... Vous n'êtes pas sur une île du Pacifique mais au lac de Paladru.

visiter

Musée du lac de Paladru

Juil.-août : 10h-12h, 15h-19h ; juin et sept. : 10h-12h, 14h-18h ; mai et oct.-nov. : w.-end 14h-18h. Fermé déc.-avr. 2,74€. ☎ 04 76 55 77 47.

Il présente le résultat des fouilles subaquatiques des villages engloutis du néolithique et du Haut Moyen Âge. La présentation des plus belles pièces mises au jour, de superbes maquettes et des audiovisuels font revivre au visiteur la vie quotidienne des habitants à deux époques charnières de l'histoire du lac.

Tour du lac★

Au départ de Charavines, deux promenades faciles procurent d'agréables vues d'ensemble sur le lac et le relief méridional. Il existe des possibilités de tour pédestre du lac, renseignez-vous à l'office du tourisme de Paladru. Des **visites-découvertes du patrimoine** du lac sont organisées par la Maison du pays d'art et d'histoire de Paladru. *Le Pays du lac de Paladru-Les Trois Vals, qui porte le label Pays d'art et d'histoire, propose des visites-découvertes animées par des guides-conférenciers agréés par le ministère de la Culture et de la Communication. Renseignements au musée du lac de Paladru à Charavines ou sur www.vpah.culture.fr*

Deux jolies routes – D 50 et D 50^D (prolongée par la D 90) – permettent de faire le tour du lac *(15 km)*. Elles relient la station animée de **Charavines**, à la pointe Sud du lac, au village plus paisible de Paladru, à l'autre extrémité. Elles permettent d'admirer en plusieurs points les évolutions des cygnes et des oiseaux habitant les nombreuses roselières.

Habitat traditionnel

Les fermes des coteaux dominant le lac et la vallée supérieure de la Bourbre sont remarquables par leur vaste toiture débordante. En direction de Chambéry par l'autoroute A 48 (itinéraire fléché), on admirera la grange dîmière de la Silve bénite (16e s.) qui abrite en saison des expositions. ♿ *Juil.-août : 15h-19h ; sept. : 14h-18h ; juin et oct. : w.-end 14h-18h. 1,83€. ☎ 04 76 55 77 47.*

alentours

La tour de Clermont

45 mn. Au départ de Charavines, suivre le chemin longeant la Fure jusqu'au pont de la D 50, puis prendre à gauche le chemin balisé en jaune qui monte à travers prés. Après la traversée du hameau de la Grangière, un chemin à gauche mène à la tour de Clermont. Ce fier donjon du 13e s., de forme pentagonale à trois niveaux, est le seul vestige du puissant château de Clermont démantelé au début du 17e s. Le sommet a disparu et la porte a été percée ultérieurement (à l'origine une passerelle était jetée à hauteur du premier étage). C'était la demeure d'une des plus anciennes familles du Dauphiné dont la descendance unie à la Bourgogne allait donner la branche des Clermont-Tonnerre.

La croix des Cochettes

Cet itinéraire plus pentu que le précédent offre l'avantage d'être bien balisé (45 mn). Depuis le parking de Colletière,

Romantique

C'est dans le cadre agreste de la vallée voisine de la Bourbre, au château de Pupetières, que **Lamartine** composa, en 1819, son célèbre poème : *Le Vallon*, publié l'année suivante avec ses *Premières Méditations*.

prendre le sentier en montée, marqué en orange, en direction de Louisias. À un replat, poursuivre vers l'Est à flanc de coteau pour rejoindre un sentier balisé en bleu qui permet d'atteindre la croix des Cochettes. Vue panoramique sur le lac.

HALTE ROYALE
Le château eut l'honneur d'accueillir Louis XIII, en 1622, à son retour de Montpellier où il avait signé la paix. Le monarque fit don, lors de son passage à Virieu, de plusieurs **canons**, conservés avec leurs affûts fleurdelisés sous les arcades de la cour intérieure.

Château de Virieu*

7,5 km au Nord-Ouest par la D 17. Pâques-Toussaint : visite guidée (1h) w.-end et j. fériés 14h-18h (juil.-sept. : tlj sf lun.). 5,79€ (enf. : 2,29€). ☎ 04 74 88 20 10 ou 04 74 88 27 32.
La construction, échelonnée du 11e au 18e s., fut restaurée au début du 20e s. Remarquez, notamment, la chambre de Louis XIII, l'ancienne cuisine avec une grande cheminée à arc surbaissé de la fin du 15e s. et une plaque portant les armoiries primitives de l'ordre des Chartreux, la Grande Salle...

Dominant la vallée de la Bourbre, le château de Virieu a conservé son allure de forteresse.

Pérouges**

C'est une miraculée ! Pérouges n'oubliera pas le 20e s. qui l'a vu passer d'une longue phase d'abandon, voire de destruction, à une restauration exemplaire. Couronnant une colline, protégé par ses remparts, ce véritable joyau d'architecture médiévale se découvre au fil de ses rues tortueuses bordées de vieilles maisons. Le décor pérougien est si typique que les cinéastes l'ont utilisé dans des films à cadre historique comme « Les Trois Mousquetaires », « Vingt ans après » ou encore « Monsieur Vincent ».

La situation

Cartes Michelin nos 88 plis 8, 9 ou 244 pli 15 – Ain (01).
Relié à Lyon par l'A 42, Pérouges est situé au Sud de la Dombes, non loin de la vallée de l'Ain. ℹ *Entrée de la Cité, 01800 Pérouges, ☎ 04 74 61 01 14.*

Le nom

Pérouges aurait été fondé, avant l'occupation romaine, par une colonie italique venue de Perugia (Pérouse).

Les gens

1 103 Pérougiens. **Vaugelas** (1585-1650), le célèbre académicien, l'arbitre du bon langage, a été l'un des barons de Pérouges.

SAUVE QUI PEUT !
Devant la dégradation rapide de la ville dans les années 1910, des Lyonnais amis du passé et quelques Pérougiens artistes interviennent avec vigueur, aidés par les Beaux-Arts. Les maisons les plus intéressantes sont achetées, restaurées avec goût, classées monuments historiques. L'essentiel de la cité est sauvé. Cet effort de sauvegarde se poursuit grâce au Comité du Vieux Pérouges et aux habitants.

comprendre

Grandeur et décadence – Pendant le Moyen Âge et jusqu'à l'annexion française (1601), les souverains du Dauphiné et de la Savoie se disputent la ville. Le siège de 1468, épisode de cette lutte, est resté fameux dans les annales locales.

carnet pratique

Restauration

• *À bon compte*

Auberge du Coq *– R. des Rondes - ☎ 04 74 61 05 47 - fermé fév., dim. soir, mar. midi d' avr. à nov. et dim. soir, lun., mar. de déc. à avr. - 14,33/23,63€.* Dans une ruelle pavée de galets, ce restaurant évoque les échoppes d'autrefois. Le patron, un italien gourmand natif de Pérouges, défend à sa table quelques belles spécialités comme le soufflé de quenelles, les grenouilles fraîches ou le poulet fermier... à découvrir.

Hébergement

• *À bon compte*

Chambre d'hôte M. et Mme Debeney-Truchon *– « L'Hôpital » - 01150 Chazey-sur-Ain - 9 km à l'E de Pérouges par N 84, puis D 40 et rte secondaire - ☎ 04 74 61 95 87 - ⊠ - 6 ch. : 28/37€.* C'est l'accueil et la simplicité du cadre qui vous séduiront dans cette ferme villageoise. Les propriétaires, ravis de recevoir, regrettent juste de voir passer leurs hôtes si vite... Lui, surtout, adorerait montrer comment il fait son pain. Amateurs de pétanque bienvenus !

• *Une petite folie !*

Ostellerie du Vieux Pérouges et Manoir *– ☎ 04 74 61 00 88 - P - 15 ch. : 114,34/175,32€ - ☕ 10,67€ - restaurant 30,49/76,22€.* La célébrité de cette magnifique maison au cœur du village a dépassé les frontières depuis que Bill Clinton s'y est attablé en 1997... Il faut dire que c'est une belle étape, avec son décor typiquement bressan. Deux catégories de chambres et prix en conséquence. Salon de thé.

Calendrier

Printemps musical de Pérouges – *☎ 04 74 61 23 02, www.festival-perouges.org.* Depuis 1996, Pérouges accueille sur trois week-ends (mai-juin) ce festival qui a pour thème « Au fil de la Voix ». Les concerts qui ont lieu dans l'église-forteresse de Pérouges ou au prieuré de Blyes réunissent des artistes du monde entier autour d'un programme thématique sur le chant.

Dans la cité, riche et active, des centaines d'artisans tissent la toile tirée du chanvre qu'on cultive tout alentour. Au 19e s., cette prospérité disparaît : Pérouges est loin du chemin de fer ; la main-d'œuvre artisanale ne peut soutenir la concurrence des usines. Des 1 500 habitants qu'elle comptait au temps de sa splendeur, l'agglomération tombe à 90. En 1909-1910, elle est sur le point de disparaître tout à fait. Beaucoup de propriétaires sont pris d'une fièvre de destruction. Des pâtés entiers de vieilles demeures tombent sous le pic. La ville aurait disparu sans l'intervention des passionnés regroupés au Comité du Vieux Pérouges.

Vieilles rues, vieilles maisons – La plupart des maisons de Pérouges, rebâties après le siège de 1468, sont du style de transition gothico-Renaissance. Les demeures seigneuriales ou de la riche bourgeoisie se distinguaient par l'importance de leurs dimensions et par leur luxe intérieur : hautes et vastes salles, plafonds à poutres sculptées, cheminées monumentales, fresques intérieures et extérieures. Celles des artisans et des marchands étaient beaucoup plus simples, les baies cintrées du rez-de-chaussée éclairaient l'atelier ou servaient à l'étalage des marchandises. Les plus anciennes maisons sont à pans de bois, avec des étages en encorbellement. Des rues sont restées telles qu'elles étaient au Moyen Âge.

Le haut du pavé

Étroites et sinueuses, les rues avaient un pavage à double pente avec une rigole médiane pour l'écoulement des eaux. Les toits des maisons, débordant très largement, abritaient le « haut du pavé », réservé aux personnes de qualité. Les gens du commun devaient céder le pas et marcher au milieu de la chaussée.

On recherche le capitaine d'Artagnan dans les ruelles, mais on ne trouve que des visiteurs impressionnés par la beauté des lieux.

PÉROUGES

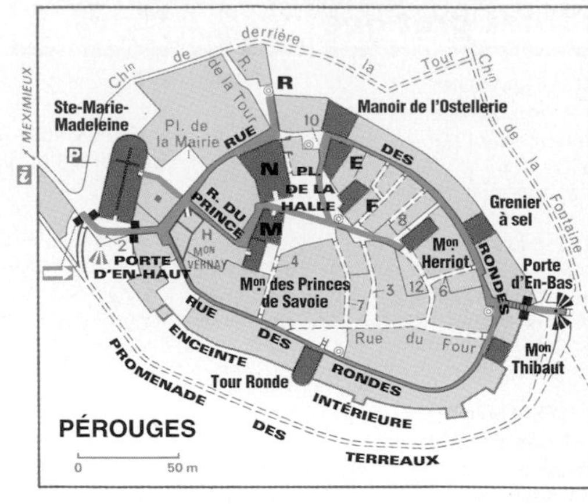

découvrir

LA CITÉ★★

Laisser la voiture, à l'extérieur, à gauche de l'église ou sur le parking en contrebas.

Porte d'En-Haut★

Entrée principale de Pérouges, elle était aussi la plus exposée, en raison de la pente douce du terrain à cet endroit. Sa défense était renforcée par l'église-forteresse et par une barbacane. Dans l'encadrement ogival apparaît la maison Vernay.

Du terre-plein, jolie vue sur la campagne, au-delà du fossé des fortifications.

Rue du Prince★

C'était la voie principale. Les bouchers, vanniers, drapiers, l'armurier et l'apothicaire y tenaient boutiques : on y voit encore les tables de pierre des éventaires. Elle est bordée par la **maison des Princes de Savoie**. *Visite jumelée avec celle du musée du Vieux-Pérouges.*

De la tour de guet, vue imprenable sur le charmant hortulus (jardin moyenâgeux) de la maison des Princes de Savoie.

Place de la Halle★★★

Au centre de la cité, elle offre l'un des décors les plus évocateurs qu'on puisse rencontrer en France. Elle doit son nom aux halles qui brûlèrent dans un incendie en 1839. Le splendide tilleul qui se dresse au centre est un arbre de la liberté planté en 1792. Presque toutes les maisons qui entourent la place sont pittoresques.

Ostellerie – Elle est signalée par une enseigne portant les armes de la cité. La façade Est, à pans de bois, est du 13e s., la façade Sud Renaissance.

Musée du Vieux-Pérouges – *Avr.-sept. : tlj sf mar. 10h-12h, 14h-18h. Fermé oct. -mars. 3€. ☎ 04 74 61 00 88.*
Il est aménagé dans une partie de la maison des Princes de Savoie et dans la maison Heer qui donne sur la place par une galerie à piliers gothiques. Au rez-de-chaussée a été reconstitué un atelier de tisserand avec son métier.

> **À VOIR**
> Les collections du musée du Vieux-Pérouges concernent l'histoire et l'archéologie de la Dombes et de la Bresse : gravures, ustensiles, mobilier, faïences de Meillonnas.

Maison du Vieux-St-Georges – Sur la façade, une niche en coquille abrite une curieuse statue en bois du 15e s., représentant saint Georges, patron de Pérouges, en cavalier.

Prendre, au fond de la place, une ruelle en descente.

Maison Herriot – Avec ses vastes baies (en plein cintre, au rez-de-chaussée, à meneaux, à l'étage), elle a un aspect cossu.

Revenir sur la place et prendre la rue de la Place, au Nord.

Maison Cazin – L'une des plus belles demeures de Pérouges présente des étages en encorbellement et à pans de bois. Au rez-de-chaussée, les fenêtres en plein cintre sont grillagées.

Prendre à droite, la rue des Rondes.

En face de la maison Cazin, adossée au rempart Nord, s'élève le **manoir de l'Ostellerie**, ancienne maison Messimy.

Rue des Rondes★

Elle a conservé, presque partout, son pavage ancien et sa rigole centrale. Les maisons anciennes qui la bordent, dont le **grenier à sel** et la **maison Thibaut**, sont protégées par des toits en surplomb.

Porte d'En-Bas

Plus ancienne que la porte d'En-Haut, elle est en plein cintre. Des abords de la porte, on a une jolie **vue★** sur les environs, les monts du Bugey et par temps clair, les Alpes.

Poursuivant dans la rue des Rondes, on débouche sur la place de l'Église.

Coquin de sort !

Sur la face extérieure de la porte d'En-Bas, une inscription, d'un latin approximatif, est relative au siège de 1468. Elle peut se traduire ainsi : « Pérouges des Pérougiens ! Ville imprenable ! Ces coquins de Dauphinois ont voulu la prendre, mais ils n'ont pas pu. Cependant, ils emmenèrent les portes, les ferrures, les serrures et dégringolèrent avec elles. Que le diable les emporte ! »

Église Ste-Marie-Madeleine

Elle a l'aspect d'une forteresse. Édifiée au 15e s., elle présente au Nord-Ouest une muraille percée de créneaux, de meurtrières et de baies très hautes et très étroites. Le clocher, détruit sous la Révolution, a été reconstruit sous l'Empire et doté d'un dôme à quatre pans, à la manière franc-comtoise. Le chemin de ronde, qui faisait le tour de l'enceinte, passe, dans l'église, au-dessus des voûtes latérales et dans les tribunes du mur de façade. À l'intérieur, remarquez l'ensemble des clefs de voûte armoriées ; la voûte centrale, notamment, porte le blason de la Maison de Savoie et les symboles des quatre évangélistes. À droite du chœur, statue en bois polychrome du 17e s., représentant saint Georges.

Par la rue des Rondes, gagner la rue de la Tour.

Puits de la Tour

Pendant longtemps, il suffit seul à fournir l'eau à toute la ville. La tour édifiée par les Romains fut détruite en 1749 (le presbytère occupe une partie de son emplacement). Avec une lanterne située à sa partie supérieure, on pouvait communiquer par signaux lumineux avec des tours analogues formant relais jusqu'à Lyon.

Les deux enceintes

La rampe partant de la porte d'En-Haut mène à la **promenade des Terreaux★** tracée dans le fossé de l'enceinte extérieure réduite à l'état de vestiges ; l'enceinte intérieure est presque complète : elle sert de soubassement aux maisons qui bordent la rue des Rondes. La **tour Ronde**, où s'adosse la maison du sergent de Justice, servait de prison.

alentours

St-Maurice-de-Gourdans

12 km au Sud par la D 65B. La bourgade est située sur le rebord d'un plateau dominant le confluent du Rhône et de l'Ain.

Église – Elle date du 12e s. Une restauration adroite a mis au jour le mode de construction primitif ; pierres calcaires et cailloux roulés du Rhône, avec lits intercalaires de petites briques et de pierres plates.

L'**intérieur★** frappe par son aspect archaïque : la nef unique, basse, est un long berceau reposant sur une suite d'arcatures aveugles.

Fresques

Les peintures murales les mieux conservées ornent la nef ; disposées en bandeaux au-dessus des arcatures, elles représentent pour la plupart des scènes tirées des Évangiles : remarquez notamment, à droite, Adam et Ève sortant de la bouche du Léviathan.

Centre nucléaire de production d'électricité du Bugey

11 km. Quitter St-Maurice-de-Gourdans à l'Est par la D 84, puis la D 65 en direction de Loyettes. Peu avant Loyettes, tourner à gauche dans la D 20. ♿ Visite guidée (2h1/2) tlj sf dim. sur demande préalable (15 j. av.). Fermé j. fériés. Gratuit. Mme Caliman, ☎ 04 74 34 30 09. Numéro vert 0800 000 102.

Dominée par l'Île Crémieu, la centrale est située à St-Vulbas, sur la rive droite du Rhône.

La visite conduit dans la salle des machines et près du simulateur de conduite. Au centre de documentation et d'information, renseignements sur la production et la consommation d'énergie, ainsi que sur le cycle nucléaire et le fonctionnement des différents types de centrales.

Le Pilat★★

CALENDRIER
Des journées d'animation : **journée de la Pomme**, le 11 novembre à Pélussin (siège du Parc), **journées des Produits fermiers** à Bourg-Argental en juin, **marché au vin** de Chavanay le 2e week-end de décembre, **Vins et rigottes en fête** à Condrieu le 1er mai, etc., font connaître les produits du terroir.

Ce sont d'abord des paysages, beaux et variés : au bord du Rhône, des vergers et des vignobles (comme celui, fameux de la Côte-Rôtie) qui font place, sur les plateaux, aux pâturages, puis en altitude à des forêts de hêtres et de sapins. La fraîcheur de ses sapinières, de ses eaux vives et de ses hauts pâturages contrastant avec les vallées industrieuses de l'Ondaine, du Janon et du Gier, en font un lieu fort apprécié des randonneurs comme de tous ceux qui, pour un temps, rêvent de « se mettre au vert ».

La situation

Cartes Michelin nos 88 plis 18, 19 ou 246 plis 16, 17 – Loire (42). Le massif du Pilat s'élève, à l'Est de St-Étienne, entre le bassin de la Loire et la vallée du Rhône. Subissant les influences méditerranéennes à l'Est, et atlantiques à l'Ouest, il comporte une ligne de partage des eaux, notamment au col de Chaubouret (1 363 m), et joue pour la région stéphanoise un rôle de « château d'eau ».

Le nom

Il était autrefois appelé « le rivage » puisqu'il descend vers le Rhône. Il devrait son nom actuel à Ponce Pilate. L'ancien procurateur de Judée aurait été, selon la légende, envoyé en exil à Vienne et, désespéré, serait venu se suicider dans la montagne... peut-être au saut du Gier puisque l'endroit est également appelé le saut de Pilate.

À LIRE
Les gens du mont Pilat, de Michel Jeury, éditions Seghers, coll. « Mémoire vive ». Les randonneurs peuvent se reporter au guide *Le Massif du Pilat* (balades à pied) édité par Chamina.

Les gens

◀ **Jean-Jacques Rousseau**, qui se voulait proche de la nature, aimait bien herboriser. Aussi un sentier perpétue le souvenir du séjour qu'il fit dans le Pilat pour compléter son herbier. Rencontra-t-il au cours de ses promenades solitaires un charmant petit carnivore, friand de reptiles, petits mammifères et oiseaux, la genette ? On en doute car cet animal craintif est connu pour ses mœurs nocturnes.

carnet pratique

RESTAURATION

• *À bon compte*

Auberge Vernollon – *42220 Colombier-sous-Pilat - 8 km à l'E du Bessat par D 8, puis D 63 vers le col de l'Œillon - ☎ 04 77 51 56 58 - fermé 1er déc. au 28 fév. sf réveillon du J. de l'an, lun. en été et lun. au ven. midi hors sais. - réserv. conseillée - 10,70/15,80€.* Sur la route vers le crêt de l'Œillon, cette ancienne ferme restaurée avec soin est une étape incontournable ! La cuisine savante de la patronne est savoureuse : vous la dégusterez sous la magnifique charpente de la grange ou sur la terrasse avec vue panoramique.

• *Valeur sûre*

Chanterelle – *Sagnemorte - 42520 Roisey - ☎ 04 74 87 47 27 - fermé déc. à fév., mer. et jeu. hors sais., lun. et mar. - 21,34/39,64€.* Dans un parc boisé bien aménagé, coquet chalet offrant un superbe panorama sur la vallée du Rhône et les crêts du Pilat. Cuisine classique personnalisée, servie dans un cadre actuel.

HÉBERGEMENT

• *À bon compte*

Chambre d'hôte Le Moulin du Bost – *42131 La Valla-en-Gier - 13 km au N du Bessat par D 2, puis D 76 après La Valla-en-Gier dir. Doizieux - ☎ 04 77 20 06 62 - moulin.bost@wanadoo.fr - fermé Toussaint à Pâques - ⊭ - 3 ch. : 35/45€ - repas 13€.* Marcheur passionné et membre des « relais randonneurs », le propriétaire de cette maison située dans le Parc naturel régional du Pilat vous conseillera plusieurs circuits pédestres adaptés à votre niveau. Chambres simples et table d'hôte généreuse. Une adresse pour communier avec la nature.

Chambre d'hôte La Rivoire – *42220 St-Julien-Molin Molette - 5 km à l'E de Bourg-Argental par N 82 - ☎ 04 77 39 65 44 - larivoire@chez.com - fermé janv. - ⊭ - 5 ch. : 37/46€ - repas 14€.* Cette maison a beaucoup de charme avec sa tour ronde et son grand jardin potager familial... Très bien située, elle domine la vallée de la Déôme : une vue splendide que vous pourrez admirer de toutes ses chambres et de la terrasse. Séjour reposant garanti.

Révélés par de superbes éclairages, les paysages du Pilat deviennent souvent de véritables tableaux.

comprendre

Un passé mouvementé – Tout commence avec le plissement hercynien : surgit alors une haute montagne aux plis orientés du Sud-Ouest au Nord-Est, que l'érosion, durant l'ère secondaire, transforme en un plateau incliné vers l'actuelle vallée du Rhône. Mais le plateau est submergé par les eaux qui y déposent plusieurs couches de sédiments avant de se retirer au cours de l'ère tertiaire. Survient alors le plissement alpin : le fossé rhodanien s'effondre tandis que le massif se redresse ; le Pilat ainsi « rajeuni » atteint 1 500 m d'altitude et les rivières, le Gier au Nord, le Limony au Sud, se glissent au pied des failles. À l'époque quaternaire, l'érosion reprend son œuvre. Bref, de quoi avoir le mal de mer ! De nombreuses rivières descendent rapidement vers le Gier, le Rhône ou la Loire par des vallées encaissées. Le Gier lui-même, peu après sa source, franchit le **saut du Gier**.

Des sommets hérissés

Le crêt de la Perdrix (point culminant à 1 432 m), le crêt de l'Œillon (alt. 1 370 m) se hérissent de curieux amas de blocs granitiques provenant du démantèlement des sommets : ce sont les chirats.

découvrir

PARC NATUREL RÉGIONAL DU PILAT

Créé en 1974, le parc s'étend sur 65 000 ha et regroupe une cinquantaine de communes réparties sur les départements du Rhône et de la Loire. Soucieux de préserver la nature et l'environnement, il développe des activités liées aux domaines rural, artisanal, touristique et culturel.

Maison du Parc

8h30-12h30, 14h-18h (17h ven.), w.-end et j. fériés 9h-12h30, 14h-18h30 (du 11 nov. à Pâques : tlj sf w.-end). Maison du Parc et Office de tourisme, Moulin de Virieu, 42410 Pélussin. ☏ 04 74 87 52 00. Minitel 3615 Pilat (0,2€/mn). Randonnées accompagnées, sorties découvertes, animations. Programmes sur demande.

Moulin de Virieu à Pélussin – Adresse principale du Parc, elle accueille des expositions, propose des animations et des randonnées, renseigne les visiteurs.

Logo du Parc naturel régional du Pilat.

Pour faciliter une approche de la flore et de la faune, le parc propose un important réseau d'itinéraires de randonnée :

– 500 km de sentiers pédestres balisés (traits marrons et blancs) dont des tronçons des GR 7 et GR 42 (traits blancs et rouges).

– 3 sentiers d'interprétation formant des boucles de 3 à 4 km. Les milieux traversés sont détaillés sur une plaquette proposée par la maison du Parc.

– 8 sentiers thématiques identifiés par un numéro.

Le **sentier Jean-Jacques Rousseau**, de Condrieu à la Jasserie ①, rappelle que l'écrivain-philosophe vint en 1769 herboriser dans le massif du Pilat ; le **sentier**

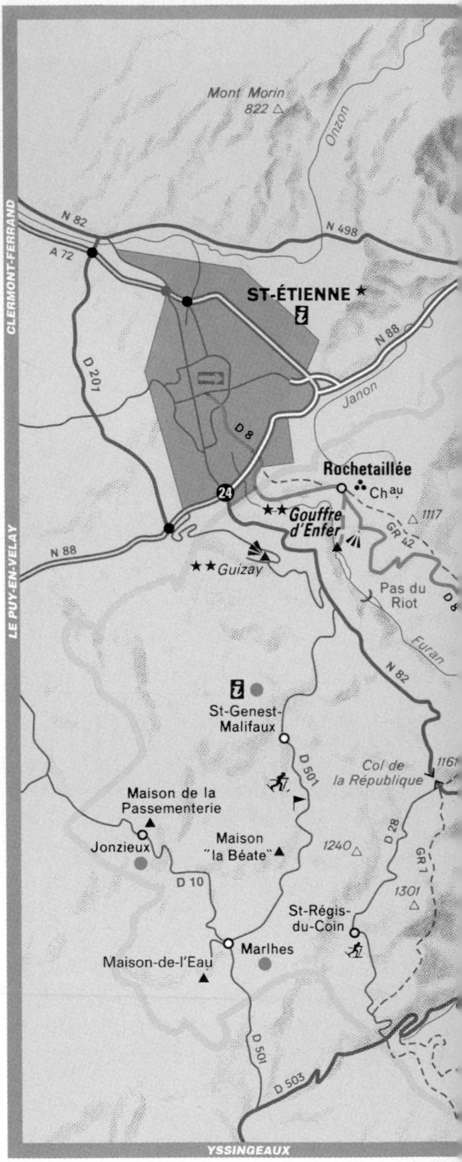

Atout sports

Les aménagements touristiques et sportifs ne cessent de se développer : la base de loisirs de St-Pierre-de-Bœuf (rivière artificielle), la base de canoë à la Terrasse-sur-Dorlay, les foyers de ski de fond au Bessat, à Burdignes, St-Régis-du-Coin et St-Genest-Malifaux, le balisage de très nombreux sentiers de VTT...

Flore ⑨ permet de passer très rapidement (sur 22 km) de la végétation quasi méditerranéenne de la région de Malleval à l'étage subalpin du crêt de la Perdrix, soit du cactus raquette à l'arnica des montagnes.

Prises de bec

Parmi les 90 espèces d'oiseaux recensées, on pourra apercevoir le canard colvert (sur le plan d'eau de St-Pierre), le cingle-plongeur près des torrents, le bec-croisé des sapins et le bruant-fou de la lande à genêts.

◄ Le **sentier ornithologique**, tracé entre St-Pierre-de-Bœuf et la chapelle St-Sabin, permet d'observer (surtout de la mi-mai à la mi-juin) quelques-uns des nombreux oiseaux habitués de la région. Pour faire connaître et revivre certaines activités traditionnelles, le Parc a ouvert quelques maisons :

La **maison des Arts et Traditions populaires « la Béate »** à Marlhes, consacrée au patrimoine culturel. *Du 14 juil. à fin sept. : dim. et j. fériés 14h30-18h30. Entrée libre. ☎ 04 77 51 24 70 et 04 77 51 20 33.*

La **maison de la Passementerie** à Jonzieux. *De mai à déb. oct. : dim. 14h30-18h30. 2€. ☎ 04 77 39 91 92.*

La **maison des Tresses et Lacets** à la Terrasse-sur-Dorlay. ♿ *Juil.-août : tlj sf mar. 14h30-18h ; sept.-juin : mer., ven., dim. 14h30-18h. 3,05€. ☎ 04 77 20 91 06.*

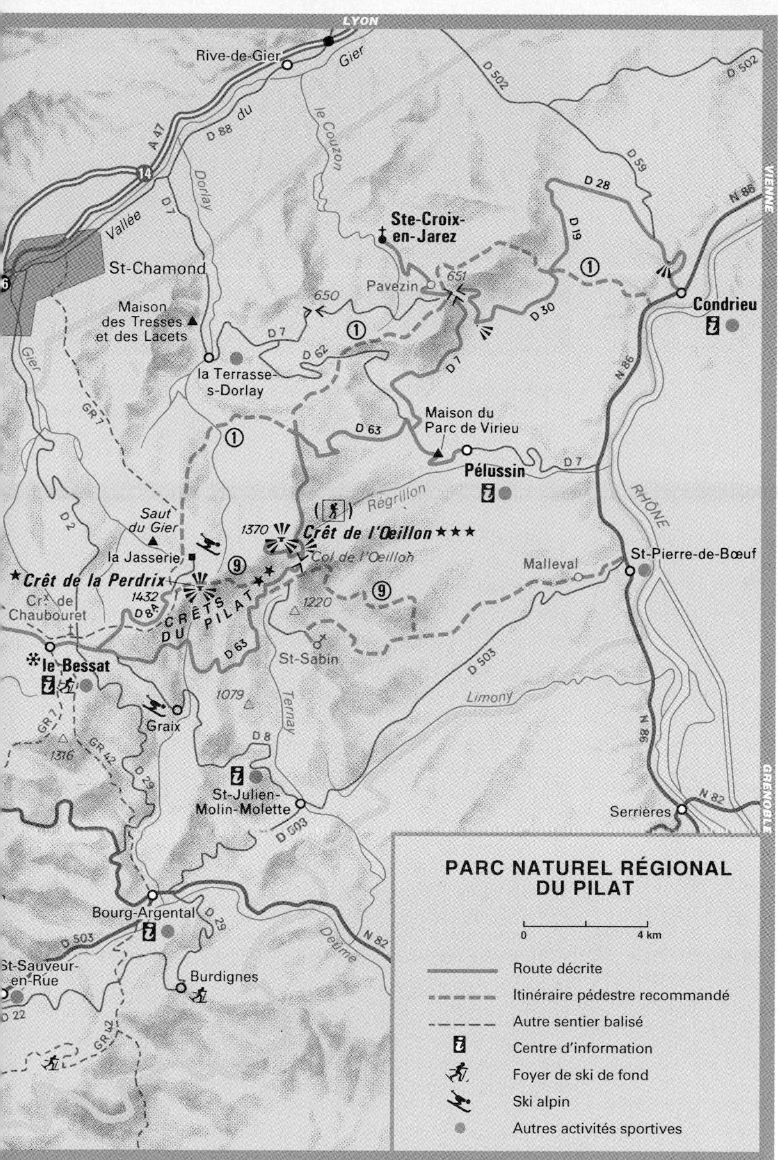

itinéraire

DE ST-ÉTIENNE À CONDRIEU

89 km – environ 6h, visite de St-Étienne non comprise

Quitter St-Étienne vers le Sud-Est par la D 8.

Au cours de la montée, on découvre le site bien exposé de Rochetaillée.

Rochetaillée

Petit village perché sur un étranglement rocheux, entre deux ravins, et dominé par les tours en ruine d'un château féodal.

Gouffre-d'Enfer★★

1h à pied AR. À droite de l'auberge de la Cascade, un chemin suit le lit de l'ancien torrent jusqu'au pied du barrage. Le site est impressionnant : les parois rocheuses, vigoureusement taillées, se referment jusqu'à former un étroit et sombre goulet. Le barrage a été construit en 1866 pour alimenter St-Étienne en eau.

Dominé par les tours en ruine d'un château féodal le village de Rochetaillée éclaire le sombre manteau forestier du Pilat.

Des escaliers permettent d'accéder à la crête. La retenue se développe au pied de versants couverts de sapins. À 50 m à gauche, des escaliers donnent accès à un **belvédère** face à Rochetaillée.

Pour rejoindre la voiture, tourner à gauche et prendre à droite le chemin passant devant la maison des Ponts et Chaussées.

Après Rochetaillée, jolies vues plongeantes, à droite, sur le barrage du Gouffre-d'Enfer et le barrage du Pas-du-Riot.

Le Bessat*

Station estivale et de sports d'hiver.

Au Bessat, poursuivre en direction de la Croix-de-Chaubouret.

Crêt de la Perdrix★

Peu après la Croix-de-Chaubouret, prendre à gauche la D 8^A vers la Jasserie.

Épicéas, hauts chaumes et bruyères se succèdent.

À environ 5 km, au sommet de la montée, laisser la voiture à hauteur du sentier conduisant (1/4h à pied AR) au crêt de la Perdrix couronné par un chirat.

De la table d'orientation, le **panorama** s'étend sur les pics du Mézenc, du Lizieux, du Meygal et du Gerbier-de-Jonc.

Revenir à la D 8 et emprunter la D 63 en direction du crêt de l'Œillon.

La route serpente tantôt parmi les conifères, tantôt au milieu des landes à bruyères.

Crêt de l'Œillon★★★

1/4h à pied AR. Au col de la Croix de l'Œillon, emprunter à gauche la route conduisant à l'embranchement de la route privée menant au relais de télédiffusion. Laisser la voiture au parc de stationnement. Au sommet, contourner l'enceinte du relais par sa gauche ; la table d'orientation se trouve à l'extrémité Est du promontoire, au pied d'une croix monumentale.

Point de vue

Le crêt de l'Œillon est un belvédère exceptionnel. Au premier plan, au-delà des rochers du Pic des Trois Dents, vue plongeante sur la vallée du Rhône, de Vienne à Serrières. Au loin à l'Est, la vue s'étend sur les Alpes ; au Sud-Est, sur le mont Ventoux ; à l'Ouest, sur le puy de Sancy et les monts du Forez ; au Nord, sur les monts du Lyonnais et au Nord-Est sur le Jura.

◄ Le **panorama** est l'un des plus grandioses de la vallée du Rhône.

Poursuivre vers Pélussin.

Au belvédère de la Faucharat, belles échappées sur les vallée du Régrillon, du Rhône et du Pélussin.

Pélussin

Laisser la voiture sur la place Abbé-Vincent, devant l'hôpital rural. Descendre la rue Dr-Soubeyran et prendre à gauche de la rue de la Halle.

L'ancienne halle forme belvédère au-dessus de la plaine du Rhône et de l'agglomération de Pélussin. Passer ensuite sous une porte fortifiée et tourner à gauche. Remarquer l'ancienne chapelle et le vieux château.

Faire demi-tour et prendre la D 7 à droite vers le col de Pavezin.

Ste-Croix-en-Jarez *(voir ce nom)*

Au col de Pavezin, emprunter à droite la D 30 offrant au début de la descente une belle vue sur la vallée du Rhône. Par les D 19 et D 28, on atteint Condrieu.

L'arrivée est précédée, au tournant du calvaire, au-dessus de la ville, d'une **vue★** panoramique sur le bassin de Condrieu et la boucle du Rhône.

Condrieu *(voir ce nom)*

alentours

Bourg-Argental

Cette petite ville active, située au pied du massif du Pilat, a largement diversifié ses activités industrielles et artisanales.

Église – *Juin-sept. : tlj ; oct.-mai : mar., jeu. et w.-end.* Reconstruite au 19ᵉ s. dans le style roman, elle conserve, sur la façade, un **portail★** sculpté (12ᵉ s.) ; remarquez surtout le tympan dont le registre inférieur, sous la mandorle du Christ en majesté, est orné de scènes de la vie de la Vierge, trahissant une certaine influence clunisienne.

Privas

Peu de places ont été aussi durement marquées par l'Histoire, et le siège de la cité au 17ᵉ s. a été particulièrement destructeur. Les remparts ont été abattus mais pas le dynamisme de la ville qui est devenue la préfecture de l'Ardèche et la capitale incontestée du marron glacé.

La situation

Cartes Michelin nos 76 plis 19, 20 ou 246 pli 20 – Ardèche (07). Privas occupe un **site★** original dans le bassin de l'Ouvèze, au pied du mont Toulon. Toute en longueur, la partie haute de la ville s'encombre facilement aux heures de pointe. *Pl. du Gén.-de-Gaulle, 07000 Privas, ☎ 04 75 64 33 35.*

Le nom

Privas a joué pendant les guerres de Religion un rôle de premier plan qui lui valut le titre de « Boulevard (rempart) de la Réforme ».

carnet pratique

Restauration

• Valeur sûre

Le Corentin – *2 pl. de la République - ☎ 04 75 64 75 75 - fermé 1er au 15 mai, 15 au 30 sept., 22 déc. au 6 janv., mer. soir et dim. - 18,29/22,87€.* Sur une placette calme et ombragée, cette crêperie sert aussi une cuisine bistrot soignée et un menu du terroir « Goûtez l'Ardèche » parfait pour découvrir les saveurs d'ici : caillette, joues de porc confites avec criques (pommes paillasson), picodon et glaces artisanales...

Hébergement

• Valeur sûre

Hôtel Chaumette – *Av. Vanel - ☎ 04 75 64 30 66 - P - 36 ch. : 54,12/68,60€ - ☕ 7,17€ - restaurant 17,53/28,20€.* Il faut passer la porte de cet hôtel à la façade des années 1970 pour découvrir un décor plutôt actuel et clair, aux couleurs pastel... Ses chambres fonctionnelles, meublées de noir, sont agréables. Terrasse en été et belle piscine dans le jardin.

• Une petite folie !

Chambre d'hôte Château de Fontblachère – *07210 St-Lager-Bressac - 15 km au SE de Privas par D 22, puis D 2 et D 322 à gauche face au village de St-Lager-Bressac, fléchage - ☎ 04 75 65 15 02 - bernard.liaudois@wanadoo.fr - fermé nov. à mars - ⊭ - 5 ch. : 90/120€.* Cette ravissante maison des collines ardéchoises est la promesse d'un séjour paisible dans un décor à la fois simple et élégant. Chambres peintes aux pigments naturels et aménagées avec goût. Piscine, tennis et jacuzzi sont disséminés dans le superbe parc. Deux gîtes pour les longs séjours.

Loisirs-Détente

Plan d'eau de la Neuve – *2 km au N de Privas par la D 2 et la D 260 à gauche.* Dans le vallon du Mézayon, près d'un ancien moulinage en ruine, site de baignade aménagé et surveillé en saison.

Les marrons glacés de Privas

Les gens

9 170 Privadois. C'est un prêtre privadois, **Jacques Valéry** (ou Vallier), qui introduisit la Réforme à Privas dès 1534. Au centre des premières luttes religieuses, la ville fut l'une des places fortes concédées aux protestants par Henri IV, lors de l'Édit de Nantes, en 1598.

comprendre

Pour le meilleur et pour le pire – La politique d'unification de Richelieu et des haines encore vivaces raniment le conflit religieux qu'attise en Vivarais une question de mariage. **Paule de Chambaud**, veuve du chef huguenot, Jacques de Chambaud, héritière de la baronnie de Privas, a le choix, pour se remarier, entre deux prétendants, un catholique et un protestant. Elle choisit le plus jeune, le catholique **Claude de Hautefort-Lestrange**, à la grande colère des Privadois, en majorité protestants, et qui ne veulent pas d'un « papiste » pour seigneur.

Les combats reprennent. En 1629, l'armée royale, commandée par Schomberg et Biron, vient camper devant Privas. Louis XIII s'installe au Sud de la ville, dans une demeure désignée depuis sous le nom de Logis du Roi. Face à l'armée royale, forte de 20 000 hommes, les assiégés ne disposent que de 1 600 défenseurs.

Après un siège de 16 jours, la ville est prise d'assaut, pillée et brûlée, les habitants massacrés.

Une sortie explosive

Lors du siège de 1629 une partie des défenseurs s'est réfugiée sur le mont Toulon ; l'un de leurs chefs, préférant « périr par le feu plutôt que par la corde », met le feu aux poudres. Ses compagnons, pris de panique, se jettent dehors où ils se font tuer par les soldats du roi.

La revanche des Privadois – Les habitants qui avaient réussi à s'échapper obtinrent plus tard le droit de revenir, poursuivis cependant, de tribunaux en tribunaux, par le vicomte de Lestrange, leur seigneur, qui leur réclamait le prix de son château détruit... du moins jusqu'en 1632. Compromis dans l'un des complots de Gaston d'Orléans, Lestrange fut alors fait prisonnier et fouetté publiquement à Privas, puis exécuté à Pont-St-Esprit.

visiter

Musée de la Terre ardéchoise

Juil.-août : 10h-12h, 15h-19h ; sept.-juin : tlj sf lun. et mar. 14h-18h. Fermé j. fériés 24 et 31 déc. 3,58€. ☎ 04 75 64 43 69.

Aménagé dans les bâtiments de l'ancien collège des Récollets, il présente des expositions sur l'archéologie et la géologie régionales.

Mont Toulon

Compter 1h AR – Se garer près du musée de la Terre ardéchoise et monter le boulevard du Montoulon. Un chemin fléché, sur la droite; conduit au sommet où l'on peut voir un **calvaire** monumental (trois croix) et une belle **vue**★ sur les environs.

Pont Louis-XIII

Construit sur l'Ouvèze, il conserve son couronnement de gros corbeaux de pierre et offre une bonne vue sur le site de Privas.

Louis XIII n'a pas laissé que des bons souvenirs depuis le terrible siège de Privas. Il a quand même donné son nom à ce superbe pont du 15e s. qu'il fit réparer après les combats.

alentours

Le Bouschet-de-Pranles

15 km au Nord par la D 2 et la D 344.

Un petit musée protestant a été installé dans la **maison natale de Pierre Durand**, pasteur des églises du Désert au 18e s., et de sa sœur **Marie Durand**. Cette héroïne huguenote du 18e s. resta enfermée 38 années dans la tour de Constance d'Aigues-Mortes (1730-1768). Pranles est devenu un haut lieu du protestantisme vivarois ; un rassemblement protestant s'y tient le lundi de Pentecôte. *De mi-juin à mi-sept. : visite guidée (1h) tlj sf ven. 10h-12h, 14h30-18h30, dim. 14h30-18h30 ; de mi-avr. à mi-juin : sam. et j. fériés 10h-12h, 14h30-18h, dim. 14h30-18h. 2,29€. ☏ 04 75 64 22 74.*

La maison natale de Pierre Durand est une ancienne ferme à plusieurs niveaux dont on peut admirer la superbe cheminée.

circuit

LE COIRON★★

Circuit de 77 km – compter une demi-journée. Quitter Privas par la D 7, au Sud, en direction de Villeneuve-de-Berg.

La route traverse le bassin de l'Ouvèze, puis pénètre dans le ravin calciné de la Bayonne. Au cours d'une montée se succèdent de très belles vues sur le site de Privas. Soudain le paysage s'assombrit : la couche de basalte a recouvert le socle de la montagne.

À l'embranchement vers Freyssenet, poursuivre à gauche vers Taverne.

La planèze déroule ses vastes ondulations de landes piquetées de genévriers, de buis et de genêts. Dans cet horizon dépeuplé surgit l'humble hameau de Taverne.

À Taverne emprunter la D 213.

Entre le col de Fontenelle et le hameau des Molières, une large trouée permet d'apercevoir au loin le Rhône. Les premiers plans sont constitués par des orgues basaltiques d'où s'échappe un filet d'eau ; sur un versant, à droite, l'érosion a dégagé le calcaire sous-jacent. Puis c'est la descente rapide en contre-haut du hameau des Molières et au flanc d'un ravin montrant à nu ses strates. L'arrivée à St-Martin-le-Supérieur est précédée d'une jolie vue sur sa charmante petite église romane à clocher-mur.

En contrebas de St-Martin-l'Inférieur, suivre la basse vallée du Lavézon dont le lit s'encombre de gros cailloux roulés noirs ou blancs.

Le plateau du Coiron

La barre volcanique du Coiron, fortement érodée, limite, au Nord, le Bas-Vivarais. Du col de l'Escrinet au Rhône, ses basaltes noirs, interrompant la ligne des coteaux, créent le contraste puissant des dykes de Rochemaure.

La partie supérieure du Coiron offre l'aspect d'une vaste planèze dénudée, d'une altitude moyenne de 800 m, s'élevant du Rhône vers le Nord-Ouest.

Meysse

1/4h à pied AR. Vieux village conservant, en arrière d'un front d'habitations plus récentes, son aspect de jadis. Autour de l'ancienne église romane, désaffectée et délabrée, s'étend un lacis de ruelles et de passages voûtés.

Quitter Meysse par la N 86 au Sud.

À la sortie du village se détache de la falaise, à droite, une aiguille basaltique, puis apparaissent les ruines du château de Rochemaure.

Château de Rochemaure★ *(voir p. 244)*

Pic de Chenavari★★ *(voir p. 245)*

Revenir à Meysse pour suivre la basse vallée du Lavézon par la D 2 que l'on poursuit à droite, en direction de St-Vincent-de-Barrès.

La route pénètre dans la vaste dépression du **Barrès**, aux riches cultures. Elle emprunte la vallée affluente du Rhône qui sépare le massif calcaire de Cruas à droite et les Coirons volcaniques à gauche.

St-Vincent-de-Barrès

Beau village perché sur un neck basaltique émergeant de la plaine du Barrès et dominé par les tours de basalte de son ancienne forteresse. De l'esplanade de l'église, vue sur le Barrès.

Retour à Privas par Chomérac.

Le Puy-en-Velay★★★

Le site★★★ du Puy-en-Velay, l'un des plus extraordinaires de France, est inoubliable. Vision étrange et splendide que cette ville écartelée entre ses buttes couronnées de statues, le rocher St-Michel, surmonté d'une chapelle romane, le rocher Corneille (ou mont d'Anis), couronné par une Vierge monumentale. Notre-Dame-du-Puy, non moins étrange, presque orientale, abrite la Vierge noire encore vénérée par de nombreux pèlerins. Cette ville est aussi très animée ; le samedi, jour de marché, Le Puy offre un spectacle étonnant : la place du Breuil et les vieilles rues des alentours présentent une animation extraordinaire. En été, un petit train touristique fait découvrir les principales curiosités de la ville.

AVIS PARTAGÉS
« Ce n'est pas la Suisse, c'est moins terrible ; ce n'est pas l'Italie, c'est plus beau ; c'est la France centrale avec tous ses Vésuves éteints... » (George Sand, *Jean de la Roche*).
L'écrivain **Jules Vallès,** moins laudatif, décrit son enfance pénible dans les rues de la vieille ville dans le début de sa trilogie, *L'Enfant, Le Bachelier et L'Insurgé.*

La situation

Cartes Michelin nos 76 pli 7 ou 239 pli 34 – Haute-Loire (43).
La ville est située sur la N 88, qui va de St-Étienne à Mende, en Lozère. Elle est aussi sur les grandes voies de pèlerinage, qui mènent à Compostelle, en Espagne, ou au mont Gagliano, en Italie. Des rebords des plateaux qui la délimitent, de belles vues s'offrent sur le bassin du Puy, surtout quand les tons dorés de ses vastes chaumes sont mis en valeur par les rayons du soleil couchant.
Pl. du Breuil, 43000 Le Puy-en-Velay, ☎ 04 71 09 38 41.

Le nom

Au Moyen Âge, on l'appelait *Anicium*, le Puy-Notre-Dame ou Puy-Ste-Marie, les troubadours y tenaient leur cour ou « puy d'amour ». Maintenant, c'est Le Puy-en-Velay, plus géographique et moins poétique !

Les gens

20 490 Ponots. Certains d'entre eux appartiennent à la joyeuse confrérie des Cornards, qui existait déjà au Moyen Âge, et dont les têtes joufflues illustrent d'anciennes maisons rue Chamarlenc. Paillards et bons buveurs, ils chantaient les 25 couplets d'une chanson patoise, pour oreilles averties seulement.

comprendre

UNE REINE INCONTESTÉE

La cité de la Vierge – La capitale vellave de l'époque romaine, *Ruessium*, a été identifiée à St-Paulien. Le site du Puy (le puy d'Anis) semble avoir été un très ancien lieu de culte païen (restes d'un sanctuaire du 1er s. dans les fondations de la cathédrale), christianisé à partir du 3e s. Des appari-

Dans une vaste plaine se dressent d'énormes pitons d'origine volcanique ; les hommes, pour se rassurer, les ont couronnés de monuments religieux. La chapelle St-Michel-d'Aiguilhe semble prolonger le doigt rocheux.

tions de la Vierge, des guérisons miraculeuses auprès d'une table de dolmen appelée depuis lors « Pierre aux fièvres » incitèrent les premiers évêques à se transporter en ces lieux et à s'y établir, sans doute à la fin du 5e s. Une basilique s'éleva puis une cathédrale autour de laquelle se développa une ville, l'ancienne Ruessium étant déchue de son rang.
Au Moyen Âge, le pèlerinage du Puy connaît un succès d'autant plus important que la cité constitue elle-même un point de départ pour St-Jacques-de-Compostelle. Avec Chartres, c'est le plus ancien lieu de culte marial de France. Des rois, des princes, des foules d'humbles gens s'y pressent pour invoquer la mère de Dieu.
Au 12e s., les ravages d'un corps d'aventuriers, les Cotereaux, compromettent gravement les pèlerinages et tout ce qu'ils valent à la ville de prospérité et de renom. Devant ce péril, la Vierge, apparue à un charpentier nommé Durand, ordonne la guerre sainte.
La Vierge noire accroît encore la célébrité du Puy, apportée d'Orient par Louis VII ou par Saint Louis. Le Puy-en-Velay est resté la cité de la Vierge ; la haute statue de N.-D. de France, au sommet du rocher Corneille, jette sur sa ville un regard apaisant.

Fac similé
Très vénérée, la statue actuelle de la Vierge noire du Puy, couronnée en 1856, remplace celle qui a été brûlée en 1794.

Haro sur le baudet
À l'appel de la Vierge, d'apprentis croisés, coiffés d'un chaperon de toile blanche, courent sus aux brigands, qu'ils pendent par groupe de cinq cents. Ils y prennent une joie malsaine, à tel point que les troupes royales doivent les massacrer à leur tour

découvrir

SAINT-MICHEL-D'AIGUILHE**

De juin à mi-sept. : 9h-19h (de déb. juin à mi-juin : 9h-12h, 14h-19h) ; avr.-mai 10h-12h, 14h-18h ; de mi-mars à fin mars : 10h-12h, 14h-17h ; de mi-sept. à mi-nov. : 9h30-12h, 14h-17h30 ; de fév. à mi-mars et vac. scol. de Noël : 14h-16h. Fermé 1er janv. et 25 déc. 2,29€. ☎ 04 71 09 50 03.

Visite

Train touristique – Il fait découvrir les principales curiosités de la ville. *De mai à fin sept. : visite guidée (3/4h) en train dép. à 10h, 11h, 14h, 15h, 16h, 17h. Fermé oct.-avr. 5,79€ (enf. : 3,05€). ☎ 04 71 02 70 70.*

Restauration

• *À bon compte*

L'Écu d'Or – *59-61 r. Pannessac - ☎ 04 71 02 19 36 - fermé dim. soir et mer. d'oct. à mai - réserv. obligatoire juil.-août - 12,20/45€.* Dans une rue piétonne de la vieille ville, ce restaurant, dans une belle salle voûtée des 14e et 16e s. décorée de grandes fresques murales, est assez pittoresque. La table est plutôt bonne et le service jeune.

• *Valeur sûre*

La Renouée – *À Cheyrac - 43800 St-Vincent - 16 km au N du Puy par D 103 et rte secondaire - ☎ 04 71 08 55 94 - fermé janv., fév., vac. de Toussaint, lun. sf juil.-août, mar. soir, mer. soir, jeu. soir en nov.et déc. et dim. soir - 15,24/36,59€.* Traversez le petit jardin... Cette maison pourrait être la vôtre ! Salle à manger campagnarde avec sa cheminée en pierre. La cuisine du terroir est bien tournée et n'allègera pas trop votre bourse.

Lapierre – *6 r. des Capucins - ☎ 04 71 09 08 44 - fermé juin, nov., sam. et dim. - 16,77/35,06€.* Un peu à l'écart du centre-ville, c'est un petit restaurant familial. Deux salles à manger dont l'une dans le style jardin d'hiver. Cuisine traditionnelle à prix raisonnables mais fumeurs s'abstenir.

Hébergement

• *À bon compte*

Dyke Hôtel – *37 bd du Mar.-Fayolle - ☎ 04 71 09 05 30 - fermé Noël au J. de l'an - P - 15 ch. : 35,06/42,69€ - ☕ 4,57€.* Cet hôtel familial en centre-ville peut vous dépanner si vous passez au Puy. Les chambres au décor contemporain sont peu spacieuses mais bien tenues. Prenez votre petit-déjeuner dans le bar, en compagnie des habitués ponots.

• *Valeur sûre*

Chambre d'hôte La Paravent – *43700 Chaspinhac - 10 km au NE du Puy par D 103 dir. Retournac, puis D 71 - ☎ 04 71 03 54 75 - ⊄ - 4 ch. : 41,22€ - repas 13,74€.* Vous serez bichonné dans cette belle maison campagnarde, à quelques kilomètres seulement du Puy... Son décor est authentique et ses chambres douillettes sont chaleureuses. Certaines ont même un petit salon... Une étape simple tenue par un couple sympathique.

Sorties

Le Bistrot – *7 pl. de la Halle - ☎ 04 71 02 27 08 - saison : 12h-1h ; reste de l'année : mar.-sam. 12h-14h, 18h-1h.* Il suffit de poser délicatement l'un de ses deux coudes sur le comptoir de ce « bistrot », non loin de son verre, pour glisser insensiblement dans l'ambiance des troquets d'antan... La terrasse reste paisible malgré sa proximité avec la vieille ville et ses nombreux visiteurs. L'ambiance musicale est au jazz et aux chansons françaises.

Le Michelet – *5 bis pl. Michelet - ☎ 04 71 09 02 74 - lun.-sam. 7h30-1h.* C'est l'Amérique des années 1960 et ses symboles (pompe à essence, plaques minéralogiques, photographies d'acteurs et affiches de films) qui accueille les plus branchés des jeunes Ponots, venus ici prendre un verre et participer aux soirées à thème de fin de semaine. Rhumerie à l'étage.

The King's Head English Pub – *Pl. du Marché-couvert - ☎ 04 71 02 50 35 - lun.-ven. 17h-1h, sam. 10h-1h - fermé 1ère sem. juil.* L'un des rares pubs de la ville. Ici, le décor est rustique, le choix de bières et de whiskies réjouissant et l'ambiance très british : on vient se servir au comptoir et on boit debout, en conversant avec les Anglais du Puy. Chaque premier mercredi du mois est consacré à un concert de musique traditionnelle.

Achats

La Dentelle du Puy – *38-40 r. Raphaël - ☎ 04 71 02 01 68 - centreenseignement dente@minitel.net - de mi-juin à mi-sept. : lun.-ven. 9h-12h, 13h30-17h30, sam. 10h-17h ; de mi-sept. à mi-juin : lun.-ven. 10h-12h, 14h-17h - fermé j. fériés.* Par saint François-Régis - patron des dentellières - enfin un établissement digne de ce nom qui permette de découvrir la dentelle de façon originale ! Écrite comme un conte, une vidéo relate l'implantation de la dentelle au Puy dont l'origine remonte probablement au 15e s. Des expositions thématiques complètent ce dispositif. Et pour celles et ceux qui goûtent moins la théorie que la pratique, un centre d'enseignement permet de s'essayer à la confection aux fuseaux (cours à l'heure).

Chocolatier du Velay – *70 r. Pannessac - ☎ 04 71 09 34 82 - juin-sept. : tlj ; reste de l'année : mar.-sam. 8h-19h30, dim. 8h-13h.* Cet artisan chocolatier se fait fort d'honorer son métier grâce à des friandises excellentes comme les pâtes de fruit (dont la fameuse pâte de verveine), les chocolats et les confitures.

Maison de la Lentille Verte du Puy – *R. des Tables - ☎ 04 71 02 60 44 - de mi-juin à mi-sept. : tlj 10h-19h.* Emblème de la région, la lentille verte du Puy est le premier légume intronisé AOC. Ce lieu qui lui est entièrement dédié présente notamment des vidéos et des brochures informatives. La boutique permet d'acheter ces fameux petits disques convexes, riches en fer comme chacun sait, et leurs produits dérivés tels que la farine et les gâteaux confectionnés à partir de celle-ci.

Marché – *Pl. du Plot - sam. Matin.* Sur cette place magnifique, embellie d'une fontaine, la campagne vient présenter ses hommages opulents à la ville, avec dans ses paniers le meilleur des produits fermiers et les fruits des cueillettes saisonnières (fruits rouges et champignons).

Marché aux « puces » – *Pl. du Clauzel -*

sam. et j. de foire. Très régulièrement, la place du Clauzel devient le paradis des chineurs, des fouilleurs et des amateurs de bonnes affaires.

Rue des Tables – *R. des Tables.* Au fil de cette rue piétonne pleine de charme vous découvrirez essentiellement des boutiques consacrées à la dentelle. Il est souvent possible d'admirer les dentellières au travail.

Distillerie de la Verveine du Velay-Pagès – *ZI de Blavozy - 43700 St-Germain-Laprade - ☎ 04 71 03 04 11 - juil.-août : tlj 10h-12h, 13h30-18h30 ; reste de l'année : groupes à partir de 40 pers. : dim.* Installée sur le site industriel de Blavozy, la distillerie Pagès propose à ses visiteurs de découvrir l'élaboration de la Verveine du Velay. Conçue en 1859 par J. Rumillet-Charretier et n'utilisant pas moins de 32 plantes, sa formule reste d'actualité. Une dégustation des produits maison a lieu dans une salle d'exposition qui présente des instruments de fabrication d'anciens et des documents témoignant de la place tenue par cette dernière dans la gastronomie locale.

Calendrier

La ville vit au rythme de manifestations réputées comme les **Musicales du Puy** (juillet), les **fêtes Renaissance du Roi l'Oiseau** (septembre), le **rassemblement international des Montgolfières** (novembre).

Avant d'entreprendre la découverte de la ville haute et l'ascension du Rocher Corneille, il semble souhaitable, pour une bonne compréhension de l'ensemble du site, de commencer votre promenade par la montée vers cette ravissante chapelle romane, juchée au sommet d'un *dyke* basaltique, gigantesque aiguille de lave qui s'élève d'un jet à 80 m au-dessus du sol.

À pied, la Montée de Gouteyron relie le rocher d'Aiguilhe à la Haute Ville. Vous pouvez aussi parvenir au pied du rocher en voiture et la laisser à proximité.

La construction, de la fin du 11e s., est d'inspiration orientale avec son portail trilobé, son gracieux décor d'arabesques, ses **mosaïques de pierres noires, grises, blanches**. À l'intérieur, le plan, très irrégulier, épouse les contours du rocher. La complexité du système de voûtes témoigne de l'art avec lequel les architectes ont su tirer parti du terrain. Les colonnettes, qui dessinent comme un déambulatoire autour d'une courte nef, sont surmontées de chapiteaux sculptés. La voûte de la petite abside est décorée de **peintures murales** du 10e s. À droite, une vitrine abrite des objets d'art trouvés sous l'autel en 1955 et notamment un petit ***Christ-reliquaire*** en bois du 11e s. et un ***coffret en ivoire*** byzantin du 13e s. Un chemin de ronde contourne la chapelle, d'où l'on domine, à l'Est, le **vieux pont** à redents qui enjambe la Borne.

Pour le repos de l'âme... et du corps

On accède au sommet par un escalier de 268 marches, une fois franchi le portail d'entrée. Des paliers, aux tournants, à la place des oratoires qui jalonnaient cette rude montée, vous permettront de reprendre votre souffle.

se promener

CIRCUITS URBAINS

1 L'île aux trésors***

La cité épiscopale domine la ville haute, secteur sauvegardé, qui fait actuellement l'objet d'importants travaux de restauration.

Partir de la place des Tables où s'élève la gracieuse fontaine du Choriste (15e s.) et monter vers la cathédrale par la pittoresque rue des Tables aux escaliers latéraux bordés de quelques demeures anciennes.

Cathédrale Notre-Dame***

Visite guidée 7h-19h.

C'est un merveilleux édifice de style roman qui doit son originalité à l'influence de l'Orient. On y retrouve également l'influence byzantine, due aux croisés, dans les coupoles octogonales des voûtes de la nef. L'église primitive correspond au chevet actuel. Quand, au 12e s., on entreprend de l'agrandir, la place vient à manquer ; alors, les dernières travées de la nef ainsi que le porche Ouest sont construits pour ainsi dire dans le vide, de hautes arcades servant de pilotis. À la fin du 12e s., on ajoute les porches du For et St-Jean.

Un large escalier donne accès à l'étrange façade Ouest de la cathédrale Notre-Dame, aux laves polychromes et parements en mosaïques.

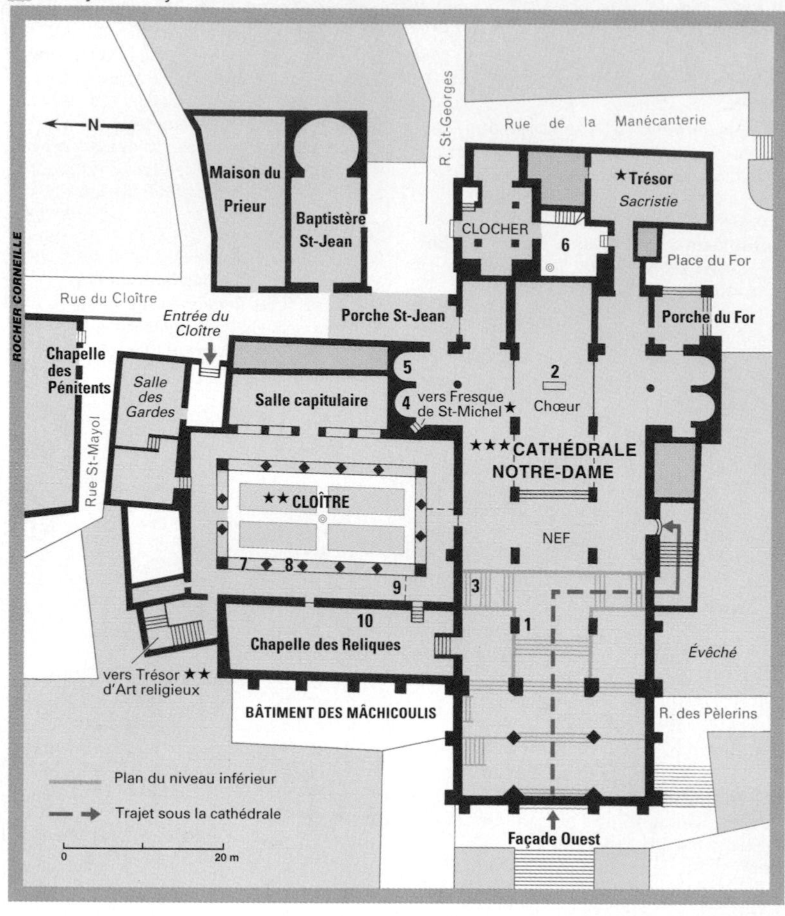

Trajet sous la cathédrale – À différentes époques, la cathédrale fait l'objet d'importantes restaurations. Les dernières concernent la remise en place du grand escalier qui aboutit dans le chœur. Les degrés se prolongent jusqu'à la « Porte Dorée » sous les quatre travées construites au 12e s. Au niveau de la deuxième, deux portes à **vantaux**★ ferment deux chapelles latérales. Leurs sculptures à faible relief retracent la vie de Jésus. Elles sont du 12e s. Dans la travée suivante, on voit deux **fresques** restaurées : la Vierge Mère (13e s.) à gauche et la Transfiguration de Notre-Seigneur à droite. Franchissez la « Porte Dorée », encadrée de deux colonnes de porphyre rouge. Sur la quatrième travée se trouve la fameuse « Pierre aux fièvres ». Ici bifurque l'escalier qui vient à nouveau déboucher dans la cathédrale face au maître-autel, ce qui faisait dire qu'« on entrait à Notre-Dame du Puy par le nombril, et qu'on en sortait par les oreilles » !

Emprunter la branche de droite, qui conduit à une porte située dans le bas-côté.

Intérieur – L'originalité de l'église réside dans la suite de coupoles qui couvrent la nef (celle de la croisée du transept est moderne). Remarquez la chaire **(1)** et le beau maître-autel **(2)** qui porte la statue en bois remplaçant la première Vierge noire brûlée lors de la Révolution. Dans le bas-côté Nord, un grand tableau de Jean Solvain dit *Vœu de la Peste* (1630) **(3)** illustre une procession d'actions de grâces qui se déroula sur la place du For. Dans le bras gauche du transept, belles fresques romanes, récemment restaurées : les Saintes Femmes au tombeau **(4)** et le Martyre de sainte Catherine d'Alexandrie **(5)**. Un petit escalier, sur la gauche, mène à une tribune où se trouve une **fresque de saint**

Tir de l'archer

Commémorant une ancienne coutume locale, qui consacrait par concours le meilleur archer de la cité, se déroulent régulièrement à l'automne les **fêtes du Roi de l'Oiseau** dans une atmosphère Renaissance envahissant la haute ville.

Michel★ (fin 11e s.-déb. 12e s.), la plus grande peinture connue en France représentant l'Archange. Les plus belles pièces du **trésor**★ sont exposées dans la sacristie.

> **CATALOGUE À LA PRÉVERT**
> À voir, dans l'ordre qu'il vous plaira : une **Pietà**, peinture sur bois de l'école bourguignonne, une **tête de Christ** en cuivre doré (du 15e s) ; un Christ en ivoire, une **croix de bateliers** du Rhône et des **boiseries** en noyer, du 17e s.

Porche du For

Il date de la fin du 12e s. et donne accès à la cathédrale par la « **Porte Papale** », selon l'inscription qui la surmonte. Dans l'angle intérieur, les ogives retombent sur un pilastre que soutient une main ouverte sortant de la muraille.
De la petite place du For, on a une **jolie vue** sur la partie moderne de la ville, et on détaille bien le clocher légèrement détaché du chevet fortement restauré : c'est une construction de forme pyramidale, à sept étages.

Contourner le chevet par la rue de la Manécanterie.

Porche St-Jean

Précédé d'une grande arcade surbaissée, ce porche qui était destiné au passage des souverains relie la cathédrale au baptistère St-Jean (10e-11e s.) dont l'entrée est flanquée de deux lions en pierre. Les battants, recouverts de cuir, arborent de belles **pentures** (appliques en fer forgé) du 12e s.

Passer sous le clocher pour gagner la petite cour attenante au chevet.

Remarquer, au passage, les tombeaux d'abbés et de chanoines, et dans la cour **(6)**, derrière le puits roman, les bas-reliefs gallo-romains encastrés dans la base du chevet et la frise qui les couronne (scènes de chasse).

Cloître★★

Juil.-sept. : 9h30-18h30 ; avr.-juin : 9h30-12h30, 14h-18h ; oct.-mars : 9h30-12h, 14h-16h30. Fermé 1er janv., 1er mai, 1er et 11 nov., 25 déc. 3,96€. ☎ 04 71 05 45 52.

Ce très beau cloître, accolé au Nord de la cathédrale, est composé de galeries d'époques différentes, la plus ancienne, au Sud, étant romane. Au nombre des **chapiteaux historiés** comptent, dans la galerie Ouest, l'un **(7)** représentant une dispute autour d'une crosse abbatiale, et l'autre **(8)** figurant un centaure. Une remarquable **grille romane**★ **(9)** ferme la galerie Ouest. De l'angle Sud-Ouest du cloître, on découvre la cheminée romane coiffant le logis des clergeons. Sur la galerie Est s'ouvre la **salle capitulaire,** chapelle des Morts au 14e s., dont l'entrée est encadrée par des pilastres striés de cannelures à double ondulation (motif rare). Elle est ornée, sur le mur Sud, d'une fresque du 13e s., représentant la Crucifixion *(éclairage à l'entrée).*

> **ELLE COURT, ELLE COURT...**
> Tout autour du cloître, au-dessus des arcades, court une **corniche** délicatement ornée, illustrant avec verve le bestiaire du Moyen Âge.

Bâtiment des Mâchicoulis

Cette construction massive abritée derrière la chapelle de l'Hôtel-Dieu est l'ancien lieu de réunion des États du Velay. Ce bâtiment, faisant partie des fortifications de la cathédrale et du palais épiscopal au 13e s, est destiné à être un nouveau lieu d'exposition.

Il comporte deux niveaux, accessibles aux visites par deux entrées différentes : le niveau inférieur abrite la chapelle des

La polychromie des claveaux, les écoinçons en losanges rouges, ocre, blancs ou noirs formant des mosaïques composent un décor dont on a souligné la parenté avec l'art islamique.

Reliques, dont l'accès se fait par le collatéral gauche de la cathédrale, et le niveau supérieur la salle du trésor d'art religieux rattachée au musée du cloître.

Chapelle des Reliques – *Mêmes conditions que le cloître.* Au troisième étage du bâtiment des Mâchicoulis, la chapelle des Reliques ou chapelle d'hiver *(elle s'ouvre sur le bas-côté Nord de la cathédrale)* tire son nom du beau retable doré qui abritait, jusqu'à la Révolution, les reliques apportées à Notre-Dame du Puy. Ancienne bibliothèque de l'université Saint-Mayol, elle fut ornée, au 15e s., sur le mur Est, de la célèbre peinture des **Arts libéraux★** (**10**). La précision des étoffes et des bijoux est riche d'enseignement sur les goûts de cette époque.

Zoom
Chaque art libéral (Grammaire, Logique, Rhétorique, Musique) est représenté par une femme assise et par un personnage allégorique.

Trésor d'art religieux★★ – *Mêmes conditions que le cloître.* Aménagé dans l'ancienne **salle des États du Velay**, au-dessus de la chapelle des Reliques, il rassemble un bon nombre d'œuvres d'art, parmi lesquelles on remarque une ***chape de soie*** du 11e s., une ***châsse*** en émail champlevé du 13e s., une ***Vierge allaitant*** du 15e s., en pierre polychrome, la ***tapisserie à fleurs de lys*** de l'évêque Jean de Bourbon (fin 15e s.), un magnifique manteau brodé de la Vierge noire du 16e s. et un remarquable **parchemin** du 15e s., *Genèse de la création du monde à la Résurrection.* Parmi les tableaux se distinguent *L'Adoration des Mages*, par Claude Vignon (1640), et surtout la *Sainte Famille,* attribuée au Maître de Flémalle (fin 15e s.).

Coup d'œil
L'art du sculpteur montpelliérain **Pierre Vaneau** (1653-1694) est représenté par des panneaux illustrant des thèmes mythologiques et par deux statues d'esclaves en noyer.

Chapelle des Pénitents

Fermée pour travaux.

On y pénètre par une porte aux vantaux de bois sculptés dans le style Renaissance À l'intérieur, les peintures décorant la tribune, les parois lambrissées de la nef unique mais surtout le beau **plafond caissonné** relatent la *vie de la Vierge*. Elles ont été réalisées aux 17e et 18e s. Les nombreux bâtons de la confrérie, fondée en 1584, sont encore portés en procession.

Baptistère St-Jean

Relié à la cathédrale par le porche du même nom, cet édifice, datant des 10e-11e s., servit de baptistère à l'ensemble des paroisses de la cité jusqu'à la Révolution. L'entrée Sud est flanquée de lions en pierre érodés. À l'intérieur, on voit la cuve baptismale de forme pyramidale.

Maison du Prieur

De juil. à mi-sept. : 10h-12h, 14h-18h. Gratuit. ☎ 04 71 05 62 75.

Attenante au baptistère St-Jean, l'ancienne résidence de l'administrateur des baptêmes abrite dans ses salles voûtées l'exposition « **En Velay autrefois** », remarquable collection d'outils ruraux et artisanaux.

La rue du Cloître mène au Rocher Corneille.

Rocher Corneille

Mai-sept. : 9h-19h (juil.-août : fermeture à 19h30) ; de mi-mars à fin avr. : 9h-18h ; d'oct. à mi-mars : 10h-17h. Fermé déc.-janv. (hors vac. scol. zone A et hors dim. 14h-17h). 3,04€. ☎ 04 71 04 11 33.

C'est un reste de cône appartenant sans doute au volcan dont le rocher St-Michel représente la cheminée. De la plate-forme, **vue★** panoramique sur les toits rouges de la ville et le bassin du Puy, sur le rocher St-Michel au Nord-Ouest, derrière lequel se profile le château de Polignac. Le rocher est surmonté d'une colossale **statue de N.-D. de France**, érigée en 1860, par souscription nationale. On peut monter à l'intérieur, jusqu'au niveau du cou.

Revenir à la place des Tables.

La statue Notre-Dame de France, en fonte, mesure 16 m de hauteur et pèse 110 t. Deux cent treize canons prélevés sur les trophées de la prise de Sébastopol servirent à la couler.

2 En parcourant l'ancienne cité★

La vieille ville regroupe ses hautes maisons aux toits rouges autour du rocher Corneille, tandis que les boulevards circulaires marquent le début de la ville basse moderne. Au pied de la cathédrale, la **place des Tables**

LE PUY-EN-VELAY

Aiguières (R. Porte) ....AZ 2
Aiguilhe (Av. d') ....AY
Aiguilhe (Route d')...................BY
Becdelièvre (R.) ....AY 3
Bonneville (Av. de)...................BY
Bouillon (R. du) ....BY 5
Breuil (Pl. du) ....AZ
Cadelade (Pl.).............................BZ
Card.-de-Polignac (R.)...........BY 8
Carnot (Bd) ....AY
Cathédrale (Av. de la)............AY
Chamarlenc (R. du)................AY 10
Charbonnier (Av. C.) ....AZ 12
Chaussade (R.)..........................BZ
Chênebouterie (R.) ....AY 13
Clair (Bd A.)...............................AZ 14
Clemenceau (Av. G.)..............BZ
Collège (R. du) ....BZ 17
Consulat (R. du)........................AY 19
Courrerie (R.) ....AZ 20
Crozatier (R.) ....BZ 23
Dentelle (Av. de la) ....BZ
Dr-Chantemesse (Bd)..............AY 24
Dupuy (Av. Ch.)...........................BZ
Farges (R. des) ....AY
Farigoule (R.)...............................BZ
Fayolle (Bd Mar.) ....BZ
Foch (Av. Mar.) ....BZ
For (Pl. du) ....BY 27
Gambetta (Bd).............................AY 29
Gaulle (Av. Gén.-de) ....ABZ 30
Gouteyron (R.) ....AY 31
Grangevieille (R.) ....AY 32
Jourde (Bd Philippe)...................BZ
Lafayette (R. Gén.) ....BYZ
Martin (R. A.) ....AZ
Martouret (Pl. du).....................ABZ 34
Michelet (Pl.)................................BZ
Monseigneur de Galard (Pl.)...AY
Monteil (R. A. de).......................AY 35
Montferrand (Bd).......................AY
Moulins (R. des) ....BZ
Pannessac (R.)..............................AY
Philibert (R.)...................................AY 36
Pierret (R.).....................................BZ 37
Plot (Pl. du) ....AZ 38
Pourrat (Av. Henri) ....BY
Raphaël (R.)..................................AY 39
République (Bd de la)...............BY 40
Roche-Taillade (R.) ....AY 42
Saint-François-Régis (R.) ....BY 43
Saint-Georges (R.) ....BY 45
Saint-Gilles (R.) ....AZ
Saint-Jean (R. du Fg)................BY 46
Saint-Louis (Bd) ....AZ
Saint-Maurice (Pl.) ....AY 47
Séguret (R.)...................................AY 48
Tables (Pl. des)............................AY 49
Tables (R. des) ....AY 52
Tanneries (R. des).......................BZ
Vallès (R. J.)...................................BY 54
Vaneau (R.) ....AY 55
Verdun (R.)....................................BY 58
Vibert (R.).....................................AZ
Victor-Hugo (Cours) ....BZ
Vieux-Pont...................................BY

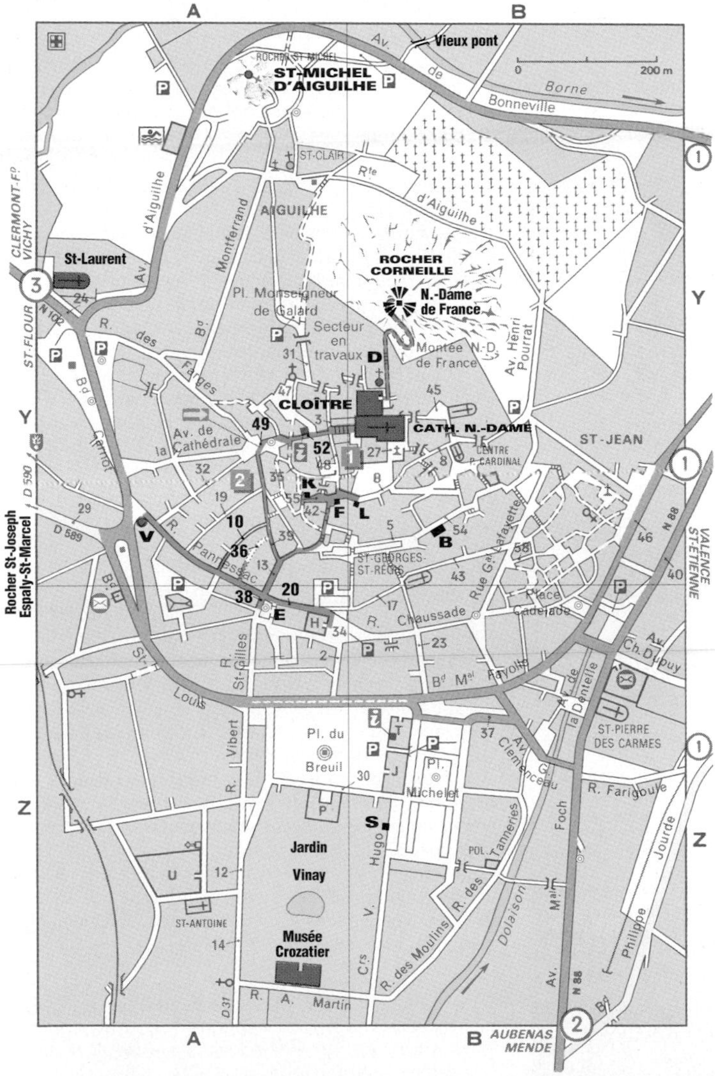

Atelier du peintre Chaleyé.BY B
Cathédrale Notre-Dame.....BY
Chapelle des Pénitents......BY D
Cloître......................................BY
Église St-Laurent ....AY
Fontaine de la Bidoire ....AZ E
Hôtel du Lac de Fugères...AY F
Hôtel des Laval d'Arlempdes..........................AY K
Hôtel de Polignac ....BY L
Jardin Vinay.........................AZ
Musée Crozatier.................AZ
Portail du Prieuré de Vorey.BZ S
Rocher Corneille ....BY
St-Michel-d'Aiguilhe..........AY
Statue de N.-D. de France.BY
Tour Pannessac ....AY V
Vieux pont.............................BY

offre un intéressant aperçu de la cité épiscopale. À gauche, au n° 56 de la rue Raphaël, un logis du 16e s. à cinq niveaux, dit « **le logis des Alix Selliers** ».

Au terme de cette rue, prendre à gauche la rue Roche-Taillade.

Visites guidées
Le Puy-en-Velay, qui porte le label **Ville d'art et d'histoire**, propose des visites-découvertes menées par un animateur du patrimoine agréé par le ministère de la Culture et de la Communication. Renseignements à l'Office de tourisme ou sur www.vpah.culture.fr

La colère des éléments

Le feu, la pierre et l'eau... C'est à des phénomènes volcaniques que le bassin doit sa physionomie si originale. Le bassin du Puy doit sa formation première à l'effondrement du plateau vellave, en contrecoup du plissement alpin. Puis des sédiments arrachés aux hauteurs environnantes comblent en partie le bassin où la Loire s'enfonce en gorge. À la fin du tertiaire, une série d'éruptions volcaniques bouleverse la région ; le lit de la Loire se trouve déporté à l'Est. À l'ère quaternaire, l'érosion reprend son travail, laissant en saillie des récifs volcaniques plus résistants, d'origine diverse ; on reconnaît : des tables basaltiques, restes de coulées (rocher de Polignac), des cheminées de volcans (rocher St-Michel, piton d'Espaly, piton de l'Arbousset), des parties de cônes éruptifs (rocher Corneille, rocher de Ceyssac, volcan de Denise). Les coulées en se refroidissant ont donné naissance à des assemblages de colonnes prismatiques comme les orgues d'Espaly.

À l'angle de la rue du Cardinal-de-Polignac s'élève l'**hôtel du Lac de Fugères**, du 15e s., et, en s'engageant dans cette rue, au n° 8 l'**hôtel de Polignac** présente une tour polygonale du 15e s.

En revenant vers le croisement de la rue Roche-Taillade, remarquer, au n° 3 de la rue Vaneau, l'hôtel des Laval d'Arlempdes.

Descendez la rue Roche-Taillade qui se prolonge par la rue Chênebouterie ; au n° 8, cour avec tourelle du 15e s. et en face, *au* n° 9, maison natale (16e s.) du maréchal Fayolle. On gagne la **place du Plot** (ancienne place du Pilori), animée en fin de semaine par un marché coloré autour de la **fontaine de la Bidoire**, datée de 1246. En face, **rue Courrerie**, au n° 8, intéressante façade du 16e s. suivie de celle de l'hôtel de Marminhac, aux baies en plein cintre dont les clefs portent des masques sculptés. On atteint la place du Martouret (lieu d'exécution sous la Révolution), où se dresse la façade de l'hôtel de ville.

Un intense trafic
En ce vaillant 13e s., nombreux sont les marchands du Poitou, de Provence et d'Espagne venus étaler leurs armes, leurs laines, leurs cuirs et leurs joyaux. En 1544, c'était déjà le **marché** des fruits et légumes au Plot, une tradition qui se maintient, très vivante, chaque sam. matin.

Rejoindre la place du Plot et emprunter la rue Pannessac.
Cette rue en partie piétonne est bordée d'élégantes maisons Renaissance des 16e et 17e s. présentant des façades en encorbellement parfois flanquées d'une tour ou échauguette, notamment aux nos 16, 18 et 23. À droite, les ruelles de traverse : rues **Philibert** et du **Chamarlenc**, ont conservé leur caractère médiéval ; au n° 16, rue du Chamarlenc, la façade de la **demeure des Cornards**, *(voir ci-avant)*, dont le privilège était de brocarder les bourgeois de la ville, est ornée de deux têtes à cornes, l'une hilare, l'autre tirant la langue, surmontées d'inscriptions facétieuses.

Rue Pannesac, au n° 42, le **logis des André**, et au 46 le **logis des frères Michel** du 17e s., orné au rez-de-chaussée de masques et d'écoinçons sculptés et aux étages de mascarons, de guirlandes et de cartouches, affichent l'opulence des commerçants qui habitaient ce quartier. Au bout de la rue, la tour de Pannessac, du 13e s., est le dernier vestige des dix-huit portes fortifiées, à tours jumelles, que possédait l'enceinte.

En descendant la rue des Tables, peut-être pourrez-vous admirer le travail d'une dentellière.

La ville de la dentelle

Au Puy et dans le Velay, comme dans la région d'Arlanc, la dentelle à la main tenait autrefois une place importante dans l'économie locale. Son origine remonte probablement au 15e s., mais c'est au 17e s., grâce à l'action d'un père jésuite, canonisé sous le nom de **saint François-Régis**, qu'elle prend un essor décisif et qu'une organisation particulière se met en place. Dans tous les villages, des femmes travaillent à domicile pour le compte de marchands établis dans les villes voisines. Des « leveuses », apportant fils et cartons aux ouvrières, servent d'intermédiaires avec les patrons. Ce travail d'appoint est une nécessité pour la paysannerie pauvre de la région. L'imprégnation religieuse du métier resta longtemps très forte. La transmission du savoir-faire se faisait de mères en filles, mais aussi par des femmes pieuses appelées « béates », qui enseignaient en même temps le catéchisme.

Musée Crozatier

Mai-sept. : tlj sf mar. 10h-12h, 14h-18h ; oct.-avr. : tlj sf mar. 10h-12h, 14h-16h, dim. et j. fériés 14h-16h. Fermé 1er janv., 1er nov., 25 déc. 3,05€, gratuit dim. ap.-midi et oct.-avr. ☎ 04 71 09 38 90.

Les collections du musée sont installées dans un imposant bâtiment (1865) construit au fond du **jardin Vinay** qui renferme, entre autres monuments, le beau portail du prieuré de Vorey. Si vous voulez souffler un peu, une **promenade** le long des larges allées de sycomores et de platanes vous permettra de goûter ombre et fraîcheur, en admirant un choix d'essences variées et délicates, savamment agencées par Henri Vinay, ancien ordonnateur des lieux. Les collections, très intéressantes, reflètent un peu toute l'histoire ponote. Un peu hétéroclites, elles vont faire l'objet d'une étude pour en améliorer la présentation. De part et d'autre de l'exposition temporaire est présentée une **collection lapidaire★** (arts roman et gothique) : fragments de chancel et chapiteaux historiés provenant de la cathédrale. Au même niveau, panneaux et maquettes didactiques de mécanique, **praxinoscope** (ancêtre du théâtre d'animation) inventé en 1877 par Émile Reynaud, prototype de machine à coudre (1828) de Pierre Clair. Le hall et l'escalier sont décorés des tableaux d'Émile Noirot et de plusieurs sculptures de Pierre Julien (1731-1804).

Au sous-sol du musée Crozatier est exposé un beau carrosse du 18e s., appelé « berline à la française ».

Le premier étage est consacré aux artisanats et traditions vellaves ; découvrez une **Vierge de l'Annonciation** en pierre polychrome et dorée de la fin du 15e s. et surtout une riche collection de **dentelles★** à la main, du 16e s. à nos jours, magnifiques ouvrages au fuseau ou à l'aiguille. On accède au deuxième étage, réservé aux **Beaux-Arts,** par une porte-tambour du 17e s. rapportée du couvent de la Visitation. Parmi les peintures et sculptures couvrant la période du 14e au 20e s., remarquez la **Vierge au manteau**, du 15e s., aux coloris étonnants. Au dernier étage, dans la section d'histoire naturelle, la collection ornithologique regroupe près de quatre cents espèces.

Église St-Laurent

Rare exemple de l'art gothique en Velay, elle date du 14e s. et faisait partie d'un couvent de dominicains. Le portail de façade est de style flamboyant avec trois niches à baldaquins au tympan. À l'intérieur, la nef surprend par son ampleur. Dans le chœur, à droite, le tombeau de Du Guesclin contient les entrailles du connétable, mort en 1380 pendant le siège de Châteauneuf-de-Randon. Des travaux effectués dans le chœur ont amené à la découverte du tombeau de l'évêque Bernard de Montaigu (13e s.). À gauche de l'église, une chapelle du 14e s., dite **salle capitulaire,** a été dégagée.

BAISSEZ LES YEUX

Il ne faudrait pas manquer les pavages réalisés par Daniel Dezeuze en 1988, à la suite d'une commande publique passée par le ministère de la Culture en 1987. Les dessins préparatoires de l'artiste ont été déposés au Fonds national d'art contemporain.

alentours

Polignac★

5 km – environ 1h. Quitter Le Puy-en-Velay par la N 102, vers Clermont-Ferrand, et prendre, après l'hôpital, la D 13, à droite, qui offre des échappées sur le site du Puy.

Au sommet de la montée se dégage subitement la table basaltique de Polignac. (*Voir le GUIDE VERT Auvergne*).

Espaly-St-Marcel

2 km, puis 3/4h de visite. Accès par le boulevard Gambetta et la D 590 en direction de St-Flour. Dans Espaly, quitter la D 590 et emprunter la rue signalée « St-Joseph », jusqu'au parc de stationnement.

Piton d'Espaly – Il était jadis couronné d'un château qui, après avoir servi de résidence aux évêques du Puy – Charles VII, dauphin puis roi de France, y reçut l'hospitalité lors de ses fréquents pèlerinages – , fut ruiné durant les combats de la Ligue.

Rocher St-Joseph – *De mi-juin à mi-sept. : 9h-19h ; de déb. juin à mi-juin : 9h-12h, 14h-19h ; de déb. avr. à fin mai : 10h-12h, 14h-18h ; de mi-sept. à mi-nov. : 9h30-12h, 14h-17h30 ; de mi-mars à fin mars : 10h-12h, 14h-17h ; de déb. fév. à mi-mars et vac. scol. de Noël : 14h-16h. Fermé de mi-nov. à fin janv., 1er janv., 25 déc. 2,29€ (- 14 ans : 1,22€). ☎ 04 71 09 50 03.*

La terrasse supérieure, aménagée au pied de la statue, offre une **vue★** sur la vieille ville du Puy-en-Velay, d'où émergent la cathédrale, le rocher Corneille et St-Michel-d'Aiguilhe.

> **Figures de style**
> Des remaniements opérés aux 15e et 16e s. subsistent des éléments décoratifs gothiques et Renaissance, dont les galeries voûtées d'ogives bordant la cour intérieure sur trois côtés, le plafond à la française et le portail en pierre sculpté de la salle d'apparat, la façade Sud.

Château de St-Vidal

11 km. Quitter Le Puy par la N 102. À 8 km, prendre à gauche, au lieu-dit Bleu, la route de St-Vidal (D 112). De juil. à fin août : visite guidée (1/2h) 14h-18h30. Tarif non communiqué. ☎ 04 71 08 03 68.

Dominant de ses tours massives le village groupé sur une éminence dans la vallée de la Borne, ce château, qui fut le fief du baron **Antoine de la Tour**, gouverneur du Velay au 16e s., conserve de son origine féodale des caves voûtées et une cuisine ogivale pourvue d'immenses cheminées. Un escalier à vis mène au dernier étage de la tour de l'église (14e s.), qui était affecté à l'artillerie.

Roanne

Mais pourquoi vient-on à Roanne ? Sa réputation de ville industrielle spécialisée dans le textile n'est pas forcément une référence touristique. Il en est une, par contre, c'est celle de la gastronomie. La ville compte plusieurs établissements de qualité dont un des plus célèbres de France. Ajoutez-y son port, sa proximité de la Côte roannaise (vins AOC) et des gorges de la Loire, la ville a finalement bien des atouts !

La situation

Cartes Michelin nos 88 pli 5 ou 239 pli 11 – Loire (42). Roanne est accessible par la fameuse N 7 et l'autoroute A 72 qui relie Clermont-Ferrand à St-Étienne. La ville s'étend dans la vallée de la Loire, plaine limitée par les monts de la Madeleine à l'Ouest et les monts du Beaujolais à l'Est. *1 cours de la République, 42300 Roanne, ☎ 04 77 71 51 77.*

Le nom

L'origine de la cité, *Rodumna* dans l'Antiquité, remonte à plus d'un siècle avant l'ère chrétienne. Le radical celtique *rod-* (couler) pourrait se justifier par la position de la ville sur la Loire... et non dans le couloir rhodanien !

> **Le maire Populle**
> En 1814, la ville, sous sa direction, résista, pendant sept jours aux Autrichiens, avec seulement deux canons. Après la capitulation, Populle réussit à éviter le pillage. Un jardin public perpétue son nom.

Les gens

80 272 Roannais (agglomération). Roanne est l'un des centres français les plus réputés de l'industrie textile pour la confection, la maille (2e rang en France) et le tissage éponge. Parmi les autres activités économiques, citons un Arsenal (GIAT) et une unité de production Michelin.

carnet pratique

Restauration

• *À bon compte*

Le Relais de la Vieille Tour – *42155 St-Maurice-sur-Loire - ☎ 04 77 63 16 83 - fermé 8 au 21 janv., lun. midi, mar. midi et mer. - 13,72/35,06€.* Cette adresse familiale est sympathique : salle fleurie et mobilier bourgeois pour le restaurant installé en bas et ambiance écossaise pour le pub qui a le privilège de la terrasse au 1er étage. Carte simple et sans prétention.

• *Valeur sûre*

Le Central – *20 cours de la République, (face à la gare) - ☎ 04 77 67 72 72 - fermé 29 juil. au 20 août, dim. et lun. - réserv. obligatoire - 24,39€.* À côté du restaurant des frères Troisgros (voir ci-dessous), ce bistrot-épicerie appartient à la célèbre famille. On y propose une cuisine simple, au goût du jour, dans un décor chaleureux, au milieu des bocaux... à acheter à l'épicerie avant de partir.

Ma Chaumière – *3 r. St-Marc - 42120 Le Coteau - rive droite de la Loire - ☎ 04 77 67 25 93 - fermé 29 juil. au 22 août, dim. soir et lun. - 17,68/36,59€.* Vous serez bien accueilli dans ce restaurant à la pimpante devanture verte, entre quai et centre-ville. Tenu par un couple sympathique, qui aime son métier et soigne ses clients, il propose une cuisine traditionnelle élaborée à partir de produits frais et servie par une équipe jeune.

Le Marcassin – *Rte de St-Alban-les-Eaux - 42153 Riorges - 3 km à l'O de Roanne par D 31 - ☎ 04 77 71 30 18 - fermé vac. de fév., 30 juil. au 24 août, dim. soir et sam. - 18,29/51,83€.* Après la visite du musée de la Maille à Riorges, vous pouvez vous arrêter dans ce restaurant familial. Tenu par un jeune chef, il décline des saveurs actuelles aux menus et à la carte, dans un cadre moderne plutôt agréable ou sur la terrasse aux beaux jours. Chambres très simples.

Michel Troisgros

• *Une petite folie !*

Troisgros – *Pl. de la Gare - ☎ 04 77 71 66 97 - fermé vac. de fév., 31 juil. au 16 août, mar. et mer. - réserv. obligatoire - 109,76/132,63€.* Véritable institution, cette maison est une référence gastronomique française. La famille Troisgros accueille ses hôtes dans sa maison où modernisme, qualité, luxe et sobriété se marient élégamment.

Hébergement

• *À bon compte*

Chambre d'hôte M. et Mme Pras – *Magnerot - 42370 St-Haon-le-Vieux - 4 km au N de Renaison par D 8 et D 81 - ☎ 04 77 64 45 56 - jf.pras@iname.com - fermé 15 nov. au 15 mars et pendant les vendanges - ☒ - 3 ch. : 29,70/34,30€.* Convivialité et simplicité : voilà ce que vous trouverez en vous arrêtant ici. En plus, les propriétaires, viticulteurs de métier, vous informeront avec plaisir sur le vignoble roannais... Chambres sobres mais confortables.

• *Valeur sûre*

Grand Hôtel – *18 cours de la République, face à la gare - ☎ 04 77 71 48 82 - fermé 1er au 20 août et 23 au 30 déc. - P - 31 ch. : 42,69/73,46€ - ☕ 7,62€.* En face de la gare de Roanne, cet hôtel qui date du début du siècle est bien tenu et récemment rénové sous l'impulsion d'une nouvelle équipe. Chambres de différentes tailles. Une adresse utile.

Chambre d'hôte Domaine de Champfleury – *Le Bourg - 42155 Lentigny - 8 km au SO de Roanne par D 53 - ☎ 04 77 63 31 43 - fermé 15 nov. au 15 mars - ☒ - réserv. conseillée en hiver - 3 ch. : 53/63€.* Au milieu des arbres centenaires de son beau parc, cette jolie maison bourgeoise du 19e s. est tenue par une charmante dame qui reçoit dans ses « chambres d'amis »... Inutile de dire qu'ici, vous serez dorloté ! Idéal pour se reposer vraiment. Tennis à disposition. Également un petit gîte.

Achats

Chez Pralus – *8 r. Charles-de-Gaulle, 42300 Roanne, ☎ 04 77 71 24 10.* Cette adresse est devenue célèbre grâce à ses **pralulines**, brioches au beurre agrémentées de praline, d'amandes et de noisettes. Elles existent en deux tailles : 300 g et 600 g.

visiter

Musée des Beaux-Arts et d'archéologie Joseph-Déchelette

Tlj sf mar. 10h-12h, 14h-18h, ven. 10h-18h, dim. 14h-18h. Fermé j. fériés. 3,05€. ☎ 04 77 23 68 77.

Installé dans un hôtel particulier construit à la fin du 18e s., le musée a été fondé par le grand archéologue roannais Joseph Déchelette (1862-1914). On lui doit la

Le musée Déchelette possède de très riches collections de faïences révolutionnaires.

riche **section archéologique** constituée de nombreuses antiquités gallo-romaines qui proviennent des fouilles réalisées dans la région ; d'importantes réserves, présentées en rotation, illustrent les périodes préhistorique et égyptienne.

Le musée est aussi réputé pour ses belles collections de faïences dont les célèbres **faïences révolutionnaires★** (300 pièces), regroupées par thèmes. On remarque des œuvres originales : bouteilles en forme de livre et décorées de scènes historiques. Des pièces plus récentes reflètent les tendances de la céramique contemporaine. Les autres salles exposent un ensemble de peintures et de sculptures du 15e au 20e s.

Place de-Lattre-de-Tassigny

L'ancienne place du château *(une partie du donjon reste encore debout)*, est bordée au Sud par l'**église St-Étienne**, dont subsiste le vitrail représentant le martyre de saint Sébastien, du 15e s. *(2e travée à droite)*. Au chevet de l'église, on a mis au jour des fours de potiers gallo-romains. Flanquant l'église au Nord, le « caveau de Roanne » est une petite maison à colombages.

Cabanes et saint-rambertes

Jusqu'à la fin du 17e s., le trafic sur la Loire n'est possible qu'en aval de la ville. Des bateaux en chêne, les cabanes, du nom de l'abri qu'ils transportent, relient Roanne à Paris ou à Nantes. Au 18e s., des travaux rendent la Loire navigable vers St-Étienne. De nouvelles embarcations en sapin sont construites à St-Rambert d'où leur nom de « saint-rambertes ».

Le port de plaisance

Départ du canal de Roanne à Digoin – Le trafic commercial du canal a été important, de sa mise en service en 1838 jusqu'en 1945. À l'origine, le canal servait presque exclusivement dans le sens Roanne-Digoin pour le transport du charbon venant de St-Étienne, puis le charbon de Montceau-les-Mines « monta » vers Roanne. À partir de 1970, le déclin s'accentue et le trafic commercial s'arrête définitivement en 1992. La navigation de plaisance a pris le relais et le canal confirme sa nouvelle vocation touristique depuis l'ouverture des écluses le dimanche, d'avril à fin octobre.

Chapelle St-Nicolas-du-Port

Sa courte silhouette se dresse à proximité des quais du port. La date inscrite au fronton – 1630 – évoque le vœu, fait cette année-là par les mariniers, d'élever une chapelle à leur patron s'ils échappaient à l'épidémie de peste.

Le nouveau port de plaisance de Roanne propose des promenades en péniches sur le canal de Roanne à Digoin.

Promenades en péniche

Plusieurs formules (1/2j., 1j. ou plus) sont proposées à partir ou à destination de Roanne, à bord des péniches « L'Infatigable » et « La Palombe ». En priorité pour les groupes. Marins d'Eau Douce, Port de plaisance de Briennon. ☎ 04 77 69 92 92.

Possibilité de petites croisières sur la canal entre Roanne et Digoin.

Écomusée du Roannais

Passage du Gén.-Giraud. Il est préférable de se garer dans la rue du Gén.-Giraud. ♿ D'avr. à fin oct. : tlj sf w.-end 14h-18h. Fermé j. fériés. 2,29€. ☎ 04 77 71 31 88.

Installé dans une ancienne usine fabriquant du tissu-éponge, il propose une intéressante rétrospective de l'activité textile dans le Roannais avant son déclin dans les années 1970. On remarque divers engins, dont une imposante machine à vapeur de 1905, et avec un intérêt particulier, la reconstitution d'une « boutique » d'un paysan-tisseur du début du siècle, pièce à demi enterrée, à peine éclairée par une lucarne au ras du sol.
Des possibilités de visite de magasin d'usine textile existent ; renseignez-vous à l'accueil de l'écomusée.

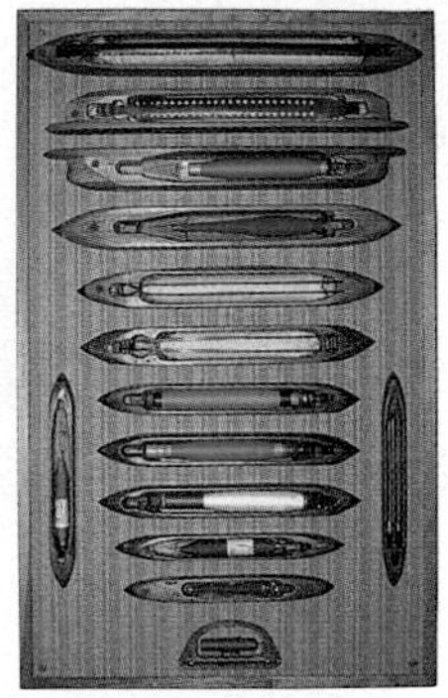

De toutes les tailles, de toutes les couleurs, les navettes étaient utilisées pour le tissage.

LES PAYSANS-TISSEURS

L'industrie textile a pris son essor dans la région à partir de 1880, époque où s'affairaient plus de 6 000 tisserands. À la fin du 19e s., l'essor de l'industrie cotonnière s'étendait des monts de la Madeleine à l'Ouest aux monts du Beaujolais à l'Est. Dès le 16e s., le travail domestique des étoffes passa sous le contrôle des négociants lyonnais, qui fournirent la matière première et appliquèrent à cette main-d'œuvre dispersée les règles du système manufacturier. Le tisseur à domicile exerçait son activité dans un bâtiment ou une pièce annexe à son habitation (la cabine) et continuait à cultiver la terre pour améliorer son revenu.

alentours

Le Crozet

25 km au Nord-Ouest par la N 7.

Cette petite cité médiévale étage ses maisons fleuries sur les premiers contreforts des monts de la Madeleine. Propriété au 10e s. des vicomtes de Mâcon, elle fut cédée au 13e s. aux comtes de Forez qui la fortifièrent et l'élevèrent au rang de châtellenie au siècle suivant.

Laisser la voiture sur le parking prévu à l'entrée.

On pénètre dans l'ancienne place forte par la « Grand-Porte » flanquée de deux tours rondes tronquées et en partie masquées par des maisons.

Maison du Connétable – Elle offre une belle façade à pans de bois. À cette demeure fait suite l'ancienne halle de cordonnerie (15e s.) ; remarquez les arcades, aujourd'hui murées, qui abritaient les échoppes.

Maison Dauphin – Ancienne halle de la boucherie, cette maison de la fin du 15e s., fortement restaurée, conserve de belles fenêtres Renaissance.

Maison Papon★ – Pénétrez dans la cour afin d'admirer la belle façade Renaissance, de céramique émaillée, ornée de fenêtres à meneaux.

Tour de guet – L'ancien donjon, du 12e s., se dresse à proximité de l'église (19e s.). Il a perdu son couronnement de mâchicoulis. Du sommet, la vue se porte sur les monts de la Madeleine au Sud, du Charolais à l'Est ; table d'orientation.

Musée des Amis du Vieux Crozet – *Juil.-sept. : tlj sf lun. et mar. 15h-19h. Tarif non communiqué. ☎ 04 77 64 30 79 (Mme Nouvellet) ou 04 77 64 11 06.*

Un petit intérieur paysan a été reconstitué dans cette maison du 15e s., ainsi qu'un atelier de sabotier et celui d'un maréchal-ferrant taillandier.

circuits

CÔTE ROANNAISE★

Une ligne de coteaux à vignobles, « la Côte », orientée Nord-Sud, domine à l'Ouest le bassin de Roanne.

Séparés d'elle par les vallées du Rouchin et de la Tache se dressent en arrière-plan les **monts de la Madeleine**, hauteurs granitiques culminant à la Pierre-du-Jour

SANTÉ !

Le vin c'est bien... mais il faut en boire avec modération ! Entre les dégustations dans les caves de la Côte, pourquoi ne pas faire un petit tour à St-Alban-les-Eaux, ancienne petite ville thermale où la production a repris dans une usine ultra-moderne. Il est possible de goûter cette eau agréablement gazeuze à la fontaine du village.

(1 165 m) et prolongeant les monts du Forez et les Bois-Noirs. À la sévérité des monts de la Madeleine, la Côte oppose un aspect riant et coloré, avec ses vignobles produisant des vins rouges réputés classés AOC, mais aussi des vins rosés ou blancs.

Quitter Roanne par la D 9 et emprunter la D 51 vers St-André-d'Apchon.

St-André-d'Apchon

Au centre du bourg se cache, dans un cadre retiré, un château du 16e s. construit pour le maréchal de St-André et conservant sa façade primitive décorée de médaillons Renaissance.

Emprunter à pied, sur la place du monument aux morts, la rue située à l'angle de l'hôtel du Lion-d'Or, puis passer sous le passage voûté à 30 m, à droite.

À l'extérieur, à droite du clocher, remarquez le portail Renaissance : au tympan, belle statue en pierre de saint André (16e s.), surmontée d'une petite effigie du Père éternel.

◄ L'**église**, de style flamboyant, est ornée de vitraux du 16e s. et couverte de tuiles vernissées. *Visite seulement le dim. ap.-midi en été, sur demande préalable auprès de M. le Curé, La Prébande ou à la paroisse Renaison.*

Poursuivre sur la D 51 vers Arcon.

La montée en lacet, au-dessus de St-André, offre une succession de vues sur la plaine roannaise.

Quitter Arcon par le Nord et gagner l'arboretum des Grands-Murcins.

Les Grands-Murcins

1/4h à pied AR. L'arboretum créé en 1936-37, au cœur d'un domaine forestier de 150 ha, à une altitude moyenne de 770 m, est surtout riche en résineux, parmi lesquels figurent des pins pleureurs de l'Himalaya, des sapins *Abies alba*, *Tsuga canadensis* aux branches en draperies, et *Douglas* qui prospèrent dans la région à une altitude inférieure à 900 m.

De la table d'orientation, **vue** sur la plaine de Roanne et les monts du Lyonnais.

Revenir à Arcon et gagner La Croix-Trévingt. Prendre la D 51 vers St-Priest.

Rocher de Rochefort*

Le rocher de Rochefort est surmonté d'une table d'orientation. **Vues** sur la plaine de Roanne, les monts du Beaujolais et du Lyonnais.

Revenir à La Croix-Trévingt. Par la D 51 à gauche, puis la D 41, encore à gauche, empruntant la vallée du Rouchain, on atteint le barrage du Rouchain.

PRATIQUE

Un emplacement pour voitures et une zone piétonne permettent de s'approcher du barrage du Rouchain. Le pied du barrage est accessible par la route qui va au barrage de la Tache. Ce dernier a également son parking et un agréable restaurant ; des sentiers s'élèvent vers la crête du barrage. Nombreuses promenades possibles.

Barrage du Rouchain

Doublant le barrage de la Tache pour alimenter en eau potable l'agglomération roannaise, cet ouvrage (1977) en enrochement est long de 230 m, haut de 55 m, large de 9 m en crête et de 190 m à la base. Pourvue d'un évacuateur de crue sur la rivière Le Rouchain, la retenue possède une capacité de 6 500 000 m^3 et occupe trois vallées. La D 47, reliant Renaison au bourg des Noës, suit la berge de la retenue.

Barrage de la Tache

Le barrage de la Tache, long de 221 m et haut de 51 m, a été construit de 1888 à 1892. Son épaisseur, qui n'est que de 4 m au sommet, atteint 47,50 m à la base. Il est du type « barrage-poids », c'est-à-dire qu'il résiste par sa masse à la poussée des eaux. Sa capacité est de 3 326 000 m^3.

De l'extrémité droite de la crête, près de la D 41, jolie vue sur le lac-réservoir *(1/2h à pied AR).*

Au cours de la descente vers Renaison, bordée de belles plantations de cèdres bleus de l'Atlas, on découvre le vignoble de la côte roannaise.

Renaison

Centre économique de la côte roannaise. L'église néo-gothique renferme un orgue romantique du facteur John Abbey.

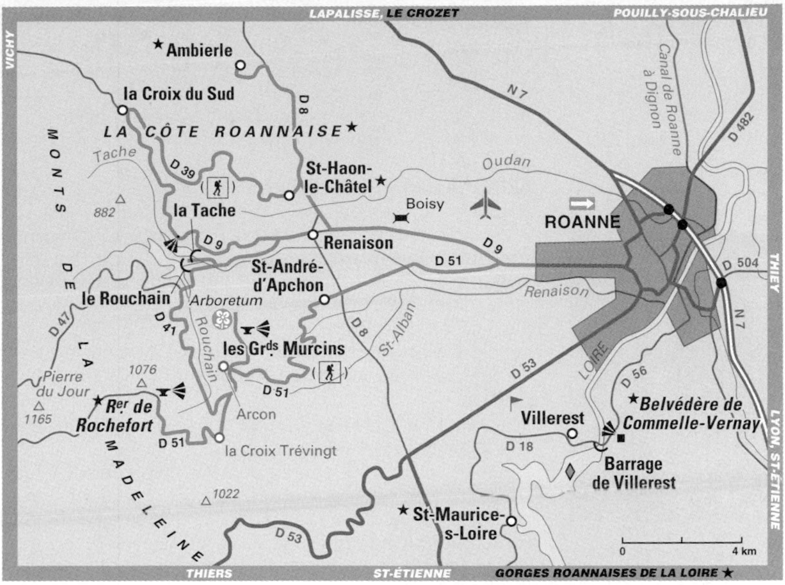

Faire demi-tour ; suivre la D 9 en direction de La Croix-du-Sud.

À gauche, un **rocher-belvédère**★ offre une jolie vue sur le plan d'eau de la Tache. La montée vers le col ménage ensuite des vues sur les hauteurs de la Madeleine.

La Croix-du-Sud

Important carrefour de routes établi sur un seuil séparant les monts de la Madeleine de la « côte », et les vallées de la Teyssonne et de la Tache.

Au cours de la **descente**★ par la D 39, remarquez l'étagement de la végétation : sur la crête, landes de bruyères ou manteau forestier ; au-dessous, pâturages et cultures diverses ; plus bas la zone viticole, et enfin, au loin, la plaine, avec ses riches herbages et ses vastes domaines. Avant d'arriver au-dessus des terres rouges du vignoble, la route offre des vues sur les villages de St-Haon-le-Vieux et St-Haon-le-Châtel.

St-Haon-le-Châtel★

Laisser la voiture sur une place dans le haut du village et passer, à gauche d'une boucherie, sous une porte fortifiée, à vantaux de bois cloutés.

Le bourg *(prononcer St-Han)* a conservé son aspect médiéval ; une partie des remparts est restée en place. Au hasard des ruelles, on découvrira de charmants manoirs du 15ᵉ s. ou Renaissance, notamment l'ancienne prévôté (panonceau de notaire et mairie).

Dans l'**église** (12ᵉ-17ᵉ s.), des peintures murales du 16ᵉ s. ont été mises au jour et restaurées. *S'adresser à la Mairie. ☏ 04 77 64 40 62.*

L'église de St-Haon, modeste mais typiquement forézienne, a été restaurée, comme le reste du village.

Ambierle★

Le bourg, bien exposé au soleil du matin, s'étage sur les pentes de la Côte roannaise, couverte de vignobles produisant un agréable rosé. Il conserve, dans sa partie haute, un ancien prieuré de Cluny montrant encore une porte fortifiée, un vaste logis du 18e s. et une belle église gothique.

Église★ – Bâtie à la fin du 15e s., elle est de style gothique flamboyant.

Le trésor de l'église d'Ambierle est son fameux retable dont les volets peints, attribués à Roger Van der Weyden, sont d'une exceptionnelle qualité.

À l'intérieur, la nef étroite est d'une grande élégance. De magnifiques **vitraux★** du 15e s. garnissent les cinq fenêtres du chœur, hautes de 13 m, celles des deux chapelles latérales et du bas-côté gauche.
Sur le maître-autel, derrière la grille du chœur, est exposé un **retable flamand★** du 15e s. Les sculptures sur bois de la partie centrale représentent des scènes de la Passion.

Musée Alice-Taverne – *De fév. à fin nov. : 10h-12h, 14h-18h. 3,3€. ☎ 04 77 65 69 18.*

Aménagé dans un bâtiment du 18e s., ses centres d'intérêt portent sur l'habitat et les usages domestiques, avec une reconstitution de la « maison », pièce unique du logis rural ordonné autour de son âtre central, et de divers intérieurs (auberge, atelier de couturière, etc.). L'évocation des jeux, coutumes, rites et superstitions, qui émaillaient la vie dans les campagnes voisines, est passionnante.

Retour à Roanne par les D 8 et D 9.

À gauche, jolie vue sur la grosse tour ronde du **château de Boisy** *(on ne visite pas)*. Ce château (14e-16e s.) occupe une place importante dans l'histoire roannaise. Il appartint successivement aux Couzan, à Jacques Cœur puis aux Gouffier. C'est en faveur d'Arthur Gouffier, son ancien précepteur, que François Ier érigea la terre de Boisy en duché-pairie de Roannais.

GORGES ROANNAISES DE LA LOIRE★

Circuit de 139 km – compter une demi-journée. Quitter Roanne au Sud par l'avenue de la Libération et prendre à droite la D 43, puis la D 56 en direction du belvédère de Commelle-Vernay, signalisé.

La construction en amont de Roanne du barrage de Villerest a fait apparaître un nouveau « lac de Loire », qui s'allonge sur 33 km et attire, l'été, de nombreux plaisanciers.

Belvédère de Commelle-Vernay★

La **vue** embrasse, au Nord, l'agglomération roannaise et le pont de Vernay, à l'Ouest, la commune et le barrage de Villerest, ainsi que les installations modernes des Papeteries de Villerest, à l'arrière-plan, les monts de la Madeleine. Un **petit train touristique** propose un parcours commenté de 7 km sur la rive droite du lac de Villerest. ♿ *Visite guidée (1h1/4 AR) en train 9h30-18h. 4,27€ (enf. : 3,35€). ☎ 04 77 68 58 12.*

Barrage de Villerest

Destiné à maîtriser les crues de la Loire, c'est un ouvrage en béton de type poids d'une longueur de crête de 469 m. Sa forme en arc en accentue la stabilité. La retenue à niveau variable a une longueur de 30 km pour une largeur moyenne de 250 m.
Autour du lac de retenue s'est développée une aire de loisirs avec base nautique, terrain de golf, etc.

Franchir la crête du barrage pour gagner Villerest.

Chaque année à l'époque de la fête des Mères a lieu une manifestation médiévale avec embrasement des remparts, défilé historique et danses folkloriques.

Villerest

Le vieux **bourg médiéval★** est agréable à parcourir. Il conserve de nombreuses maisons à encorbellement ou à pans de bois et des vestiges de remparts. La **porte de Bise**, du 13e s., marque le début de la visite à pied dont les étapes intéressantes sont illustrées de panneaux explicatifs. En période estivale, les vieilles échoppes sont animées par des artisans.

Musée de l'Heure et du Feu – *Pâques-Toussaint : w.-end et j. fériés 14h30-18h30 (de juil. à mi-sept. : tlj). 2,29€. ☎ 04 77 69 66 66.*

Cet original musée, installé dans une vieille demeure forézienne, se compose de deux parties.

La **section du feu★** retrace l'histoire de la création et la conservation du feu domestique depuis la préhistoire et à travers les pays. Une présentation de l'amadou, champignon arboricole, et son traitement rappellent qu'il fut la composante essentielle de la création du feu avec le silex et une pièce métallique. Les diverses vitrines exposent toutes sortes de briquets dont un briquet japonais miniature du 18e s., un briquet-couteau à pinces datant de la Révolution française... L'autre section, plus éclectique, propose d'abord un bel assortiment d'horloges et de montres curieuses du 18e au 20e s. Une salle est consacrée à l'intéressante collection de briquets fabriqués par les Poilus de 1914-1918.

ÉTONNANT

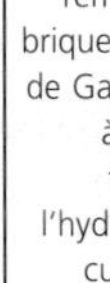

Parmi les riches collections remarquez le célèbre briquet hydropneumatique de Gay-Lussac, dangereux à manipuler car fonctionnant à l'hydrogène. Non moins curieux, le briquet électrochimique de Lorentz a fonctionné dans les cours européennes du 19e s.

Prendre la direction de St-Jean-St-Maurice-sur-Loire.

Saint Nicolas et les enfants... Cette tradition est vraiment ancienne comme en témoignent les fresques (13e s.) de l'église de St-Maurice-sur-Loire.

St-Maurice-sur-Loire★

St-Maurice occupe un **site★** pittoresque dans les gorges roannaises de la Loire. Dominant un méandre de la retenue du barrage de Villerest, les vieilles maisons du bourg s'accrochent sur un éperon couronné par les vestiges d'un château féodal. Depuis 1974, le village s'est associé à St-Jean-le-Puy pour former la commune de St-Jean-St-Maurice-sur-Loire.

Laisser la voiture sur la petite esplanade à l'entrée de la partie haute du bourg.

De la terrasse du **donjon** (12e s.), belle vue sur les gorges.

Église – L'édifice conserve une abside romane, à chevet plat, décorée d'intéressantes **peintures romanes** du 13e s. Elles représentent, sur les registres de la voûte, l'Annonciation, la Visitation, la Nativité et la Fuite en Égypte, le Massacre des Innocents et le Paradis terrestre (Création d'Ève, le Fruit défendu).

Manoir de La Mure-Chantois – On y accède par une porte ornée de sculptures représentant Adam et Ève ; la tour d'escalier (16e s.), qui desservait une partie du logis aujourd'hui disparue, conserve un fronton finement sculpté.

Prendre la direction de Bully d'où l'on redescend du coteau vers la Loire au pont de Presle. Prendre à droite la D 56, route bordière.

Château de la Roche

Le parcours offre un beau passage rocheux à hauteur de cet étonnant château de style troubadour. En amont, la vallée présente un aspect plus pastoral.

Peu après le viaduc de Chessieux, on atteint Balbigny où l'on emprunte à gauche la N 82 vers Neulise. À 6 km, tourner à droite dans la D 5.

St-Marcel-de-Félines

Situé en terrasses sur une croupe de terrain dominant la cuvette de Feurs, face aux monts du Forez, ce bourg paisible possède un château, maison forte du 12e s., agrandie et embellie au 16e s.

Château – ♿ *Pâques-Toussaint : dim. et j. fériés 14h-18h (août : tlj). 4,57€. ☎ 04 77 63 23 08.*

L'ATTRAIT DU DÉCOR
Les salons doivent leur homogénéité à des **peintures★** de la seconde moitié du 17e s. Lambris et plafonds sont divisés en compartiments peints de rinceaux, figures allégoriques ou grotesques, natures mortes, paysages ou portraits.

Ses toitures, ses tours basses et la belle teinte dorée des pierres lui donnent une silhouette pittoresque ; remarquez les lucarnes aux frontons ornés de motifs en forme de bulbe. Par un pont franchissant les anciens fossés, on accède à la cour intérieure d'inspiration italienne ; un vieux puits est orné de sphinx à tête de femme. Dans le salon de Jeanne-d'Arc : un des rares portraits de la sainte habillée en femme.

Revenir sur la N 82, puis à Neulise tourner à droite dans la D 38. Après Croizet, franchir le Gand et prendre le chemin à droite.

Château de l'Aubépin

Tlj sf mar. et mer. 10h-12h, 14h-17h. Fermé 15 août. Gratuit.
Cette jolie demeure (16e-18e s.), flanquée de pavillons d'angle coiffés en poivrière et précédée d'un avant-corps à décor de mascarons, est campée en terrasses dans un cadre verdoyant.

Regagner Roanne par la N 82.

La route offre des vues sur la côte roannaise et vers la cuvette de la Loire, en aval.

Romanèche-Thorins

Au cœur des beaujolais-villages, le bourg est réputé pour son célèbre cru du moulin-à-vent, « seigneur des beaujolais », qui doit son appellation à un vieux moulin situé au milieu des vignes.

La situation

Cartes Michelin nos 73 Nord-Ouest du pli 10 ou 244 plis 2, 3 – Saône-et-Loire (71). Entre la Saône et la montagne beaujolaise, Romanèche-Thorins est très proche de la N 6 entre Mâcon et Belleville.

HÉBERGEMENT
Chambre d'hôte Les Pasquiers – *69220 Lancié - 2 km au S de Romanèche-Thorins – ☎ 04 74 69 86 33 - ganpasq@aol.com - ⊭ - 4 ch. : 60/65€ - repas 20€.* Bien cachée derrière les murs entourant le jardin, cette belle demeure du Second Empire a du caractère. Reposez-vous dans le salon avec son piano à queue, sa cheminée et sa bibliothèque. Les chambres sont spacieuses et ouvrent sur le jardin. Terrasse avec piscine.

Le nom

Romanèche pourrait venir de *Romania* et désigner une villa.

Les gens

1 710 Romanéchois. Vers 1830, les vignes du Beaujolais étaient dévastées par le « ver coquin » ou pyrale. Les vignerons essayaient de combattre ce fléau par tous les moyens, sans aucun succès. C'est alors que **Benoît Raclet** remarqua qu'un pied de vigne planté le long de sa maison, près du déversoir d'eaux de ménage, se portait à merveille. Il décida d'arroser tous ses ceps avec de l'eau chaude à 90 °C en février pour tuer les œufs de la pyrale, et sauva ainsi sa vigne sous l'œil sceptique des voisins. Ceux-ci finirent pourtant par adopter cette technique.

visiter

Parc zoologique et d'attractions Touroparc★

Accès : au carrefour de la Maison-Blanche, sur la N 6, prendre la D 466E route de St-Romain-des-Îles. ♿ Mars-oct. : 10h-19h ; nov.-fév. : 10h-12h, 13h30-17h30. 12,96€. ☎ 03 85 35 51 53.
☺ Dans un cadre de verdure égayé de constructions ocrées, ce centre d'élevage et d'acclimatation présente, sur 10 ha, des animaux et des oiseaux des cinq conti-

nents, la plupart en apparente liberté, sauf certains grands fauves. Parcs de jeux, petit train monorail aérien, aire de pique-nique avec bars.

Maison de Benoît-Raclet

Visite guidée sur demande préalable 15 j. av. Gratuit. ☎ 03 85 35 51 37.

Les vignerons ne lui seront jamais assez reconnaissants d'avoir découvert la technique de l'échaudage des vignes qui fut généralisée et utilisée jusqu'en 1945. Souvenirs divers et matériels d'échaudage : chaudrons, cafetières... sont rassemblés dans sa maison.

« Le Hameau du Vin »★ – SA Dubœuf

♿ *9h-18h. Fermé premières sem. de janv. (se renseigner) et 25 déc. 10,67€ (enf. : 6,10€). ☎ 03 85 35 22 22.*

« Stationné » en gare de Romanèche-Thorins, le musée se veut une vitrine de l'univers de la vigne et plus spécifiquement du beaujolais. Après l'accueil dans l'ancien hall de la gare, la visite se poursuit dans 15 salles consacrées à la vigne et au vin. Plus loin, un théâtre électronique met en scène « Toine » le vigneron, qui dialogue avec son cep « Ampclopsis », avec pour décor les quatre saisons beaujolaises. Les autres salles, dont la muséographie est résolument moderne, ont pour thèmes les étapes de fabrication, les différents crus et les métiers liés au vin. Une dégustation vient logiquement clore la visite, accompagnée par les chaudes sonorités d'un bouteillophone.

La salle de muséologie viticole du Hameau du Vin présente un impressionnant pressoir mâconnais de 1708, une statue de Bacchus, et de nombreuses collections qui illustrent le travail et la vie dans la région.

Musée du compagnonnage Guillon

D'avr. à fin oct. : tlj sf mar. 14h-18h (juil.-août : tlj 10h-18h). Fermé 1er mai. 3,05€. ☎ 03 85 35 83 23.

Des chefs-d'œuvre, des documents et des souvenirs ont été réunis dans cet ancien atelier où, à la fin du 19e s., Pierre-François Guillon dirigeait une école de trait (dessin linéaire et tracé des coupes de bois) pour les compagnons.

Romans-sur-Isère

Ce fut la capitale de la chaussure, et Romans en tire quelque fierté. Sa réputation ne s'arrête pas là car elle est aussi la cité des fameuses « ravioles » bien connues des gourmets. Elle est aussi une ville ancienne où il fait bon flâner, à deux pas de l'Isère, dans les vieux quartiers que domine la cathédrale.

La situation

Cartes Michelin nos 77 pli 2 ou 246 pli 5 - Drôme (26).

Romans-sur-Isère s'étend sur la rive droite de l'Isère, séparée de Bourg-de-Péage par le Pont Vieux. Au cœur de la vieille ville, la collégiale Saint-Barnard, se trouve juste au débouché du pont, ce qui devait bien faciliter la tâche du chapître chargé de prélever le droit de passage qui a donné son nom à la cité voisine ! ℹ *Pl. Jean-Jaurès, 26100 Romans-sur-Isère, ☎ 04 75 02 28 72.*

Le nom

Le nom de l'ancienne *Romanis* évoque très probablement une villa romaine édifiée autrefois sur les lieux.

Les gens

32 667 Romanais. Un de leur compatriote, d'origine irlandaise, Thomas Arthur **Lally, baron de Tollendal** (1702-1766), s'était mis en tête de chasser les Anglais des Indes pour y rétablir dans ses droits la Compagnie des Indes, presque ruinée. L'entreprise connut un piteux échec et Lally dut capituler à Pondichéry en 1761. De retour en France, il fut accusé de trahison, embastillé, condamné à mort et exécuté malgré les protestations de Voltaire.

carnet pratique

Restauration

• À bon compte

Le Chevet de St-Barnard *– 1 pl. aux Herbes - ☎ 04 75 05 04 78 - fermé 14 juil. au 1er août, dim. soir, mar. soir et mer. - 12,96/36,59€.* Au pied de l'église St-Barnard, cette jolie maison du 17e s., qui abritait autrefois un palais épiscopal, est en partie occupée par un restaurant. Tenu par un jeune couple, il est apprécié des gens du coin qui s'attablent avec plaisir autour de ses menus à prix doux.

Hébergement

• À bon compte

Chambre d'hôte Chez M. et Mme Imbert *– « Les Marais » - Hameau de St-Didier - 26300 St-Didier-de-Charpey - 9 km au S de Romans par D 538 jusq. Alixan, puis rte de St-Didier à gauche - ☎ 04 75 47 03 50 - ⊭ - 3 ch. : 29/40€ - repas 13€.* Les anciennes écuries de cette ferme familiale abritent aujourd'hui des chambres simples, agréables avec leurs meubles campagnards anciens, leur papier peint fleuri et leurs dessus de lits de grand-mère. Repas pris en famille autour de plats régionaux. Petit musée agricole à découvrir.

Achats

Les gourmets apprécieront les **pognes**, brioches parfumées à la fleur d'oranger (elles doivent leur nom à la coutume des ménagères romanaises de mettre de côté une « pougne » ou poignée de la pâte à pain qu'elles pétrissaient pour en faire une pâtisserie), les **saint-genix** (pognes aux pralines), les « **ravioles** » au fromage de chèvre et la tomme de chèvre.

comprendre

Des dauphins dans le Rhône ?

On ne sait trop pourquoi les comtes adoptèrent ce titre (qu'on retrouve en Auvergne) qui donna son nom à leur territoire. Toujours est-il qu'ils y tenaient au point d'avoir adopté ce sympathique cétacé comme emblème et exigé qu'une des clauses de l'acte de vente stipule que le fils aîné du roi porte le titre delphinal.

Le « Transport » – C'est à partir du 11e s. que les comtes d'Albon, originaires du Viennois, mirent peu à peu la main sur la région entre la vallée du Rhône et les Alpes, qui deviendra le Dauphiné de Viennois. Le premier à prendre le titre de dauphin fut le comte Guigue IV, mort en 1142. Au 14e s., le dauphin du Viennois, Humbert II, qui réside habituellement au château de Beauvoir, en face de St-Marcelli, se retrouve, à la mort de son fils, sans héritier... et quelque peu désargenté. Il songe alors à vendre ses domaines à la couronne de France. Celle-ci est fort intéressée car le Dauphiné relevait alors, au moins théoriquement, de l'Empire. Aussi, le 30 mars 1349, dans la collégiale Saint-Barnard de Romans, fut solennellement conclu le traité réunissant le Dauphiné à la France, et le titre fut attribué à l'héritier présomptif de la couronne, le premier Dauphin de France étant le futur Charles V.

ROMANS-SUR-ISÈRE

Clercs (R. des)	CY	4
Cordeliers (Côtes des)	CY	
Écosserie (R. de l')	BY	8
Fontaine-des-Cordeliers (R.)	CY	10
Faure (Pl. M.)	BY	
Gailly (Pl. E.)	BY	
Herbes (Pl. aux)	BY	14
Jacquemart (Côte)	BY	15
Massenet (Pl.)	CY	17
Mathieu-de-la-Drôme (R.)	CY	18
Merlin (R.)	CY	20
Mouton (R. du)	BY	22
Perrot-de-Verdun (Pl.)	BY	26
Sabaton (R.)	CY	28
Ste-Marie (R.)	CY	29
Trois-Carreaux (R.)	CY	32

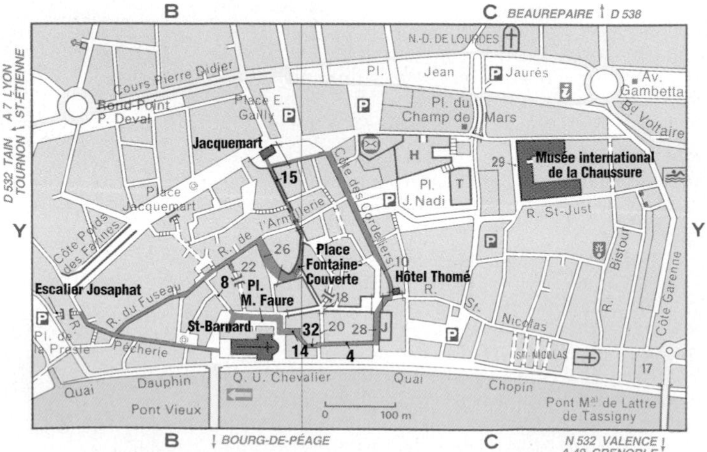

se promener

LA VIEILLE VILLE

Partir de la place du Pont.

Un lacis de ruelles pittoresques s'étend autour de la collégiale St-Barnard et à mi-pente entre la collégiale, la place de la Presle et la place Jacquemart.

Collégiale St-Barnard

♿ *De mi-juin à mi-sept. : visite guidée (1h) 10h-12h, 15h-18h, dim. et j. fériés 15h-18h ; de mi-sept. à mi-juin : dim. et j. fériés 15h-18h. 2,29€. ☎ 04 75 02 28 72.*

Le monastère fondé par saint Barnard fut détruit au 12e s., et remplacé par un édifice roman dont subsistent encore le porche occidental, le portail Nord et les parties basses de la nef. Vers le milieu du 13e s., le chœur et le transept furent ajoutés en style gothique. Dévastée par les protestants au 16e s., l'église fut restaurée au 18e s.

Extérieur – Vue du pont, sa silhouette massive se reflète dans l'Isère. À l'Ouest, le portail roman offre aux piédroits des statues d'apôtres, groupées par deux, reposant sur des lions fort voraces puisque l'un dévore un humain, et l'autre, plus gourmet, un mouton.

Intérieur – Il doit son originalité à l'arcature romane, renforçant les murs de la nef ; les arcades reposent sur des colonnes ornées de remarquables chapiteaux historiés ou à feuillages. Au-dessus court un triforium gothique dont les 160 arcades font le tour de l'édifice. Dans le chœur, remarquez les peintures murales du 14e s. À droite de la nef, la **chapelle du St-Sacrement** abrite une **tenture**★★ du 16e s., d'inspiration flamande, croit-on. Composé de neuf panneaux de broderies en laine, rehaussé de fils de soie, ce splendide ouvrage figure des scènes de la Passion depuis le jardin des Oliviers jusqu'à la Résurrection. Les personnages, dans des tons brun-roux, forment des groupes serrés, sur fond bleu foncé ; remarquez, du côté de l'autel, la Mise en croix, le Golgotha et la Mise au tombeau.

Prendre la rue Pêcherie, en face de la collégiale.

Escalier Josaphat

Il descend de la rue Pêcherie vers les maisons à galerie de bois de la place de la Presle.

Par la rue du Fuseau, gagner la rue de l'Armillerie.

Au n° 15 de la rue du Mouton, sur la droite, les fenêtres ogivales du 1er étage ont été transformées en fenêtres à meneaux ; au-dessus, on devine les contours d'une tête de mouton taillée dans une pierre saillante.

Au n° 18, le portail en plein cintre présente une ornementation en pointes de diamant.

Descendre vers la place Fontaine-Couverte.

Place Fontaine-Couverte

Au cœur de la vieille ville, elle est agrémentée d'une gracieuse fontaine moderne représentant un flûtiste.

Côte Jacquemart

Elle est bordée de maisons des 13e et 14e s. À gauche se profile la pittoresque côte Bouverie.

Le Jacquemart

C'est une ancienne tour carrée de l'enceinte de Romans, transformée au 15e s. en beffroi et dotée d'une horloge que surveille un beau jacquemart.

Descendre la côte des Cordeliers, aménagée dans les fossés de la première enceinte ; par la rue Fontaine-des-Cordeliers, gagner la rue St-Nicolas.

Hôtel Thomé

Il présente une façade Renaissance ; aux étages, belles fenêtres à meneaux. À droite, une niche abrite une Vierge à l'Enfant.

Par la rue Sabaton, gagner la rue des Clercs.

Saint Barnard

Issu d'une importante famille lyonnaise, saint Barnard (778-842) fut marié et militaire avant de se consacrer à la vie religieuse. Il fonda l'abbaye d'Ambronay puis, nommé archevêque de Vienne, celle de Romans à la fin de sa vie.

« Doms » cachés

Sur la voûte centrale de la chapelle du St-Sacrement, une fresque du 15e s. retrace deux épisodes de la vie des trois doms (Séverin, Exupère et Félicien), martyrs viennois dont les reliques étaient vénérées dans l'église.

Fièrement campé sur son beffroi, le jacquemart porte depuis 1830 le costume des volontaires de 1792.

Rue des Clercs

Elle est pittoresque avec son pavement en galets roulés. En face des Archives municipales, portail orné de fines ciselures.

Rue des Trois-Carreaux

Elle prolonge la rue des Clercs. À son débouché sur la place aux Herbes s'ouvre une porte monumentale, curieusement surmontée par une structure en encorbellement et à mâchicoulis.

Place Maurice-Faure

À droite de la porte St-Jean, percée dans le flanc Nord de la collégiale, s'élève une belle demeure ornée d'une tour d'angle.

À l'angle Nord-Ouest de la place s'amorce la **rue de l'Écosserie**, dont les premières maisons sont reliées par un arceau.

visiter

Musée international de la Chaussure

Juil.-août : 10h-18h30, dim. et j. fériés 14h30-18h ; sept.-juin : tlj sf lun. 9h-11h45, 14h-17h45, dim. et j. fériés 14h30-18h (juil.-août : tlj). Fermé 1er janv., 1er mai, 1er nov., 25 déc. 3,81€. ☎ 04 75 05 51 81.

On accède au musée par le portail de la rue Bistour, en traversant les jardins en terrasses jusqu'à l'élégante colonnade qui orne le bâtiment, ancien couvent de la Visitation, construit du 17e au 19e s.

Les collections de chaussures★ – Romans s'est fait, on le sait, une réputation de son industrie de la chaussure, encore vivante aujourd'hui. Rien de plus normal donc qu'un musée soit consacré à cet accessoire essentiel qu'il s'agit de présenter aussi bien sous l'angle technique, ethnographique et artistique (tableaux des 18e et 19e s. illustrant le thème de la chaussure et des métiers annexes) qu'historique ; c'est ainsi que de nombreux documents et matériels retracent l'évolution des métiers de la chaussure à Romans.

Une collection très spéciale
C'est la collection Hams, consacrée à tous les modèles imaginables de boucles de chaussures.

Exposées dans les anciennes cellules des religieuses visitandines, les collections sont présentées (par roulement) dans un ordre chronologique et thématique, de l'Antiquité à 1900. Elles offrent aux regards amusés ou émus un éventail très large de pièces provenant des cinq continents, des pieds momifiés de l'ancienne Égypte aux modèles originaux d'André Pérugia (20e s.). Tour à tour somptueuses, drôles ou énigmatiques, ces chaussures sont des témoins évocateurs des coutumes de leur pays d'origine et de la mode à travers les âges : sandales romaines, chaussures « à la poulaine », plus ou moins longues selon le rang social, « chopines » vénitiennes du 16e s., bottes de mousquetaires ou de postillons du 17e s., patins incrustés d'écailles et de nacre de Mauritanie, mocassins d'Indiens d'Amérique du Nord, chaussures

Une somptueuse chapelle pour accueillir une exposition de chaussures... c'est dire le culte que leur voue la ville de Romans.

ardéchoises servant à décortiquer les châtaignes, bottines de la Belle Époque, bref, impossible de ne pas y trouver chaussure à son pied !

Musée de la Résistance et de la Déportation – Le devoir de mémoire est à l'origine de ce centre historique qui présente des documents, objets et photos sur la vie des combattants de la Drôme pendant la période 1939-1945 ; cette évocation est complétée par un montage audiovisuel (20 mn).

alentours

Mours-St-Eusèbe

4 km au Nord. Quitter Romans par la D 538, puis D 608 à droite. L'église du village, qui du 11e s. n'a conservé que la tour-clocher, à l'Ouest, et le mur de la nef, au Sud, abrite un intéressant **musée diocésain d'Art sacré★** ► présentant ses riches collections (du 15e au 20e s.) selon un thème renouvelé chaque année. Parmi ces objets ayant servi au culte dans les églises drômoises, remarquez un bel ensemble de vêtements liturgiques, du linge d'autel en dentelle du Puy, de Bruges ou de Chantilly, d'émouvantes statues en bois polychrome représentant saint Roch... *De mai à fin oct. : visite guidée (1h1/2) tlj sf sam. 14h30-18h30. 3,05€. ☎ 04 75 02 24 71.*

Oriflammes
La piété populaire est représentée par des bannières de procession, des croix de bateliers de l'Isère, des gonfalons (étendards utilisés par les ecclésiastiques et les corporations), de petits objets confectionnés en « paperolles ».

Pouvez-vous garder un secret ? Dans ce cas on peut vous dire que près d'Hostun ont lieu les rencontres internationales de nos amis les lutins.

Hostun

14 km à l'Est. Quitter Romans à l'Est en direction de St-Nazaire-en-Royans. Un peu après l'Écancière, prendre à droite la D 125c vers Hostun. Dans ce petit village campé à proximité du Vercors règne une étrange atmosphère. Il héberge en effet, au lieu-dit des Guerbys, **Le Monde merveilleux des lutins**, une ancienne ferme transformée en petit royaume de rêve où les enfants peuvent rencontrer les mystérieux personnages de pays enchanteurs : trolls, trolls, gnomes, farfadets, gremlins et autres lutins enfin réunis pour une sarabande magique... *Juin-août : 10h-18h30 ; avr.-mai, déc., vac. scol. : 14h-18h ; mars, sept., nov. : dim. 14h-18h. 5,79€ (enf. : 4,27€). ☎ 04 75 48 89 79.*

circuit

LES COLLINES

51 km, environ 2h. Quitter Romans au Nord-Ouest par la D 53 (route de la piscine).

St-Donat-sur-l'Herbasse

Vieux bourg de la Drôme bien connu des mélomanes. La ► **collégiale** (12e-16e s.) abrite des orgues modernes construites suivant la facture des célèbres frères Silbermann (3 claviers, 35 jeux). *Mai-sept. : visite guidée, mer. et sam. 10h-12h, 14h30-18h ; juil.-août 14h30-18h (mer. et sam. 10h-12h). 1,52€. Office de tourisme. ☎ 04 75 45 15 32.*

Sus au dragon
Sur la terrasse de l'église de St-Donat, la **chapelle St-Michel** présente une originale chapelle absidiale semi-circulaire, reposant hors œuvre sur une colonnette. À l'intérieur, remarquez à l'arc triomphal, au-dessus de l'autel, saint Michel terrassant le dragon.

Un célèbre **festival Jean-Sébastien-Bach** s'y tient chaque année.

De St-Donat, la D 584 conduit au Nord, à Bathernay.

Bathernay

Joli village établi face à un paysage harmonieux.

À l'Ouest de Bathernay, une petite route mène à la tour octogonale de **Ratières**.

Par la D 207 au Sud, la D 53 que l'on suit pendant 1,3 km et une petite route à droite, atteindre la chapelle St-Andéol.

Panorama de la chapelle St-Andéol

Il s'étend sur la vallée de l'Isère, la dépression de la Galaure et le mont Pilat.

Une petite route pittoresque, au Sud, rejoint la D 112 que l'on prend à gauche à Bren pour revenir à St-Donat-sur-l'Herbasse d'où la D 53 ramène à Romans.

Roussillon

Roussillon ? Ce Roussillon-là est peu connu, et pourtant, chaque année, lorsque le moment est venu de rédiger ses cartes de vœux, on devrait avoir une petite pensée pour cette vieille cité de la vallée du Rhône : sans elle, ou plutôt sans l'édit qui porte son nom, on pourrait tout aussi bien repousser le pensum au samedi de Pâques !

La situation

Cartes Michelin nos 88 pli 19 ou 246 pli 17 – Isère (38).

Accrochée à un coteau du Rhône à l'écart de l'autoroute, à 20 km au Sud de Vienne, la ville domine une vaste zone industrielle dont le développement est lié à l'essor de Rhône-Poulenc. *Pl. de l'Édit, 38150 Roussillon, 04 74 86 72 07.*

Le nom

Au 12e s., on la connaissait sous le nom de *Russilione*, qui pourrait lui venir du nom d'un propriétaire gallo-romain, Russilius. C'est un droit de passage perçu par les seigneurs locaux qui a valu son nom à la localité voisine, Le Péage-de-Roussillon.

Les gens

7 437 Roussillonnais. En 1564, Charles IX, accompagné de sa mère, Catherine de Médicis, vint leur rendre visite. L'événement serait sans doute passé inaperçu si le roi n'en avait profité pour signer l'**Édit de Roussillon** : depuis lors, en effet, le début de l'année, jusqu'alors à une date variable suivant les régions, a été fixé au 1er janvier pour l'ensemble du royaume.

HÉBERGEMENT

Hôtel des Nations - Restaurant L'Hysope – *RN 7, lieu-dit Clonas-sur-Varèze - 38550 Auberives-sur-Varèze – 04 74 84 90 24 - fermé dim. soir - 3 ch. : 38,11/39,64€ - 6,10€ - restaurant 10,67/25,15€.* Accueil sympathique, sage décor contemporain et prix tout doux : cet établissement flambant neuf ne manque pas d'atouts pour séduire. Ses chambres et ses studios sont bien équipés. Sa salle de restaurant vous accueille dans un cadre coloré.

UN ÉTERNEL RECOMMENCEMENT ?

En ces temps où l'adaptation aux normes européennes est parfois difficile à suivre, on a sans doute oublié que nos ancêtres avaient déjà dû modifier leurs habitudes dans le cadre national. Mais il est vrai qu'ils ont eu plus de temps pour s'adapter : la « monnaie unique » royale s'imposa à partir du 14e s., lorsque les seigneurs perdirent le droit de battre monnaie ; c'est en 1539 que le français fut imposé comme langue administrative par l'ordonnance de Villers-Cotterêts et en 1582, qu'on adopta le calendrier grégorien en passant (sans le moindre « bug » !) en une nuit du 4 au 15 octobre ; quant aux poids et mesures, il fallut attendre la Révolution et l'adoption du système métrique pour qu'ils aient la même valeur d'une région à l'autre.

Les personnages en costumes renforcent, s'il en était besoin, la dimension historique de la salle de l'Édit.

visiter

Château

Juin-août : visite guidée (1h1/4) à 15h, w.-end à 11h et 15h ; sept.-mai : sam. à 15h, dim. à 11h et 15h. Fermé entre Noël et J. de l'an et j. fériés (en sem.). 2,29€. ☎ 04 74 86 72 07.
Ce robuste édifice Renaissance, de style florentin, flanqué d'une tourelle à l'Ouest, a été construit en 1552 par le cardinal de Tournon. À l'intérieur, un escalier à balustres mène à la salle de l'Édit. Plus loin, la chambre de Catherine de Médicis conserve des vestiges de frise peinte au ras du plafond.

Église

Fermée en dehors des offices. ☎ 04 74 86 29 57.
De style flamboyant, elle fut construite aux 14e et 15e s. Le clocher, lui, est moderne. Dominant l'église et le cimetière, la motte de l'ancien donjon occupe le sommet de la colline.

Maison de Pays
L'aile Ouest du château abrite la **maison du Pays roussillonnais** dont la salle du patrimoine présente les principales richesses, culturelles et industrielles, de la région.

alentours

Centrale nucléaire de St-Alban-St-Maurice

5 km. Quitter Roussillon au Sud par la D 4, puis tourner à gauche dans la D 37B. Visite libre du Centre de Documentation et d'Information tlj sf w.-end 14h-17h30 et visite guidée des installations (3h) à 9h et 14h sur demande préalable (15 j. av.). Gratuit. ☎ 04 74 29 33 66.
Le Centre nucléaire de production d'électricité (CNPE) de St-Alban est équipé de deux réacteurs de 1 300 MW, utilisant la filière des « réacteurs à eau pressurisée » (REP) comme la plupart des centrales nucléaires françaises. Le site produit en moyenne 16 milliards de KWh par an, soit environ 13 % de la consommation de la région.

Ville-sous-Anjou

Sortir de Roussillon par la D 134 puis la D 131B sur la droite.
Musée animalier – ♿ *Juil.-août : 10h-19h ; avr.-juin et sept. : tlj sf sam. 10h-19h ; oct.-mars : tlj sf sam. 13h30-18h. Fermé de déc. à mi-janv. 5,49€ (enf. : 3,81€). ☎ 04 74 84 49 39.*
Plus de 500 animaux naturalisés sont placés dans de vaste dioramas évoquant leur milieu naturel : belle occasion d'approcher sans crainte le tigre du Bengale, le léopard noir ou les grands lions d'Afrique !

Ruoms

De Ruoms on connaît les célèbres défilés, les nombreux campings mais assez peu la ville qui s'anime au rythme de marchés colorés. Anciennement réputée pour ses carrières de pierre et ses brasseries, cette ancienne ville médiévale se découvre en flânant dans son centre historique intra-muros.

La situation

Cartes Michelin nos 80 pli 9, 245 pli 1, 246 pli 22 – Ardèche (07). Porte des défilés de l'Ardèche, Ruoms bénéficie d'une position stratégique entre Aubenas (25 km) et Vallon-Pont-d'Arc (9 km).

R. Alphonse-Daudet, 07120 Ruoms, ☎ 04 75 95 91 90.

Le nom

Ruoms *(prononcez « ruonce »)* aurait une origine gauloise et serait une combinaison de *rigo-* (roi) et de *magus* (champ).

Les gens

2 157 Ruomsois. Avant de devenir une ville très touristique, Ruoms a connu un fort développement à la fin du 19e s. À ses heures de gloire elle faisait travailler jusqu'à 500 tailleurs de pierre.

GARÇON, UNE BIÈRE !

Et non, il n'est plus possible de trouver de la bière ardéchoise à Ruoms. Et pourtant, une famille de Vallon, les Puaux, avait créé des brasseries sur les bords de l'Ardèche ; cette initiative s'interrompit définitivement en 1967. Il n'y a donc plus de bière mais il y a de très bons vins de pays qui ne manqueront pas de vous séduire.

se promener

Petit centre commercial, Ruoms mérite une flânerie dans son quartier ancien, inscrit dans une enceinte carrée, flanquée de sept tours rondes. Au centre de la ville close, l'**église** romane est intéressante par son clocher percé d'arcatures et décoré de motifs incrustés en pierre volcanique ; la ruelle St-Roch, s'ouvrant sur la place de l'Église, en offre la meilleure vue.

alentours

Rocher de Sampzon★

Quitter Ruoms par la D 579 en direction de Vallon. Sur la rive droite de l'Ardèche, par une route étroite en forte montée et en lacet.

Laisser la voiture au parking en contrebas de l'église du vieux village de Sampzon et gagner le sommet (3/4h à pied AR) par le chemin goudronné, puis par le sentier qui prend à hauteur de l'aire de retournement.

Du sommet (relais de télévision), le **panorama★★** embrasse le bassin de Vallon, l'entablement du plateau d'Orgnac et les méandres de l'Ardèche.

Labeaume★

Laisser la voiture sur une vaste place à l'entrée du village.
Ce vieux village est situé au flanc des gorges de la Beaume, affluent de l'Ardèche. Au pied du village, un pont submersible dépourvu de parapet, aux piles robustes, s'intègre de façon heureuse dans le site.

Prendre à gauche de l'église une ruelle menant, au bord de la rivière, à une esplanade ombragée. Pour avoir le meilleur coup d'œil sur le village, franchir le pont submersible et suivre sur quelques mètres le chemin qui s'élève sur la rive opposée.

Gorges de la Beaume★ – La promenade, rive gauche, vers l'amont, près des eaux transparentes, face à la falaise calcaire que l'érosion a rongée avec la plus grande fantaisie, est très attrayante.

Le village – Au retour vers la voiture, on pourra flâner dans les ruelles en pente du village. Leurs passages couverts et les maisons à galeries qui les bordent, certaines restaurées par des artistes, sont particulièrement pittoresques.

carnet pratique

HÉBERGEMENT ET RESTAURATION

• *À bon compte*

Chapoulière – ☎ *04 75 39 65 43 - fermé 29 oct. au 1er mars - 🅿 - 12 ch. : 39,64/53,36€ - ☕ 6,86€ - restaurant 14,94/45,73€.* Sur un axe passant, longue bâtisse et son parc fleuri équipé de jeux pour les enfants. Évitez, si possible, les chambres de la façade principale. Le vivier qui trône dans la salle à manger annonce la couleur : cuisine de la mer et des rivières.

Camping La Digue – *07120 Chauzon - 6 km au N de Ruoms par D 579 et D 308 - ☎ 04 75 39 63 57 - bernard@camping-la-digue.fr - ouv. 20 mars à sept. - réserv. conseillée - 100 empl. : 18,60€.* Au bord de l'Ardèche, non loin du village de Chauzon, ce terrain vaut par sa situation : éloigné des routes, il est très tranquille. Ses installations sont bien tenues et sa piscine chauffée. Location de bungalows.

Défilé de Ruoms★ – *5 km. Quittant Labeaume par la D 245, prendre à gauche dans la D 4.*

La route offre de jolis passages en tunnel et la vue plonge sur la rivière dont les eaux vertes offrent une belle transparence. Au défilé de Ruoms succèdent les gorges de la Ligne. Au confluent des deux rivières, dominé par des falaises hautes de 100 m, s'ouvre une belle **perspective** sur l'Ardèche en amont. La régularité des strates est frappante. Au retour, à la sortie des tunnels, la silhouette du rocher de Sampzon, en forme de calotte, se dresse en avant, dans l'axe de la vallée.

Superbe mais étroit passage taillé dans le roc, la route suit cet étrange canyon créé par l'Ardèche.

Promenade à Labeaume★ – 🚶 *1/2h à pied AR. Après le mas de la Vignasse, tourner à droite et laisser la voiture 800 m plus loin (quartier de Chantressac). Au carrefour central, emprunter, à pied, le chemin de gauche, puis tourner à droite, au bout de 500 m environ, dans un sentier s'enfonçant sous un bosquet de sapins et un taillis d'acacias. Au terme de la descente, on débouche face à Labeaume.*

Entre ombre et lumière, les maisons de Labeaume semblent faire corps avec le roc.

Saint-Agrève

Station climatique appréciée des amateurs de tourisme vert, St-Agrève se développe sur les pentes du mont Chiniac. Une église, un temple, rares sont les monuments du bourg car il a été rasé plusieurs fois pendant les guerres de Religion.

Rendez-vous
La très belle et très typique **grange de Clavières** offre un cadre de choix au **festival des Arts** (musique, photo, peinture) qui se déroule chaque été à St-Agrève. ☎ *04 75 30 22 43.*

La situation

Cartes Michelin n°s 76 plis 9, 19 ou 244 pli 35 – Ardèche (07).
St-Agrève est situé au flanc d'une butte, à 1 050 m d'altitude, au centre du massif granitique des Boutières. Pays d'eau et de monts, il offre de très belles balades agrémentées de nombreux points de vue.
Grande-Rue, 07320 St-Agrève, ☎ 04 75 30 15 06.

Le nom

Appelé *Chinacum* par les Romains, St-Agrève aurait été rebaptisé en l'honneur de saint Agrippa, évêque martyrisé sur le mont Chiniac.

Les gens

2 762 Saint-Agrèvois. Après les terribles guerres de Religion, après avoir été une des grandes foires de la région, St-Agrève s'ouvre sur le tourisme et les arts. Elle organise chaque année, en été, le **festival international des Arts de St-Agrève**.

se promener

Mont Chiniac**

Alt. 1 120 m. Table d'orientation. *Place de la République, prendre la montée des Sports, puis tourner à gauche à un carrefour (possibilité d'accès à pied par la rue de l'Église).* La route mène au sommet du mont Chiniac dont la couronne de sapins domine le bourg. *Laisser la voiture sur un terre-plein à gauche, 150 m avant la table d'orientation.* La **vue** s'étend au Sud-Ouest sur le massif du Mézenc où se détachent le suc de Montivernoux, le Gerbier-de-Jonc, la dorsale du Mézenc ; à l'Ouest sur le massif du Meygal et le pic du Lizieux ; au Nord-Est sur les monts de Lalouvesc.

carnet pratique

Restauration

• ***Valeur sûre***

Domaine de Rilhac *– 2 km au SE de St-Agrève par D 120, D 21, puis rte secondaire - ☎ 04 75 30 20 20 - fermé janv., fév., mar. soir et mer. - 38,11/65,55€.* Vous avez un peu de temps ? Arrêtez-vous ici, vous ne le regretterez pas. La maison, une ferme ardéchoise rénovée, est superbe. La table fort soignée et orchestrée par le jeune patron, sait se faire douce avec des menus sages. Et pour profiter encore du silence, quelques chambres...

Hébergement

• ***À bon compte***

Hôtel L'Arraché *– ☎ 04 75 30 10 12 - 10 ch. : 35,06/48,78€ - ☕ 6,86€ - restaurant 12,96/17,53€.* Non loin de l'ancienne gare, cet hôtel est devenu fort agréable depuis sa dernière rénovation : repris par un jeune couple dynamique, ses petites chambres simples sont coquettes avec leur mobilier en fer forgé. Quelques menus à prix doux au restaurant.

alentours

Chemin de fer touristique du Velay

Compter une journée. La remise en état progressive de la ligne a permis la mise en service entre Tence et Dunières de plusieurs aller-retours par jour en juillet et août. Durée du trajet : environ 1h15. Pour tout renseignement, s'adresser à l'Office de tourisme de Tence. ☎ 04 71 59 81 99.

Dans un cadre bucolique, la chapelle de St-Agrève respire la sérénité.

Ce train à voie métrique surplombe en corniche les gorges du Lignon, puis serpente à travers les vallons et les pentes boisées du Haut-Vivarais et du Velay.

Lac de Devesset

8 km au Nord par la D 9. Au 12e s., les Hospitaliers de Saint-Jean-de-Jérusalem, séduits par ce site qui offre une belle vue panoramique sur les Alpes et le Massif Central, y installèrent une commanderie.
Aujourd'hui, la commune est une base idéale pour la pratique de nombreux loisirs qui sont pour la plupart concentrés autour du vaste **lac** (48 ha) : baignade surveillée, pédalo, école de voile, location VTT...

Dans son écrin de sapins, le lac de Devesset est un des trésors naturels des Boutières.

circuit

LES BOUTIÈRES**

Circuit de 64 km – environ 2h1/2. Quitter St-Agrève au Sud par la D 120 vers le Cheylard.

Au cours de la descente, la vue se dégage sur le Mézenc, puis la route (D 120) s'enfonce dans le ravin de l'Eyrieux naissant.

À la sortie de St-Julien-Boutières, prendre à droite la D 101, remontant la vallée encaissée de la Rimande.

La calotte du mont Signon ferme la perspective. En débouchant sur le plateau, on découvre à droite le pic du Lizieux et, à gauche, le Mézenc.

Fay-sur-Lignon *(voir p. 164)*

À Fay, emprunter, à gauche, la D 262, pittoresque, qui conduit à St-Clément.

En sortant de St-Clément, un saisissant **point de vue**** se découvre sur le Gerbier-de-Jonc, le suc de Sara et le Mézenc, dans l'axe du fossé de la Saliouse. Au-delà de Lachapelle-sous-Chanéac, la D 278 descend vers l'Eyrieux que l'on franchit à Armanas.

Le parcours (D 478), très accidenté, offre de très jolies vues sur le cirque du Haut-Eyrieux, puis sur St-Martin-de-Valamas, bien situé au confluent de l'Eysse et de l'Eyrieux.

Ruines de Rochebonne*

Laisser la voiture en bordure de la route. Le **site**** est grandiose.

Étagés sur des rochers granitiques fissurés, dominant la trouée de l'Eyrieux, les vestiges de la forteresse féodale se découpent face à un immense **panorama** dominé par le Mézenc.

Descendre (1/2h à pied) pour s'approcher des ruines, en appuyant à gauche.

Un sentier conduit près d'autres rochers fissurés encadrant un ravin piqueté de pins où un torrent tombe en fraîches petites cascades.

Poursuivre sur la D 478. Au sommet de la montée, peu avant Beauvert, on découvre St-Agrève, que l'on gagne par la D 21.

Avec le temps va...
Construite à partir du 11e s. par la famille de Châteauneuf, la forteresse fut prise et pillée pendant les guerres de Religion. Mais c'est l'abandon et le temps qui en vinrent à bout même si ses ruines en imposent encore.

Saint-Antoine-l'Abbaye*

C'est toujours une surprise en sortant de la grande forêt de Chambaran, de découvrir, au milieu de nulle part, la majestueuse façade de l'abbatiale de ce petit village. Il a fallu la présence d'un ordre religieux puissant, les Antonins, qui ont donné à leur abbaye un rayonnement international autour des reliques de saint Antoine.

La situation

Cartes Michelin nos 77 pli 3 ou 244 pli 26 – Isère (38). Aux confins de la Drôme et de l'Isère, St-Antoine-l'Abbaye apparaît dans un vallonnement du plateau de Chambaran. La vue est particulièrement spectaculaire en descendant du col de la Madeleine par la D 27. *Le Bourg, 38160 St-Antoine-l'abbaye, ☎ 04 76 36 44 46.*

Le nom

Au 11e s. les reliques de saint Antoine sont déposées dans l'église de La Motte-St-Didier, qui prend le nom de St-Antoine. Il s'agit de saint Antoine, anachorète de la Thébaïde. C'est un saint qui deviendra populaire au Moyen Âge tant par ses démêlés avec le démon, que par son cochon, compagnon de sa vie d'ermite.

Les gens

910 Antonins. Ils portent le nom des anciens membres de l'ordre hospitalier de St-Antoine mais ce sont aujourd'hui surtout des artistes qui viennent s'installer dans les anciens communs de l'abbaye.

carnet pratique

Restauration

• *À bon compte*

Le Restaurant des Remparts – *2 pl. des Carmes - 38160 St-Marcellin - ☎ 04 76 64 90 40 - 10,52/19,06€.* Avec ses larges fenêtres, ses murs colorés, ses grands miroirs, ses banquettes et son personnel nombreux, l'endroit fait un peu penser à une brasserie. Cuisine traditionnelle copieusement servie et joliment présentée.

Hébergement

• *À bon compte*

Chambre d'hôte Les Voureys – *Les Voureys - ☎ 04 76 36 41 65 - ⊭ - 3 ch. : 30,49/36,59€ - repas 13,72€.* Trois chambres d'esprit campagnard ont été aménagées dans l'ancien grenier de cette maison en pierre vieille de 150 ans. Les petits-déjeuners et les repas, élaborés à base de produits fermiers, sont servis dans la grande cuisine des propriétaires.

comprendre

Le Feu de St-Antoine – Au 11e s., un noble du Viennois, Jocelyn de Châteauneuf, accomplit un pèlerinage en Terre sainte. À son retour, il rapporte de Constantinople les ossements de saint Antoine. Les reliques sont confiées par l'évêque de Vienne à des bénédictins venus de l'abbaye de Montmajour. Un premier monastère s'élève. Peu après, en 1089, éclate en Dauphiné une redoutable épidémie, le Mal des Ardents, appelé aussi Feu de St-Antoine.

C'est une sorte de gangrène qui brûle les membres. Les reliques du saint attirent une foule de malades et de pauvres gens. Dans la grande abbatiale de St-Antoine, dont la construction, commencée au 13e s., se poursuivra jusqu'au 15e s., viennent s'agenouiller, devant les reliques, empereurs d'Allemagne, papes et rois de France.

Les antonins

Pour secourir et soigner les victimes du Mal des Ardents un groupe de jeunes nobles crée une confrérie : les frères de l'Aumône. Au 13e s., les frères réussissent à évincer les bénédictins. En 1297 la confrérie devient l'ordre hospitalier de St-Antoine. Les « antonins » fondent des hospices dans toute l'Europe.

L'imposante façade gothique de l'abbatiale et les toits en tuiles vernissées de la mairie dominent le charmant bourg de St-Antoine.

visiter

Abbatiale★

Laisser la voiture sur le grand parking aménagé environ 100 m derrière le Syndicat d'initiative.

Dans la partie haute du bourg, l'accès à l'abbatiale se fait par l'**entrée d'honneur** du 17e s. (hôtel de ville) se signalant par la mosaïque de ses tuiles vernissées. Trois portails à fronton brisé décorent la façade. L'encadrement du portail central, qui a conservé ses vantaux de bois, est constitué de deux colonnes ioniques. Les portails latéraux portent des bossages en pointes de diamant.

Franchir le portail. On débouche sur l'esplanade qu'encadrent les anciens bâtiments hospitaliers occupés par des artisans, artistes et antiquaires. Contourner l'église à gauche, en direction du parvis.

Le parvis offre un joli coup d'œil sur la façade et deux portes monumentales. L'une de ces portes ouvre sur les anciens jardins, l'autre domine un degré descendant vers le bourg.

Façade – Ses portails flamboyants sont prolongés de chaque côté par les fenêtres basses des premières chapelles latérales. Une immense baie flamboyante s'inscrit au milieu de la façade. Le **portail central★**, décoré de trois voussures ornées de statuettes, est l'œuvre d'Antoine le Moiturier, qui séjourna à St-Antoine de 1461 à 1464, avant d'aller exécuter à Dijon le tombeau du duc de Bourgogne, Jean sans Peur. Au centre du portail, le Père éternel est entouré d'angelots. Au rang inférieur sont représentés assis : à droite, Moïse avec les Tables de la Loi et, au-dessous, la Sibylle.

Intérieur – ♿ *De mars à fin nov. : visite guidée (3/4h) 10h-12h, 14h30-18h, mar. 14h30-18h, dim. et j. fériés 14h-17h. 3,80€. ☎ 04 76 36 44 46.*

Le trésor de l'abbatiale abrite un Christ en ivoire du 16e s., célèbre pour son expression d'agonie.

C'est signé
Dix tapisseries d'Aubusson (17e s.), représentant l'histoire de Joseph, décorent le chœur, le transept et les chapelles du bas-côté droit. Elles portent les armoiries des antonins, reconnaissables au T ou tau figurant la croix de St-Antoine.

Le vaisseau est ample : 62 m de longueur, 22 m de hauteur, sur 36 m de largeur. La nef de sept travées est flanquée de collatéraux sur lesquels s'ouvrent des chapelles. Les 2e et 6e chapelles du bas-côté gauche ainsi que les 2e, 4e et 7e du bas-côté droit conservent des fresques des 15e et 16e s., restaurées.
Les trois travées du chœur se terminent par une abside à pans dont le soubassement circulaire (13e s.) est la partie la plus ancienne de l'édifice. Les 97 stalles du maître-menuisier François Hanard meublent le chœur.
Le maître-autel, conçu comme un mausolée de marbre revêtu de bronzes ciselés, abrite la châsse de saint Antoine, recouverte de plaques d'argent repoussé (17e s.). Le buffet d'orgues, du 17e s., a été restauré et des **concerts** sont organisés.

Trésor★ – Des châsses et des bustes-reliquaires, des instruments de chirurgie légués par le dernier malade soigné par les antonins et rappelant la vocation hospitalière de ces religieux ; dans la 2e pièce est exposée une toile de Ribera : *Sainte Marie l'Égyptienne* ; la 3e salle, décorée de ravissantes boiseries de style rocaille, renferme un intéressant chapier (meuble où sont disposées des chapes).

Musée départemental

♿ *De fin mars à déb. nov. : tlj sf mar. 14h-18h (juil.-août : tlj sf mar. 11h-12h30, 13h30-18h). Fermé 1er mai. 3,20€. ☎ 04 76 36 40 68.*
Installé dans l'ancien noviciat du monastère, il abrite, outre des œuvres de Jean Vinay (1907-1978), peintre paysagiste dauphinois, et de ses amis de l'école de Paris, des expositions thématiques sur le Moyen Âge ou l'ordre des Antonins.

alentours

St-Marcellin

10 km à l'Est par la D 27 puis la D 20 à droite. **Humbert II**, le dernier dauphin du Viennois, installa ici au 14e s. son conseil delphinal, qui servait de Parlement, de Conseil d'État et de chambre des Comptes. La ville ne fut pas épargnée par les guerres de Religion : prise deux fois par le baron des Adrets, elle fut définitivement récupérée par le camp des catholiques en 1568.
Le marché du samedi et les foires annuelles attirent les habitants du Bas-Grésivaudan. Le « saint-marcellin », petite tomme ronde obtenue avec un mélange de lait de vache et de chèvre, constitue la spécialité locale.

Promenade de Joud – Elle offre une jolie vue sur la vallée de l'Isère et le Royans dominés par la muraille du Vercors.

Chatte

8 km au Sud-Est par la D 27. Le petit bourg est connu pour son **Jardin ferroviaire**. C'est un vrai petit monde en réduction qui a été recréé dans ce jardin où le train miniature *(échelle 1/22,5)* s'intègre dans une nature exubérante composée de plus de 200 espèces de plantes. Une trentaine de convois circulent sur plus d'1 km de voies, pour la plus grande joie des petits et des grands.
♿ *Avr.-sept. : 10h-18h ; de mi-mars à fin mars et d'oct. à mi-nov. : 10h-12h, 13h30-17h, w.-end et j. fériés 10h-18h. 6,25€ (enf. : 4,27€). ☎ 04 76 38 54 55.*

Et non, vous n'êtes pas sur le Mississippi mais sur l'Isère où ce bateau à roue vous emmène pour une agréable promenade.

La Sône

6 km au Sud par la D 20 puis la D 71. Le village bénéficie d'un cadre paisible et verdoyant sur les bords de l'Isère. Des animations touristiques sont proposées près du fleuve, à gauche avant le pont. Le **Jardin des Fontaines pétrifiantes** a été aménagé dans un site de pétrification où l'eau, chargée en bicarbonate de calcium, recouvre en quelques mois les objets d'une pellicule de cristaux scintillants. Le jardin, jalonné de cascades et de bassins, est agrémenté de quelque 15 000 plantes. *De mai à mi-oct. : tlj sf lun. 9h30-18h (juin-août : tlj 9h30-18h30). 5,03€ (enf. : 3,20€).* ☎ *04 76 64 43 42.* En contrebas, dominé par les toitures colorées du château, un chemin longe les rives de l'Isère. Mais le meilleur moyen de découvrir cette vallée pittoresque est certainement le **bateau à roue Royans-Vercors**. Le parcours commenté (La Sône–St-Nazaire-en-Royans) révèle la variété de la faune et la beauté des paysages préservés que l'on trouve au pied du Vercors. ♿ *D'avr. à fin oct. : croisière commentée (1h1/2) lun.-ven. horaires variables, dim. et j. fériés à 10h30, 14h, 15h30 (juin : dép. supp. à 17h ; juil.-août : à 10h30, 14h, 15h30, 17h). 7,92€ (enf. : 5,64€).* ☎ *04 76 64 43 42.*

Saint-Bonnet-le-Château★

Au pays des Hautes-Chaumes, St-Bonnet est un village de caractère, avec son église gothique et ses ruelles médiévales montant lestement à l'assaut de la butte qui porte la collégiale. « La perle du Forez » semble ainsi rayonner de la plaine du Forez au Pilat. C'est aujourd'hui un petit centre industriel actif, surtout réputé pour sa fabrique de boules (1 million de paires par an).

La situation

Cartes Michelin nos 88 pli 17 ou 239 Nord du pli 35 – Loire (42). Il faut découvrir le site en arrivant par la D 3 à l'Est. Vous arriverez sans doute plus classiquement par la D 498 qui traverse St-Bonnet, situé à mi-chemin entre Andrésieux et Craponne-sur-Arzon, la capitale estivale du country. ℹ *23 av. Paul-Doumer, 42380 St-Bonnet-le-Château,* ☎ *04 77 50 52 48.*

Le nom

Cet ancien oppidum romain porte le nom d'un ancien évêque arverne dont les reliques ont été transférées de Lyon à Clermont en 722 à travers le Forez, laissant son vocable à de nombreuses paroisses sur son passage.

Les gens

1 562 Sambonitains. Que croyez-vous qu'ils fassent sur la place... ils jouent à la pétanque, (du provençal *piès tanqués* = pieds joints) pardi !

Prix Goncourt

Paule Constant, qui a obtenu cette distinction en novembre 1998 pour son roman *Confidence pour confidence* n'est pas native de St-Bonnet, mais elle passe volontiers ses vacances dans la maison familiale située dans un hameau voisin, Épisols.

ST-BONNET LE-CHÂTEAU

Châtelaine (R. de la) .... Z 2
Chevalier (R.) .... Z 4
Dessous-les-Remparts (R.) .... YZ 6
Doumer (Av. Paul) .... YZ
Église (Pl. de l') .... YZ
Fours-Banaux (Pl. des) .... Z
Fours-Banaux (R. des) .... Z 12
Gouraud (Av. Gén.) .... Y
Grand-Faubourg (Pl. du) .... Z 15
Grand'Rue .... Z
Hôpital (R. de l') .... Y
Lagnier (Pl.) .... Y
Marey (Pl. du Cdt) .... Z
Montorcier (R. du) .... Y
Murailles (Chemin des) .... YZ
Nord (R. du) .... Y
République (Pl. de la) .... Z
Verlaine (R. Paul) .... Y

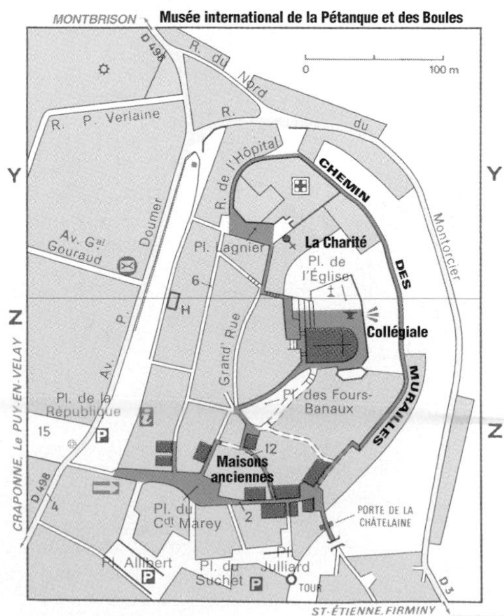

carnet pratique

Restauration

• À bon compte

La Calèche – *7 r. F.-Valette - ☎ 04 77 50 15 58 - fermé 2 au 6 janv., vac. de fév., de Toussaint, dim. soir, mar. soir et mer. - 13,57/38,11€.* Après avoir fait ses armes dans quelques grandes maisons, ce jeune chef a posé ses bagages dans une maison toute simple au cœur du village. Ses menus alléchants défendent une cuisine au goût du jour, à des prix tout à fait sages... Décor coquet.

Hébergement

• À bon compte

Le Béfranc – *7 rte d'Augel - ☎ 04 77 50 54 54 - fermé 7 au 23 janv., dim. soir et lun. d'oct. à mai - P - 17 ch. : 34,30/38,11€ - ☕ 4,57€ - restaurant 14,48/29,73€.* Installé dans l'ancienne gendarmerie, une grosse maison carrée légèrement à l'écart du centre-ville, cet hôtel est tranquille. Ses chambres sont un peu toutes pareilles, fonctionnelles et nettes. Plusieurs menus proposés au restaurant.

se promener

LA VILLE ANCIENNE

Maisons anciennes

Sur le chemin de l'église, remarquez au passage deux maisons Renaissance à l'entrée des rues s'ouvrant à gauche de la place du Cdt-Marey et, plus loin, d'autres maisons des 15e et 16e s., rue de la Châtelaine, rue et place des Fours-Banaux, où se dressent, à l'angle, deux vastes logis du 15e s. *Le chemin des Murailles, qui suit les anciennes fortifications du 14e s., contourne la butte et mène à l'église par la rue de l'Hôpital.*

Collégiale

Bien datée

Son acte de naissance est gravé dans un mur de la crypte, indiquant précisément le 8 mai 1400. Elle est achevée dans les premières années du 16e s. Collégiale jusqu'à la Révolution, elle connut sous l'Ancien Régime une renommée due notamment à la qualité de ses musiciens.

Cet édifice gothique, du début du 15e s., a fière allure avec ses deux clochers et surtout sa situation exceptionnelle.

Gravir le perron de la façade et entrer dans l'église par le portail Renaissance.

L'intérieur surprend par la faible élévation des voûtes. Dans la nef, chaire du 17e s. avec jolie rampe en fer forgé.

◀ **Crypte et caveau des Momies** – *Mai-sept. : tlj sf mar. 9h-12h, 14h-19h ; oct.-avr. : tlj sf mar. 9h-12h, 14h-17h30. Fermé déc.-janv. (sf vac. scol. Noël). 1,98€. ☎ 04 77 50 11 15.*

La **crypte**, située sous le chœur, est revêtue de peintures murales du 15e s. Parmi les sujets représentés, empruntés au Nouveau Testament, les plus remarquables sont les quatre évangélistes (petites voûtes du chœur) et la Crucifixion (mur Nord). On voit aussi des anges musiciens.

Dans l'église, à droite, s'ouvre le **caveau des Momies** contenant une trentaine de corps desséchés qui datent de la seconde moitié du 17e s. Elles ont été découvertes en 1838, et leur bon état de conservation leur a valu l'appellation impropre de momies.

La **bibliothèque** est installée dans une salle à gauche du chœur. Le fonds ancien, installé en 1716, présente des incunables, en particulier un missel lyonnais du 15e s., une bible de Louis XI de 1476, première bible imprimée en France, et les *Chroniques* de Froissart (1490), reliées aux armes des Urfé. Voyez aussi une bible de Robert Estienne (1565) et un exemplaire de *Lancelot du lac* (1520). *Visite sur demande préalable auprès de la mairie. 1,52€. ☎ 04 77 50 52 40.*

De quoi s'agit-il ?

Les **incunables** sont les ouvrages imprimés avant 1501, au début de l'invention **de Gutenberg**. Ils étaient à l'image des manuscrits, les caractères variant selon le contenu de l'œuvre ; les abréviations et les supports papier ou vélin étaient les mêmes. Ils étaient aussi reliés et parfois enluminés à la main.

Point de vue★

De la terrasse au Nord du chevet de la collégiale (table d'orientation), la vue s'étend sur la plaine du Forez d'où émergent la butte de St-Romain-le-Puy, les monts du Beaujolais et du Lyonnais, les Alpes, le mont Pilat, le pic du Lizieux, le Mézenc.

Descendre l'escalier à gauche du parvis et tourner à droite dans la Grand'Rue.

Chapelle de la Charité

Cet édifice du début du 17e s. est intéressant par sa décoration et son mobilier : plafond à caissons peints, devant d'autel sculpté, statues anciennes et une très belle grille en fer forgé qui fermait la partie réservée aux religieuses.

Chemin des Murailles★

Le panorama sur la plaine du Forez donne un vif attrait à cette promenade que l'on prolongera jusqu'à la porte de la Châtelaine, du 14e s.

visiter

Musée international Pétanque et Boules

Au Nord de la ville par la D 498. Juin-sept. : tlj sf dim. 8h30-12h, 13h30-18h30, lun. 13h30-18h30, sam. 10h-12h30, 14h-18h ; oct.-mai : tlj sf dim. 8h30-12h, 13h30-17h30, lun. 13h30-17h30, sam. 13h30-17h. Fermé j. fériés sf 14 juil. et 15 août. 3,05€. ☏ 04 77 50 15 33.

Aménagé dans des locaux d'un important fabricant de boules de pétanque, ce musée original présente une rétrospective du jeu de boules depuis l'Antiquité jusqu'à l'année 1910 qui vit la naissance de la pétanque à La Ciotat. On observe tour à tour un remarquable **bas-relief** en bois sculpté et incrusté d'ivoire, du 18e s., représentant des soldats jouant aux boules, une importante collection de boules cloutées (depuis le milieu du 19e s.), des représentations populaires de « Fanny » destinées aux joueurs perdants, des extraits de films et des répliques d'acteurs restituant l'ambiance des cours de boules. Une présentation sur écran vidéo des étapes d'une chaîne de fabrication moderne de boules de pétanque et de celle du façonnage artisanal du cochonnet à partir du buis termine cette visite.

Colorées, cloutées, numérotées... il y a de quoi perdre la boule devant un tel choix !

circuits

LES BELVÉDÈRES

35 km. Quitter St-Bonnet par la D 498, au Nord.

Luriecq

L'**église**, très simple, est un édifice de style gothique flamboyant, avec porche Renaissance ; beau Christ en bois dans la nef. *S'adresser à la mairie. ☏ 04 77 50 05 33.*
Dans une maison, sur la place de l'Église, modeste collection d'objets foréziens d'autrefois.

Faire demi-tour et prendre la D 5 à droite.

Marols

L'**église** a été fortifiée au 14e s. Des deux clochers, le plus élancé, au-dessus du chœur, est une véritable tour défensive.

Poursuivre sur la D 5.

St-Jean-Soleymieux

L'**église** est intéressante pour sa crypte du 12e s., dont les piliers trapus portent de frustes chapiteaux. Ce village est situé à proximité d'une très ancienne voie de passage, la voie de Bolène.

Emprunter successivement la D 96 et la D 44.

Montarcher

De la terrasse de la petite **église** (12e-15e s.), ornée à l'entrée du chœur d'un bel arc décoratif rustique, **vue★** sur le mont Pilat, le Mézenc, les sucs de la région d'Yssingeaux et les monts de la Margeride. L'eau de source de Montarcher a été commercialisée en 1999.

Les D 14 et D 498 ramènent à St-Bonnet.

La traversée du Massif Central

Une grande voie desservait durant l'Antiquité le pays des Vellaves et des Gabales. Ce n'est qu'au Moyen Âge qu'on emploie le terme de *Via Boléna*. Un lieu-dit situé entre Usson et St-Bonnet porte encore le nom de Boulaine (d'après Franck Imberdis).

LE HAUT-FOREZ

Circuit de 50 km – environ 2h. Quitter St-Bonnet par la D 3 au Sud-Est et prendre la D 109 à droite.

St-Nizier-de-Fornas

La jolie **église** de style flamboyant conserve d'importants éléments romans (façade et nef). Extérieurement, le clocher rectangulaire, dont les contreforts s'ornent de pinacles et de grosses gargouilles, lui donne, du côté Sud, une silhouette particulière. À l'intérieur, bel ensemble de clefs de voûte sculptées.

Continuer sur la D 109.

Rozier-Côtes-d'Aurec

Zoom
Au **tympan**, un groupe sculpté, d'une admirable sobriété d'exécution représente l'*Adoration des Mages*, et dénote une influence espagnole ; remarquez l'allongement des visages.

L'**église,** construite aux 11e et 12e s., est celle d'un prieuré clunisien ; le clocher à double étage de baies géminées a été refait sur le modèle primitif. La façade présente un mur plat dont le pignon repose sur une corniche ornée d'une frise.

À l'intérieur, la nef unique est étayée d'arcatures. À voir surtout l'abside décorée d'une **belle arcature** dont les pilastres cannelés évoquent les églises romanes rhodaniennes héritières des traditions romaines. Dans la nef, à gauche, **bas-relief roman,** représentant le Christ bénissant. Dans la chapelle Sud, Pietà en pierre du 15e s.

Faire demi-tour et prendre à gauche la D 104, puis de nouveau à gauche la D 42.

St-Hilaire-Cusson-la-Valmitte

Église en partie romane, remaniée aux 15e et 19e s. ; remarquez le petit déambulatoire ménagé en arrière de l'arcature de l'abside primitive. Deux statues de bois polychrome, du 15e s., la Vierge et saint Jean, sont disposées à l'entrée du chœur. Chaire du 18e s. *Visite sur demande préalable auprès de M. Chometon ou de Mme Faure, au bourg. ☎ 04 77 50 27 21.*

Par les D 125 et D 12 gagner St-Pal-de-Chalencon.

St-Pal-de-Chalencon

Bourg fortifié conservant plusieurs portes anciennes. L'ensemble formé par l'église et la maison attenante du côté Sud offre un joli coup d'œil. À l'intérieur de l'**église**, voyez notamment une Pietà du 15e s., dans le bas-côté gauche.

Usson-en-Forez

Le bourg, autrefois fortifié, est dominé par la haute flèche de son clocher (16e s.). La nef de l'**église** date du 15e s. ; de part et d'autre du chœur, remarquez le **décor sculpté des deux petites niches** ménagées dans les retombées des ogives et les statues en bois doré de saint Sébastien et de saint Roch.

Écomusée – ♿ *14h-18h. Fermé 1er janv. et 25 déc. 3,05€. ☎ 04 77 50 67 97.*

Créé en 1993 à partir d'une donation privée, il occupe d'anciens bâtiments conventuels restaurés et fait survivre les traditions, coutumes et métiers de la région. Une étable abrite des animaux vivants (la vache ferrandaise, etc.) et les outils d'une ferme. Plusieurs salles conservent les **objets de la vie quotidienne et religieuse du Haut-Forez,** tandis que la maison des Métiers fait revivre des gestes aujourd'hui disparus, tels ceux des scieurs de long, paillons ou charrons. Les paysages, les contes qui se transmettaient pendant les longues soirées d'hiver et quelques calèches sont également présentés.

Tout est dans le regard, même pour les vaches ferrandaises de l'écomusée d'Usson-en-Forez.

À la sortie Sud du bourg, à 300 m à gauche de la D 498, **chapelle de N.-D. de Chambriac**, dont l'abside romane abrite une statue ancienne de la Vierge.

Prendre la D 498 vers Estivareilles.

Estivareilles

Ce lieu a été le théâtre de violents combats lors de la libération du Forez : le **musée d'Histoire du 20e s.** retrace les grands bouleversements de ce siècle mouvementé. ♿ *14h-18h. Fermé 1er janv. et 25 déc. 3,05€. ☎ 04 77 50 29 20.*

La D 498 ramène à St-Bonnet.

Saint-Chef

Dans le cadre verdoyant des Balmes dauphinoises, Saint-Chef est une ancienne cité abbatiale qui a prospéré jusqu'à la Révolution. Les temps ont bien changé mais son trésor reste son église, ou plus exactement ses magnifiques fresques romanes qui nous sont parvenues dans un incroyable état de conservation.

La situation

Cartes Michelin n°s 88 pli 21 ou 246 pli 2 – Isère (38). Ce n'est plus le « désert » recherché par saint Theudère mais Saint-Chef reste quand même un peu à l'écart des grands axes qui relient Crémieu, Morestel et Bourgoin-Jallieu.
Pl. de la Mairie, 38890 St-Chef, ☎ *04 74 27 73 83.*

Le nom

Contrairement à ce qu'on pourrait croire, saint Chef n'existe pas. Il s'agit en fait de saint Theudère qui a fondé une abbaye au 6e s. Après sa mort, le « chef » du saint, conservé, devient l'objet d'une telle dévotion que la localité n'est plus désignée que par ce nom.

Les gens

Mais qu'apprend-t-on à l'école communale de Saint-Chef ? Assez loin de la ferveur religieuse qui est à l'origine de la ville, **Frédéric Dard**, alias San Antonio, est un ancien élève très « créatif » qui a l'honneur d'y avoir une place à son nom. Saint Theudère doit se retourner dans sa tombe !

L'ADIEU DU COMMISSAIRE

Qui n'a jamais entendu parler des incroyables aventures du célèbre commissaire **San-Antonio** ? Le style et le ton leste peuvent choquer mais comment ne pas être impressionné par le talent et l'imagination débridée de Frédéric Dard qui a écrit plus de 300 ouvrages avant de s'éteindre le 6 juin 2000. Il a choisi de se faire enterrer à St-Chef, son village familial.

Tout en harmonie et en symboles, la chapelle des Anges est dominée par le Christ qui s'inscrit dans une gloire à la partie centrale de la voûte.

visiter

Église

Visite libre de l'abbatiale. Fresques : visite sur demande auprès du Syndicat d'initiative. ☎ *04 74 27 73 83.*
Cette église abbatiale des 10e et 11e s. est célèbre pour ses **fresques romanes** qui se trouvent dans la chapelle s'ouvrant sur le croisillon Nord. Un petit escalier à vis mène à cette chapelle haute, dite **chapelle des Anges★★**, qui a conservé le remarquable ensemble de sa décoration primitive. Autour du Christ en gloire la cour céleste est représentée : la Vierge entourée d'anges ; la Jérusalem céleste figurée par une tour surmontée de l'agneau mystique ; des anges complètent le chœur céleste. Au-dessous, sur les parois, prophètes, apôtres, saints, martyrs ou vieillards de l'Apocalypse occupent deux registres superposés. L'ensemble de la décoration est d'une ordonnance admirable. Une grande habileté transparaît dans l'exécution et notamment la façon dont le peintre a joué avec l'attitude des personnages : les ailes des anges se dressent ou se ferment suivant la mission qui leur est attribuée.

MAISON DU PATRIMOINE

2 r. du Seigneur de By, Saint-Chef. ♿ *Avr.-oct. : tlj sf mar. 14h30-18h30 ; nov.-mars : mer. et sam. 14h30-18h30. Fermé 1er janv., 25 déc. 3€.* ☎ *04 74 92 59 92.*
Pour découvrir les richesses culturelles (Louis Seigner, Frédéric Dard), architecturales (constructions en « pisé ») et gastronomiques (vins des Balmes dauphinoises) de Saint-Chef.

alentours

Bourgoin-Jallieu

Gourmandise
En passant à Bourgoin-Jallieu ne manquez pas de déguster les « chaudelets », galettes salées, parfumées à l'anis qui sont une spécialité locale.

13 km au Sud-Ouest par les D 19 et D 522.
Au pied d'une colline boisée, Bourgoin-Jallieu est une agglomération industrielle spécialisée dans les tissages, soieries, toiles imprimées, dans la sérigraphie et la construction de métiers à tisser.
Bourgoin et une ferme dauphinoise proche de la ville (ferme de Monquin, au Sud-Est de Maubec) ont marqué une étape de la vie errante de **Jean-Jacques Rousseau**, qui y rédigea une partie des *Confessions*.

Musée de Bourgoin-Jallieu★ – *17 r. Victor-Hugo. ♿ Tlj sf lun. 10h-12h, 14h-18h. Fermé j. fériés. 3,51€. ☎ 04 74 28 19 74.*
Aménagé dans la chapelle St-Antoine (16e s.) et dans l'Hôtel-Dieu (18e s.), le musée est consacré à l'**ennoblissement textile** (gravure, photogravure, impression), aux Beaux-Arts autour des œuvres du peintre post-impressionniste **Victor Charreton** (1864-1936), fondateur du musée en 1929, ainsi qu'au patrimoine du Nord-Isère.

Maison et arbre en fleurs, *peinture de Victor Charreton exposée dans le musée qui porte son nom.*

Butte de Montceau★

12 km au Sud par les D 54 et D 54B. Elle offre un panorama étendu sur la chaîne des Alpes et le mont Pilat.

La Tour-du-Pin

13 km au Sud par la D 54. Remarquez, dans l'**église**, un important triptyque peint, en 1541, par un élève de Dürer, Georges Pencz. *Tlj sf dim. et j. fériés.*
La ville conserve, en outre, quelques logis Renaissance, notamment au n° 29 de la rue d'Italie, la **maison des Dauphins**.

Château de Moidière

12 km à l'Ouest de Bourgoin par les N 6, D 36 et D 124. Au lieu-dit « les Eynards », prendre une petite route à gauche en direction de Bonnefamille, et à droite vers le château. Dim. et j. fériés 14h30-18h (de mi-avr. à mi-sept. : tlj sf mar.). 6,10€ (enf. : 3,81€). ☎ 04 74 96 44 63.
Premier jalon historique de la « route des Dauphins », ce château d'époque Louis XIV fut reconstruit sous l'Empire après avoir été détruit à la Révolution.

La grande illusion
À l'intérieur, le grand vestibule et l'escalier d'honneur sont décorés de peintures en trompe-l'œil, réalisées au début du 19e s. par des artistes italiens. On visite également le grand salon et la chambre Empire.

Son toit, en pente très accusée couvert de tuiles à écailles, lui donne une allure typiquement dauphinoise. Dans les caves voûtées est installé un vivarium où évoluent des batraciens, reptiles, poissons et petits rongeurs.

Parc animalier – Au cours d'une agréable promenade, on découvre les animaux de la région : fouines, putois, genettes, blaireaux, renards, rapaces nocturnes, ou encore des mouflons, bouquetins, daims, sangliers et loups. Un parc botanique présente le long d'un sentier d'observation plus de 2 000 arbres d'espèces représentatives de la région.

Un petit paradis terrestre. C'est au château de Moidière où les animaux règnent sur un domaine enchanteur.

Saint-Étienne★

Les images sont souvent tenaces et beaucoup imaginent encore une ville noircie par l'exploitation du charbon et les fumées de ses industries. Sans renier son passé, la ville nous offre un bel exemple de reconversion réussie : les façades ont été reblanchies, des jardins et des places accueillantes ont été aménagés au cœur de la ville qui vit au rythme de la cloche de son célèbre tramway.

La situation

Cartes Michelin nos 88 pli 18 ou 246 pli 17 – Schémas p. 226 et 260 – Loire (42).

À proximité du verdoyant massif du Pilat, de la retenue de Grangent et de la plaine du Forez, St-Étienne occupe le fond de la dépression du Furan. La circulation dans la ville n'est pas aisée : il est conseillé de se garer à proximité d'une des places situées près de la ligne de tramway. *16 av. de la Libération, 42000 St-Étienne, ☎ 04 77 49 39 00. www.tourisme-st-etienne.com*

Il court, il court, le Furan !
Mais où est passé le Furan ? Jadis très fréquenté par les lavandières, il est très présent sur toute l'iconographie ancienne de la ville et on peut légitimement se demander ce qui lui est arrivé. Il traverse toujours la ville mais a disparu sous les pavages des places et des rues.

Le nom

Comme on pouvait s'y attendre c'est bien à saint Étienne, premier martyr, que la ville doit son nom. *Sanctus Stéphanus de Furano* (au 11e s.) est plus simplement appelé « Sainté » de nos jours.

Les gens

291 960 Stéphanois (agglomération). Quand ils ont des crampons aux pieds ils s'appellent « les Verts » mais la plupart d'entre eux sont de vrais « gagas », appellation familière que se donnent encore entre eux les Stéphanois. La ville est la patrie de nombreuses célébrités telles que **Massenet** (1842-1912), **Exbrayat**, **Geoffroy Guichard**, **Bernard Lavilliers**...

Moderne et silencieux, le fameux tramway de St-Étienne traverse inlassablement la ville sur l'axe Nord-Sud.

carnet pratique

Restauration

• *À bon compte*

L'Escargot d'Or – *5 cours V.-Hugo - ☎ 04 77 41 24 04 - fermé vac. de fév., dim. soir et lun. - 12,65/31,71€.* Restaurant proche du musée d'Art et d'Industrie. Surmontant un bar, salle à manger décorée dans un esprit « jardin », avec plantes vertes et chaises en rotin. Cuisine traditionnelle joliment présentée.

• *Valeur sûre*

Corne d'Aurochs – *18 r. Michel-Servet - ☎ 04 77 32 27 27 - fermé 22 juil. au 27 août, lun. midi, sam. midi et dim. –14,94€ déj. - 17,53/30,34€.* À quelques pas de l'hôtel de ville, voilà un bistrot comme on les aime ! Dans son décor folklorique encombré de vieux objets, de fouets anciens et de lithos, l'ambiance joyeuse est entretenue par le très convivial maître des lieux. Cuisine de bouchon lyonnais.

La Nouvelle – *30 r. St-Jean - ☎ 04 77 32 32 60 - fermé 2 au 7 janv., 5 au 27 août, dim. soir de sept. à juin et lun. - 24,39/50,31€.* Dans une rue piétonne, ce restaurant au décor moderne, adouci par une superbe toile de Jouy aux murs, des chaises houssées et des lampes en papier japonais, est très élégant. Un cadre raffiné qui s'accorde parfaitement avec la cuisine inventive du jeune chef-patron.

Hôtel de ville

Hébergement

Bon week-end en ville – La ville est partenaire de cette opération (toute l'année) et organise des week-ends thématiques. À la deuxième nuit d'hôtel offerte s'ajoutent des cadeaux, ainsi que de nombreuses réductions pour les visites de la ville et des musées. Pour obtenir la liste des hôtels et les conditions de réservation, se renseigner à l'Office de tourisme.

• *À bon compte*

Hôtel Carnot – *11 bd J.-Janin - ☎ 04 77 74 27 16 - fermé 13 au 19 août - P - 24 ch. : 27,44/38,87€ - ☕ 5,34€.* Les habitués fréquentent cet hôtel près de la gare Carnot pour son accueil chaleureux et pour ses prix raisonnables. Le confort est plutôt modeste mais les chambres sont bien tenues.

• *Valeur sûre*

Hôtel Ténor – *12 r. Blanqui - ☎ 04 77 33 79 88 - P - 68 ch. : 47,26/54,88€ - ☕ 6,10€.* À deux pas de la place de l'Hôtel-de-Ville, dans un immeuble moderne d'habitation, son hall d'accueil est au 3e étage. Ses chambres sont petites, fonctionnelles équipées d'un mobilier plaqué. Une adresse simple et pratique tenue par une équipe aimable.

Sorties

Place Jean-Jaurès – Face à l'église St-Charles, et non loin du cœur de la ville, cette grande place est un lieu de rendez-vous habituel à St-Étienne. En partie ombragée (ce qui la rend d'autant plus prisée l'été), la place est bordée de nombreux cafés qui arborent fièrement de larges terrasses.

Square du Temps Passé – Ce square rappelle que St-Étienne est une ville agrémentée de nombreux espaces verts. En bordure, la rue Richelandière est actuellement un haut lieu de la vie nocturne stéphanoise. Vous y trouverez de nombreux restaurants (comme le Central Park, très branché) et deux discothèques (Le V.I.P et Le Duplex).

Bodeguita De La Salsa – *48 r. de la Mulatière - ☎ 04 77 33 49 06 - mar.-sam. 20h-1h30.* Tenu par une ancienne infirmière, Marie-Loïc, ce temple de la salsa affiche complet chaque soir. Si vous parvenez quand même à trouver une place, vous pourrez déguster de vrais cocktails cubains. Entraînés par El Professor Roberto, vous apprendrez vite à danser la salsa entre les tables. Qui a dit que l'on s'ennuyait à St-Étienne ?

Le Midi-Minuit – *14 pl. Jean-Jaurès - ☎ 04 77 32 41 64 - lun.-jeu. 7h-1h30, ven., sam. 7h-2h30, dim. 13h30-2h30.* Boiseries, piano et banquettes profondes attirent une clientèle plutôt BCBG. Le principe : deux salles, deux bars, deux ambiances (la deuxième salle étant réservée à des soirées privées ou à des dîners d'affaires). Les amateurs de whiskies trouveront ici leur bonheur avec une soixantaine de marques. Nombreuses bières et cocktails. Petite restauration à tout moment.

Le Piccadilly – *3 pl. Neuve - ☎ 04 77 32 28 75 - lun.-sam. 10h-1h30.* Situé au cœur du quartier historique, cet établissement peut s'enorgueillir de posséder l'une des plus belles terrasses de la ville. Le décor, hétéroclite et bigarré, est des plus séduisants, et l'ambiance, toujours bonne, attire une clientèle fidèle et jeune. Les prix pratiqués sont plutôt tempérés, avec des formules déjeuner de qualité. Concerts chaque fin de semaine.

Spectacles

L'Esplanade – *Allée Shakespeare, Jardin des Plantes, BP 237 - ☎ 04 77 47 83 47 - billetterie : lun.-ven. 10h-17h - fermé de mi-juil. à août.* Jusqu'à son incendie (apparemment criminel) en septembre 1998, ce théâtre était le carrefour incontournable de la vie culturelle stéphanoise. La réouverture de l'Esplanade début 2001 a pu satisfaire à nouveau tous les amoureux de théâtre, de ballet et d'opérette.

Le Cafuron – *11 r. Pierre-Termier - ☎ 04 77 46 64 87/06 78 02 87 14 - billetterie : par tél. ; spectacles : jeu., ven., sam. 19h30 - fermé juil.-août.* C'est tout l'esprit, l'humour, l'accent et le vocabulaire stéphanois qui sont à l'honneur dans le nouveau café-théâtre de St-Étienne.

Le Tamora – *15 r. Dormoy - ☎ 04 77 32 36 97 - mar.-jeu. 19h-3h, ven., sam. 19h-4h - fermé 2 sem. août.* Connu à St-Étienne pour ses soirées karaoké, cet établissement a vu défiler entre ses murs Gilbert Montagné, Zouk Machine, Larusso qui en ont profité pour encourager les jeunes talents... C'est aussi un restaurant antillais qui propose un menu tout à fait abordable. Les cocktails à base de rhum sont délectables et le décor exotique, très confortable.

Comédie de St-Étienne, Centre Dramatique National – *7 av. du Prés.-Émile-Loubet - ☎ 04 77 25 01 24 - www.comédie-de-saint-etienne.fr - billetterie : lun.-ven. 14h-19h30 - fermé de fin juil. à fin août et j. fériés.* La Comédie de Saint-Étienne a été fondée en 1947 pour inaugurer et promouvoir la décentralisation théâtrale. Elle dispose d'une troupe de comédiens permanents, d'un atelier de construction de décors et d'un atelier de costumes et offre actuellement quatre salles de spectacles : le théâtre Jean Dasté, le théâtre René Lesage, l'Usine et le théâtre du Parc à Andrézieux-Bouthéon. C'est essentiellement un centre de créations mais aussi un lieu d'accueil pour de nombreuses productions extérieures.

Nouvel Espace Culturel – *9 r. Claudius-Cottier - 42270 St-Priest-en-Jarez - ☎ 04 77 74 41 81 - nec@wanadoo.fr - billetterie : 9h-12h, 14h-19h.* Implanté dans la proche banlieue de Saint-Étienne, le Nouvel Espace Culturel a été créé en 1991. De nombreuses troupes de théâtre, amateurs et professionnelles, viennent ici de toute la France présenter des créations ou jouer des pièces du répertoire. Chaque année, le NEC organise un festival de danse intitulé « Les mais de la danse ». Concerts, chansons et spectacles pour enfants complètent une programmation dynamique.

Achats

Manufrance MF – *6 r. de Lodi - ☎ 04 77 21 29 92 - lun.-sam. 10h-18h45 - fermé j. fériés.* Beaucoup se souviennent avec nostalgie des heures passées à feuilleter l'énorme catalogue de la Manufacture des Armes et Cycles de St-Étienne, célèbrissime maison fondée à l'origine en 1893 par Étienne Mimard. Aujourd'hui, le magasin présente une multitude de produits de bricolage, jardinage, maison, loisirs, décoration, chasse, pêche... que vous pourrez encore découvrir dans le catalogue.

Weiss – *8 r. du Gén.-Foy - ☎ 04 77 49 41 48 - lun. 14h-19h, mar.-sam. 10h-12h, 14h-19h - fermé Nouvel an, 14 juil., 15 Août, Pâques et Ascension.* Weiss, depuis 1882, c'est tout simplement le temple du chocolat à St-Étienne. L'alliance du savoir-faire artisanal et du cacao grand cru. Les plus grands noms de la cuisine française et étrangère viennent s'approvisionner ici, dans ce magasin à la vitrine sobre et belle où napolitains, nougamandines et nougatelles sont enveloppés de petits papiers multicolores.

comprendre

Armeville

Au 12e s., St-Étienne n'est encore qu'un village sur les bords du Furan. Les grandes voies de communication l'ignorent. Grâce à la présence de la houille et à l'esprit d'entreprise de ses habitants, il va connaître un extraordinaire développement passant de 3 700 habitants en 1515 à 45 000 en 1826 et à 146 000 en 1901, tandis que la zone industrielle s'étend dans les vallées de l'Ondaine (la Ricamarie, Firminy) à l'Ouest, du Janon et du Gier (Terrenoire et St-Chamond) à l'Est, du Furan (la Terrasse) au Nord.

Armeville – Dès 1296, les Stéphanois exploitent des « **perrières** » ou carrières de charbon, à des fins domestiques, puis pour alimenter des forges d'où sortent les premiers couteaux, suivis des armes blanches, des arbalètes et enfin des armes à feu ; St-Étienne sait prendre à temps ce « virage » de l'armement.

Tram touristique

Le célèbre tramway stéphanois est le moyen de transport le plus commode. Il peut également se transformer en guide grâce à un pass pour la journée et à une cassette audio (prêtée avec un baladeur). *Renseignements à l'Office de tourisme.*

Manufrance

Aujourd'hui reconverti pour accueillir des technologies de pointe, le site de l'ancienne usine **Manufrance** reste un symbole pour les Stéphanois. L'aventure a commencé en 1885 quand Étienne Mimard s'associe à Pierre Blachon pour reprendre l'entreprise Martinier-Collin. Précurseurs de la vente par correspondance, leur génie consistera à distribuer massivement les catalogues de leurs productions. Dynamisée par le succès des fusils *Robust* ou de la bicyclette *Hirondelle*, la Manufrance se développe et doit investir dans de nouveaux locaux et dans un imposant siège social conçu par Lamaizière. Mimard gère son entreprise de façon très « paternaliste » et s'apprête même à la léguer à son personnel quand une grève de 100 jours brise ses espoirs en 1937. C'est le début de la fin pour cette grande firme qui sera reprise par la ville mais devra cesser ses activités en 1985, après un siècle d'existence.

Mise en train

Entre St-Étienne et Andrézieux, sur une distance de 21 km, est mis en service, en mai 1827, le premier chemin de fer français, construit d'après les plans de Beaunier ; il assure le transport du charbon. Les wagons sont tirés par des chevaux.
Cet ancêtre des moyens de communication modernes, perfectionné en 1829 par la chaudière tubulaire de Marc Seguin, entraîne une véritable révolution dans les transports et un prodigieux essor de l'industrie.

En 1570, la Loge des Arquebusiers groupe 40 professions. On pratique déjà le travail en série. En 1764 est fondée la Manufacture royale d'Armes. Cette activité vaudra à la cité de prendre sous la Révolution le nom d'Armeville.

La ville où l'on fabriquait de tout – À l'industrie du ruban, importée d'Italie, s'est ajouté le tissu élastique dès la fin du 19e s. Pour éviter la crise, la région de St-Étienne s'était déjà spécialisée, à cette époque, dans les aciers de qualité, l'outillage, le fusil de chasse, la bicyclette et les pièces pour l'automobile.

découvrir

MUSÉE D'ART MODERNE**

À 4,5 km du centre-ville. Quitter St-Étienne au Nord par la rue Bergson, en direction de la Terrasse. Sur l'autoroute en direction de Clermont-Ferrand, prendre la sortie la Terrasse-St-Priest-en-Jarez. ♿ Tlj sf mar. 10h-18h. Fermé 1er janv., 1er mai, 14 juil., 15 août, 1er nov., 25 déc. 4,27€. ☎ 04 77 79 52 52.

Ce très vaste musée, conçu par l'architecte D. Guichard, contient l'une des plus belles collections publiques françaises d'art moderne et contemporain. Le bâtiment sobre et fonctionnel qui couvre la « Terrasse » apparaît de l'extérieur comme une structure de type industriel dont les murs couverts de panneaux en céramique noire rappellent la vocation charbonnière (révolue) de la région. Vivant foyer de rencontres, le musée propose une bibliothèque spécialisée, des salles de conférences, un atelier réservé aux enfants, une boutique, un restaurant.

Art moderne (1900-1945) – Les œuvres, de petit ou moyen format, sont exposées dans les salles, à gauche de l'entrée. S'en détache un ensemble représentatif de l'évolution de l'abstraction : Monet, Kupka, Rodin, **Chabaud** (remarquable *Nu rouge*), Magnelli, le mouvement Dada (Picabia, Schwitters), puis Braque, Picasso, Robert Delaunay *(Portrait de Madame Heim)*, et Léger *(Composition aux trois femmes)*.
À leur suite, sont exposés les surréalistes avec **Brauner**, **Ernst**, **Miró** et **Masson**, et les représentants de **l'Art abstrait** (Hélion, Freundlich, Marcelle Cahn).

Art contemporain (depuis 1945) – Les œuvres, en général de grand format, sont disposées

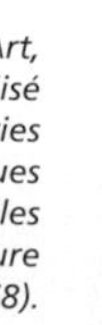

Initiateur du Minimal Art, Frank Stella a réalisé d'importantes séries géométriques (protractors) auxquelles appartient cette peinture Agbatana II *(1968).*

dans la partie centrale du musée, juste derrière l'« Espace Zéro », vaste composition de Jean-Pierre Raynaud, en carreaux de céramique blanche. La visite s'ouvre sur le foisonnement des courants des années 1950 : l'abstraction. Ainsi à l'abstraction géométrique incarnée par Hélion, Herbin, Sonia Delaunay ou encore Bram Van Velde et Atlan s'oppose l'abstraction lyrique, orientée vers le graphisme chez Hartung et Soulages.
Dans les années 1960, marquées par la consommation, les nouveaux réalistes redécouvrent les objets usuels : assemblés chez Arman, compressés chez César, déchirés chez Hains. Si l'espace est matérialisé chez **Klein,** les adeptes de la figuration narrative (Monory, Rancillac, Adami), utilisent les supports photographiques ou publicitaires, voire la bande dessinée.
Les collections se poursuivent avec le **Pop Art** (Dine, **Warhol, Lichtenstein**, l'Arte Povera (Merz, Zorio et Penone), et le groupe Supports/Surfaces (**Viallat**). Œuvres également de l'allemand **Baselitz** *(Elke VI)*, et de **Dubuffet**, initiateur de l'art brut dès 1942.

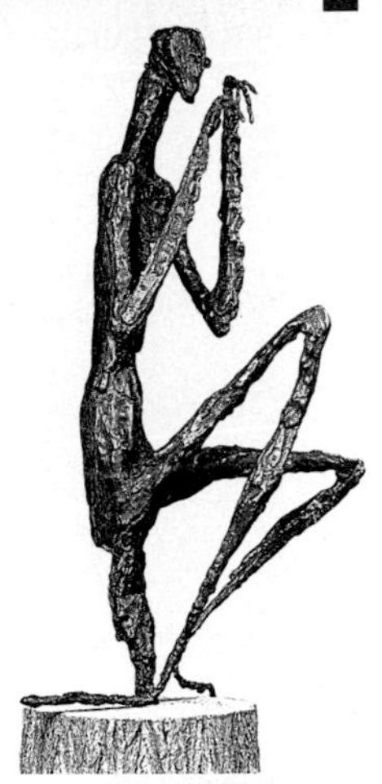

On ne sait si elle est religieuse, mais la Mante *de Germaine Richier impressionne ; gare au premier mâle qui passe !*

se promener

LE VIEUX ST-ÉTIENNE*

Partir de la **place du Peuple**, champ de foire au Moyen Âge et aujourd'hui étape sur l'avenue utilisée par les tramways. L'angle de la rue Mercière est occupé par une tour du 16e s. s'ouvrant par des arcades et une croisée de pierre ; une maison à colombage, de la même époque, lui fait face.
Rejoignez la rue Denis-Escoffier qui marque l'entrée de l'ancien faubourg d'Outre-Furan. À l'angle de cette rue et de la rue des Martyrs-de-Vingré, une curieuse maison du milieu du 18e s., ornée d'une statue, est représentative de l'architecture urbaine du Forez avec sa génoise à quatre rangs de tuiles et des poutres apparentes de belle taille. À gauche au n° 3 rue Georges-Dupré, une façade massive arbore d'imposants linteaux d'une seule pièce. Reprenez la rue des Martyrs-de-Vingré ; les nos 19 et 30 sont des exemples de maisons du 18e s. abritant des ateliers. Remarquez les arcades à bossages au deuxième niveau.

On atteint la place Neuve. Emprunter à droite la rue Nautin qui conduit à la rue Michelet.

Le coup d'œil

Des allées du jardin des Plantes, en particulier de la terrasse qui s'étend devant la **maison de la Culture** (1969), se révèle une **vue** caractéristique de la ville située au creux du bassin du Furan et dominée, sur le versant opposé, par la colline Ste-Barbe et plus loin par deux terrils, recouverts en partie par la végétation.

Rue Michelet

Cette artère, percée dans l'axe Nord-Sud et parallèle à la rue Gambetta, vaut par les exemples d'architecture novatrice des années 1930 que l'on découvre aux nos 34, 36, 42 et particulièrement au n° 44, imposant immeuble en béton armé.

Continuer la rue Nautin pour rejoindre la rue Gambetta qu'il faut traverser pour rejoindre la place W.-Rousseau.

Contourner la place dominée par l'ancien château qui accueille l'école des Beaux-Arts. La rue du Théâtre conduit à la place Boivin. En arrivant sur la place remarquer, à gauche, les maisons en encorbellement.

Place Boivin

Ancien cœur de la ville, la place marque l'emplacement de l'ancien rempart Nord au 15e s. Dirigez-vous vers la rue Émile-Loubet située en face de l'église ; au n° 12, belle façade, ornée de cinq cariatides, de la **maison de « Marcellin-Allard »** (16e s.). À droite de l'église, au début de la rue de la Ville, deux belles façades des 15e et 16e s. Celle du n° 5, dite « **maison François-Ier** », est ornée de cinq médaillons Renaissance. Un côté de la place est occupé par l'église St-Étienne, dite la Grand'Église.

ST-ÉTIENNE

Albert-1er (Bd) .... **ABX** 3
Alliés (R. des) .... **CY**
Alma (R. de) .... **BY**
Ampère (R.) .... **BX**
Anatole-France (Pl.) .... **BZ** 7
Apprentissage (R. de l') .... **AZ**
Arago (R.) .... **CZ**
Arcole (R. d') .... **ABY**
Badouillère (R. de la) .... **CZ** 9
Balay (R.) .... **BXY**
Barbusse (R. H.) .... **CZ** 12
Beaubrun (R.) .... **AZ**
Bérard (R. P.) .... **BCY** 14
Bergson (R.) .... **BX** 16
Bernard (Bd M.) .... **AZ**
Besset (R. P. de) .... **AX**
Blanc (R. Ph.) .... **CY**
Blanqui (R.) .... **BY**
Boisson (R. E.) .... **BX**
Boivin (Pl.) .... **BY** 17
Bourgneuf (R.) .... **ABX**
Braille (R. L.) .... **BY**
Briand et de la Paix (R. A.) **ABY**
Buisson (R.) .... **AY**
Chantegrillet (Allée) .... **CYZ**
Charvet (Av. B.) .... **AX**
Chavanelle (Pl.) .... **CZ** 18
Claude (R. D.) .... **BZ**
Clovis-Hugues (R.) .... **BX** 20
Coin (R. du) .... **AY**
Comte (Pl. Louis) .... **BZ** 21
Croix de Mission
(R. de la) .... **AZ**
Cugnot (R.) .... **XY**
Delaroa (R. Cl.) .... **BZ**
Denfert-Rochereau (Av.) .... **CY** 26
Descours (R.) .... **AZ** 27
Desjoyaux (R.) .... **BCX**
Dr G. Dujol (sqre) .... **CX**
Dr H. et B. Muller (R. des) ... **CX**
Dolet (R. E.) .... **AY**
Dorian (Pl.) .... **BY** 33
Dormoy (R. M.) .... **BXY** 34
Dumarest (R.) .... **AY**
Dupont (R. Pierre) .... **CX**
Dupré (Av. A.) .... **AY**
Dupré (R. G.) .... **BY** 37
Dupuis (R. Ch.) .... **AY**
Durafour (R. A.) .... **CZ** 38
Escoffier (R. D.) .... **BY** 39
Éternité (R. de l') .... **BXY**
Evrard (R. F.) .... **AZ**
Fauriel (Cours) .... **CZ**
Ferdinand (R.) .... **CXY**
Fougerolle (R.) .... **CZ** 41
Fourneyron (Pl.) .... **CY** 42
Foy (R. Gén.) .... **BY** 44
Francs-Maçons (R. des) ..... **BCZ**
Franklin (R.) .... **BZ**
Frappa (R. J.) .... **BZ** 47
Gambetta (R.) .... **BZ**
Gaulle (R. Ch.-de) .... **BXY**
Gérentet (R.) .... **BY** 49

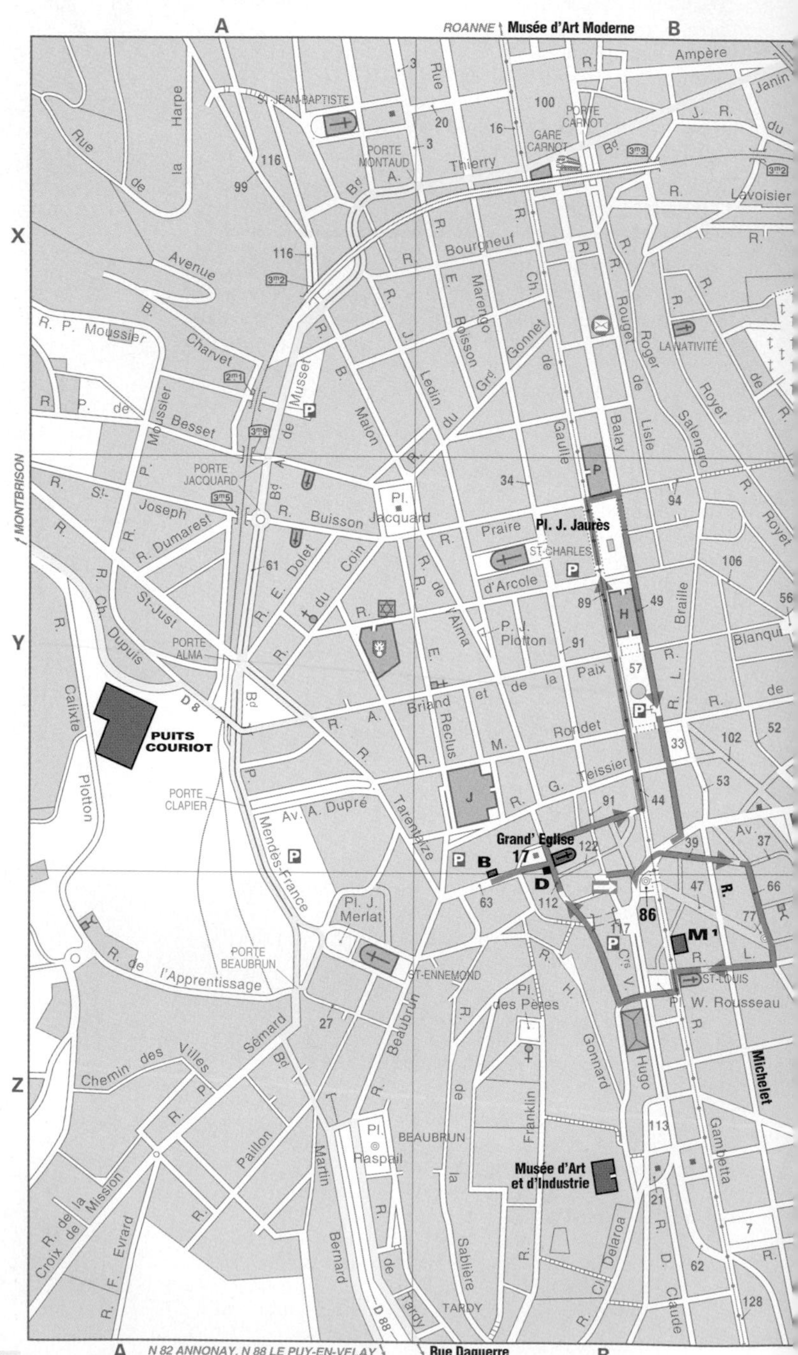

Gervais (R. E.) .... **CY** 50
Gillet (R. F.)............................ **BY** 52
Gonnard (R. H.)......................... **BZ**
Gonnet (R. du Grd)..................... **BX**
Grand-Moulin (R. du)............ **BY** 53
Guesde (Pl. J.)........................ **BY** 56
Happe (R. de la)...................... **AX**
Hôtel-de-Ville (Pl. de l')......... **BY** 57
Jaurès (Pl. J.)........................... **BY**
Jacquard (Pl.) .... **AY**
Jacob (R.) .... **CX** 58
Janin (Bd. J.)......................... **BCX**
Krumnow (Bd F.).................... **AY** 61
Lassaigne (R.)......................... **CZ**
Lavoisier (R.)......................... **BCX**
Leclerc (R. du Gén.) .... **BZ** 62
Ledin (R. J.) .... **ABX**
Libération (Av. de la) .... **BCY**
Loubet (Av. du
Président E.)........................... **BZ** 63
Malon (R. B.)........................... **AX**
Marengo (R.) .... **BX**
Martyrs-de-Vingré (R. des). **BYZ** 66
Mendès-France
(Bd Pierre) .... **AYZ**
Merlat (Pl. J.)........................... **AZ**
Michelet (R.)........................... **BYZ**
Mimard (R. Étienne).......... **CYZ**
Moine (Pl. Antonin) .... **CYZ** 68
Montat (R. de la).................... **CY**
Moulin (Pl. J.)........................ **CY** 72
Moussier (R. P.).................. **AXY**
Mulatière (R. de la)............. **CZ** 75
Musset (Bd A. de)............... **AXY**
Nadaud (Cours G.)............. **CYZ**
Nautin (R. L.) .... **BCZ**
Neuve (Pl.) .... **BZ** 77
Neyron (R.)......................... **CXY**
Paillon (R.) .... **AZ**
Painlevé (Pl. P.) .... **CY**
Pères (Pl. des) .... **BZ**
Peuple (Pl. du) .... **BZ** 86
Plotton (P. J.)............................ **BY**
Plotton (R. C.)...................... **AYZ**
Pointe-Cadet (R.) .... **BCZ** 87
Praire (R.)................................ **BY**
Président-Wilson (R.)........... **BY** 89
Raspail (Pl.).............................. **AZ**
Reclus (R. E.)......................... **ABY**
République (R. de la) .... **BCY**
Résistance (R. de la) .... **BY** 91
Richelaudière (R. de la)........ **CY**
Rivière (R. du Sergent) .... **CX** 93
Robert (R.) .... **BY** 94
Rondet (R. M.)...................... **ABY**
Rouget de Lisle (R.) .... **BXY**
Rousseau (Pl. W.).................... **BZ**
Royet (R.) .... **BXY**
Rozier (R. du).......................... **CZ**
Ruel (R. A.)............................ **AX** 99
Sablière (R. de la).................... **BZ**
Sadi-Carnot (Pl.) .... **BX** 100
St-Jean (R.)........................... **BY** 102
St-Joseph (R.)........................... **AY**
St-Just (R.)................................ **AY**
Salengro (R. Roger)........... **BXY**
Sauzéa (R. H.)...................... **CY** 103
Sémard (R. P.)........................... **AZ**
Servet (R. M.) .... **BY** 106
Soulié (R. L.)............................ **CX**
Stalingrad
(Square de) .... **CY** 109
Tardy (R. de)............................ **AZ**
Tarentaize (R.) .... **ABY**
Tavernier (R. P.) .... **CXY**
Teissier (R. G.)........................ **BY**
Théâtre (R. du)................... **BYZ** 112
Thierry (Bd A.) .... **ABX**
Thomas (Pl. A.).................... **BZ** 113
Tilleuls (R. des) .... **AX** 116
Tissot (R. J.C.).......................... **CZ**
Treyve (R. du).................... **BCX**
Ursules (Pl. des) .... **BZ** 117
Valbenoite (Bd).................... **CZ** 119
Verne (R. T.) .... **CX**
Victor-Hugo (Cours).............. **BZ**
Ville (R. de la)...................... **BY** 122
Villes (Chemin des)................ **AZ**
Villeboeuf (Pl.).................... **CZ** 123
11-Novembre (R. du) .... **BZ** 128

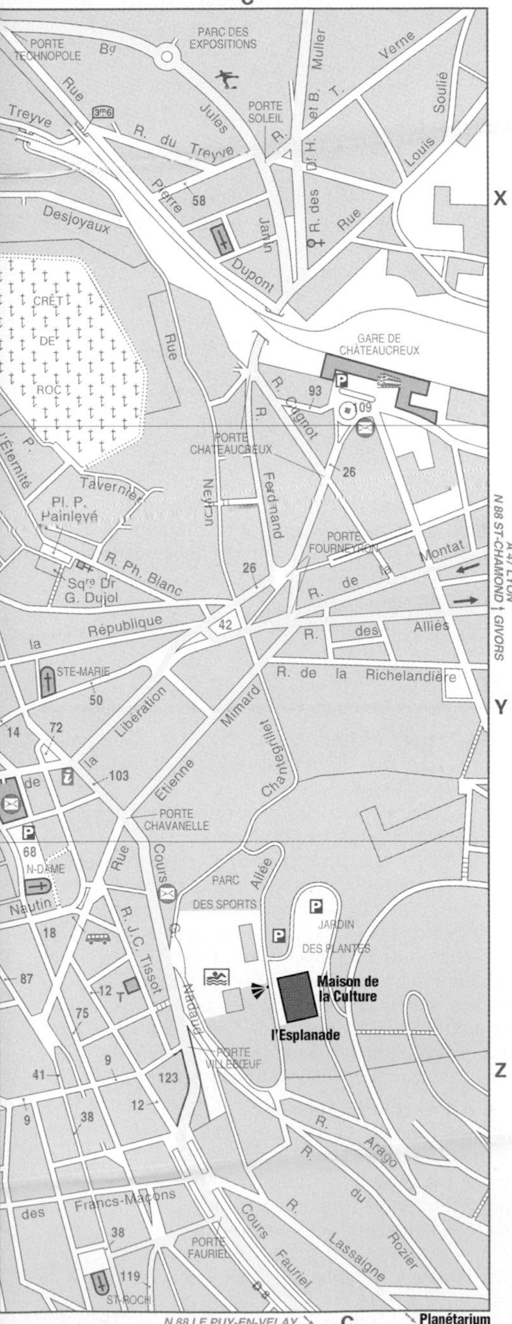

Grand'Église...................... **BY**
Maison de la Culture ...... **CZ**
Maison de
Marcellin-Allard .... **BYZ B**
Maison François-1er .... **BYZ D**
Musée d'Art et
d'Industrie...................... **BZ**
Musée d'Art Moderne.... **BX**
Musée du Vieux
St-Étienne .... **BZ M1**
Planétarium .... **CZ**
Puits Couriot (musée de la
Mine)................................ **AY**

Vous connaissez forcément cet écusson, ou au moins le sigle et le célèbre maillot vert de l'équipe de foot de St-Étienne.

« Allez les Verts »

C'est l'histoire d'une légende et de la passion d'une ville pour son équipe de football qui porte le célèbre maillot vert. L'équipe de St-Étienne (ASSE) est née avec le soutien de l'entreprise Casino et la construction du stade Geoffroy-Guichard en 1931. Les débuts du club sont marqués par l'accession à la première division en 1938, puis la montée vers la gloire de 1957 à 1981, amorcée par de grands joueurs tels Mekloufi, Herbin et Keita ; avec la finale de la Coupe d'Europe des Clubs champions en 1976, l'épopée atteint la dimension d'un mythe. La France va se passionner pour cette « bande à Herbin » qui fait vibrer le « Chaudron » de Geoffroy-Guichard. Revelli, Rocheteau (dit l'Ange Vert), Larqué, puis Platini incarnent les « dieux du stade » portés aux nues par une médiatisation à l'image de l'extraordinaire palmarès de l'équipe : outre la finale de la Coupe d'Europe des Champions, 10 titres de Champion de France (1957, 64, 67, 68, 69, 70, 74, 75, 76, 81), six Coupes de France (1962, 68, 70, 74, 75, 77) et quatre doublés Coupe-Championnat (1968, 70, 74 et 75). Mais, en 1982, une affaire de caisse noire déstabilise l'équipe et met fin à ces grands moments. Depuis, la ville qui n'a pas oublié son heure de gloire rêve d'un nouveau « miracle stéphanois ».

Grand'Église

C'est sous cette appellation que la désignent familièrement les Stéphanois. Seul témoin de l'architecture gothique dans la ville et la plus vieille paroisse, elle fut bâtie en grès forézien au 15e s. Le clocher n'a été ajouté qu'au 17e s. Dans la première chapelle de gauche, belle Mise au tombeau polychrome du 16e s. Le chœur, de style gothique flamboyant, date du milieu du 15e s. et les vitraux du 19e s.

En sortant de l'église, tourner à droite pour rejoindre la rue Ste-Catherine qui descend jusqu'à la rue Gén.-Foy. Tourner à gauche en direction de la place Jean-Jaurès.

La place de l'Hôtel-de-Ville et la place Jean-Jaurès concentrent une bonne part de l'animation stéphanoise.

Place Jean-Jaurès

Un kiosque à musique, une esplanade totalement refaite et ombragée de platanes, la place devient un lieu très animé dès l'arrivée des beaux jours. Elle se termine par la cathédrale ou église St-Charles.

Par la rue Gérentet, la place Dorian et la rue Alsace-Lorraine revenir à la place du Peuple.

visiter

Musée du Vieux St-Étienne

Entrée dans la 2e cour à gauche. Tlj sf dim. 14h30-18h. Fermé j. fériés. 2,29€. ☎ 04 77 25 74 32.

Une borne d'octroi du 18e s., provenant de l'ancienne commune d'Outre-Furan, marque l'entrée de l'hôtel de Villeneuve, du 18e s. Le musée occupe le premier étage, dans une succession de salles aux beaux plafonds à caissons moulurés. On y découvre la première charte mentionnant le nom de St-Étienne en 1258 et divers plans ou gravures illustrant l'expansion de la ville. Un beau retable baroque sculpté et des statues provenant d'églises stéphanoises sont également exposés. La mise en service de la première ligne de chemin de fer industriel en 1828 à St-Étienne est rappelée à travers une série de documents, dont le premier billet délivré sur cette ligne.

Le vénérable sapeur (1872) qui vous accueille au musée du Vieux St-Étienne était jadis sur le toit d'un bâtiment où il servait d'enseigne à une boutique.

Musée d'Art et d'Industrie★

♿ *Tlj sf mar. 10h-18h. Fermé j. fériés. 4,30€. ☎ 04 77 49 73 00.*

Réaménagé par l'architecte J.-M. Wilmotte dans l'ancien palais des Arts, il constitue un véritable conservatoire du savoir-faire régional du 16e s. à nos jours ; une scénographie moderne met en valeur les collections exceptionnelles d'**armes**, de **rubans** et de **cycles** qui illustrent la créativité de la ville.

Site de la Manufacture des Armes et Cycles de St-Étienne

Cours Fauriel. Tracé sous le Second Empire pour être, avec l'avenue de la Libération, l'une des vitrines de l'expansion industrielle stéphanoise, le cours Fauriel fut essentiellement occupé par les bâtiments de la Manufacture édifiés par Léon Lamaizière en 1893. Celle-ci fonctionna jusqu'en 1985. Une partie du site a été restaurée et réaménagée en Centre de Congrès accompagné de bureaux, d'une galerie marchande et d'un planétarium.

Planétarium★ – *Espace Fauriel, 28 r. P.-et-D.-Ponchardier. ♿ Mai-août et de fin sept. à mi-oct. : mer. à 15h, w.-end et vac. scol. zone A à 15h et 16h30 ; oct.-avr. : mer. à 14h15, w.-end à 14h15, 15h35, 17h. Fermé en sept. 5,64€ (enf. : 4,57€). ☎ 04 77 33 43 01.*

Le planétarium dispose d'un équipement technique très performant qui fait l'attrait de ses spectacles didactiques sur l'univers. Le cœur du dispositif est un simulateur astronomique qui peut recalculer et projeter les mouvements des planètes et de quelque 3 000 étoiles.

Signalé par son dôme hémisphérique, le planétarium témoigne de la reconversion réussie du site de la Manu.

Puits Couriot, musée de la Mine★

Visite guidée (1h1/3) tlj sf mar. à 10h30 et 15h30, w.-end à 14h15. Visite audio guidée tlj sf mar. 15h45-17h30 (dép. toutes les 10mn), w.-end 14h45-17h30. Fermé 1er janv., 1er mai, 14 juil., 15 août, 1er nov., 25 déc. 5,50€ (enf. : 4€), visite audio guidée : 4,50€ (enf. : 3,50€). ☎ 04 77 43 23 26.

Le puits Couriot a été exploité de 1913 à 1973 par les Houillères du Bassin de la Loire. La cour intérieure est ornée d'un monument aux mineurs et d'engins modernes d'extraction. Au temps de sa pleine activité, le puits produisait 3 000 t de charbon par jour et employait 1 500 mineurs.

Nouveau
Le parcours s'est enrichi depuis fin 2000 de deux nouvelles salles : la grande salle du bâtiment de la **machine d'extraction** et la **salle d'Énergie**.

La visite commence par la **« salle des Pendus »★**, vaste pièce qui servait de vestiaire pour les mineurs : leurs tenues, suspendues au plafond pour gagner de la place et mieux sécher, donnent à cette pièce un aspect saisissant ; la salle de douche qui la jouxte témoigne des conditions de vie collective. La descente dans les galeries s'effectue grâce aux cages d'extraction qui servaient alternativement à la descente des mineurs, puis à la remontée du charbon, et éventuellement des blessés.

La galerie d'accueil – **la recette** – est le point de départ d'un circuit en wagonnets. Chaque halte constitue une étape de l'évolution des techniques d'extraction. L'itinéraire remonte le temps à partir des années 1960, époque de l'exploitation très automatisée et électrifiée utilisant la technique de la « taille à soutènement marchant » mise au point dans le bassin de la Loire.

Dans les années 1950 apparaît le soutènement métallique qui remplace les poteaux de bois, et les cintres constituent l'armature de la galerie moderne. Le charbon est abattu par le **piqueur** au marteau-piqueur ; la mécanisation ne fait que débuter.

Les années 1930 bénéficient de nouveaux équipements d'extraction fonctionnant à l'air comprimé qui entraîne une rationalisation plus rigoureuse du travail et l'utilisation de l'éclairage portatif à accumulation.

La visite se poursuit avec une reconstitution fidèle d'un front de taille de 1900 où toute l'activité est encore manuelle : l'abattage au pic et le transport par bennes poussées par des enfants jusqu'à l'élargissement de la galerie. Enfin, la reconstitution d'une écurie rappelle que les chevaux, qui passaient leur vie dans la mine, constituèrent longtemps l'unique force de trait pour amener les bennes jusqu'à la recette. La vie souterraine pénible de ces animaux, caractéristique de la mine ancienne, fut décrite, avec le cheval « Bataille », par Zola dans *Germinal*. Avant la remontée en surface, la présentation de la patronne des mineurs, sainte Barbe, dans une niche évoque les grandes festivités religieuses et laïques auxquelles participe le 4 décembre chaque cité minière.

alentours

Firminy

11 km. Quitter St-Étienne au Sud du plan, par la D 88. Située dans la vallée de l'Ondaine, Firminy a toujours servi de trait d'union entre la montagne et la « plaine » de St-Étienne. La cité se distingue par les réalisations de l'architecte **Le Corbusier**, qui y construisit une unité d'habitation, une maison de la culture, les tribunes d'un stade et l'église Saint-Pierre (inachevée) ; l'ensemble, unique en Europe, fait de Firminy le deuxième « **site Le Corbusier★** » dans le monde, après Chandigarh (Inde).

Château des Bruneaux – *Château : visite libre 14h-18h. Mine témoin : visite guidée dim. et j. fériés 14h-18h. Fermé 1er janv., 1er nov. et 25 déc. Château : 3,05€ (enf. : 1,54€), mine : 4,57€ (enf. : 3,05€. ☎ 04 77 89 38 46.*
Il présente un atelier de cloutier et un « espace jouet » (collection venant de l'usine Gégé). Dans les communs, une mine témoin reconstituée par d'anciens mineurs montre les différents types de soutènement et l'évolution des matériels utilisés.

Le Pertuiset

23 km. Quitter St-Étienne au Sud-Ouest par la D 25. Ce pont suspendu marque la transition entre la cité industrielle et les paysages sauvages des gorges de la Loire. Il permet d'accéder aux circuits des gorges décrits *p. 175*.

Vallée du Gier

La dépression du Gier, de Terrenoire à Givors, forme un couloir industriel encaissé au pied de pentes verdoyantes.

St-Chamond

7 km à l'Ouest par la N 88.
C'est le noyau industriel le plus important de la vallée, groupant des forges et aciéries, des constructions mécaniques (fabrication d'engins blindés), des fabriques de plastique, tresses, lacets et tissus élastiques, et des teintureries.

> **Les « professeurs »**
> Même si l'apparition de « l' euro » bouleverse nos références monétaires, on ne peut oublier le rôle joué par **Antoine Pinay** (1891-1994), maire de St-Chamond et père du « franc lourd » (1960). Dans un domaine très différent, **Alain Prost**, natif de la ville, s'est illustré sur les grands circuits de formule 1 avec un talent qui lui a valu le surnom de « Professeur ».

Rive-de-Gier

20 km à l'Ouest par les N 88 et D 88. Aciéries et forges, grosse métallurgie et verreries dont la plus ancienne remonte au début du 18e s.

Givors

30 km à l'Ouest par la N 88 puis l'A 47. La localité vit de verreries, de constructions mécaniques et électriques. Des ruines du château de St-Gérald *(accès par le lotissement « Les Étoiles » adossé au flanc de la colline)*, vue sur l'hôtel de ville, les deux églises de Givors et le Rhône enjambé par l'autoroute.

circuits

LES BELVÉDÈRES

Quitter St-Étienne au Sud par le cours Fauriel (D 8). La N 82 s'élève au flanc du sauvage ravin du Furet, hérissé de sombres arrachements schisteux.

Col du Grand-Bois (ou de la République)

Très joli site forestier.

Faire demi-tour et, par Planfoy où l'on tourne à gauche, gagner Guizay.

Point de vue de Guizay★★

Du pied de la statue du Sacré-Cœur, on découvre, juste dans l'axe de la célèbre Grande-Rue, une vue sur l'ensemble de la ville. À l'extrême-droite, Rochetaillée *(p. 261)* apparaît sur sa crête. En avançant vers le relais de télédiffusion, le panorama révèle à gauche le couloir de l'Ondaine : le Chambon-Feugerolles, Firminy et les monts du Forez. Au cours de la descente, belles échappées sur l'agglomération stéphanoise et la vallée de l'Ondaine.

La D 88 ramène à St-Étienne.

RETENUE DE GRANGENT

Quitter St-Étienne par la D 8, à l'Ouest du plan et gagner Roche-la-Molière. À Roche-la-Molière, emprunter la D 3^A en direction de St-Victor. Au Berlan, tourner à gauche dans la D 25 ; à 1 km prendre à droite une route menant à Quéret. Laisser sur la droite le hameau de Trémas et, à 400 m, tourner à droite. À la sortie de Quéret, sur la place, prendre à droite une route en forte descente.

Plateau de la Danse

3/4h à pied AR. Laisser la voiture au parc de stationnement et suivre un sentier balisé « Point de vue », serpentant dans la forêt.

Ce lieu, chargé d'histoire et de légendes, aurait accueilli un temple de Jupiter. D'un promontoire rocheux, **vue★★** sur la retenue et l'île de Grangent *(p. 175)*, le promontoire de St-Victor, le château d'Essalois, l'église et la tour féodale de Chambles.

Reprendre la voiture et descendre à St-Victor.

Lieu de prédilection des Stéphanois, la base nautique de St-Victor offre de multiples possibilités de loisirs et de détente.

St-Victor-sur-Loire

Ce bourg, dont la route d'accès est abondamment fleurie, de roses surtout, occupe un **site★** remarquable sur un promontoire s'avançant dans le lac artificiel formé par la Loire en amont de Grangent. Cette retenue et ses rives, très fréquentées en saison par les Stéphanois, se prêtent aux activités sportives (voile, motonautisme, ski nautique, randonnées pédestres et équestres). L'**église** est un édifice roman, remanié aux 16e et 17e s., qui présente une nef et des collatéraux voûtés en berceau et séparés par des piliers carrés. Le maître-autel est constitué par un précieux retable baroque du 17e s. et un devant d'autel en cuir de Cordoue, gaufré et peint, à décor d'hermines. Vitraux modernes de J.-M. Benoît et beau buffet d'orgue.

De la terrasse de l'église, la **vue★** sur la retenue est très belle. Le **château** avec ses tours du 11e s., et le théâtre de plein air occupent le haut de la colline. *9h-12h, 14h-17h30, w.-end : 14h30-17h30. Gratuit. Fermé certains j. fériés et entre Noël et J. de l'an.* ☎ *04 77 90 49 29.*

Par la D 3^A et Roche-la-Molière, revenir à St-Étienne

LES CROQUE-CERISES

St-Victor-sur-Loire est devenu un port de plaisance très prisé des Stéphanois. Avant d'être quasiment annexé par la ville, St-Victor était un petit bourg rural où les vergers de cerisiers embaumaient au printemps. Les habitants venaient vendre leur production de cerises à St-Étienne, ce qui leur à valu le sobriquet de « croque-cerises ».

Saint-Germain-Laval

L'Aix arrose ce bourg de montagne, agréablement circonscrit par un amphithéâtre de collines qui se nuancent au fil des saisons, du doré au vert sombre. Un endroit où il fait bon demeurer un peu. Vous serez sans doute séduit, comme Louis Pize qui lui trouve une atmosphère virgilienne.

La situation

Cartes Michelin nos 88 plis 4, 5 ou 239 plis 22, 23 - Loire (42). La voie d'accès la plus rapide est certainement l'A 72, qui passe à 5 km de St-Germain (sortie 5). La D 38, en venant de l'Ouest, offre une vue agréable de ce bourg forézien, établi sur un mamelon dominant le vallon de l'Aix. *ℹ 28 r. R.-Lugnier, 42260 St-Germain-Laval, ☎ 04 77 65 48 75, sinon en mairie ☎ 04 77 65 41 30.*

PASTORALE
Au Sud de St-Germain-Laval, l'écrivain **Honoré d'Urfé,** dont le château de la Bastie-d'Urfé est le fleuron de la vallée du Lignon, a composé à la même époque (1567-1625) son grand roman *L'Astrée*.

Le nom

Laval, la vallée verte. Ici passa sans doute saint Germain, évêque d'Auxerre au 5e s. Quatre localités de la Loire sont dédiées à ce personnage aussi populaire que saint Martin, sous le vocable commun de St-Germain : Laval, au Mont-d'Or, l'Espinasse ou la Montagne.

Les gens

1 488 Germanois qui comptèrent notamment dans leurs rangs Papire Masson, humaniste et historien (1544-1611), et l'explorateur **Greysolon du Luth**, qui découvrit, au 17e s., les sources du Mississippi et donna son nom à la ville de Duluth (Minnesota, États-Unis).

se promener

Ce charmant village incite à la flânerie.

DANS L'ANCIEN CHÂTEAU
La mairie, installée dans un hôtel du 18e s., à l'emplacement de l'ancienne forteresse, abrite au 1er étage un petit **musée** : tapisseries, mobiliers, miniatures françaises et orientales. Deux belles tapisseries d'Aubusson sont à voir dans la grande salle. *Visite guidée (1/4h) 9h-12h, 13h30-16h, sam. 9h-12h (hors vac. scol.). Gratuit. ☎ 04 77 65 41 30.*

Églises

L'église de la Madeleine – Datant du 18e s., elle est couverte d'un dôme en lanternon ; elle est désaffectée et sert de cadre à des expositions thématiques durant la belle saison.

L'église paroissiale – Situé à l'autre extrémité du bourg, cet édifice néo-gothique abrite une **statue de Moïse** (1065), en pierre, à droite en entrant, et une petite Pietà naïve en bois polychrome, dans une niche au-dessus des fonts baptismaux.

Place de la Mairie

Elle est bordée de demeures anciennes : l'une d'entre elles, à pans de bois, est la maison natale de l'explorateur **Greysolon du Luth.**

alentours

Chapelle N.-D.-de-Laval

1,3 km par la D 38, à la sortie Ouest de St-Germain.
La **chapelle**, gothique, apparaît au bord de l'Aix comme une vision de grâce. La façade ornée d'un gâble flamboyant surmonte deux portails en anse de panier ; à l'intérieur, statue de la Vierge noire.

VÉNÉRÉE
Ce sanctuaire dédié à Notre-Dame attira des foules de pèlerins au Moyen Âge et au 17e s. Il reçut la visite de Louis XI, revenant du Puy. Et à côté coule l'Aix, qui passe sous un beau pont médiéval.

Commanderie de Verrières

2,5 km. Quitter St-Germain par la D 1, en direction de Balbigny, puis emprunter la D 21 et, à gauche, la petite route d'accès. Juxtaposée aux bâtiments d'une ancienne commanderie de l'ordre de Malte, la **chapelle** du 12e s. est un sobre édifice de granit clair. L'intérieur, à nef voûtée en berceau brisé, est très dépouillé : la beauté du granit constitue son seul décor, à l'exception d'une croix de Malte peinte au-dessus de la baie centrale de l'abside.

Sur l'esplanade, belle croix à personnages du 15e s.

Que de tentations ! Les passionnés d'automobiles auront du mal à résister en visitant l'automusée car ces superbes voitures sont souvent à vendre.

Automusée du Forez

4 km. Quitter St-Germain par la D 8 en direction de Roanne. Juste avant le passage sous l'autoroute, prendre à gauche un chemin qui conduit au parking du musée. ♿ Tlj sf mar. 10h-12h, 14h-18h. Fermé 1er janv. et 25 déc. 5€ (enf. : 3€). ☎ 04 77 65 53 47.

Original ! Parmi la centaine de véhicules exposés, la plupart appartiennent à des propriétaires privés et sont à vendre. Les collections, qui réunissent les marques les plus prestigieuses de l'histoire de l'automobile (Voisin, Delahaye, Talbot, Panhard, Ferrari...), sont donc régulièrement renouvelées.

Pommiers★

3 km à l'Est de St-Germain par la D 21. L'arrivée par le Sud (D 94) offre un plus beau coup d'œil. En limite du Forez et du Roannais, ce très joli village perché, tout en rondeur, vous enchantera, tout en vous dépaysant agréablement. Ce site, occupé dès l'époque romaine et les premiers temps de l'ère chrétienne, s'est développé au 9e s., autour d'un **monastère bénédictin** rattaché à Nantua. Au 14e s., comme beaucoup de villages inquiets de la montée de l'insécurité, Pommiers s'entoure de bonnes murailles. C'est à l'intérieur de cette enceinte fortifiée que nous vous invitons à musarder un peu.

Église – Cet édifice des 11e et 12e s. frappe dès l'abord par son austérité. Le vaisseau central gagne ainsi en rigueur. À partir de la 5e travée, la voûte de la nef est percée de petits orifices, les *échéas*, sortes d'amphores encastrées dans la maçonnerie et servant à améliorer l'acoustique.

L'absidiole Nord a conservé une intéressante série de **peintures murales** du 16e s. Remarquez dans le collatéral Nord une arcature sur pilastre, d'inspiration rhodanienne, et dans une niche, un beau **torse de Christ en bois,** datant du 13e s.

Bâtiments conventuels – Au 16e s., le prieur commendataire fait édifier une façade Renaissance devant la Maison Forte où il tient ses séances de justice. Aux 17e et 18e s., le prieuré est complètement reconstruit, avec un cloître ample et majestueux donnant sur l'église romane, demeurée intacte.

Musée du Vieux Pommiers – *Sur réservation à la Mairie, ☎ 04 77 65 40 63.*

Art et artisanat foréziens. Des objets évoquent les périodes préhistorique, gallo-romaine et médiévale.

Un centre culturel

Le Conseil général de la Loire en Rhône-Alpes s'est rendu propriétaire de l'ancien prieuré bénédictin. L'ancienne église bénédictine est aujourd'hui paroissiale. Des **visites commentées thématiques, des concerts et des conférences** sont organisées depuis 1996 dans l'ensemble abbatial.

☎ 04 77 65 44 88.

circuit

LES VALLÉES DE L'ONZON ET DE L'AIX

90 km environ – compter une demi-journée. Quitter St-Germain-Laval au Sud par la D 8. À Boën (voir les Monts du Forez), prendre à droite la N 89 jusqu'à l'Hôpital-sous-Rochefort.

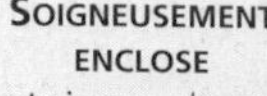

SOIGNEUSEMENT ENCLOSE

Montaigne, de retour d'Italie, fait étape dans cette « petite ville close », comme il le précise dans son journal de voyage. L'**église du bourg** a été fortifiée à l'époque de la construction du mur d'enceinte.

L'Hôpital-sous-Rochefort

Le village fut fortifié au 15e s., il en reste deux portes d'enceinte.

Église – La façade de cet édifice du 12e s. présente un mur carré surmonté d'une jolie arcature ouverte. La nef, étroite, abrite une remarquable **Vierge à l'Enfant**★★ en bois polychrome, de la fin du 15e s. Cette statue, grandeur nature, est merveilleuse de grâce et de fraîcheur.

Quitter l'Hôpital-sous-Rochefort par la D 21 à l'Ouest, direction St-Didier-sous-Rochefort ; sur cette route s'embranche le chemin d'accès à Rochefort (vieux village perché). Revenir sur la D 21 et prendre la direction de St-Didier-sous-Rochefort.

St-Laurent

Remarquez, à côté de l'église, une belle croix à personnages du 15e s.

Gagner St-Didier-sous-Rochefort par la D 21.

Entre St-Didier-sous-Rochefort et St-Julien-la-Vêtre, un mégalithe, la **Pierre branlante**, se dresse au bord de la route (D 73).

La N 89 mène à Noirétable.

Noirétable *(voir LE GUIDE VERT Michelin Auvergne).*

Quitter Noirétable par la N 89, en direction de Thiers et, à la sortie du bourg, prendre à droite la D 24.

Cervières

Laisser la voiture sur l'esplanade à l'entrée du village. Vous pénétrez en passant sous une belle arche de granit, et vous voici au Moyen Âge. À cette époque, Cervières fut la résidence d'été des comtes de Forez.

Dans l'**église** gothique, un peu trapue, les retombées d'ogives se font sur des éléments sculptés en forme de masques. À voir une petite Pietà naïve. En face de l'église, une belle maison Renaissance répond au nom charmant de l'Auditoire. *Pâques-Toussaint : 8h-19h. ☎ 04 77 24 71 66.* Franchissez le passage voûté sous la maison, où l'on peut voir l'atelier d'un sculpteur de pierre. Longez sur la gauche la ligne des anciennes fortifications jusqu'à la deuxième arche de granit. Une ruelle en montée ramène à l'église. En poursuivant au-delà de la mairie, on atteint le champ de foire qui offre un joli panorama sur les alentours.

Gagner Champoly par la D 53. À la sortie Est de Champoly part une petite route revêtue et balisée qui conduit au site du château d'Urfé.

Les « Cornes d'Urfé ». De l'ancien château d'Urfé reste principalement le donjon qui offre une superbe vue sur la région.

Château d'Urfé

3/4h à pied AR. Cette forteresse (12e-15e s.) a été la résidence de la famille d'Urfé, avant la construction de la Bastie-d'Urfé *(voir ce nom).*

Ce château, également connu sous le nom de « Cornes d'Urfé », est progressivement restauré. Une **table d'orientation** installée en haut du donjon accompagne la belle vue circulaire sur les monts du Lyonnais et les contreforts des monts d'Auvergne.

Revenir vers Champoly ; laisser à droite la D 24 pour emprunter la D 53, pittoresque, en direction de St-Just-en-Chevalet dont on découvre la plaisante silhouette après avoir longé le parc du château de Contenson.

Suivre la D 1 au Sud-Est.

Grézolles

Village dominé par le clocheton d'ardoise d'une petite chapelle du 16e s.

Gagner St-Martin-la-Sauveté et, au Sud du village, prendre à gauche de la D 20, le sentier d'accès au belvédère.

Belvédère de la Sauveté★

Table d'orientation. *1/4 h à pied AR.* Le chemin mène au pied du château d'eau et de la statue de la Vierge ; vaste **panorama**.

Revenir à l'entrée de St-Martin et prendre la D 38 à droite vers St-Germain-Laval.

Sainte-Croix-en-Jarez

Voici certainement un des villages les plus insolites de France : situé dans un vallon verdoyant de la haute vallée du Crouzon, en plein cœur du parc du Pilat, il a investi en effet les bâtiments d'une ancienne chartreuse, fondée en 1280 par Béatrix de Roussillon : école, mairie, appartements se sont installés dans les vénérables cellules des pères... et le monastère est devenu une commune comme les autres. Comme les autres ? À vous d'en juger !

La situation

Cartes Michelin nos 88 pli 19 ou 246 pli 17 - Schéma p. 261 - Loire (42). La beauté se mérite. Et de fait la route qui, depuis Rive-de-Gier conduit à Sainte-Croix, si elle n'est pas très longue, comporte de nombreux virages. La récompense ? De très beaux paysages et, au bout, ce village original qui a su préserver son authenticité. *Point d'accueil (à gauche de l'entrée principale), 42800 Ste-Croix-en-Jarez, ☎ 04 77 20 20 81.*

Le nom

Le seigneur de Roussillon, Guillaume, ayant pris la Croix en 1277, était mort en Terre sainte, laissant une jeune épouse, Béatrice de la Tour. Celle-ci, loin d'être une veuve joyeuse, décida aussitôt de se retirer du monde. Or, lui apparut bientôt une croix lumineuse qui la guida jusqu'en ces lieux : quoi de plus normal, alors, que de vouer à la sainte Croix le monastère qu'elle fonda ?

Les gens

351 Cartusiens. À la Révolution, les chartreux qui partageaient leur temps entre la prière, l'étude et les travaux manuels, furent expulsés et, en 1792, les cellules furent vendues et transformées en fermes, boutiques et bâtiments administratifs. Un vrai village avec sa mairie et son école était né.

RESTAURATION

Le Prieuré – ☎ *04 77 20 20 09 - fermé 10 janv. au 1er mars et lun. - 10,98/36,59€.* À l'entrée de Ste-Croix-en-Jarez, juste à droite de sa porte monumentale, ce restaurant sera parfait pour clore votre visite du village. Simple, il propose des menus pas trop chers dans un cadre chaleureux. En hiver, ne manquez pas les alléchantes charcuteries du patron.

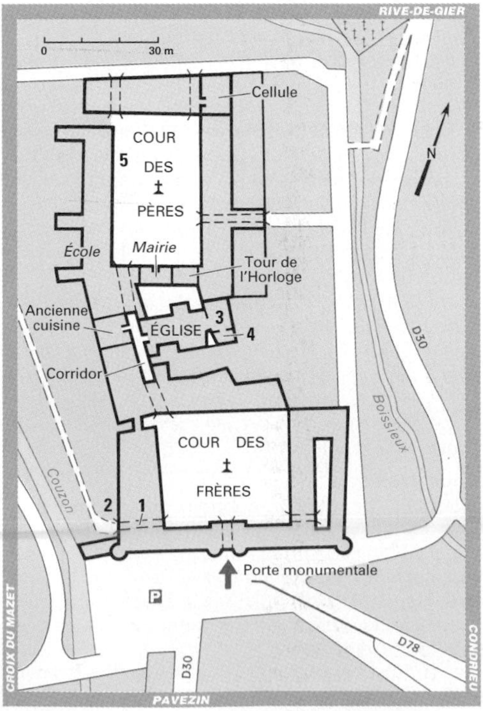

découvrir

ANCIENNE CHARTREUSE

♿ *Juin-sept. : 10h-12h, 14h-18h ; mars-mai et oct.-nov. : tlj sf ven. 10h-12h, 14h-18h ; déc.-fév. : tlj sf jeu. et ven. 10h-12h, 14h-17h. Fermé entre Noël et J. de l'an. 3,81€. ☎ 04 77 20 20 81.*

Au-dessus du portail, on distingue les armoiries des chartreux. Il s'agit d'un globe terrestre portant une croix et entouré de sept étoiles. Les étoiles symbolisent saint Bruno, fondateur en 1084 de cet ordre contemplatif, et ses six compagnons.

Façade

Sur la façade des anciens bâtiments conventuels a été ouverte, au 17e s., une **porte monumentale** en granit, flanquée de tours rondes en moellons de schiste. De chaque côté s'étend l'ancienne enceinte, défendue, à ses extrémités, par deux tours d'angle et occupée par des maisons d'habitation.

Après avoir franchi ce portail, on atteint une première cour.

Cour des Frères

Cette vaste cour rectangulaire est bordée par les bâtiments qui abritaient autrefois les activités des frères convers et « donnés » (liés à l'ordre par des contrats civils) assurant la vie matérielle de la communauté : pressoirs, celliers, boulangerie, ateliers, forges, écuries... Sur la gauche, un passage en pente, sous **voûte** (**1**), mène à l'entrée du jardin potager, que borde le Couzon : remarquez la belle **imposte en fer forgé** (17e s.) (**2**) qui surmonte le vieux portail en bois.

Au fond de la cour, à gauche, s'ouvre une rue dallée, autrefois entièrement couverte, le « **corridor** », qui desservait les pièces destinées à un usage commun (réfectoire pour les repas des dimanches et de certains jours de fête, bibliothèque, etc.).

Église

Son portail est signalé par la présence de deux bénitiers latéraux, en pierre. L'édifice du 17e s. abrite des boiseries des 16e et 17e s., ainsi que des stalles du 14e s. dont les miséricordes et les accoudoirs sont sculptés de motifs très variés : masque grimaçant, coiffe de paysanne du Pilat, animaux, etc. Au-dessus du portail, le mur est orné de trois tableaux représentant le martyre de saint Sébastien (copie d'un tableau de Mantegna), saint Charles Borromée, agenouillé, et saint Bruno refusant l'épiscopat, vêtu de l'habit cartusien, la « cuculle » blanche.

Du chœur, on accède aux vestiges de l'église primitive : l'**ancienne salle capitulaire** (**3**) et l'**ancienne sacristie** (**4**) du 13e s. Celle-ci conserve des **fresques★** du 14e s., restaurées, qui illustrent avec un certain réalisme le couronnement de la Vierge, la Crucifixion (inspirée de Giotto), les funérailles de Thibaud de Vassalieu, qui, en 1312, traita avec Philippe le Bel pour le rattachement du Lyonnais à la couronne de France.

Au-dessus de la Crucifixion figure le groupe des chartreux de Ste-Croix.

En sortant de l'église, voir, en face, l'ancienne cuisine, voûtée, avec sa cheminée monumentale (lieu d'exposition). À l'extrémité du corridor, on débouche dans la deuxième cour. À gauche de l'entrée, l'accueil est installé dans l'ancienne boulangerie du monastère.

En cellule

Une cellule a été reconstituée au fond de la cour des Pères. Chaque cellule comportait, au niveau de la cour, un oratoire, une chambre, une terrasse et un promenoir ; au niveau inférieur se trouvaient le bûcher, l'atelier et le jardin ; le moine recevait sa nourriture, les jours de semaine, par un guichet situé à côté de la porte d'entrée de sa cellule.

Cour des Pères

Elle était, autrefois, entièrement bordée par un cloître, sur lequel donnaient les cellules des chartreux. Aujourd'hui le cloître a disparu et les cellules ont été transformées en logements, mairie, école... L'une de ces cellules, à l'Ouest, dans la cour, est surmontée d'une scène en **bas-relief** (**5**) représentant saint Bruno méditant sur la mort.

Au Sud-Est, à un angle, se dresse la **tour dite de l'Horloge**, qui n'a plus son cadran depuis la Révolution.

Serrières

Comme sa voisine Condrieu, Serrières est une ancienne cité marinière qui restera à jamais associée à l'épopée des bateliers du Rhône. De ces temps héroïques subsistent les célèbres joutes nautiques qui animent chaque année les rives du fleuve.

La situation

Cartes Michelin n°s 88 pli 19 ou 246 pli 17 - Ardèche (07).
32 km au Sud de Vienne, Serrières est établi sur les bords du Rhône, au croisement de la N 86 et de la N 82 qui conduit à Annonay. *Pavillon du Tourisme - Quai Jules Roche, 07340 Serrières, ☎ 04 75 34 06 01.*

Le symbole

Les croix, fixées à la proue de l'embarcation *(voir illustration p. 47)*, protégeaient l'équipage d'une navigation toujours périlleuse. Elles étaient décorées des emblèmes de la Passion, naïvement sculptés et peints : clous, bourse de Judas, dés des légionnaires, fouet de la flagellation, gouttes de sang du Christ, main de Justice, etc.

Rassurant
Au sommet des croix des équipages se dressait un coq, symbole de virilité (!) et surtout de l'éveil constant du capitaine.

Les gens

1 078 Serriérois. Beaucoup descendent des intrépides patron de décize (descente du Rhône) ou des courageux cul-de-piau, mariniers ainsi appelés à cause de leur culottes doublées de cuir.

visiter

Musée des Mariniers du Rhône

Fermé pour travaux. Mairie. ☎ 04 75 34 00 46.
Sous la charpente de bois de la chapelle St-Sornin (12e-14e s.) sont exposés d'humbles souvenirs des célèbres bateliers : porte-voix, palonnier servant à fixer les chaînes des chevaux haleurs, table d'équipage d'une auberge en bordure de l'eau, cannes de compagnon, gilets brodés de cérémonie, bagues en crin de cheval ornées de perles de verre, plusieurs spécimens de **croix des équipages**.

C'est mignon, non ? C'est l'effet recherché car il s'agit d'un détail de coffre de mariage.

L'épopée des bateliers du Rhône

Fleuve dieu, fleuve roi, le Rhône n'a pas toujours coulé des eaux égales telles qu'on peut les suivre aujourd'hui au rythme de ses barrages et de ses retenues. S'il n'est point le « fleuve mort » évoqué par certains nostalgiques, il n'a plus rien du « taureau furieux » qui se précipitait vers la mer et dont les riverains craignaient les terribles colères. Figures emblématiques et mythiques de ces temps révolus, les bateliers ou « mariniers » du Rhône sont entrés dans la légende grâce au *Poème du Rhône* de Mistral.

Après une période d'apogée vers 1830, la fin du 19e s. est un moment critique où la « vapeur » sonne le glas d'un des métiers les plus difficiles et des plus respectés, qui a longtemps animé les rives rhodaniennes. Dans son livre *Le Seigneur du fleuve*, Bernard Clavel a justement décrit cette résistance acharnée mais inégale.

alentours

Malleval

10 km au Nord de Serrières, par la N 86 et la D 503 à gauche, à la sortie de St-Pierre-de-Bœuf.
Ce village, autrefois fortifié, étage ses maisons du 16e s. sur un éperon rocheux couronné par l'église et les vestiges de l'ancien château. Malleval est le point de départ du sentier Flore tracé dans le Parc naturel régional du Pilat *(p. 259)*.
Pour jouir d'une belle vue sur le site de Malleval et les gorges, poursuivez en direction de Pélussin et arrêtez-vous après un virage à gauche très prononcé.

Espace eau vive
Av. du Rhône, 42520 St-Pierre-de-Bœuf, ☎ 04 74 87 16 09.
Aménagé par la Compagnie nationale du Rhône, ce stade d'eau vive long de 700 m et à débit variable est idéal pour découvrir ou pratiquer à tous niveaux les sports d'eau vive : canoë, kayak, raft, nage en eau vive...

Champagne

Malgré sa situation sur la rive droite du Rhône, Champagne fut terre dauphinoise jusqu'à la Révolution : c'était un fief des puissants comtes d'Albon dont le château se dressait sur la rive opposée.

Église – *Possibilité de visite guidée sur demande. ☎ 04 75 34 19 20.*

L'édifice date, dans son ensemble, du 12e s. C'est la seule église de la vallée du Rhône à posséder une nef voûtée d'une série de coupoles sur trompes. Trois coupoles, s'appuyant sur des piliers cruciformes, coiffent la nef. Une quatrième coupole surmonte le carré du transept. Belles stalles du 15e s.

À l'arrivée à Andance, au pied des aiguilles granitiques, on aperçoit au loin, sur la rive gauche, la silhouette de l'altière tour d'Albon.

Andance

L'**église** abrite une remarquable **croix des Équipages★** de la marine du Rhône *(à droite, dans la chapelle latérale)*. Beaux pilastres romans.

À Andance, franchir le Rhône par le pont suspendu (1827), puis, par la D 122A, qui passe sous l'autoroute, gagner la tour d'Albon.

Feu de joie

Les comtes d'Albon, en étendant leurs possessions à partir du 11e s., ont créé le Dauphiné. La tour d'Albon porte aujourd'hui des inscriptions commémorant, entre autres, un feu de joie des « républicains d'Albon » qui célébrèrent, le 14 juillet 1889, le centenaire de la prise de la Bastille.

Tour d'Albon et château de Mantaille

La tour ruinée d'**Albon** domine un vaste horizon.

Du pied de la tour, **panorama★** sur la vallée du Rhône, du défilé de St-Vallier à la plaine de St-Rambert, le débouché de la Valloire et, à l'Ouest, les Cévennes.

À 4 km à l'Est, les ruines du **château de Mantaille** se dressent au flanc du vallon du **Bancel**. C'est à Mantaille que Boson se fit couronner roi de Bourgogne en 879.

Massif du Tanargue★★

Bienvenue dans l'une des régions les plus sauvages de la montagne vivaroise. Ce massif de granit et de gneiss a été en effet complètement bouleversé par des mouvements géologiques qui lui donnent cette allure déchiquetée. Ses reliefs et un climat plutôt rigoureux font le bonheur des amateurs d'escalade et de ski de fond qui pratiquent leur passion dans un cadre préservé.

La situation

Cartes Michelin nos 76 Sud des plis 17, 18 et 80 Nord du pli 8 ou 239 plis 47, 48 et 240 plis 3, 4 – Ardèche (07).

Au Sud de la haute vallée de l'Ardèche, le massif du Tanargue est assez facilement accessible à partir de la N 102. Mais après la nationale, les routes sont difficiles et le dépaysement est garanti.

Orages

Attention dès l'automne aux orages qui peuvent être particulièrement violents. Des crues soudaines, rendues redoutables par la pente du terrain, transforment les torrents en flots furieux mais vite apaisés.

Les gens

Les conditions de vie difficiles ont dépeuplé le massif et les terres sont souvent à l'abandon. Les chemins de « draille » vers l'estive sont surtout suivis par les randonneurs qui profitent ainsi des superbes paysages.

circuit

DE VALS-LES-BAINS À VALGORGE

80 km – environ 3h – schéma ci-contre

Vals-les-Bains‡‡ *(voir ce nom)*

Quitter Vals-les-Bains par la N 102 en direction du Puy-en-Velay. À Pont-de-Labeaume emprunter la D 5 vers Jaujac.

La route se déroule en vue des coulées basaltiques de la vallée du Lignon. À mi-parcours (panneau), laissez la

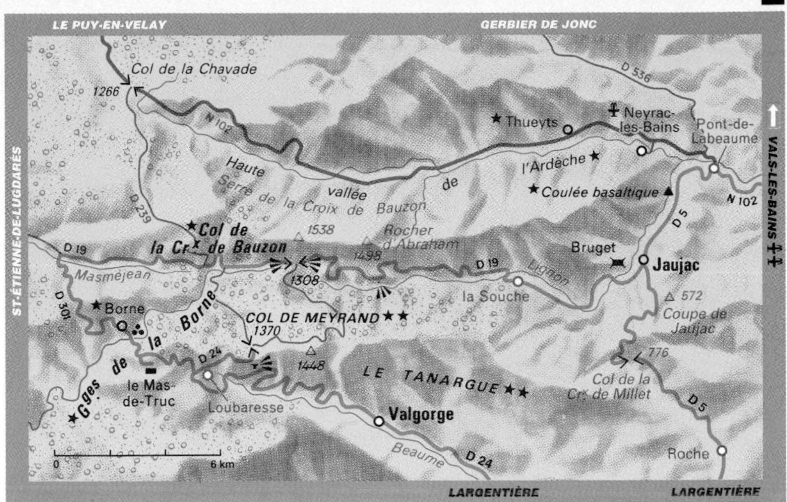

voiture et approchez-vous du rebord de la plate-forme volcanique sur laquelle est tracée la route ; de part et d'autre, la **coulée**★ est remarquable par ses orgues d'une verticalité parfaite, certaines d'une coloration gris-bleu.

Jaujac

Le bourg présente un aspect attrayant avec ses maisons anciennes des 15e et 16e s., notamment dans le quartier du Chastelas, rive gauche, et les vestiges de son château fort. Au Sud-Est de la localité se dresse la « coupe » de Jaujac, volcan quaternaire d'où proviennent les coulées du Lignon et d'où jaillissent des sources minérales.

Dès la sortie de Jaujac on aperçoit, à droite, le petit **château de Bruget**, du 15e s.

À partir de La Souche, le parcours devient très montagnard ; le sommet du rocher d'Abraham se détache en avant à droite, tandis que le tracé en corniche montre, sur la gauche, de sombres versants boisés de sapins.

Col de la Croix-de-Bauzon★

Du col (alt. 1 308 m) la **vue** s'étend sur l'enfilade des vallées de la Borne et du Masméjean, avec à l'horizon les monts de la Margeride ; à l'Est, la trouée du Lignon est prolongée par la dépression d'Aubenas.

Poursuivre dans la D 19 en direction de St-Étienne-de-Lugdarès, puis tourner à gauche dans la D 301 (route étroite).

Gorges de la Borne★

Après un passage au milieu des landes à genêts, la descente sur Borne offre des vues plongeantes sur les gorges. À l'Ouest se profile la montagne du Goulet. Le village de **Borne**★ occupe un site retiré, en corniche au-dessus du torrent encaissé. Dans un amphithéâtre rocheux, un château ruiné, juché sur un piton, domine la Borne.

Sports
Station de ski et de loisirs située au pied des pentes du Tanargue sur la D 319 entre La Souche et St-Étienne de Lugdarès.
Le Tanargue fait également le bonheur des amateurs d'escalade grâce à différents sites pour tous niveaux.
Renseignements au Syndicat d'initiative de St-Étienne-de-Lugdarès, ☎ 04 66 46 65 36.

La coulée basaltique de Jaujac séduit par la remarquable régularité de ses orgues.

Une route communale permet de gagner le minuscule hameau de **Mas-de-Truc**, perdu dans la montagne.

Gagner le col de Meyrand par Loubaresse. Jusqu'à ce village la route est étroite et parfois impraticable en raison des chutes de pierres.

Col de Meyrand**

Panorama
Une superbe vue s'étend, de gauche à droite, sur le sommet du Tanargue, la vallée de Valgorge, la dépression de l'Ardèche dominée par la Dent de Rez, la serre de Valgorge en face et, à droite, la dorsale du mont Lozère.

Alt. 1 371 m. Il dévoile soudain une splendide corniche ; en contrebas du col, un balcon d'orientation est aménagé à gauche d'un rocher isolé.

Faire demi-tour.

Après Loubaresse, aux vues d'enfilade sur la trouée de Valgorge succèdent les passages ombragés de châtaigniers.

La route descend en lacet dans la haute vallée de la Beaume, tandis que les flancs du Tanargue se dénudent.

Valgorge

Modeste bourgade bien située dans un cadre verdoyant de vignes et de vergers.

Continuer sur la D 24 jusqu'à Roche où l'on prend la D 5 sur la gauche.

La route suit la vallée de la Ligne jusqu'au col de la Croix-de-Millet (alt. 776 m).

La D 5 ramène à Jaujac et Pont-de-Labeaume. Prendre alors la N 102 sur la droite en direction de Vals.

Tarare

Il faut voir Tarare enveloppée de voiles multicolores pour mesurer l'importance de cette industrie pour la ville. Ce n'est que tous les cinq ans, lors des traditionnelles fêtes de la Mousseline. L'essor de cette activité au 19e s. et la proximité de Lyon expliquent la ressemblance des maisons du centre-ville avec les maisons lyonnaises de l'époque. La crise industrielle est passée par là et la ville a dû se diversifier sans oublier pour autant ses heures de gloire.

La situation

Cartes Michelin nos 88 pli 6 ou 244 plis 1, 2, 12, 13 – Rhône (69). Au confluent de la Turdine et du Taret, Tarare est profondément encaissée dans le chaînon occidental des **monts du Beaujolais**. L'arrivée sur la ville en venant de Roanne est particulièrement spectaculaire.

6 pl. de la Madeleine, 69170 Tarare, ☎ 04 74 63 06 65.

Le nom

Tarare pourrait venir, selon d'éminents linguistes, de *Taros*, nom d'homme gaulois, et de *durum*, forteresse.

Les gens

10 420 Tarariens. En 1754 **Georges-Antoine Simonet**, fils d'un marchand de Tarare, décide d'aller étudier en Suisse la fabrication de la mousseline et monte à Tarare les premiers métiers à mousseline. La qualité est insuffisante et il meurt dans la misère en 1778. En 1786, son neveu, Adrien Simonet, reprend son œuvre avec succès en important du coton de qualité.

En juillet 1893, la ville se couvre de guirlandes de mousseline à l'occasion de l'inauguration d'une statue de G.-A. Simonet : c'est la première fête de la Mousseline.

comprendre

La mousseline – Ce tissu en laine originaire de Mossoul, d'où son nom, était tissé de façon très claire et très légère. Les Suisses réussirent à l'imiter en utilisant du coton. Simonet fit donc venir du coton importé du Levant ; les gros ballots arrivent à Lyon et à Tarare et se vendent au détail. Mais pour la beauté et la solidité du tissu, il fallait des fils fins et égaux ; les fils obtenus sont défectueux, c'est la ruine. Son neveu réussit enfin en rapportant de Suisse des filés de coton qu'il fait tisser au métier à bras dans les campagnes.

Pendant le Premier Empire, le blocus continental, en interdisant l'entrée en France de tissus étrangers, fait la fortune de l'industrie de la mousseline. En 1863, on introduit le tissage mécanique du coton pour faire face à la concurrence des manufactures d'Alsace et des Vosges.

Le synthétique – Après 1918, la reproduction des filés de rayonne accroît son développement, tandis que la fabrication et la vente des voiles commencent à prendre de l'importance.

Aujourd'hui, Tarare est un grand centre de tissage et de montage du rideau ; les tissus synthétiques fins ont remplacé la mousseline.

alentours

L'Arbresle

18 km à l'Est de Tarare par la N 7. Au confluent de la Brévenne et de la Turdine, cette cité industrielle, qui était spécialisée dans la soierie, est dominée par les vestiges du château des abbés de Savigny et par les pinacles couronnant le clocher (19e s.) de l'église. L'Arbresle est la patrie de **Barthélemy Thimonnier**, inventeur de la machine à coudre.

Église – Remarquez, dans le chœur, les belles verrières (16e s.) des hautes baies et les stalles du 18e s. La première chapelle du collatéral gauche abrite une statue de saint Pierre et une Pietà du 15e s.

Couvent d'Éveux* – *2,5 km au Sud-Est de l'Arbresle par la D 19. De mi-juin à mi-sept. : visite guidée (1h) tlj 9h-12h, 14h-18h, dim. et j. fériés à 10h et 14h-18h ; avr.-oct. : dim. et j. fériés 10h-11h, 14h-17h ; nov.-mars : 9h-12h, 14h-17h, visite guidée dim. et j. fériés à 15h. Fermé 1er janv. et 25 déc. 5,34€. ☎ 04 74 26 79 70.*

Situé à flanc de coteau, le couvent dominicain de **Ste-Marie-de-la-Tourette** a été édifié de 1956 à 1959 sur les plans de **Le Corbusier**. C'est un remarquable exemple d'architecture moderne appliqué à la vie conventuelle. L'ensemble des bâtiments, construits en béton brut, dessine un quadrilatère fermé au Nord par l'église. Celle-ci, très dépouillée, est éclairée latéralement par d'étroites fentes horizontales. Les cellules des religieux donnent sur les prairies et les bois environnants.

Trois comme Trinité
À droite, en entrant dans l'église, la chapelle du Saint-Sacrement capte la lumière par trois ouvertures inclinées suivant des axes différents.

Savigny

23,5 km à l'Est par la N 7, la N 89 et la D 7 à droite. Ce bourg s'est bâti autour d'une abbaye bénédictine fondée au 8e s. Des bâtiments abbatiaux subsiste un corps de logis Renaissance. Dans le cœur du bourg se trouve un petit **musée lapidaire** où sont exposées des sculptures des 12e et 14e s. provenant de l'abbaye bénédictine : linteau présentant la Cène, chapiteaux richement sculptés, fragments de clôture de chœur. *Été : visite guidée (1h1/2) sam. à 15h, j. ouvrables sur demande préalable. Gratuit. Mairie ou Office de tourisme. ☎ 04 74 72 09 09 ou 04 74 01 48 87.* Dans l'église, remarquez une Vierge de majesté en bois du 13e s. et un retable du 16e s.

Hébergement et Restauration
Hôtel Burnichon – *1,5 km à l'E de Tarare par N 7 – ☎ 04 74 63 44 01 - P - 34 ch. : 33,54/45,73€ - ☕ 5,79€ - restaurant 12,20/30,49€.* Près de Tarare, cet hôtel moderne est une étape pratique sur la route du Beaujolais. Ses chambres sont plutôt grandes et bien équipées, même si leur style des années 1980 date un peu. Le restaurant sert une formule intéressante et un menu pour les petits.

circuit

LES MONTS DE TARARE*

Circuit de 113 km – compter une demi-journée. Quitter Tarare par la D 8. Dans un virage, à l'entrée du Charpenay, situé au pied d'une butte rocheuse portant la statue de N.-D.-de-la-Roche, tourner à droite, à angle droit. Ensuite, à la hauteur de la croix du col des Cassettes, prendre à gauche la D 56.

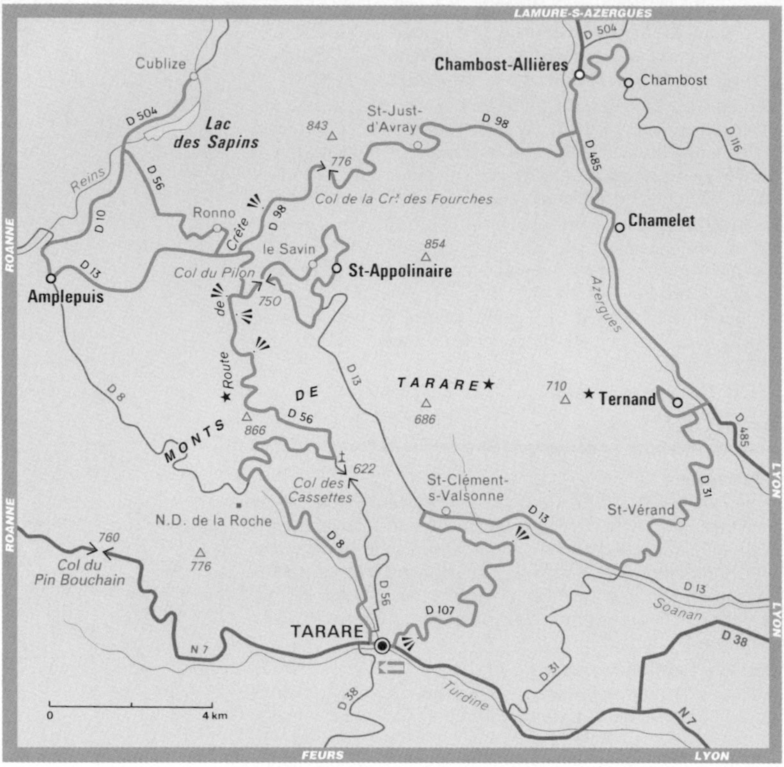

Cette **route de crête★** offre de belles échappées sur de profonds vallons ou traverse de sombres bois de sapins. Au col du Pilon (alt. 750 m), au cœur de la zone de sapins de Douglas, une petite route, à gauche, mène à **St-Appollinaire**, centre de sylviculture beaujolaise.

Au Savin, tourner à gauche dans une route en montée qui conduit à la pépinière départementale.

Le circuit en forêt mène à St-Appollinaire avant de rejoindre la D 13, où l'on tourne à droite. Gagner Amplepuis.

La roue tourne

L'histoire du vélocipède est évoquée depuis la draisienne (machine à courir du baron Drais) jusqu'au vélo de Bernard Hinault et à la première roue lenticulaire.

Amplepuis

Barthélemy Thimonnier (1793-1857), inventeur de la machine à coudre *(voir p. 66)*, a vécu à Amplepuis. Aménagé dans la chapelle et les bâtiments de l'ancien hôpital, le **musée Barthélemy Thimonnier de la Machine à coudre et du Cycle** présente, à l'aide de modèles français et étrangers (Berthier, Omega, Hurtu, Peugeot, Wheeler et Wilson, etc.), une rétrospective de l'histoire de cette machine pour laquelle le génial tailleur déposa un premier brevet en 1830. *14h30-18h30. Fermé entre Noël et J. de l'an. 3,50€. ☎ 04 74 89 08 90.*

Suivre au Nord d'Amplepuis la D 10, puis la D 504.

La route suit la verdoyante vallée du Reins.

Du sport, du bon air, la fraîcheur d'un lac, toutes les conditions sont réunies pour une bonne après-midi de détente au lac des Sapins.

Lac des Sapins

Enchâssé dans les prairies et les conifères, ce plan d'eau de 40 ha se prête, en saison, à la pratique de la baignade, de la voile et de la pêche. Un sentier pédestre *(1h)* en fait le tour.

Faire demi-tour et prendre à gauche la D 56, puis la D 98 qui traverse la bourgade rurale de Ronno et débouche sur la D 13 où l'on tourne à gauche. À 1 km, reprendre à gauche la D 98, qui conduit au col de la Croix-des-Fourches (alt. 776 m), situé en pleine forêt.

Au cours de la montée se révèle un panorama sur la chaîne du Forez, de Pierre-sur-Haute aux monts de la Madeleine avec, en arrière-plan, par temps clair, le sommet du Puy de Dôme.

Descendre vers St-Just-d'Avray, curieusement bâti sur une crête.

Chambost-Allières *(voir p. 118)*

Faire demi-tour. Par la D 485, au Sud, rejoindre Chamelet.

Chamelet

Le bourg est dominé par la haute flèche de son **église**, aux tuiles vernissées, et par les vestiges de ses fortifications. On y pénètre en passant sous de petites halles très rustiques. *W.-end 8h-19h.*

À VOIR
Dans l'église, l'abside abrite deux belles verrières du 15e s., représentant saint Claude et saint Sébastien, ce dernier en noble de la cour de Charles VIII.

Continuer à suivre la D 485 le long de la riante vallée de l'Azergues.

Ternand* *(voir p. 120)*

La D 31, puis, à droite, la D 13 mènent à St-Clément-sur-Volsonne. La pittoresque D 107 ramène à Tarare.

La route domine la vallée du Soanan et offre un joli coup d'œil sur le site de Tarare.

Thueyts*

Pas besoin d'aller en Irlande pour admirer la « Chaussée des Géants », il en existe une en Ardèche ! Dominant de ses 80 m les débuts difficiles de l'Ardèche, cette imposante coulée basaltique est accessible par des chemins étroits et abrupts aux noms évocateurs comme les « Échelles » du Roi et de la Reine. Thueyts a gardé quelques maisons anciennes et est très fréquenté dès les beaux jours pour son beau site de baignade.

La situation

Cartes Michelin nos 76 Sud du pli 18 ou 244 Sud du pli 34 - Schéma p. 323 - Ardèche (07). Au pied du versant méridional de la Gravenne (volcan) de Montpezat, le bourg est campé sur une épaisse coulée qui a comblé la vallée de l'Ardèche au début de l'ère quaternaire. La rivière s'est creusé un nouveau lit, dégageant une chaussée basaltique qui domine aujourd'hui le fond des gorges.
Pl. du Champs-de-Mars, 07330 Thueyts, ☎ 04 75 36 46 79.

Les gens

1 004 Athogiens. Ils partagent leur activité entre le commerce des fruits, quelques ateliers et l'exploitation de carrières de pouzzolane, pierre appréciée en construction.

HÉBERGEMENT ET RESTAURATION
Hôtel des Marronniers – *Pl. du Champs-de-Mars – ☎ 04 75 36 40 16 - fermé 20 déc. au 5 mars - P - 19 ch. : 35,83/44,21€ - ☕ 5,34€ - restaurant 13,72/28,97€.* Cet hôtel-restaurant est sur la place du village. Selon les jours vous y trouverez le marché ou les boulistes du coin... À la belle saison, piscine et terrasse se lovent derrière le bâtiment. Petites chambres moquettées, table classique et ambiance bon enfant.

se promener

Belvédère

Aménagé en bordure de la N 102, en direction de Vals (parking). **Vue** sur la coulée basaltique et le pont du Diable.

Promenade au pied de la coulée basaltique*

1h1/2 à pied AR. Partant du parking du belvédère, traverser le pont qui franchit le torrent du Merdaric et emprunter, à droite, un chemin qui passe sous le pont, entre le flanc

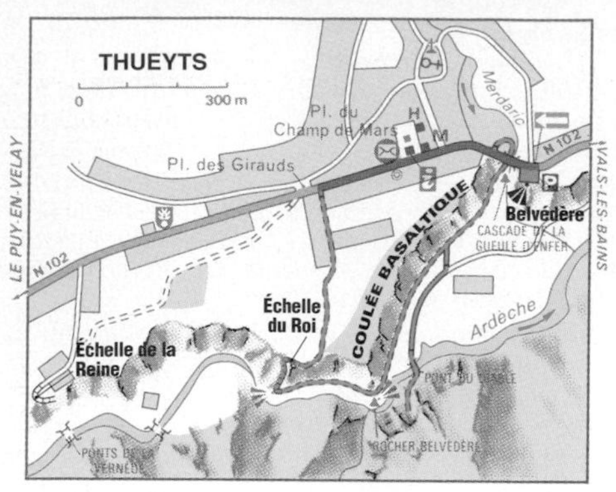

de la coulée basaltique et la cascade de la Gueule-d'Enfer. Suivre les flèches rouges. Continuer à descendre en direction du pont du Diable (chemin de gauche à l'intersection). Franchir le pont et remonter sur une centaine de mètres la rive opposée.

L'Ardèche traverse ici, en bouillonnant, un étranglement ; le **site★** de cette gorge, face à la sombre chaussée de basalte, est curieux.

Par le pont du Diable regagner la rive gauche ; au croisement des sentiers, prendre à gauche, en direction de l'Échelle du Roi, le chemin longeant le pied de la paroi volcanique et conduisant à un rocher-belvédère.

On atteint ensuite, à droite, l'**Échelle du Roi**, étroit passage pratiqué dans une fissure de la coulée et dont les marches sont faites de prismes noirs ajustés grossièrement. Au cours de la montée, rude et glissante, une plate-forme ouvre une agréable perspective sur les ponts de la Vernède. Le retour se fait parmi les jardins entourant le bourg.

Malgré son nom inquiétant le pont du Diable enjambe l'Ardèche qui forme ici une jolie vasque.

Échelle de la Reine

1/2h à pied AR. Escalier plus facile ; vue sur la vallée.

Tournon-sur-Rhône★

Située au pied de superbes coteaux granitiques, Tournon, comme sa jumelle Tain-l'Hermitage, est une ville commerçante fort animée. Des quais ombragés, les terrasses d'un vieux château et des ruines perchées composent un paysage rhodanien caractéristique.

La situation

Cartes Michelin nos 77 plis 1, 2 ou 246 pli 19 – Ardèche (07). De part et d'autre du Rhône, Tournon et Tain communiquent par un pont routier et une passerelle qui relie le centre ancien des deux cités.

Pl. St-Julien, 07300 Tournon-sur-Rhône, ☎ 04 75 08 10 23.

Le nom

Il est dérivé de *Turnomagus*, de *Turno*, éminence, et *Magus*, marché, preuve que la vocation commerçante de Tournon est des plus anciennes.

Les gens

9 946 Tournonais qui se firent une spécialité au cours des siècles, d'accueillir de futurs poètes : en 1536 **Ronsard**, qui n'avait que 12 ans, y vint afin de servir comme page dans la suite du dauphin François, fils aîné de François Ier. Las, le jeune prince prit froid en jouant au ballon et mourut à l'âge de 19 ans. Ronsard écrivit plus tard :

Mon malheur a voulu qu'au lit mort je le visse,
Non comme un homme mort, mais comme un endormi,
Ou comme un beau bouton qui se penche à demi,
Le Rhône le pleura...

À BONNE ÉCOLE

Honoré d'Urfé, l'auteur de *L'Astrée*, fut élève au collège en 1583. **Stéphane Mallarmé** fut nommé professeur d'anglais au lycée, de 1863 à 1866. Mais le maître du Symbolisme, aux prises le jour avec de turbulents potaches, la nuit avec la poésie, ne fut guère heureux à Tournon.

carnet pratique

Restauration

• Valeur sûre

Le Chaudron – *7 r. St-Antoine - ☎ 04 75 08 17 90 - fermé 1 au 21 août, 24 déc. au 2 janv., jeu. soir et dim. – 11,50€ déj. – 20,60/27,50€.* Dans un quartier semi-piéton entre les quais et l'hôpital, ce restaurant au décor chaleureux avec banquettes de cuir, chaises bistrot et boiseries claires, ouvre sa jolie terrasse en été et sert une cuisine gourmande au goût du jour... Un succès de la ville !

Hébergement

• Valeur sûre

Hôtel Les Amandiers – *13 av. de Nîmes - ☎ 04 75 07 24 10 - P - 25 ch. : 44,21/54,88€ - ☕ 6,40€.* Un peu à l'écart du centre-ville, cet hôtel récent est parfait pour sillonner la région et arpenter les célèbres coteaux des vignobles autour de la ville. Ses chambres spacieuses sont fonctionnelles et sobres, décorées de meubles récents.

Achats

Le vignoble de Tain-l'Hermitage

Étiré sur la rive gauche du fleuve, Tain est bien connu des gastronomes, pour son vignoble, l'un des plus fameux des côtes-du-rhône. L'hermitage rouge est un vin corsé, délicat, de couleur rubis foncé, l'hermitage blanc, doré et sec. Les cépages cultivés sont le syrah pour le vin rouge, la roussanne et la marsanne pour le blanc. La production est d'environ 3 500 hl par an.

Loisirs-Détente

Chemin de fer du Vivarais – Comptez une journée d'excursion. Le train, authentique matériel de la fin du siècle dernier (locomotive à vapeur, voitures en bois, plates-formes), serpente au fond de la vallée du Doux, empruntant une ligne à voie métrique et longeant arbres fruitiers et vignes, puis escaladant la montagne où voisinent bruyères, sapins et châtaigniers. Après Colombier-le-Vieux et la sortie des gorges, il dessert Boucieu-le-Roi et Lamastre. Trajets Tournon-Lamastre en train à vapeur ou en autorail (2h). *Juil.-août : dép. à 10h et possibilité de faire AR dans ap.-midi ; mai-juin et sept. : tlj sf lun. ; avr. : w.-end et j. fériés ; oct. : 1er et 2e w.-end, 3 derniers dim. Retour assuré, il est conseillé de se renseigner. 15,24€ A (enf. : 11,43€ A), 16,77€ AR (enf. : 12,96€ AR) ☎ 04 78 28 83 34.*

Dégustation au château Curson

visiter

Lycée Gabriel-Fauré

Devant le lycée s'élève la statue du cardinal de Tournon qui fonda en 1536 le collège de Tournon et en fit l'un des plus brillants foyers de culture de la Renaissance. La façade Ouest du lycée est ornée d'un portail d'honneur, Renaissance ; avec la façade élégante de la chapelle (18e s.), disposée en retour d'équerre, elle forme un bel ensemble architectural. À l'intérieur, on peut voir la salle des Actes : tableaux de Jean Capassin, élève de Raphaël que le cardinal de Tournon appela dans sa bonne ville, bustes par Coustou et Gimond (1894-1961) ; la galerie des tapisseries (Flandres et Aubusson, 17e s.) ouvre sur une cour plantée de gigantesques platanes.

Face aux riants vignobles de Tain-l'Hermitage, la ville de Tournon offre un visage plus sévère dominé par son imposant château.

TAIN

Batie (Quai de la) .... C 3
Defer (Pl. H.)......................... C 8
Église (Pl. de l') .... C 12
Gaulle (Q. Gén.-de)................ C 14
Grande-Rue............................ B 16
Jaurès (Av. J.) .... BC
Michel (R. F.)........................... C 21
Peala (R. J.)............................. B 24
Prés.-Roosevelt (Av.).............. C 29
Rostaing (Q. A.)....................... C 30
Seguin (Q. M.)......................... B 32
Souvenir-Français (Pl.) .... C 33
Taurobole (Pl. du)................... BC
8-Mai-1945 (Pl. du)................. BC 39

TOURNON

Dumaine (R. A.) .... B 9
Faure (R. G.)............................ B 13
Grande-Rue.............................. B
Juventon (Av. M.) .... B 19
Thiers (R.).............................. B 35

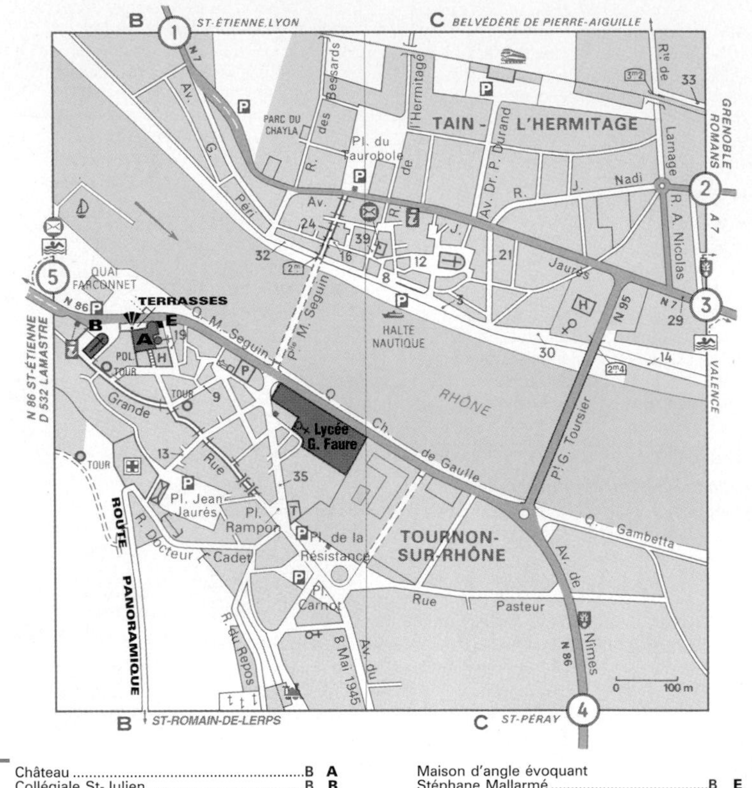

Château .... B A
Collégiale St-Julien.................................. B B
Maison d'angle évoquant Stéphane Mallarmé .... B E

UN FIN POLITIQUE

François de Tournon (1489-1562), qui fut successivement abbé de St-Antoine, puis de la Chaise-Dieu, cardinal, doyen du Sacré Collège et archevêque de Lyon était aussi un habile politicien et un humaniste raffiné qui protégea de nombreux artistes. C'est lui qui négocia à Madrid la mise en liberté de François Ier après la bataille de Pavie, grâce à quoi, ayant gagné la confiance du roi, il devint son principal ministre, avant d'être envoyé à Rome comme ambassadeur par Henri II. Il y gagna la pourpre cardinalice et fut même un temps évêque d'Ostie.

La chapelle, de style jésuite, offre un intéressant exemple du style décoratif au 17e s.

En sortant du lycée, se diriger vers le Rhône et emprunter le quai à gauche.

UNE PLAQUE POUR MALLARMÉ

Sur la maison d'angle au pied du château, à proximité du monument aux morts, elle évoque le séjour du poète, qui, enseignant le jour, travaillait d'arrache-pied la nuit à son œuvre : « Les misérables qui me paient au collège ont saccagé mes belles heures », écrira-t-il.

Château

De mi-mars à fin oct. : tlj sf mer. 14h-18h (juin-août : tlj 10h-12h, 14h-18h ; oct. : tlj sf mer. 14h-17h). 3,35€. ☎ 04 75 08 10 30.

Le château a été construit par les seigneurs de Tournon aux 14e et 15e s. On accède à la cour intérieure par une ancienne porte conservant ses vantaux de bois.

Musée rhodanien – Il évoque la batellerie et les mariniers du Rhône, ainsi que des figures locales comme le sculpteur Gimond (élève de Maillol), l'éditeur Charles Forot ou l'ingénieur ardéchois Marc Seguin qui construisit en 1825, à Tournon, le premier pont métallique suspendu sur le fleuve, démoli en 1965.

Chapelle St-Vincent – Du 17e s. elle abrite le superbe triptyque de Capassin, commandé au 15e s. par François de Tournon.

Terrasses★ – La terrasse haute est aménagée en jardin suspendu d'où l'on domine le Rhône, face au massif du Vercors.
À l'opposé, la grande terrasse, établie au pied des tours en belvédère au-dessus du quai, offre un **coup d'œil★** splendide sur la ville, le Rhône, et les coteaux de l'Hermitage.

Nous ne sommes pas à Annonay et pourtant... Fier de sa découverte, Marc Seguin pose devant sa plus célèbre invention, la locomotive à vapeur.

Collégiale St-Julien

Un clocher carré flanque la façade flamboyante de l'ancienne collégiale du 14e s. À l'intérieur, de belles arcades divisent en trois nefs le vaisseau couvert d'un plafond de bois à caissons. Dans la chapelle des fonts baptismaux, remarquez une Résurrection, exécutée en 1576 par Jean Capassin. Contre le mur du collatéral de droite, un beau triptyque sur bois (16e s.) d'influence italienne représente l'Annonciation, la Visitation et la Nativité.
Revenir au château et emprunter devant l'hôtel de ville, à l'angle de la place Auguste-Faure, l'étroite rue Guéméné qui évoque l'aspect du vieux Tournon. La rue du Port et la rue Boissy-d'Anglas ramènent au lycée.

alentours

Belvédère de Pierre-Aiguille★

5 km. Quitter Tain au Nord en direction de Larnage, puis suivre l'accès signalisé.

Dominant les coteaux où s'étage le célèbre vignoble de Tain-l'Hermitage, le belvédère (alt. 344 m) offre un beau panorama sur le Rhône et les deux cités en vis-à-vis, sur les contreforts du Vercors sur fond d'Alpes à l'Est, sur la vallée du Doux, le Mézenc et le Gerbier-de-Jonc à l'Ouest. Au retour, la descente procure également de bonnes vues sur les coteaux.

Chantemerle-les-Blés

11 km. Quitter Tain-l'Hermitage en direction de Romans et prendre à gauche la D 109 qui passe sous l'autoroute. Laisser la voiture sur la place située en arrière de la poste. Le chemin d'accès s'amorce à droite du monument aux morts, au pied d'une chapelle.
Ce petit bourg de la Drôme conserve une modeste **église** romane d'aspect austère, mais égayée par certains détails décoratifs comme l'arc de la baie centrale de la façade. *Retirer la clé au bar "Chez Diego" tlj sf jeu.*
On s'attachera surtout au site et à la vue sur les coteaux environnants *(1/4h à pied AR).*

circuits

ROUTE PANORAMIQUE★★★

Quitter Tournon au Sud par la rue du Dr-Cadet et la rue Greffieux en direction de St-Romain-de-Lerps.

De Tournon-sur-Rhône à Valence, la **route panoramique★★★**, tracée en corniche, offre d'extraordinaires points de vue

Côte sauvage
La montée, en lacet, très raide, est éblouissante. On domine bientôt la plaine valentinoise, que limite à l'Est la haute barre du Vercors. Un peu plus loin se creusent, sur la droite, les gorges du Doux.

Dans le village de Plats, tassé sur le plateau, tourner à gauche dans le GR 42 devant le monument aux morts.

À la sortie du village, on aperçoit la « tour » de St-Romain-de-Lerps.

Panorama de St-Romain-de-Lerps★★★ – Deux balcons d'orientation sont aménagés de part et d'autre d'une petite chapelle, sur une plate-forme, à quelques mètres de la « tour », surmontée d'un relais de télédiffusion. Le **panorama**, immense, couvre 13 départements. C'est l'un des plus grandioses de la vallée du Rhône.

Du côté Est, au-dessus de la plaine de Valence, s'élèvent les barres du Vercors, entrecoupées de failles sombres et dominées par la dent de la Moucherolle et le dôme du Grand-Veymont. Au-delà scintillent les sommets neigeux des Alpes et la masse du Mont Blanc. Au Nord, dans l'axe du Rhône, légèrement à gauche, se dresse le mont Pilat ; au Sud se profile le mont Ventoux. Du côté Ouest s'étendent les plateaux et les serres vivaroises. Le sommet du Mézenc domine au loin cette tourmente de crêtes.

De St-Romain-de-Lerps, la descente sur St-Péray s'effectue par la D 287 offrant de remarquables vues sur le bassin de Valence.

Retour à Tournon par la N 86.

GORGES DU DOUX★

Par les routes de corniche

Circuit de 50 km – environ 2h. Quitter Tournon-sur-Rhône par la route de Lamastre.

La route longe les vergers du bassin du Doux dont le cours s'encaisse peu à peu. Laissant à droite la route d'Annonay qui franchit le Doux sur le « Grand Pont », poursuivez à gauche en direction de Lamastre. La route en **corniche★** surplombe les gorges du Doux tapissées de chênes et chênes verts, genêts d'Espagne, fougères, buis sauvages et pins rabougris.

Dos d'âne
Le fameux « Grand Pont » (14e -18e s.) sur le Doux impressionne par son arche unique, en léger dos d'âne, qui mesure 50 m d'ouverture.

Emprunter la D 209, à droite, vers Boucieu-le-Roi.

Boucieu-le-Roi

L'église (13e-16e s.) de ce siège de l'ancien bailliage royal du Haut-Vivarais offre une jolie silhouette.

Retour à Tournon-sur-Rhône par Colombier-le-Vieux et la D 234, tracée sur le versant opposé des gorges.

C'est la partie la plus sauvage : seuls le torrent, la voie ferrée et la route y trouvent place.

DÉFILÉ DE SAINT-VALLIER★

Quitter Tournon-sur-Rhône au Nord par la N 86.

Vion

Église en partie romane ; au transept, les chapiteaux sculptés représentant des scènes de la vie du Christ et de la Vierge. *Se renseigner à la mairie. ☎ 04 75 08 01 17.*

À Vion emprunter la petite route qui rejoint la D 532. À la Croix du Fraysse prendre la direction de St-Jeure-d'Ay, puis tourner à droite sur la D 6. Environ 7 km après, descendre à droite la D 506 vers Ozon.

La descente, très rapide, au-dessus du village d'Ozon, encore invisible, offre, dans deux virages prononcés, un superbe **coup d'œil★★** sur le **défilé de St-Vallier★**. De part et d'autre du fleuve, les coteaux s'alignent en rangs serrés. Leurs versants abrupts portent des cultures en terrasses, vergers et vignes. La vue plonge sur les méandres du Rhône, parsemé d'îles et bordé de rideaux de peupliers.

De St-Vallier à Tain-l'Hermitage, emprunter la N 7, tracée sur la rive gauche.

Cette portion de vallée, resserrée en couloir, est la plus évocatrice du Rhône féodal. Ruines de châteaux forts et vieilles tours de défense et de guet se succèdent à la pointe des escarpements. L'arrivée à **Serves-sur-Rhône** est précédée d'une superbe **vue** en avant sur les vestiges imposants de son château. En face se dresse, sur la rive droite, la **tour** rivale d'**Arras-sur-Rhône**.

Table témoin
On aperçoit, affleurant les eaux, le petit rocher de la **Table du Roi**, surmonté d'une balise - recouvert en période de crue.

Peu après l'embranchement vers Crozes-Hermitage, un coteau sauvage, « Pierre-Aiguille », qu'entaille la voie ferrée, rejette la route au bord du fleuve.

La ligne de coteaux s'entrouvre à gauche, dégageant le coteau de l'Hermitage, zébré par les terrasses de son célèbre vignoble.

Trévoux

Un parlement à Trévoux ? Vous ne rêvez pas car la ville est en effet l'ancienne capitale de la principauté de Dombes qui est restée indépendante jusqu'en 1762. Le duc du Maine ayant imposé à ses magistrats l'obligation de résidence, la ville fut dotée au 18e s. d'un certain nombre d'hôtels parlementaires, bordant les ruelles des vieux quartiers.

La situation

Cartes Michelin nos 88 pli 7 ou 246 pli E – Schéma p. 145 – Ain (01).

Au carrefour de trois voies romaines, allongée en terrasses sur la « côtière » de Saône, la ville étage, face au Midi, ses façades colorées et ses jardins fleuris.

33 r. du Gouvernement, 01600 Trévoux, ☎ 04 74 00 36 32. L'Office de tourisme accueille une exposition sur la filière du diamant dont la ville a longtemps été la capitale.

Le nom

Le nom de la ville viendrait des trois méandres ou « voltes » dessinés par la Saône autour de Trévoux.

Les gens

6 392 Trévoltiens. La ville fut, aux 17e et 18e s., un des centres intellectuels les plus brillants de France. Son imprimerie, fondée en 1603, était célèbre. En 1704, les jésuites firent paraître la première édition du fameux *Dictionnaire de Trévoux* ; sous leur direction, le *Journal de Trévoux* mena campagne, pendant 30 ans, contre Voltaire et les philosophes de l'*Encyclopédie*.

RESTAURATION

Auberge de campagne Petit Veyssieux – *69650 Quincieux - 2 km au S de Trévoux par D 87 - ☎ 04 78 91 14 70 - fermé 16 déc. au 3 fév., 1er au 15 août et lun. à ven. - 8€ déj. - 18€.* Amateurs d'adresses authentiques, arrêtez-vous là ! Cette auberge de campagne qui n'ouvre que le week-end, travaux de la ferme obligent, sert une cuisine généreuse, préparée par la patronne avec des produits fermiers. Un menu unique servi en famille.

se promener

LA VIEILLE VILLE

Laisser la voiture boulevard des Combattants. Gagner la place de la Terrasse, d'où l'on domine la boucle de la Saône (table d'orientation). De l'autre côté de la rue du Palais s'élève le palais du Parlement.

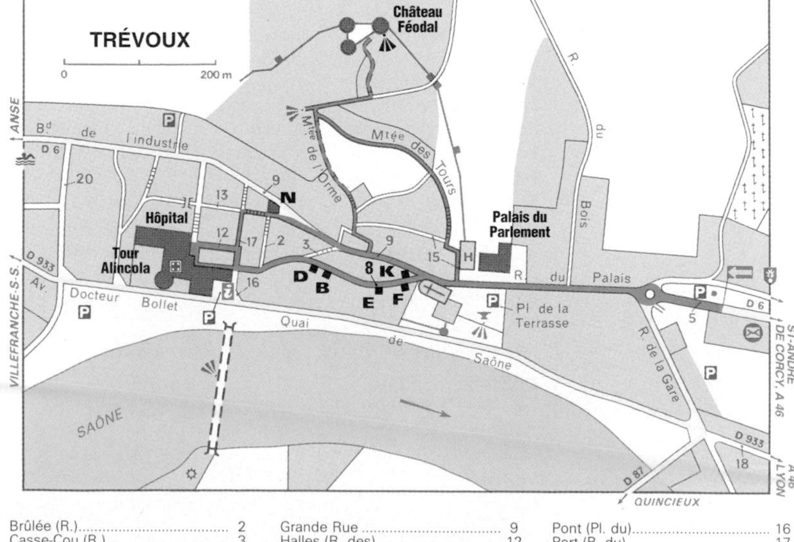

Brûlée (R.)	2	Grande Rue	9	Pont (Pl. du)	16
Casse-Cou (R.)	3	Halles (R. des)	12	Port (R. du)	17
Combattants (Bd des)	5	Herberie (R. de l')	13	Sidoine (R. de la)	18
Gouvernement (R. du)	8	Montsec (R.)	15	Ursules (R. des)	20

Hôtel de la Grande Mademoiselle	B	Imprimerie	F
Hôtel de la Monnaie	D	Maison des Pères	K
Hôtel du Gouverneur de Dombes	E	Tour de l'Arsenal	N

Palais du Parlement

Juin-sept. : 9h-12h, 14h-18h (sf j. d'audience), w.-end et j. fériés 14h-18h ; oct.-mai : tlj sf w.-end 9h-12h, 14h-18h. 1,52€. ☎ 04 74 00 36 32.

Il fut construit à la fin du 17e s. Le parlement de Dombes y siégea de 1697 à 1771. Peut-être vous souvenez-vous des fameuses initiales SPQR qui rendent hommage au peuple romain sur les grands monuments de Rome. Cette idée a été reprise au parlement de Dombes où on peut lire, à l'extrémité droite de la deuxième poutre en partant du fond, les orgueilleuses initiales SPQD *(Senatus Populusque Dumborum).*

Dans le vestibule s'ouvre la **salle d'Audience**★ dont le beau plafond à la française est décoré de motifs peints.

L'audience est ouverte ! Beau témoin de la vie parlementaire de Trévoux, la salle d'audience a gardé le Portrait du duc du Maine *par Rigaud.*

Rue du Gouvernement

De part et d'autre de cette rue, située en contrebas de l'église, furent rédigés et imprimés le *Dictionnaire* et le *Journal de Trévoux.*

Plus bas, une suite de demeures anciennes : hôtels du gouverneur de Dombes, de la Grande Mademoiselle et hôtel de la Monnaie, cachant derrière d'austères façades leurs terrasses dominant la Saône. Le carrefour avec la rue Casse-Cou, bien nommée en raison de sa déclivité, offre un amusant coup d'œil.

> **Bien vu**
> Les jésuites habitaient, rue du Gouvernement, la vaste et haute « maison des Pères » dont l'entrée principale se trouvait aux nos 3 et 9 de la Grande-Rue ; ils n'avaient que la rue à traverser pour porter leurs copies à l'imprimerie située en face.

Par la rue des Halles, gagner l'hôpital.

Hôpital

Juin-sept. : visite guidée (1/2h) ven.-lun. et j. fériés 14h-18h ; oct.-mai : sur demande préalable auprès de l'Office de tourisme. 1,52€. ☎ 04 74 00 36 32.

Fondé en 1686 par la Grande Mademoiselle, il conserve sa pharmacie avec ses boiseries et une belle collection de pots de Nevers et de Gien. Sur le quai, on peut voir la tour Alincola (13e-17e s.), coiffée d'un dôme à lanternon.

Regagner la rue du Port que l'on remonte.

La rue de l'Herberie, à droite, était jadis réservée aux juifs. Le carrefour de la rue de l'Herberie et de la Grande-Rue forme une placette triangulaire dominée par la tour carrée de l'Arsenal (1405), transformée plus tard en beffroi.

Par la montée de l'Orme gagner le château féodal.

Château féodal

Juin-sept. : visite guidée jeu.-lun. 14h30-19h ; oct.-mai : se renseigner à l'Office de tourisme. 0,76€. ☎ 04 74 00 36 32.

Vestiges de l'ancien château (14e s.) ; du sommet de la tour octogonale, vue sur la Saône.

La montée des Tours, puis la rue du Palais ramènent boulevard des Combattants.

Le Tricastin★

Région de transition entre le Nord et le Midi, la plaine du Tricastin, dite aussi « plaine de Pierrelatte », encadrée par trois massifs montagneux en arc de cercle, riches en minerais de fer et de lignite que les Celtes exploitèrent dès le 4e s. av. J.-C., annonce la Provence tant par son climat que par sa végétation. Ses implantations industrielles réunies dans le complexe du Tricastin sont essentiellement axées sur le nucléaire. L'activité agricole, cependant, n'a pas disparu et se développe dans une zone horticole tout autour du site.

La situation

Cartes Michelin nos 81 pli 1 ou 246 plis 22, 23 - Drôme (26). Les plaines de Montélimar et du Tricastin sont séparées par une barrière calcaire dans laquelle le Rhône a taillé un étroit couloir appelé défilé ou « **robinet de Donzère** », long de 3 km et large de 300 m dans sa partie la plus étroite. De La Garde-Adhémar, de St-Restitut, mais surtout de Barry, on découvre une bonne vue sur l'ensemble de ces aménagements. *R. de la République, 26130 Le Tricastin, ☎ 04 75 96 61 29.*

Le nom

Le nom « Tricastin », d'origine celtique, dériverait du mot « castine », calcaire que l'on mêle au minerai de fer pour en faciliter la fusion. Lors de la conquête romaine, la région prit le nom de *Pagus Tricastini*. Rien à voir avec les trois châteaux de Saint-Paul, produits de la fantaisie étymologiste d'un imaginatif lettré !

Les gens

Comme leurs farouches ancêtres *Triscatini*, ils se nomment tout simplement les Tricastins.

Il ne faudrait pas retenir que le côté industriel du Tricastin qui recèle bien des trésors dont les coteaux du Tricastin, AOC depuis 1973, à consommer avec modération, bien sûr !

carnet pratique

RESTAURATION

• Valeur sûre

Logis de l'Escalin – *26700 La Garde-Adhémar - 1 km au N de La Garde-Adhémar par D 572 - ☎ 04 75 04 41 32 - fermé 2 au 8 janv., dim. soir et lun. - 19,06/46,50€.* Entre sa délicieuse terrasse dressée dans le jardin en été et ses jolies salles à manger réchauffées par une cheminée en hiver, cette ancienne ferme ne peut que vous séduire. Elle propose en plus des menus gourmands qui achèveront de vous convaincre.

La Table de Nicole – *Sur D 541 - 26230 Valaurie - 7,5 km au NE de la Garde-Adhémar par D 472 et D 133 - ☎ 04 75 98 52 03 - fermé mar. midi d'oct. à mars - 25,92/48,78€.* Étape couleur locale dans cette ancienne magnanerie à quelques kilomètres de Montélimar. Nichée dans un joli jardin, elle ouvre en été sa belle terrasse ombragée aux gourmands venus savourer les copieux menus du terroir servis à sa table... Quelques chambres et piscine.

HÉBERGEMENT

• À bon compte

Chambre d'hôte Domaine de Magne – *Val des Nymphes - 26700 La Garde-Adhémar - ☎ 04 75 04 44 54 - - 3 ch. : 34/43€ - repas 16/24€.* Sur les collines du Tricastin, au milieu des pêchers, cette maison de pays à 1 km de la chapelle du Val-des-Nymphes, est un vrai délice. Dans son domaine de 27 ha, vous retrouverez la joie des bonheurs simples : un joli décor provençal, des produits fermiers et le calme... Piscine.

Tricastin – *R. Caprais-Favier - 26700 Pierrelatte - ☎ 04 75 04 05 82 - P - 13 ch. : 34,76/41,16€ - 5,49€.* Hôtel simple dans une rue calme proche du centre-ville. Derrière la pimpante façade vous attendent des chambres correctement équipées et d'une tenue irréprochable. Le service est particulièrement attentionné.

• Valeur sûre

Le Castel – *Pl. de l'Église - 26130 St-Restitut - ☎ 04 75 04 59 40 - fermé fin nov. au 28 fév. - - 5 ch. : 76,22/91,47€.* Dans ce charmant village, une maison du 16e s. restaurée avec soin, à l'ombre de l'église romane. Quelques petites chambres plaisantes pour profiter pleinement du calme paisible de St-Restitut. Une étape qui nous semble assez immanquable...

CALENDRIER

Messe de minuit en provençal... agrémentée d'une crèche vivante, dans la belle église romane de La Garde-Adhémar, le 24 décembre.

découvrir

LES VILLAGES DU TRICASTIN

St-Paul-Trois-Châteaux

Au cœur de la première région trufficole de France, la cité fut le siège d'un évêché jusqu'à la Révolution.

Cathédrale★ – Cet imposant édifice, commencé au 11e s. et terminé au 12e s., est un remarquable exemple de l'architecture romane provençale.

Extérieur – On est frappé par la hauteur exceptionnelle des murs du transept et l'aspect puissant de la nef. L'austérité de ces murailles est cependant atténuée par quelques détails décoratifs, comme le portail de la façade Ouest dont le cintre finement sculpté encadre des vantaux de bois du 17e s.

Le meilleur est à l'intérieur

Notez le buffet d'orgues réalisé en 1704 par le sculpteur avignonnais Boisselin, le bas-relief du deuxième pilier à gauche, représentant le Jugement dernier, des fresques des 14e et 15e s. ainsi que, derrière le maître-autel, une mosaïque du 12e s. Dans le bas-côté Nord est conservé l'ancien maître-autel en bois doré du 17e s.

Intérieur – *Entrer par le portail latéral Sud.* La nef de trois travées en berceau sur doubleaux, épaulée de bas-côtés, est d'une magnifique élévation (24 m). La travée précédant le transept présente, à l'étage, un faux triforium. Une coupole sur trompes recouvre la croisée du transept. L'abside, voûtée en cul-de-four, sous-tendue de nervures plates s'ouvre sur la croisée par un arc triomphal à double ressaut.

Maison de la Truffe et du Tricastin – *Mai-sept. : 9h-12h, 15h-19h, dim. 10h-12h, 15h-19h ; avr. et oct. : 9h-12h, 14h-18h, dim. 10h-12h, 14h-18h ; nov.-mars : tlj sf dim. 9h-12h, 14h-18h. Fermé lun. matin et j. fériés. 3€. ☎ 04 75 96 61 29.*
Située derrière le chevet de la cathédrale dans les locaux du Syndicat d'initiative, elle présente, sous forme de panneaux explicatifs, de vitrines, et d'un programme vidéo, une exposition sur la trufficulture et la commercialisation du « diamant noir » du Tricastin, qui entre dans la composition de savoureuses spécialités locales. Dans les caves voûtées, présentation des vins des coteaux du Tricastin et d'outils vinicoles anciens.

St-Restitut

Ce vieux village perché du Tricastin séduit par le charme de ses maisons serrées autour de son église flanquée à l'Ouest par une haute tour carrée à la silhouette insolite.

Au carrefour de la Poste, s'engager dans la rampe signalée « église 12e s. » et laisser la voiture sur une esplanade plantée d'arbres à droite.

Miracle !

D'après la légende, Sidoine, l'aveugle-né de l'Évangile, fut guéri par le Christ de son infirmité. Un miracle vaut bien qu'on change de nom : aussi, il serait devenu Restitut, celui « qui a recouvré la vue ». Il se fixa dans le Tricastin où les fidèles en firent leur pasteur. Il mourut en Italie, d'où ses reliques furent rapportées dans le village qui porte aujourd'hui son nom. Sur la place de l'église, une fontaine miraculeuse a attiré de nombreux pèlerins jusqu'au 18e s.

Église★ – De style roman provençal, elle est surtout remarquable par l'ensemble de sa **décoration sculptée★**, inspirée de l'antique.
À l'extérieur, il s'agit du chevet polygonal avec sa corniche délicatement sculptée et du portail Sud. À l'intérieur, la nef unique, légèrement désaxée, est couverte d'une voûte en berceau brisé. À hauteur des chapiteaux court une élégante corniche. Dans l'abside, cinq arcatures à chapiteaux corinthiens supportent une demi-coupole en cul-de-four.

Tour funéraire – Elle flanque la partie Ouest de l'église et recouvre, dit-on, le tombeau de saint Restitut. La partie basse, en petit appareil surmonté d'une frise et d'une corniche sculptées, serait du 11e s. ; la partie haute, en moyen appareil, aurait été restaurée à l'époque de la construction de l'église. Cette frise, encadrée de rangées de damiers, qui court sur les quatre pans de la tour, comporte des panneaux sculptés empruntant leurs thèmes à la Bible, au bestiaire du Moyen Âge ou aux métiers.

Chapelle du St-Sépulcre – *1/4h à pied AR.*
À 400 m du bourg, cette petite chapelle hexagonale, perchée sur le rebord de l'escarpement, a été édifiée en 1504 par l'évêque Guillaume Adhémar, au retour d'un pèlerinage en Terre sainte.

Les techniques ont bien changé et ce n'est plus avec ce magnifique pressoir que l'on extrait les vins du Cellier des Dauphins.

Route des carrières

On les découvrira en empruntant à Saint-Restitut la **route des carrières**. Après avoir quitté le village par la D 59^A, on prend à droite une route sinueuse qui court à la surface du plateau calcaire, peuplé de chênes-truffiers, et percé, çà et là, de vastes carrières souterraines exploitées du 18e s. au début du 20e s.

Théâtre d'Images★ – *Fléché sur la droite de la route. Se renseigner sur les thèmes des projections. ☎ 04 75 04 59 99.* 4 000 m² d'images, qui dit mieux ? Ambiance fraîche mais magique dans ces anciennes galeries de pierre blanche qui deviennent des écrans géants et justifient, par leur acoustique exceptionnelle, leur nom de « cathédrale troglodyte ».

Le Cellier des Dauphins – *Au bout de la route. De mai à fin août : visite guidée (3/4h) tlj sf lun. 9h30-12h30, 14h30-18h30. 3,81€. ☎ 04 75 04 95 87.*
Temple des vins du Tricastin, le cellier abrite dans ses immenses caves les nombreux crus de la région. Exposition sur le vignoble et petit tour dans les caves en petit train.

La Garde-Adhémar

Son église perchée signale de loin ce vieux village qui invite à la flânerie avec ses pittoresques maisons en calcaire, ses passages voûtés et ses ruelles tortueuses coupées d'arceaux. C'était, au Moyen Âge, une importante place forte de la famille des Adhémar. Au 16e s., un château Renaissance fut édifié par **Antoine Escalin**, baron de la Garde.
Des anciens remparts subsistent au Nord du bourg une porte fortifiée et quelques vestiges, notamment au Sud du village, non loin de la grande croix dressée sur un socle romain.

UNE BELLE PROMOTION

C'est celle d'Antoine Escalin : simple berger puis soldat, il fut annobli et devint général des galères et ambassadeur de François Ier !

Église★ – C'est un édifice roman, remarquable par ses deux absides et la jolie silhouette de son clocher à deux étages octogonaux, surmonté d'une courte pyramide. Une frise finement sculptée court autour de l'abside Ouest et des absidioles. L'intérieur, très dépouillé, présente une haute et courte nef flanquée d'étroits collatéraux.

MERCI PROSPER !

C'est grâce à Prosper Mérimée, alors inspecteur des Monuments Historiques, que l'église de la Garde-Adhémar fut restaurée au milieu du 19e s.

Chapelle des Pénitents – *Pâques-Toussaint : dim. 15h-17h sur demande préalable. ☎ 04 75 04 41 58.*
Cet édifice intègre à l'Ouest des fenêtres géminées du 12e s., visibles de la place de l'église. Du 17e au 19e s., s'y réunissaient les membres d'une confrérie de Pénitents blancs, comme le rappelle la fresque décorant le mur Sud. La chapelle abrite une exposition sur La Garde-Adhémar et un montage audiovisuel, intitulé *Le Tricastin en images*, propose une évocation historique de la région.

Point de vue★ – La terrasse offre une **vue** très étendue sur la plaine de Pierrelatte, dominée par les contreforts du Vivarais, où se détache la dent de Rez.
À l'aplomb de la terrasse s'étage un jardin de plantes aromatiques et médicinales.

Chapelle du Val-des-Nymphes – *2 km par la D 472 au Nord-Est du village.* Dans un vallon dont la fraîcheur est entretenue par les chênes centenaires et une source permanente et qui était, comme l'évoque son nom, un lieu de culte païen, il ne reste plus d'un important habitat haut-médiéval que la chapelle priorale du 12e s., dépendance de l'abbaye de Tournus. Longtemps en ruine, elle fut restaurée en 1991, et une élégante charpente recouvre la nef. La belle abside en cul-de-four du sanctuaire roman a conservé son double étage d'arcatures. L'étage supérieur de la façade est décoré de trois arcatures aveugles en plein cintre, surmontées par un fronton.

Clansayes★

Laisser la voiture sur l'esplanade et gagner l'extrémité du promontoire qui porte une statue monumentale de la Vierge. De là, la **vue★★** s'étend sur les pitons du Tricastin, découpés par l'érosion ; les arrachements du tuf forment un étonnant mélange de coloris. Sur le rebord des pentes gisent, en équilibre instable, d'énormes blocs de grès. Le panorama sur la vallée prend, avec le recul, une magnifique ampleur ; le regard s'accroche, à droite, à la silhouette de La Garde-Adhémar. Au loin s'étale la plaine de Pierrelatte dont on distingue les installations industrielles. En face se profilent les contreforts du Bas-Vivarais et la dent de Rez.

Plein les yeux
Très bonne **vue★★**, du sommet de l'éperon rocheux, sur la plaine de Pierrelatte avec le complexe nucléaire du Tricastin, les ouvrages de Donzère-Mondragon, les plaines de la Drôme et du Vaucluse, ainsi que le Bas-Vivarais, du défilé de Donzère jusqu'au-delà de Pont-St-Esprit. Au sommet du plateau subsistent quelques vestiges d'un château du 12e s.

◀ Barry★

Adossé à une falaise dans laquelle plusieurs de ses maisons sont creusées, le village de Barry, situé sur la commune de Bollène, a été occupé depuis l'époque préhistorique jusqu'à la Seconde Guerre mondiale. Il s'agit peut-être de l'oppidum celtique *Aeria* cité par le géographe grec Strabon au 1er s. av. J.-C. Le plateau, sillonné de deux sentiers balisés, marque la frontière entre le Dauphiné et la Provence. Le village abandonné est en cours de restauration ; lors de la montée sur le chemin principal, on remarque les habitations troglodytiques (notez le mobilier creusé dans le roc : évier, placards...), la chapelle N.-D.-de-l'Espérance (17e s.), et les ornières creusées dans la roche par les carriers (le quartier de Perrache à Lyon a été édifié, en partie, avec des pierres de Barry).

LES OUVRAGES DE DONZÈRE-MONDRAGON

Autrefois, le Rhône, au sortir du défilé de Donzère, s'étendait dans la plaine de Pierrelatte en formant de nombreux bras ; à partir du 17e s., divers aménagements destinés à améliorer la navigation ont modifié ses rives ; mais ce sont surtout les gigantesques travaux réalisés par la Compagnie nationale du Rhône entre 1948 et 1952 qui ont dessiné la physionomie actuelle de la plaine, la transformant en une vaste île : deux ponts de chemin de fer et huit ponts routiers franchissant la dérivation de béton en témoignent.

L'agriculture tire profit de ces travaux par l'assainissement des terres et l'extension des irrigations auxquelles sont consacrés 25 m^{3}/s d'eau prélevés dans le canal.

Le canal – Long de 28 km, large de 145 m et profond de plus de 10 m, il raccorde les communes de Donzère et de Mondragon, distantes de 31 km par le fleuve.

Ce canal, dont le débit peut atteindre en hautes eaux jusqu'à 2 000 m^{3}/s, comprend un canal d'amenée des eaux à l'usine, long de 17 km, et un canal de fuite long de 11 km. En amont de Bollène se trouve l'ensemble usine-déchargeur-écluse qui forme en même temps un barrage long de 340 m.

L'usine hydroélectrique – Utilisant la chute maximale de 23 m ainsi créée en amont de Bollène, elle peut produire annuellement plus de 2 milliards de kWh. Ces ouvrages en régularisant le cours et le débit du fleuve améliorent la navigation sur 40 km.

LE COMPLEXE NUCLÉAIRE DU TRICASTIN

Visite guidée (2h1/2) tlj sf w.-end et j. fériés sur demande préalable au CNPE du Tricastin, BP 9, 26130 St-Paul-Trois-Châteaux. Carte nationale d'identité exigée. Âge minimum 10 ans. ☎ 04 75 50 37 10.

Sur ce vaste site, entre le canal d'amenée et la N 7, plusieurs sociétés développent des activités étroitement liées à la production d'énergie d'origine nucléaire.

Quitter Pierrelatte au Sud par la N 7 à emprunter jusqu'à l'échangeur avec la D 59, puis suivre les panneaux.

La ferme aux Crocodiles★ – ♿ *Mars-sept. : 9h30-19h ; oct.-fév. : 9h30-17h. 6,86€ (enf. : 4,57€). ☎ 04 75 04 33 73.* Les eaux tièdes du complexe nucléaire du Tricastin alimentent cette grande serre qui abrite un jardin tropical et un élevage de crocodiles. Différentes espèces de crocodiliens sont présentées dans plusieurs grands bassins : caïmans à lunettes, alligators d'Amérique, crocodiles de Cuba... Un peu plus loin, la grande serre offre un dépaysement total, plongeant le visiteur dans un univers exotique ; elle est agrémentée de nombreuses passerelles qui invitent à découvrir une végétation luxuriante, des oiseaux multicolores et bruyants, et surtout plus de 300 redoutables crocodiles du Nil qui se prélassent sur les plages ou patrouillent silencieusement dans les eaux sombres.

Ils cachent bien leur jeu ! Ces imposants crocodiles du Nil qui lézardent paresseusement restent de redoutables chasseurs.

Valence★

Valence doit son développement à sa situation sur le Rhône, au débouché des vallées affluentes du Doux, de l'Eyrieux, de l'Isère et de la Drôme qui délimitent un vaste bassin intérieur, où pointe déjà comme un air de Midi. Dominée par sa cathédrale, la cité est bâtie sur un ensemble de terrasses descendant vers le fleuve. Le vieux Valence, entouré de boulevards percés au 19e s. à l'emplacement des anciens remparts, conserve un lacis de ruelles commerçantes et de « côtes » pittoresques, animées en saison par les « Fêtes de l'Été ».

La situation

Cartes Michelin nos 77 pli 12 ou 246 plis 5, 19 – Drôme (26).

La ville, très bien desservie par un large réseau de communications (autoroute A 7, RN 7, Rhône, TGV, aéroport), est le véritable centre de la moyenne vallée du Rhône et un pôle d'attraction pour les départements de la Drôme et de l'Ardèche.

ℹ *Parvis de la Gare, 26000 Valence, ☎ 04 75 44 90 40.*

Le nom

Pour les uns, la *Colonia Julia Valentia* tirerait son nom d'un certain Valentius. Mais il est bien plus probable qu'on ait souhaité, en la baptisant ainsi, célébrer la vaillance des intrépides légionnaires à qui les terres furent octroyées.

UN ARTILLEUR À VALENCE

En 1785, un jeune lieutenant artilleur de 16 ans, **Napoléon Bonaparte**, fut affecté en garnison à Valence. Le jeune homme habite presque en face de la maison des Têtes où un libraire tient boutique. En moins d'un an, il dévore le fonds de la librairie et noue des liens d'amitiés avec le libraire, Pierre Aurel. Liens assez étroits pour que le fils d'Aurel publie en 1793 à Avignon le célèbre *Souper de Beaucaire*, dans lequel l'artilleur, devenu capitaine, expose des idées, très modérées, sur la Révolution.

Visites guidées

Valence, qui porte le label **Ville d'art et d'histoire**, propose des visites-découvertes animées par des guides-conférenciers agréés par le ministère de la Culture et de la Communication. Renseignements au service Valence Ville d'Art et d'Histoire (☎ 04 75 79 20 86) ou sur www.vpah.culture.fr

Restauration

• Valeur sûre

Le Bistrot des Clercs – *48 Grande-Rue - ☎ 04 75 55 55 15 - fermé 2 au 24 janv. et dim. - 21,19€.* Avec sa grande terrasse qui s'installe dans la rue piétonne aux beaux jours, ce restaurant a la cote... Été comme hiver, sa salle est aussi très sympathique dans son genre bistrot avec ses tables de bois vernis bien serrées, on joue des coudes pour s'y installer !

L' Auberge du Pin – *285 bis av. V.-Hugo - ☎ 04 75 44 53 86 - 25,15€.* Quel bonheur que ce bistrot provençal ! Atmosphère chaleureuse et déco aux couleurs du sud, vives et gaies, avec tables en fer forgé, chaises en paille et produits régionaux en vitrine... Là, ou à l'abri des arbres centenaires de la terrasse en été, prenez le temps de vivre !

Hébergement

• À bon compte

Hôtel St-Jacques – *9 fg St-Jacques - ☎ 04 75 78 26 16 - P - 29 ch. : 32,78/43,45€ - ☕ 4,88€ - restaurant 11,13/21,04€.* Pas très loin du centre, cet hôtel moderne est une adresse pratique : ses chambres, qui sont toutes refaites, sont plutôt simples mais bien insonorisées. Au restaurant, plusieurs menus sont servis dans une salle assez chaleureuse en trois parties.

Hôtel les Négociants – *27 av. P.-Sémard - ☎ 04 75 44 01 86 - fermé 19 déc. au 4 janv. - P - 36 ch. : 35,06/54,88€ - ☕ 6,86€ - restaurant 12,96/38,11€.* Non loin du centre, cet hôtel rénové est une adresse pratique. Ses chambres aux meubles cérusés sont de bonne taille. Plusieurs menus au restaurant.

Chambre d'hôte La Mare – *Rte de Montmeyran - 26800 Étoile-sur-Rhône - 15 km au SE de Valence par D 111 et D 111B - ☎ 04 75 59 33 79 - ⊭ - 6 ch. : 27/40€ - repas 13,50€.* C'est une famille qui tient avec enthousiasme cette ferme : une étape sur mesure pour apprécier le savoir-vivre des gens d'ici et le charme de la campagne drômoise. Chambres coquettes, aux meubles fabriqués maison, et cuisine généreuse préparée avec les produits du jardin.

Hôtel de ville

Sorties

Place de la Gare – Desservie par le TGV et traversée par de nombreux touristes en transit, la gare de Valence est peut être le lieu clé de la ville. Chaque week-end, les jeunes Valentinois partis étudier à Lyon, à Grenoble ou à Marseille reviennent nombreux pour « faire la fête » dans les cafés et pubs regroupés tout autour de cette place.

Place des Clercs – Certainement la plus belle place de la ville, autour de laquelle se bousculent les terrasses de nombreux restaurants. Il est malaisé d'ailleurs de séparer le bon grain de l'ivraie - le Rabelais étant sans conteste le meilleur restaurant de la place... Venez aussi sur cette place pour respirer les odeurs du marché et acheter les produits du terroir.

Café Victor Hugo – *30 av. Victor-Hugo - ☎ 04 75 40 18 11 - lun.-jeu. 7h-21h, ven., sam. jusqu'à 2h.* Café chic et littéraire de Valence. Chic mais vivant ! À midi, il se métamorphose en bruyante brasserie. L'après-midi, les dames viennent deviser autour d'un chocolat chaud pendant qu'à l'étage les étudiants jouent au billard... Cette synthèse de toutes les générations et de toutes les classes sociales est orchestrée par Gérard Rousset, ancien joueur de l'équipe de France de rugby qui réussit là un bel essai...

Le Djam – *11 Grand-Rue - ☎ 04 75 43 32 32 - juil.-août : tlj 18h-2h ; sept.-juin : lun.-jeu. 18h-1h, ven.-sam. 18h-2h.* Petit bar de quartier décoré de façon originale : dans cet univers d'Alice au pays des merveilles, vous pouvez vous enfoncer dans des sièges en forme de pique, de trèfle, de carreau et de cœur... Vous y dégusterez un très bon punch en écoutant du jazz, du blues ou des chansons à texte. Terrasse sur rue.

Le Malvern – *27 r. Denis-Papin - ☎ 04 75 44 10 07 - juil.-août : tlj 7h-2h ; sept.-juin : dim.-jeu. 7h-1h, ven.-sam. jusqu'à 2h - fermé 1 sem. août et 1 sem. Noël.* Avec ses 100 bières (16 tirages), ses 80 whiskies et son décor un peu rustique de pub irlandais, c'est le bar à la mode, convivial et un brin branché. Chaque semaine, vous pouvez participer à des tournois de fléchettes largement arrosés ou assister à des concerts alternant rock, blues et musique celtique.

Le Blue Note – *Quartier des Fontaines - 26120 Chabeuil - ☎ 04 75 85 24 77 - jeu.-sam. et veille de j. fériés. à partir de 22h30.* Sans conteste la discothèque de la région. Cet antre de la techno est d'autant plus apprécié que perdu dans la campagne... Le Blue Note comprend en fait deux discothèques en une : la première, résolument branchée, « met le feu » (attention aux tympans !) la deuxième est plus jazz, plus feutrée et donne accès à un immense bar. Mais il n'est pas interdit de passer d'une salle à l'autre.

Spectacles

Comédie de Valence – *1 pl. Charles-Huguerel - ☎ 04 75 78 41 70 - comedie.de.valence@wanadoo.fr - billetterie : mar.-ven. 13h-19h, sam. à partir de 13h j. de spectacle - fermé août.* Le centre dramatique national de Valence dispose d'une autre salle, La Fabrique, située au 78 av. Maurice-Faure. Mais la majorité des spectacles et des concerts ont lieu au théâtre Le Bel Image, situé place Charles-Huguenel. Ce très beau théâtre de 873 places propose un très pratique système d'abonnement à la carte... Avant le spectacle ou pendant l'entracte, possibilité de prendre un verre au bar, très bien aménagé.

Achats

Un Suisse à Valence – Il s'agit d'une pâtisserie en forme de petit bonhomme, faite de pâte à brioche sucrée parfumée à l'orange qui, traditionnellement, se mangeait pour les Rameaux. Elle doit son nom au pape Pie VI qui fut fait prisonnier par le général Berthier et emmené en détention à Valence où il mourut en 1799. À partir de là, deux interprétations divergentes sont proposées : pour les uns, il s'agirait tout simplement du costume des gardes suisses. Pour les autres, le bonhomme évoqué aurait été rien de moins que Napoléon Ier... Quoiqu'il en soit, que les gourmands se rassurent : on en trouve aujourd'hui toute l'année !

Nivon – *17 r. Pierre-Semard - ☎ 04 75 44 03 37 - www.nivon.com - mar.-sam. 6h-20h, dim. 5h30-20h - fermé dernière sem. janv. et 3 sem. juil.* Fondée en 1852 et dirigée depuis trois générations par la famille Maurin, la pâtisserie Nivon fabrique merveilleusement deux spécialités locales : la pogne, brioche dauphinoise faite sur levain au beurre parfumée à la fleur d'oranger, au rhum ou au citron, et le Suisse, qui est une pâte sablée avec des écorces d'orange confites pilées dans la pâte et parfumée de la même façon que la pogne.

Ravioles Mère Maury – *76 r. Madier-de-Montjau - ☎ 04 75 42 57 41 - mar.-sam. 9h-12h, 14h-19h.* Si vous ne connaissez pas les ravioles, ces succulents petits carrés de pâte fourrés au fromage, alors précipitez-vous à cette adresse... À Paris, les vraies ravioles (fabriquées à Romans-sur-Isère) sont ordinairement hors de prix et il faut se contenter des ravioles industrielles. Au contraire, cette boutique propose des ravioles de fabrication artisanale ainsi que des ravioles délicatement parfumées au basilic, à un prix extrêmement abordable.

Loisirs-Détente

Port de Plaisance – *Chemin de l'Épervière - ☎ 04 75 81 18 93 - avr.-oct. : tlj 9h-12h, 14h-20 ; nov.-mars : lun.-sam. 8h-12h, 14h-18h - fermé j. fériés.* Le port de l'Épervière est le premier port du Rhône avec un plan d'eau de 32 000 m^2. Plusieurs clubs proposent des activités sportives : planche à voile, ski nautique, parachute ascensionnel... Il existe également un bowling, un tennis, une piscine, un camping, un hôtel et plusieurs restaurants.

Difficile de rester seuls, en amoureux, dans le mythique kiosque Peynet qui arbore le célèbre cœur. Mais que la vue est belle !

Les gens

La population de l'agglomération valentinoise, englobant les cités de Bourg-lès-Valence, St-Péray, Portes-lès-Valence et Granges, regroupe aujourd'hui 117 448 Valentinois, dont de nombreux étudiants fréquentant des écoles d'ingénieurs et la faculté de droit, héritière de celle que fonda en 1452, le futur Louis XI qui apprenait alors son métier de roi dans son apanage du Dauphiné. L'enseignement y était dispensé par des maîtres réputés, comme le juriste **Cujas**. La fille de l'austère professeur qui, dit-on, était plus portée sur la bagatelle que sur le droit, aurait eu quelques bontés pour un étudiant nommé **François Rabelais**... qui se souvint de son séjour valentinois lorsqu'il composa son ***Pantagruel***.

Un homme de convictions

Devenu protestant en 1562 par ressentiment contre les Guise, le baron des Adrets embrassa à nouveau la foi catholique après l'édit de pacification d'Amboise du 15 mars 1563 et participa dès lors à la lutte contre ses anciens amis...

comprendre

Une « bête furieuse » – C'est ainsi que Coligny qualifiait François de Beaumont, **baron des Adrets**, Dauphinois né au château de la Frette en 1513. Officier de l'armée royale, il avait pris la tête des troupes protestantes de la région. À l'époque, la pénétration de la Réforme à Valence, que l'évêque Jean de Monluc avait favorisée, se heurte au gouverneur de la ville, **La Motte-Gondrin** : trois huguenots sont pendus pour l'exemple en 1562.

À l'annonce de la nouvelle, les bandes du baron fondent sur la ville, s'en emparent et massacrent les catholiques. La Motte-Gondrin est à son tour pendu à une fenêtre de sa maison, en face du lieu d'exécution des trois protestants. Mais le baron des Adrets ne s'arrête pas en si bon chemin. Ses bandes ravagent les deux rives du Rhône, du Lyonnais au Languedoc et à la Provence, s'en prenant aux cathédrales de Lyon, de Vienne et de Valence et le baron fait honneur à sa douteuse réputation en obligeant ses prisonniers catholiques à se jeter dans le vide du haut d'une tour du château de Montbrison.

Un fléau de l'humanité – Voltaire rangeait dans cette catégorie la Commission de Valence, tribunal d'exception créé en 1733 par les fermiers généraux pour lutter contre la contrebande d'étoffes et de tabac. Ses sentences, exécutoires dans les 24h, sont sans appel : en quelques années, sur 767 accusés un seul est acquitté, les autres sont pendus, roués ou envoyés aux galères.

C'est devant ce tribunal d'exception que comparaît, en 1755, le célèbre **Louis Mandrin,** né trente ans plus tôt à St-Étienne-de-St-Geoirs. À l'instar de nombreux Dauphinois, il se fait contrebandier et entame une série de campagnes fructueuses dont l'audace stupéfie et fait rire la France entière. Rodez, Montbrison, St-Chamond, Brioude, Bourg-en-Bresse, Ambert, Beaune, Autun reçoivent la visite des bandes de Mandrin, qui y tiennent marché ouvert en plein jour. Mandrin réussit toujours à échapper à ses poursuivants.

Jusqu'au jour où... l'armée dépêchée contre lui viola le territoire savoyard, où le contrebandier se croyait à l'abri. Écroué à Valence, Mandrin est condamné à être roué vif.

Une fin tragique

Le 26 mai 1755, la place des Clercs est noire de monde : 6 000 étrangers sont venus se joindre aux Valentinois pour assister au supplice. Mandrin déclare au bourreau : « Fais ton devoir, mon ami, aussi promptement que tu le pourras », et, tandis que son confesseur s'évanouit, il boit un verre de la liqueur de la Côte, pour se donner du courage. Le supplice ne lui arrache pas un cri. Huit minutes après, il est étranglé, faveur spéciale accordée à la demande de l'évêque de Valence.

se promener

LA VIEILLE VILLE

Partir du kiosque Peynet.

Kiosque Peynet

Les célèbres amoureux du dessinateur **Raymond Peynet** (1908-1999) aimaient s'installer aux abords de ce kiosque bâti en 1880 au milieu du Champ-de-Mars.

Champ-de-Mars

Cette vaste esplanade, établie en terrasses, face au Rhône, domine le parc Jouvet. Le belvédère procure une belle **vue★** sur la montagne de Crussol.

Querelle d'esthètes

D'aucuns vantent les fameux couchers de soleil découpant l'échine de la montagne de Crussol... mais pour d'autres, c'est au soleil levant qu'il faut se rendre au belvédère. À vous de choisir !

Emprunter l'escalier en contrebas du belvédère, traverser l'avenue Gambetta et rejoindre, en face, l'étroite rue des Repenties. Juste après une station de bus, prendre à droite la côte St-Estève qui monte à la cathédrale que l'on contourne par la gauche.

Pendentif

Ce petit monument funéraire a été construit en 1548, sur le mode antique. L'édifice, de proportions harmonieuses, ouvert sur chaque face d'une large baie en plein cintre, tire son nom de la forme de sa voûte, évoquant les pendentifs d'une coupole ; remarquez le curieux motif lancéolé surmontant les piliers d'angle intérieurs.

Cathédrale St-Apollinaire

C'est un vaste édifice roman en grande partie reconstruit au 17e s. dans le style primitif. Le clocher néoroman (19e s.) présente sur un soubassement en marbre blanc de Crussol deux étages supérieurs en mollasse jaune de Châteauneuf-d'Isère.

Pénétrer dans la cathédrale par la porte Nord.

VALENCE

Sous le porche, à gauche, remarquez le linteau sculpté, provenant du portail primitif, dont les compartiments représentent l'Annonciation, la Nativité, l'Adoration des Mages et les Mages devant Hérode.

Intérieur★ – L'influence du roman auvergnat est manifeste ; la nef, voûtée en berceau sur doubleaux, est éclairée par les fenêtres des collatéraux. Une arcature reposant sur des colonnes sépare le chœur du déambulatoire. Notez la profondeur, inhabituelle dans les édifices rhodaniens, des croisillons du transept. En arrière des stalles du chœur se trouve le buste-cénotaphe du pape Pie VI.

Sortir par la porte Sud.

Sous le porche, à gauche, le tympan sculpté de l'ancien portail montre le Christ bénissant. Au linteau, la Multiplication des pains.

Contourner le chevet.

Harmonieusement ordonné, il présente une élégante décoration de billettes courant au-dessus des arcatures de l'abside et des croisillons du transept.

Musée des Beaux-Arts

Il est installé dans l'ancien évêché (voir description dans « visiter »).

La rue du Lieutenant-Bonaparte, puis la rue Pérollerie mènent à la maison Dupré-Latour.

Maison Dupré-Latour

Visite seulement dans le cadre des visites guidées de la ville. ☎ 04 75 79 20 86.

Au n° 7, la cour intérieure conserve une tourelle d'escalier Renaissance dont la porte d'entrée est remarquable par son encadrement sculpté.

Au niveau de la place de la Pierre prendre, sur la gauche, la rue Saint-James, puis les rues Sabater et Malizard.

Remarquez, sur la gauche, l'ancien temple St-Ruf. Au niveau du jardin public, vue sur Crussol au loin.

Par la côte des Chapeliers, rejoindre la place Belat.

Église St-Jean

Le porche de cet édifice reconstruit au 19e s. conserve d'intéressants chapiteaux romans.

Prendre la Grande-Rue.

Au risque de se tordre le cou, la maison des Têtes mérite bien que l'on s'y arrête. La richesse de la décoration est incroyable.

Maison des Têtes★

Au n° 57, la maison des Têtes (1532) doit son nom aux quatre énormes têtes en haut-relief qui, sous la toiture, symbolisent les vents. La façade de ce logis Renaissance se signale par l'abondance et l'originalité de ses sculptures.

Continuer par la rue Saunière qui ramène à la place du Champ-de-Mars.

visiter

Musée des Beaux-Arts

Juin-sept. : tlj sf lun. 10h-12h, 14h-18h45, dim. 14h-18h45, 15 août : 9h-12h, 14h-18h45 ; oct.-mai : tlj sf lun. 14h-17h45. Fermé j. fériés 4,57€ (-16 ans : gratuit), gratuit 1er dim. du mois. ☎ 04 75 79 20 80.

Son principal intérêt réside dans une collection de 97 **sanguines★★**, dessins et peintures du paysagiste **Hubert Robert**, représentant pour la plupart des vues de Rome et de la campagne romaine.

Le musée conserve également une série de dessins de ses compagnons à Rome (Fragonard et Ango), de nombreuses œuvres des écoles française, flamande,

Hubert Robert (1733-1808)

Après avoir fait ses débuts à Paris dans l'atelier du sculpteur Michel-Ange Slodtz (auteur du mausolée des archevêques à Vienne), Hubert Robert se rend à Rome en 1754 sur le conseil de Joseph Vernet. Il y restera onze ans.

Les ruines sont alors à la mode. Hubert Robert remplit ses carnets d'esquisses et de dessins où les architectures de la Rome antique et pontificale servent de décor à des scènes de la vie quotidienne. Revenu à Paris, le peintre tire de ses carnets la matière première de ses tableaux et de nouveaux dessins, où éclate une science étonnante de la perspective, unie à une légèreté de touche, qui leur confère tout le charme de l'improvisation.

hollandaise et italienne du 16e au 19e s., avec un intéressant ensemble de paysagistes de l'école de Barbizon et du pré-impressionnisme.

La section d'art contemporain rassemble autour de Bram Van Velde, Michaux, Hantaï, Bryen et des sculpteurs B. Pagès, M. Gérard, Toni Grand, des œuvres illustrant le courant abstrait de la deuxième moitié du 20e s.

Le musée abrite, en outre, une collection archéologique où l'on remarque deux mosaïques gallo-romaines, représentant, respectivement, les Travaux d'Hercule et Orphée charmant les animaux. Dans la collection lapidaire figure la porte Renaissance du jardin de la maison des Têtes.

Qui trouve les musées austères ? Le musée des Beaux-Arts de Valence vous invite plutôt à la belle vie, à l'image de ce Bacchus bien occupé.

alentours

Crussol★★

5 km par la N 532 et St-Péray. La montagne de Crussol porte, 200 m au-dessus de la plaine, les célèbres **ruines du château de Crussol**. La pierre blanche de Crussol a été souvent utilisée pour les constructions de Valence en raison de son grain lisse. Le **site★★★** est l'un des plus grandioses de la vallée du Rhône.

Une forteresse perchée – Au 12e s., Bastet de Crussol établit ici son château fort. L'ambition des « petits sires de Crussol » sera vite récompensée : un Crussol sera chambellan de Louis XI, un autre, par son mariage, devient l'héritier du comté d'Uzès : son fils, sénéchal de Beaucaire et de Nîmes, guerroie en Italie aux côtés de Charles VIII et de Louis XII. Leurs charges éloignent les Crussol de l'incommode forteresse ancestrale, qui sera en partie abattue au 17e s.

À St-Péray emprunter la route passant devant le château de Beauregard (on ne visite pas). Parc de stationnement à l'extrémité du chemin, après la statue de la Vierge. On gagne les ruines du village fortifié et du château par un sentier (1h à pied AR). Il faut se montrer prudent, surtout en cas de pluie, car les pierres deviennent glissantes et l'aménagement reste partiel.

Après avoir franchi la poterne Nord de l'ancienne enceinte, empruntez le sentier de gauche. On grimpe à travers les ruines de la « **villette** », où les habitants de la plaine se réfugiaient en période de troubles.

Quand Napoléon grimpait

Selon la légende, le lieutenant Bonaparte aurait réussi au péril de sa vie à faire en 1785 l'ascension de Crussol par la falaise. Mais le jeune officier ne se contentera pas de cette ascension...

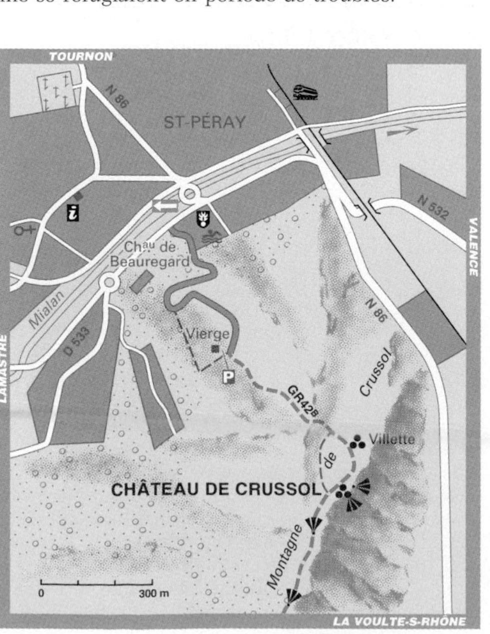

L'intérêt archéologique des grottes de Soyons ne saurait faire oublier la beauté des décors.

Prenez à gauche le chemin intérieur qui longe l'enceinte, puis obliquez vers la demeure seigneuriale. Dressé sur un promontoire rocheux, le château domine de 230 m le Rhône. À l'intérieur du donjon, un belvédère aménagé offre une superbe vue sur la plaine valentinoise, le barrage de Bourg-lès-Valence et le confluent du Rhône et de l'Isère. Le Vercors, Roche-Colombe et les Trois-Becs dessinent un magnifique arrière-plan.
À l'extrémité du piton, on atteint l'ancien corps de logis. À l'angle Nord-Est, les restes d'une échauguette constituent un remarquable belvédère, au-dessus d'un vide vertigineux. Le sentier suivant la crête escarpée, au Sud, offre, avec le recul *(comptez 1/2h de plus)*, un **point de vue★★** sur les ruines qui jaillissent du roc et sur les derniers contreforts du Massif Central ; il rejoint plus loin les ruines de l'oppidum et les carrières romaines.

Soyons

3,5 km au Sud par la N 86. Ce petit village, adossé aux collines, s'étale le long du Rhône et recèle un important site de peuplement préhistorique et médiéval. Il doit son nom à « Soïo », divinité locale, vénérée au 7e s. av. J.-C. Les quelque 30 ha du site protégé sont progressivement fouillés et révèlent des informations précieuses sur les différentes périodes d'occupation de Soyons qui se sont succédé durant environ 150 000 ans.

Une belle bête !
Des vertèbres, des molaires, une impressionnante mâchoire : ce sont les restes d'un mammouth dépecé à Soyons il y a 30 000 ans.

Musée archéologique – ♿ *Juin-sept. : 10h-12h, 14h-18h (juil.-août : 10h-12h30, 13h30-19h) ; avr.-mai et oct. : 14h-18h ; fév.-mars et nov. : mer. et w.-end : 14h-18h. Fermé déc.-janv. 3,81€.* ☎ *04 75 60 88 86.*
Il présente les produits des fouilles archéologiques réalisées sur les collines des alentours. Le rez-de-chaussée rassemble une collection de vestiges gallo-romains dont un bel autel. Le premier étage est consacré à la vie de l'homme préhistorique et à son environnement.

Grottes★ – *Juste après la sortie Sud de Soyons sur la N 86, prendre à droite vers un parking réservé. Un sentier botanique grimpe dans la colline et conduit aux grottes. Juin-sept. : visite guidée (1h) 10h-12h, 14h-18h (juil.-août : 10h-12h30, 13h30-19h) ; avr.-mai : 14h-18h ; fév.-mars et nov. : mer. et w.-end 14h-18h. Fermé déc.-janv. 6,10€ grottes et musée (-7 ans : gratuit).* ☎ *04 75 60 88 86.*
Il s'agit d'un site clé pour l'étude de l'homme de Néandertal. Un important réseau souterrain s'ouvre à partir du **trou du Renard**. Plusieurs salles, ornées de concrétions polymorphes parfois monumentales, sont aménagées pour la visite. Elles ont été occupées très tôt par les hommes et les animaux des cavernes. On y a découvert des ossements d'ours, de loups, de lions des cavernes...

Fouilles de la Brégoule – Ce chantier exploité depuis 1980 livre des vestiges qui couvrent une période d'environ 10 000 ans. Complément de la visite du site, il permet de mieux comprendre la réalité du travail de l'archéologue.

Vallon-Pont-d'Arc

Station orientée vers les activités sportives et agréable lieu de séjour, Vallon offre une base de départ idéale pour la visite et la descente en barque des gorges de l'Ardèche.

La situation

Cartes Michelin nos 80 pli 9, 245 pli 1 ou 246 pli 23 – Ardèche (07). Sur la D 579 entre Barjac et Aubenas, Vallon, fameuse pour son pont d'Arc sur l'Ardèche et, depuis peu, pour l'extraordinaire grotte Chauvet, est une petite cité animée en été, sur laquelle veillent les vestiges de son ancien château féodal. *Cité Administrative, 07150 Vallon-Pont-d'Arc, ☎ 04 75 88 04 01.*

Le nom

Hélas, ce serait trop simple... Vallon ne désigne pas un vallon. Le mot vient du terme *aballo* qui, comme chacun sait, signifie en pur gaulois « pomme ».

Les gens

2 027 Vallonais. Honneur aux trois spéléologues, Élie Brunel-Deschamps, Christian Hillaire et Jean-Marie Chauvet qui ont découvert la grotte portant désormais le nom de ce dernier.

HÉBERGEMENT
Camping Le Provençal – *1,5 km au SE de Vallon-Pont-d'Arc – ☎ 04 75 88 00 48 - camping.le.provençal@wanadoo.fr - ouv. Pâques au 20 sept. - réserv. conseillée - 200 empl. : 24,24€.* Derrière sa belle entrée fleurie, ce terrain tout en longueur s'étire jusqu'au bord de l'Ardèche. Ses emplacements sont délimités et bien ombragés. Avec son aire de jeux pour les enfants, sa belle piscine et son tennis, c'est un agréable lieu de séjour.

visiter

Mairie

Tlj sf w.-end 10h-11h, 15h30-16h30. W.-end et j. fériés sur demande préalable. 2,29€ ☎ 04 75 88 02 06.
Dans l'ancienne résidence des comtes de Vallon (17e s.), la salle des mariages, au rez-de-chaussée, abrite sept **tapisseries** d'Aubusson (18e s.), remarquables par la fraîcheur de leur coloris.

Exposition Grotte Chauvet-Pont-d'Arc

1 r. de Miarou. De mi-mars à mi-nov. : tlj sf lun. 10h-12h, 14h-17h30 (juin-août : tlj sf lun. 10h-13h, 15h-20h). 3,81€ (enf. : 2,29€). ☎ 04 75 37 17 68.
Située sur le territoire de Vallon, la grotte Chauvet, découverte en 1994, a révélé un ensemble de dessins et peintures pariétales réalisés voici plus de 30 000 ans, un des plus anciens connus à ce jour. Le site fait actuellement l'objet de campagnes de recherche. On pourra néanmoins se faire une idée des trésors qu'il recèle en visitant cette exposition. Photographies, film et textes explicatifs présentent l'art rupestre des grottes ardéchoises et initient à la vie quotidienne des chasseurs nomades de cette lointaine époque.

BESTIAIRE RARE
400 animaux, comme le rhinocéros, le lion des cavernes ou le mammouth, des vestiges d'occupation humaine, de nombreuses empreintes de mains, sans doute liées à une pratique chamanique... et la grotte n'a pas encore livré tous ses secrets...

alentours

Magnanerie

3 km par la D 579, direction Ruoms. Accès par un chemin s'embranchant à gauche en venant de Vallon. De mi-avr. à fin sept. : visite guidée (3/4h) 10h-12h, 14h-18h. Fermé dim. 4,50€ (enf. : 2,30€). ☎ 04 75 88 01 27.
On peut visiter au village des Mazes une ancienne magnanerie vivaroise.
Par le *couradou*, on accède à la magnanerie, vaste salle occupée par des bâtis de bois où sont disposés les vers à soie sur des cannisses (claies de roseaux). La visite permet de suivre les étapes de la croissance des vers, jusqu'à la formation du cocon enveloppé de fils de soie.

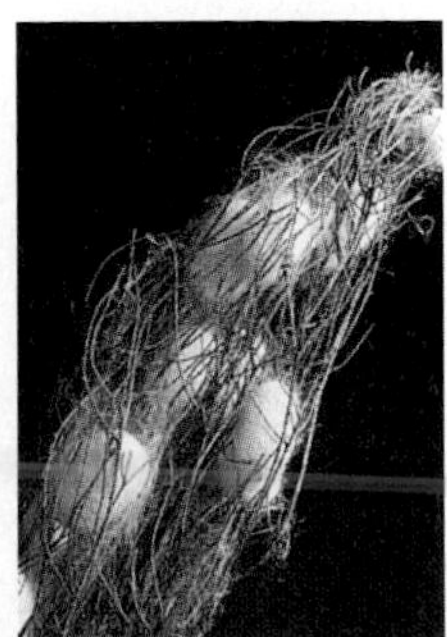

Le ver à soie : un adepte du cocooning mais un fameux glouton, avide de feuilles de mûrier !

Pont-d'Arc★★

5 km au Sud-Est par la D 290. *Voir p. 92.*

Vals-les-Bains ♆♆

Qui n'a jamais entendu parler de la fameuse eau de Vals ? Sa présence dans les restaurants n'est pas tant liée à ses qualités digestives qu'à son goût très apprécié. Le succès de ses eaux ne saurait faire oublier l'intérêt de cette petite station idéalement placée à la rencontre des vallées de la Volane et de l'Ardèche.

La situation

Cartes Michelin nos 76 pli 19 ou 246 pli 21 – Ardèche (07). Traversée par la Volane, la ville a dû se développer en longueur, offrant l'aspect d'un étroit couloir urbain long de plus de 2 km, pour une largeur moyenne de 300 m. *116 bis r. Jean-Jaurès, 07600 Vals-les-Bains, ☎ 04 75 37 49 27.*

Le nom

Vals (du latin *vallis* : vallée) a donné son nom à une eau minérale réputée. Le reste du nom a été rajouté en 1878 pour annoncer la vocation thermale des lieux.

Les gens

3 536 Valsois. Ancienne place forte protestante, Vals fait aujourd'hui le bonheur des touristes et des curistes. La station a connu un fort développement dans les années 1930 en recevant de forts contingents de curistes pieds-noirs.

carnet pratique

Hébergement

• *À bon compte*

Auberge de l'Ange – *Le Village - 07530 Antraigues-sur-Volane - ☎ 04 75 38 74 10 - fermé mar. et mer. - ⊭ - 4 ch. : 38,11/53,36€ - ☕ 6,86€.* À deux pas de la place, cette vieille maison ardéchoise est une heureuse découverte. Le décor de ses 4 chambres, simples mais de caractère, séduit au premier coup d'œil : murs ocre, vieux meubles, dentelles et piqués. Petits-déjeuners servis sous la tonnelle du jardin en été.

• *Valeur sûre*

Grand Hôtel des Bains – *☎ 04 75 37 42 13 - fermé 2 nov. au 31 mars - P - 63 ch. : 62,50/113,57€ - ☕ 8,38€ - restaurant 22,11/47,26€.* Des fastes d'antan, cet hôtel situé derrière le centre thermal en a gardé son imposante façade, ses beaux volumes, son enfilade de salles à manger et de salons... Les chambres du dernier étage sont les plus luxueuses. Belle piscine sous un auvent.

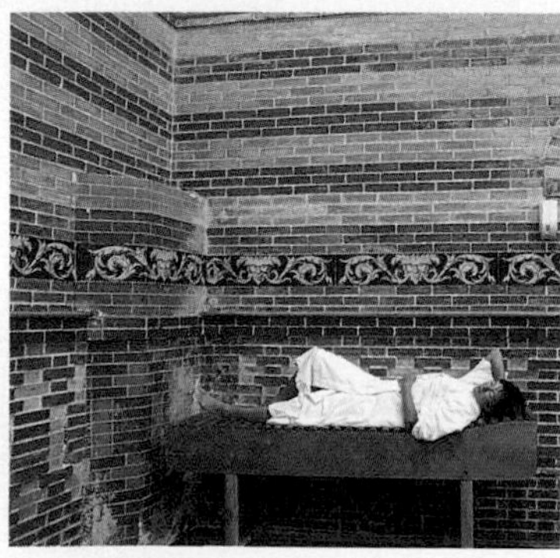

Détente aux Thermes

Chambre d'hôte Bourlenc – *Rte de St-Andéol - 07200 St-Julien-du-Serre - 3,5 km de St-Julien-du-Serre par D 218 vers St-Andéol-de-Vals - ☎ 04 75 37 69 95 - ⊭ - réserv. obligatoire - 5 ch. : 44/49€ - repas 19/23€.* Séjour reposant garanti dans cette adorable maison perdue au milieu des accacias. Retapée par la petite famille qui y vit paisiblement, elle est formidablement calme et ses chambres ont une vue splendide sur le col de Lescrinet. À table, légumes du jardin et viandes fermières.

Sorties

Casino – *R. Claude-Expilly - ☎ 04 75 88 77 77 - tlj 12h-3h.* Dans un joli parc de verdure abritant un golf, une piscine, un théâtre et un cinéma, ce casino met à votre disposition 60 machines à sous toutes plus rutilantes les unes que les autres, un bar, une discothèque et un restaurant. L'été, vous pouvez assister à des concerts avec orchestre et à des dîners dansants organisés sur la terrasse du restaurant du casino (du jeudi au dimanche).

Tex Mex – *4 av. Chabalier - ☎ 04 75 37 46 83 - tlj à partir de 18h30 (tlj sf mar. août).* Ce bar mexicain dont l'intérieur évoque un repaire de gangsters semble sortir tout droit d'un film de Sergio Leone. L'ambiance est sympathique et chaleureuse et, outre la sempiternelle bière Corona, vous apprécierez la carte des cocktails particulièrement riche. Karaoké le jeudi soir et quelques concerts dans l'année.

séjourner

Thermalisme

Les eaux – Les centres d'animation de la station sont constitués par les sources, au nombre de 145. Exploitées à partir de 1600, elles ne prirent vraiment de l'essor qu'au milieu du 19e s. (la source intermittente ne fut connue qu'en 1865). Leurs eaux sont froides (13°), bicarbonatées et sodiques ; leurs différences proviennent de leur degré de minéralisation : la plus connue, la source St-Jean, est faiblement minéralisée.

Les eaux, surtout utilisées comme boisson – plusieurs millions de bouteilles sont expédiées chaque année –, exercent une action sédative sur l'estomac et stimulante sur le foie. Elles sont recommandées pour le traitement du diabète et des maladies de la nutrition. Des douches, des bains et des massages complètent la cure de boissons prises aux sources de la station. L'établissement thermal et le centre hospitalier spécialisé « Paul-Ribeyre » fonctionnent toute l'année.

Comme si les sources ne suffisaient pas, la Volane apporte son tribut à la station qu'elle traverse de part en part.

Source intermittente

Plusieurs parcs agrémentent la station, notamment le parc du Casino.

Le parc de l'Intermittente doit son nom à une source, située au centre d'une vasque pavée de prismes basaltiques, qui jaillit à 8 m de hauteur toutes les six heures : dans la journée à 11h30 et 17h30 en été, à 10h30 et 16h30 en hiver (conformément à l'horaire d'hiver).

Rocher des Combes

2 km – plus 1/4h à pied AR. De la table d'orientation (alt. 480 m), **vue** sur la trouée de l'Ardèche, Aubenas, le Tanargue, la chapelle Ste-Marguerite au sommet de sa colline, le chaînon de Mézilhac, le roc de Gourdon et le plateau du Coiron.

circuits

VALLÉE DE LA VOLANE ET DE LA BOURGES★★

Circuit de 69 km – environ 4h. Quitter Vals par la D 578 vers Mézilhac.

Tout de suite commence la montée de la vallée de la Volane, offrant des vues sur les coulées basaltiques qui assombrissent ce couloir ; remarquez la dispersion des maisons, en hameaux étagés, de la commune d'Asperjoc, disposition imposée par l'étranglement de la vallée. L'apparition d'Antraigues, sur un éperon dominant le confluent de la Volane et de la Bise, marque la fin des coulées volcaniques.

Le coq a dû tomber du clocher ! Depuis 1995, à l'initiative de Jean Saussac, les habitants d'Antraigues décorent les étroites ruelles de sculptures parfois cocasses.

Antraigues-sur-Volane

Ce charmant village perché vit autour de sa place ombragée bordée d'agréables terrasses et régulièrement occupée par des boulistes passionnés. La présence de Jean Ferrat dans les années 1960 a attiré pendant quelque temps des artistes connus avant de retrouver sa quiétude.La montée se poursuit dans un décor d'éboulis.

Mézilhac

Le village occupe, sur le rebord de la montagne vivaroise, un seuil séparant les bassins de l'Eyrieux et de l'Ardèche. Au Nord, le ravin de la Dorne dévale vers l'Eyrieux ; au Sud, la Volane s'engouffre vers l'Ardèche et Vals-les-Bains.

Dramatique
À l'entrée de Mézilhac, sur la route de Privas se dresse un monument élevé à la mémoire d'aviateurs qui percutèrent la montagne à cet endroit pendant l'hiver 1970-71.

Du piton basaltique surmonté d'une croix, qui se dresse entre le vieux village et le col, la **vue★** s'étend au Nord-Ouest sur le Gerbier-de-Jonc et le Mézenc, au Nord-Est sur le cirque de Boutières, au Sud sur la trouée de la Volane.

Une route de crête, D 122, passant au pied du suc de Montivernoux, mène à l'entrée de Lachamp-Raphaël où l'on emprunte la D 215 descendant vers Burzet.

Quelle chute ! Isolée dans un profond ravin, la cascade du Ray-Pic offre un décor particulièrement sauvage.

Une première **vue★** se dégage, en contrebas, à droite, sur le site du Ray-Pic.

Cascade du Ray-Pic★★

3/4h à pied AR. Laisser la voiture au parc de stationnement aménagé à droite de la route.

De là, un sentier, d'abord en montée, mène au pied de la cascade, au fond du ravin de la Bourges. D'une plate-forme supérieure, la rivière saute par plusieurs chutes entre deux surplombs basaltiques ; remarquez, sur la gauche, l'effet de cascade des prismes basaltiques accompagnant la chute principale : le site est d'une intense sévérité.

Burzet

Ce village est célèbre pour sa procession de la Passion. Elle demeure une manifestation de foi, rassemblant une foule de fidèles venus de toute la région.

Burzet serait en outre la patrie de Bénézet qui construisit à la fin du 12e s. le célèbre pont d'Avignon *(voir LE GUIDE VERT Michelin Provence).*

Église – Cet édifice de style gothique flamboyant vaut surtout pour sa façade, que surmonte un imposant clocher-peigne.

Retour à Vals par St-Pierre-de-Colombier, Juvinas et une agréable petite route, D 243, descendant la vallée de la Bézorgues.

La Passion de Burzet

Chaque année, le Vendredi saint, une procession monte, par un rude sentier jalonné de stations, jusqu'au calvaire dominant le village de 300 m. En tête des fidèles qui chantent des cantiques et prient, un groupe de personnages costumés fait revivre le chemin de croix du Christ.

CIRCUIT DU COL DE L'ESCRINET★

85 km – environ 3h. Quitter Vals par la D 578B.

Ucel

Vieux village bâti en cercle sur une butte dominant l'Ardèche.

À St-Privat, prendre à gauche la D 259 suivant les vallées du Luol et de la Boulogne.

Les vergers et les vignes alternent avec des châtaigniers et des pinèdes.

St-Julien-du-Serre

Le bourg possède une intéressante **église** romane du 12e s., à la silhouette curieuse avec ses gros arcs-boutants soutenant l'abside. Le portail latéral est remarquable par les cinq tores ornant ses voussures en retrait. *S'adressser à la mairie. ☎ 04 75 37 95 28.*

Par St-Michel-de-Boulogne, on atteint les ruines du château de Boulogne.

Château de Boulogne★

Ce fut à l'origine une forteresse dressée par les Poitiers, comtes de Valentinois, ses premiers seigneurs, sur un éperon, à la rencontre de deux ravins. Successivement les Lestrange, puis les Hautefort transformèrent le château primitif en une somptueuse demeure, respectée par la Révolution, mais saccagée par des démolisseurs en 1820.

À la porte

C'est toujours avec étonnement que l'on découvre le magnifique **portail★★** que fit élever René de Hautefort à la fin du 16e s. Son élégance raffinée, soulignée par les colonnes torses, contraste avec le site sauvage et les ruines féodales.

Faire demi-tour pour reprendre la D 256 à droite. Traverser Gourdon, puis prendre à droite la D 122 qui contourne le roc de Gourdon. À 2 km, tourner à gauche dans une petite route au parcours pittoresque menant à Pourchères.

Pourchères

Bâti à flanc de montagne, ce village possède une **église** du 12e s. à nef unique et abside en cul-de-four. Remarquez la cuve baptismale du 12e s. et un Christ en bois du 17e s. *S'adresser à la mairie. ☎ 04 75 66 80 93.*

Du terre-plein aménagé devant l'église, belle vue sur les monts environnants.

Faire demi-tour et reprendre la D 122 à gauche pour rejoindre la N 104 et le col de l'Escrinet.

Col de l'Escrinet

Alt. 787 m. Cette grande brèche constitue le principal accès au Sud de l'Ardèche et au plateau du Coiron. Son intérêt géographique et climatique se double d'un lieu privilégié d'observation des passages d'oiseaux.

Le **panorama** sur l'esplanade à gauche avant le col offre un bel aperçu du plateau du Coiron, la vallée de Privas, le Tanargue reconnaissable à sa forme trapézoïdale et, lorsque le temps le permet, le mont Lozère.

Avant la descente vers Aubenas, prendre à gauche la D 224 en direction de Freyssenet.

À l'affût

Les oiseaux migrateurs sont attendus chaque année par les chasseurs au col de l'Escrinet. Régulièrement contestée, la chasse à la « repasse » concerne essentiellement les migrations de palombes qui franchissent, en venant du Sud, le col de l'Escrinet au ras du relief.

Crête de Blandine

Alt. 1 017 m. Elle constitue le point culminant du plateau et un seuil oriental vers la vallée de Privas. Laissez la voiture sur le replat et poursuivez à pied vers le relais de télévision. Belle **vue**★ dégagée en perspective à l'Est vers Privas et au Sud vers Mirabel et Aubenas.

Possibilité de poursuivre par la D 224 vers Freyssenet, à l'habitat typique des Coirons, puis par le col du Bénas rejoignez Privas.

Retour au col de l'Escrinet, puis à Vals par St-Privat et Ucel.

Si les oiseaux font autant de passages au-dessus d'Ucel, c'est certainement pour admirer l'harmonie d'ensemble qui s'en dégage.

Les Vans

Un ensoleillement exceptionnel, la culture de l'olivier, un marché très coloré, le pays des Vans révèle des influences méridionales vraiment marquées. Cette transition se retrouve également dans les paysages : à l'âpre décor de serres schisteux succède l'éclatante blancheur du bas pays calcaire. Son succès touristique est assuré par le bois magique de Païolive et les inoubliables gorges du Chassezac.

La situation

Cartes Michelin nos 80 pli 8 ou 240 plis 3, 7 – Ardèche (07).

Au cœur du Bas-Vivarais cévenol, dominés à l'Ouest par l'échine déchiquetée du serre de Barre, Les Vans occupent le centre d'un riant bassin qu'arrose le Chassezac.

ℹ Pl. Léopold-Ollier, 07140 Les Vans, ☎ 04 75 37 24 48.

carnet pratique

RESTAURATION

• ***Valeur sûre***

Grangousier – *☎ 04 75 94 90 86 - fermé 2 janv. au 28 fév. et mar. sf juil.-août - réserv. obligatoire - 16,77/45,73€.* Au cœur d'un vieux village, cette demeure du 16e s. vous plongera dans un autre temps avec son décor ancien : gros murs de pierre, plafonds voûtés et imposante cheminée donnent à ses salles un caractère particulier. Cuisine de terroir servie en menus.

Chez Vincent et Michèle « Le Lagon » – *07460 Berrias-et-Casteljau - 10 km à l'E des Vans par D 901, D 252 et suivre fléchage V.V.F. - ☎ 04 75 39 35 33 - fermé 1er janv. au 15 mars, lun. et mar. de mars à juin - réserv. conseillée - 13,72€ déj. - 22/37€.* Dans un décor naturel de gorges rocheuses, vous savourerez, en été, la cuisine soignée du Lagon au bord de la piscine à cascade ou, plus simplement, une pizza à la terrasse du C4, à côté. Et hors saison, attablez-vous à la Bastide, dans le cadre somptueux d'un mas du 15e s.

HÉBERGEMENT

• ***À bon compte***

Camping La Source – *07460 Berrias-et-Casteljau - 12 km au SE des Vans par D 901 et D 202 - ☎ 04 75 39 39 13 - camping.la.source@wanadoo.fr - ouv. 14 mai au 15 sept. - ⊭ - réserv. conseillée - 81 empl. : 14,33€.* Ce terrain assez récent est bien aménagé : ses emplacements sont tous délimités et déjà ombragés. Le bar, la pizzeria et le magasin d'alimentation regroupés dans une même maison vous permettront de vous restaurer sur place. Belle piscine.

Chambre d'hôte La Passiflore – *07460 St-Paul-le-Jeune - 13 km au S des Vans par D 901, puis D 104 dir. Alès - ☎ 04 75 39 80 74 - ⊭ - 3 ch. : 32,50/41,50€.* Certes, la route est assez proche mais pas d'inquiétude : la maison, bien isolée, est vraiment agréable et les propriétaires flamands sont aux petits soins avec leurs convives. Le petit-déjeuner sous la tonnelle du jardin, à côté de la volière, est un délice...

Chambre d'hôte L'Ensolleiade – *07460 Casteljau - 10 km au SE des Vans par D 901, puis D 252 - ☎ 04 75 39 01 14 - ensolleiade@les-vans.com - fermé 10 nov. au 1er avr. - ⊭ - 5 ch. : 35/46€.* Dans cette paisible maison basse, au mileu de la campagne, les chambres sont simples, claires et spacieuses. Vous apprécierez la beauté des balades dans la nature, un plongeon dans la piscine, à moins qu'une sieste sous les cerisiers vous tente plus ?

Le nom

Les Vans (prononcez le « s ») vient d'un mot en vieux français qui désigne une pente pierreuse. Il n'y a qu'à regarder autour de soi pour s'en convaincre.

Les gens

2 664 Vanséens. À partir du 16e s. la ville fut l'objet de nombreux conflits entre catholiques et protestants. Les temps ont bien changé car les vacanciers, très « cools », ne recherchent que les joies du sport et de la nature.

découvrir

LE BOIS DE PAÏOLIVE*

Couvert de chênes rouvres et jalonné de curieux rochers blancs, ce lieu a quelque chose de mystérieux que seuls semblent connaître les innombrables lézards verts. Il est conseillé de se limiter aux sentiers balisés pour retrouver son chemin. Ce chaos calcaire du Bas-Vivarais s'étend sur environ 16 km², au Sud-Est des Vans, de part et d'autre du Chassezac. Le calcaire de Païolive est une roche grisâtre d'époque jurassique, dure mais sensible à l'érosion chimique. Les eaux de pluie ont transformé de simples fissures en crevasses profondes, donnant naissance à des rochers ruiniformes.

La D 252 traverse le bois d'Ouest en Est.

À environ 300 m de la D 901, on découvre à une vingtaine de mètres, à droite en venant des Vans, un rocher caractéristique : l'Ours et le Lion.

Quand on vous dit que rien n'est impossible ! Reconnaissez qu'un ours et un lion qui s'embrassent est un événement assez exceptionnel. Ils gardent même la pose et vous pouvez les admirer au bois de Païolive.

Clairière*

Une clairière est accessible aux voitures près de la D 252, dans un grand virage à droite en venant des Vans, par une rampe non revêtue. Cette clairière est établie sur une doline. La dimension des arbres permet d'y pique-niquer à l'ombre. De là, on peut partir à la découverte des rochers les plus proches (sentier balisé).

Corniche du Chassezac**

1/2h à pied AR. Se garer sur le premier grand parking à gauche de la route en direction de Mazet-Plage. Un sentier balisé « Corniche » conduit sur les bords des grandes falaises qui dominent les profondes gorges.

On découvre soudain la grandiose tranchée du Chassezac, serpentant au pied de falaises forées de cavités. La corniche, formant un à-pic de 80 m, se poursuit à gauche, face au château, jusqu'à un belvédère situé en amont.

Revenir par le même chemin.

Mazet-Plage

Un chemin revêtu, partant de la D 252, mène, en 300 m, à un camping proche de la rivière.

Le site de Mazet est situé à la sortie des gorges de Chassezac dont il est un accès privilégié. Pour rejoindre des zones plus éloignées dans les gorges, les sites de baignades et d'escalades par exemple, traversez la rivière en direction de **Casteljau** et garez-vous dans les parkings aménagés.

Bronzage, baignade, canoë, escalade, les gorges du Chassezac sont vraiment un petit paradis à condition de respecter les règles de sécurité.

alentours

Naves

À la sortie des Vans, en direction de Villefort, tourner à gauche.

Ce vieux village qui domine le bassin des Vans a conservé son aspect médiéval. Ses ruelles à arceaux, ses maisons où s'allient le schiste et le calcaire, sa charmante église romane bien située à l'extrémité du village y attirent des artistes.

On peut longer le Chassezac vers la gauche, sur environ 500 m, parmi les gros galets et les petits saules, face aux étranges falaises criblées de cavités *(1/4h à pied AR).*

Banne

À 6 km du carrefour D 901-D 252. Laisser la voiture sur la place. Gravir la rampe derrière le calvaire.

On accède à une plate-forme gazonnée dominant la dépression du Jalès. Du sommet des rochers, portant les vestiges de l'ancienne citadelle de Banne, vaste **panorama*** sur les confins du Gard et de la Basse-Ardèche. À demi enfoncée dans la plate-forme, on peut voir une longue galerie voûtée ; elle servait d'**écuries** au château de Banne, abattu après le drame de Jalès.

Commanderie de Jalès

Visites suspendues, se renseigner auprès de l'Office du tourisme des Vans.

Cette ancienne commanderie fondée au 12e s. et fortifiée pendant la guerre de Cent Ans est particulièrement bien conservée. On visite entre autres sa belle chapelle romane.

Le drame de Jalès

En 1792 le **comte de Saillans**, chef des royalistes de la région, décide en urgence un soulèvement, mais son complot est dévoilé. Ses troupes sont défaites et il doit fuir avec quelques compagnons. Arrêtés sur la route de Villefort, ils sont conduits aux Vans : la foule, qui reproche à Saillans l'exécution de plusieurs « patriotes », les massacre dans la rue.

itinéraire

CORNICHE DU VIVARAIS CÉVENOL

De la Bastide-Puylaurent à Joyeuse

49 km – environ 2h. La route, tracée en corniche, passe d'un versant à l'autre dans les montagnes du Vivarais cévenol.

La Bastide-Puylaurent

Le village a été créé au 19e s. lors de la construction de la ligne de chemin de fer Paris-Nîmes. C'est une agréable et fraîche station estivale située dans la haute vallée de l'Allier dont les versants sont couverts de bois et de pâturages.

Quitter La Bastide à l'Est par la D 906, et prendre à gauche la D 4.

Trappe de N.-D.-des-Neiges

Cette abbaye cistercienne, fondée en 1850, est isolée au milieu des bois de résineux et de hêtres, dans un cirque de montagnes, à l'abri des vents qui balayent les hauts plateaux du Vivarais. Les bâtiments actuels ont été bâtis à la suite d'un incendie survenu en 1912 à l'ancien monastère édifié sur la hauteur.

Au cours de la descente rapide sur St-Laurent-les-Bains, un virage à gauche offre une **vue★★** à l'entrée de la trouée de la Borne.

Charles de Foucauld

C'est à la trappe N.-D.-des-Neiges que **Charles de Foucauld**, explorateur et religieux (1858-1916), fit son noviciat, de janvier à juin 1890. Cet ancien officier est l'auteur de divers ouvrages dont un dictionnaire touareg-français.

St-Laurent-les-Bains

Resserrée au creux d'un étroit vallon, cette petite station thermale traite les différentes formes de rhumatismes. De la rue principale, où se trouve une fontaine chaude (53°), on a une jolie vue sur l'arête portant les vestiges d'une vieille tour.

La route franchit la Borne par une descente, puis une remontée impressionnantes ; elle traverse ensuite une belle forêt de pins, à laquelle succède le paysage désolé des hauts serres schisteux.

Remarquez, à droite, le **Petit Paris**, hameau isolé au-dessus de blocs granitiques.

Sur un replat, peu avant Peyre, **vue★**, à droite, sur le village de Thines, en contrebas, isolé sur un piton *(voir p. 355)*.

Poursuivre dans la D 4 traversant Peyre.

À partir de Peyre apparaît la vigne annonçant la nature méridionale.

Par Planzolles et Lablachère, gros bourg vigneron, gagner Joyeuse.

Joyeuse *(voir p. 172)*

Hébergement

La Santoline – *07430 Beaulieu - 13 km au SE des Vans par D 901, D 202 et D 252 – ☎ 04 75 39 01 91 - fermé oct. à avr. et le midi - P - 8 ch. : 57,93/94,52€ - ☕ 8,38€ - restaurant 26,68€.* Isolée au milieu de la garrigue, cette bâtisse du 16e s. ravira les amateurs de tranquillité. Couleur et raffinement dans les chambres au décor personnalisé. Le dîner, réservé aux résidents, est servi dans une jolie salle voûtée. Piscine et jardin pour votre bonheur !

circuits

VILLAGES DU VIVARAIS CÉVENOL★

34 km – environ 2h1/2. Quitter Les Vans au Nord par la D 10. Prendre à droite la D 250.

Chambonas

On accède au village par un vieux pont pointant ses avant-becs dans les eaux vertes du Chassezac.

L'église, en partie romane, est un robuste édifice dont la corniche du chevet s'orne d'une frise sculptée.

Près de l'église, le château (12e-17e s.) se signale par ses tours à tuiles vernissées ; jardins à la française dont le dessin est attribué à Le Nôtre.

Poursuivre la D 250.

Après avoir longé le Chassezac, la route franchit le ruisseau de Sure et s'élève sur le versant gréseux parmi les vignobles et les pins ; jolie vue sur le serre de Barre et le clocher de St-Pierre-le-Déchausselat.

Payzac

Charmante église rurale (12e-15e s.) campée sur le plateau gréseux ; à l'intérieur, à gauche du retable, statue en bois de saint Pierre, vigoureusement traitée.

Prendre la D 207, direction St-Jean-de-Pourcharesse.

La route serpente au flanc de versants ombragés de châtaigniers.

Pierre à pierre

À partir de Payzac le grès, de grisâtre, devient rouge : vue sur l'église de St-Pierre, l'arête du serre de Barre. Après le village de Brès, construit en grès rouge, nouveau changement d'aspect : le grès cède la place au schiste.

St-Jean-de-Pourcharesse

Église typique du pays du schiste avec son toit de lauzes, son clocher-peigne. De la terrasse, vue en direction des Vans, des « becs » de la Bannelle et du Guidon du Bouquet.

Rebrousser chemin jusqu'à l'entrée du village où l'on prend, à droite, la route en direction de Lauriol.

À partir de ce hameau, la route se poursuit parmi les châtaigniers, dans un décor de ravins abrupts où s'agrippent de pauvres hameaux.

St-Pierre-le-Déchausselat

Village étagé en terrasses. Laissez la voiture devant l'église et gagnez les vignobles de la ferme en contrebas : vue, de gauche à droite, vers la dent de Rès, le rocher de Sampzon, le mont Ventoux, le Guidon du Bouquet, la Bannelle et le serre de Barre.

De St-Pierre, la D 350, tracée au flanc d'un vallon cultivé, descend vers le Chassezac.

Retour aux Vans par Chambonas.

VALLÉE DU CHASSEZAC*

77 km - environ 3h. Quitter Les Vans par la D 901 en direction de Villefort et tourner à droite dans la D 113.

Gravières

L'**église** (12e-15e s.) est caractérisée par un clocher puissant ; elle abrite dans le mur du chœur, à gauche, un arbre de Jessé en pierre sculptée (14e s.), malheureusement mutilé. Retable en bois doré et chapelles gothiques. *Été : visite ven. 17h30-18h30 ; hiver : ven. 16h30-17h30. Presbytère. ☎ 04 75 37 30 22.*

Poursuivre par la D 113. Après le pont sur le Chassezac, prendre à droite la D 413.

Les Salelles

Sur une plate-forme dominant un méandre du Chassezac, l'**église** St-Sauveur, gothique, est construite en beaux moellons de grès rose. Le clocher fortifié, détruit par la foudre, a été reconstruit au début du 20e s. *Visite guidée le jeu. Horaires sur la porte.*

Revenir à la D 113 que l'on prend à droite.

Le cours de la rivière est jalonné de barrages de retenue, de conduites forcées et d'usines appartenant à l'ensemble hydro-électrique du Chassezac *(voir ci-dessous).*

Prendre à droite la D 513.

Le chevet de l'église de Thines est une vraie petite merveille. Au-dessous de la corniche, ornée de motifs d'une grande fantaisie, se déroule une petite arcature retombant sur des consoles sculptées.

Thines**

Au terme d'une charmante route remontant le ravin de la Thines, cet humble village vivarois occupe un **site**** perché au-dessus du torrent. Dans un âpre décor de terres schisteuses, il conserve ses vieilles maisons accrochées au rocher, ses ruelles étroites, enchevêtrées, et une belle église romane.

Église – Le portail latéral construit en blocs de grès de différentes couleurs compte quatre belles statues-colonnes. Sur le linteau, une frise à petits personnages sculptés représente, de gauche à droite, l'entrée à Jérusalem, la Cène et le baiser de Judas. La décoration des parties hautes de l'édifice, particulièrement celle du **chevet***, frappe d'admiration en ce site perdu. Au confluent de l'Altier, du Chassezac et de la Borne, l'**usine de Pied-de-Borne** est alimentée par le barrage de Villefort et celui de Roujanel, plus au Nord sur la Borne. Cette usine, pièce maîtresse de l'ensemble hydro-électrique du Chassezac, produit plus de la moitié de l'énergie fournie par ce bassin.

Polychromie

L'alternance des claveaux en grès rouge et en granit gris, les chapiteaux en calcaire blanc, créent une harmonie colorée.
À l'intérieur, l'appareil de l'abside montre la même recherche de polychromie qu'à l'extérieur.

Après avoir traversé la Borne et contourné l'usine, prendre à droite la D 151 vers La Bastide-Puylaurent.

La route suit, en hauteur, la vallée de la Borne, assez encaissée.

À la sortie du hameau des Beaumes, prendre à droite une petite route qui rejoint le fond de la vallée et traverse la rivière.

Après avoir longé l'étroite vallée de Chamier, la route s'élève en de nombreux lacets jusqu'au plateau de Montselgues qui domine les vallées environnantes à une altitude moyenne de 1 000 m.

Montselgues

Ce petit village isolé au milieu d'un vaste plateau ondulé, parsemé en juin de narcisses sauvages et de genêts, possède une robuste église au beau porche roman, accolée à une grande maison cévenole. Montselgues est un centre de ski de fond.

À l'entrée Nord du village, prendre la D 304 vers l'Est. La route descend vers la D 4 que l'on prend à droite.

Le rucher

Non loin de Peyre on aperçoit, à gauche de la route et près d'une ferme, un curieux ensemble de ruches creusées dans les troncs de châtaigniers et simplement couvertes d'une lauze (dalle) de schiste.

Sur un replat, peu avant Peyre, **vue★**, à droite, sur le village de Thines, en contrebas, isolé sur un piton.

Suivant le tracé de la corniche alternant d'un versant à l'autre, le panorama se révèle tantôt sur les serres désolés s'étendant de la Drobie au Tanargue, tantôt vers les bassins de la Basse-Ardèche.

Après un long parcours parmi les pins, on atteint Seyras où apparaît la vigne annonçant la nature méridionale. *Regagner Les Vans par le pont de Chambonas.*

Vienne★★

À un coude du Rhône, « assise comme un autel sur les contreforts du noble Dauphiné » ainsi la caractérise le poète Mistral dans son Poème du Rhône. Vienne, baignée par la lumière rhodanienne qui lui donne une touche déjà méditerranéenne, ne peut laisser indifférent. La magie naît de l'alliance réussie d'une cathédrale gothique, d'un temple et d'un théâtre romains, d'un cloître roman et de hautes façades colorées. Une ville où flâner à sa guise, en empruntant les ruelles pentues et les nombreux passages couverts du centre médiéval pour grimper jusqu'au mont Pipet et jouir d'une vue bien méritée.

La situation

Cartes Michelin n°s 88 plis 19, 20 ou 246 pli 16 - Isère (38).

Les ponts de Vienne

Deux ponts relient Vienne à la rive droite du Rhône. L'ancien pont suspendu sert de passerelle pour les piétons ; le pont moderne (1949) présente une remarquable arche centrale de 108 m de portée. Un vieux pont en dos d'âne, du 15e s., franchit la Gère.

Curieuse disposition que celle de Vienne, située dans le département de l'Isère, alors que St-Romain-en-Gal, de l'autre côté du fleuve, est dans celui du Rhône. Pour bien comprendre comment s'est ordonnancée cette ville, dans son amphithéâtre de collines, il faut grimper jusqu'au sommet du **mont Pipet**, occupé par une chapelle et une statue de Notre-Dame de la Salette *(1/2h à pied AR du bas de la rue Pipet)*. Le point de **vue★** est remarquable sur la ville et le magnifique vaisseau de la cathédrale. On distingue à gauche, au flanc du mont St-Just, les vestiges de l'odéon ; à droite, au-dessus de la trouée de la Gère, le mont Salomon porte les ruines du château épiscopal de la Bâtie et les bâtiments du nouvel hôpital.

Cours Brillier, 38200 Vienne, ☎ 04 74 53 80 30.

Le nom

Non, ce n'est pas l'Autriche et les valses de Vienne, son homonyme. Cette « bourgade au bord de l'eau », comme l'appelaient déjà les Celtes, est située à la confluence du Rhône, de la Gère et du ruisseau de St-Marcel.

Un pont sur le Rhône, la cathédrale St-Maurice et le mont Pipet en hauteur, telle apparaît Vienne, dans toute sa diversité.

Les gens

29 975 Viennois, qui vivent heureux sous la protection de Tutéla, la belle déesse romaine aux formes épanouies. Le photographe parisien Claude Paret est-il originaire de Vienne ? S'il ne l'est pas, il aurait mérité de l'être, pour avoir si bien saisi les ambiances et les reflets dorés qui nuancent cette ville et ses recoins les plus secrets.

Populaire

Les Viennois gardent le souvenir ému de **Fernand Point,** fondateur du fameux restaurant « La Pyramide » *(voir le Guide Rouge Michelin)*. Le maître de Bocuse et des frères Troisgros vivait ici dans les années 1930.

comprendre

La ville romaine – Plus de cinquante ans avant la conquête de la Gaule par Jules César, le pays des Allobroges, dont Vienne devint la capitale au cours du 1er s. av. J.-C., est assujetti par les légions romaines. La cité est favorisée par sa position géographique plus facile à exploiter que celle de Lyon : il n'y a qu'un fleuve à traverser.

Les drapiers, peaussiers et potiers déploient une activité florissante et le poète Martial peut parler de « Vienne la Belle ».

Heurs et malheurs d'une « Grande Bourgogne » – En dépit de la confusion politique, à la suite de la dissolution de l'Empire romain d'Occident, Vienne reste un foyer d'art : la construction de l'église-nécropole St-Pierre se poursuit ; l'abbaye de St-André-le-Bas est fondée. Les incessantes compétitions entre Carolingiens pour l'héritage de Charlemagne permettent, en 879, à **Boson**, comte de Vienne, d'Arles et de Provence, de se faire proclamer « roi de Bourgogne », au château de Mantaille. Il a son palais à Vienne.

Sur les deux rives

Les monuments publics s'élèvent au pied de la colline de Pipet, les résidences particulières comme les édifices à vocation commerciale ou artisanale s'étendent sur les deux rives, à l'emplacement des bourgs de Ste-Colombe et de St-Romain-en-Gal, au-delà du Rhône.

Vienne, cité sainte – L'autorité temporelle des archevêques, comtes de Viennois, s'exerce sur la cité. Autour de l'abbaye St-André-le-Bas, parvenue au faîte de sa puissance, une nombreuse colonie juive entretient la prospérité commerciale.

De nombreux conciles se tiennent dans la ville, en particulier celui qui prononce, en 1312, la suppression de l'ordre des Templiers.

Une lutte inégale – La présence de cette terre d'Église aux confins du Royaume et de l'Empire ne laisse pas la monarchie française indifférente. Dès 1335, Philippe de Valois annexe Ste-Colombe et fait élever une **tour** marquant cette prise de possession.

En 1349, le Dauphiné est cédé en apanage aux fils aînés de la Maison de France. La mainmise française apparaît totale au cours du 15e s. avec la réunion définitive de Vienne à la France.

Deux grands prélats

Deux grandes figures illustrent alors le siège du « primat des primats des Gaules » : **Guy de Bourgogne** (1088-1119), couronné pape dans sa cathédrale sous le nom de Calixte II, et **Jean de Bernin** (1218-1266), qui préside notamment aux travaux d'agrandissement de la cathédrale St-Maurice.

carnet pratique

Visites guidées

Vienne, qui porte le label **Ville d'art et d'histoire**, propose des visites-découvertes animées par des guides-conférenciers agréés par le ministère de la Culture et de la Communication. Renseignements à l'Office de tourisme ou sur www.vpah.culture.fr

Restauration

• *À bon compte*

Au Plaisir Gourmand – *50 cours Romestang - ☎ 04 74 85 25 64 - fermé oct., dim. soir et lun. - 12,96/28,97€.* Ce sympathique endroit se partage entre un salon de thé que prolonge une agréable terrasse sous les arbres et une superbe salle à manger décorée de fresques représentant les principaux monuments de la ville. Savoureuses terrines et desserts maison.

La Chamade – *24 r. Juiverie - ☎ 04 74 85 30 34 - fermé 6 au 21 août - 10,37€ déj. - 12,96/19,06€.* Les ruelles pentues du centre médiéval ont eu raison de vos forces ? Offrez-vous donc une halte dans ce discret petit restaurant. Le décor est simple - murs blancs, nappes jaunes et éclairage indirect -, le service efficace et les prix très abordables.

L'Estancot – *4 r. de la Table-Ronde - ☎ 04 74 85 12 09 - fermé 15 au 31 août, 25 déc. au 15 janv., dim. et lun. sf j. fériés - 13,72/18,29€.* Vous voulez goûter des criques, ces fameuses galettes de pommes de terre ardéchoises ? C'est ici, dans ce restaurant derrière l'église St-André-le-Bas, qu'il faut aller. À la carte tous les soirs, elles sont accompagnées de légumes, de foie gras ou de gambas...

Hébergement

• *À bon compte*

Camping Bontemps – *38150 Vernioz - 19 km au S de Vienne par N 7, D 131 et D 37 - ☎ 04 74 57 58 52 - ouv. avr. à sept. - ⊭ - réserv. conseillée - 100 empl. : 19,06€.* Tourisme et sport sont au programme dans ce camping. De promenades en visites, vous découvrirez la région à moins que vous ne préfériez profiter des installations sportives pour monter à cheval, faire du VTT, ou nager dans la piscine... Possibilité bungalows

La Margotine – *Chemin de Pré-Margot - 38370 St-Prim - 3 km des Roches de Condrieu - ☎ 04 74 56 44 27 - lamargotine@wanadoo.fr - ⊭ - 6 ch. : 35,06/39,64€ - repas 13,72€.* Villa des années 1970 dont le charme tient pour l'essentiel dans sa situation dominant la vallée du Rhône et ses vignobles. Chambres personnalisées, parfois un peu exiguës ; trois d'entre elles profitent de la vue. Véranda panoramique pour les petits-déjeuners.

• *Valeur sûre*

Poste – *47 cours Romestang - ☎ 04 74 85 02 04 - 37 ch. : 43,45/55,64€ - ☕ 5,18€.* Étape viennoise dans une bâtisse de 1750 située à mi-chemin entre la gare et la cathédrale St-Maurice. Charme d'antan préservé tant dans le salon bourgeois que dans les chambres. L'hébergement est plus simple dans l'aile récente.

Hôtel Central – *7 r. de l'Archevêché - ☎ 04 74 85 18 38 - fermé 11 au 16 août et 8 déc. au 7 janv. - P - 25 ch. : 48,78/76,22€ - ☕ 5,79€.* Au cœur de la ville, comme son nom l'indique, cet hôtel simple vaut surtout par sa situation centrale. Ses chambres assez grandes et aménagées avec un mobilier plaqué sont impeccablement tenues. Son décor date un peu, surtout dans la salle des petits-déjeuners...

Sorties

Bar du Temple – *5 pl. du Gén.-de-Gaulle - ☎ 04 74 31 94 19 - été : tlj 7h-24h ; reste de l'année : lun.-sam. - fermé j. fériés.* À l'instar des Deux Magots parisien - snobisme en moins - ce café est LE café que tout le monde connaît... Son atout principal demeure une superbe terrasse au pied du Temple d'Auguste et de Livie. Toutefois, malgré l'afflux de touristes, l'endroit garde son cachet convivial et sa clientèle d'habitués.

Canicule – *5 r. Cornemuse - ☎ 04 74 85 40 22 - mar.-jeu., dim. 20h-1h, ven.-sam. jusqu'à 3h.* Ce nouveau bar à cocktails va-t-il mettre le feu à la bonne ville de Vienne ? En attendant, il porte bien son nom. Dans un joli décor exotique, vous dégusterez de volumineux cocktails plus ou moins alcoolisés (plutôt plus que moins à dire vrai). Pour les plus robustes, une petite piste de danse est à disposition. Attention, prix assez élevés.

The Celtic House – *5 r. Allmer - ☎ 04 74 53 43 40 - tlj 17h-3h.* La maison est tenue par un ancien rugbyman, fin gastronome de surcroît. Si vous voulez grignoter un morceau entre deux bières ou un match de rugby aux côtés d'un spécialiste, pas de doute, il s'agit de la bonne adresse...

O'Donoghue's Pub – *45 r. Francisque-Bonnier - ☎ 04 74 53 67 08 - tlj 16h-3h.* Ce condensé de la Bretagne à Vienne propose toute l'année des concerts de musique celtique devant un parterre de bretons « exilés ». Composé de deux petites salles au décor marin, le pub est tenu de main de maître par une Bretonne vive et passionnée. Si vous ne connaissez pas la Coreff, la bière bretonne typique, c'est l'occasion ou jamais.

Festival de Jazz.

Achats

Marchés – Chaque samedi matin, les rues du centre ville, des bords du Rhône au jardin de Cybèle, débordent d'étalages alléchants. C'est le moment de choisir quelques bouteilles de **côte-rôtie**, un fameux côte-du-Rhône produit dans la région.

Maison J. Colombier – *Rte de Marennes - 38200 Villette-de-Vienne - ☎ 04 74 57 98 05 - lun.-sam. 9h-12h, 14h-19h, j. fériés sur demande préalable.* Johannès Colombier est l'inventeur de la poire William's dans les années 1930 ! Aujourd'hui, la relève est assurée par sa fille et son gendre. Il faut visiter cette boutique en septembre et en octobre quand l'alambic mijote et que d'exquises effluves d'eau-de-vie se répandent dans l'atmosphère...

Calendrier

L'offensive du saxo – Chaque année, début juillet, le théâtre antique retrouve sa vocation première de lieu de culture et de spectacle vivant. Concerts, animations destinées aux mélomanes, ateliers jazz donnent à la ville un dynamisme et un éclat déjà bien méridional.

Jazz à Vienne, ☎ *04 74 85 00 05*

Les temps modernes – L'activité commerciale s'effondre et la population diminue d'un cinquième entre 1650 et le début du 18e s. Même le pont sur le Rhône, emporté par une crue en 1651, ne sera pas rétabli avant le 19e s.

Une certaine renaissance industrielle se manifeste à la fin de l'Ancien Régime : les manufactures de drap s'alignent le long de la Gère. Le travail du cuir, le commerce des fruits et de nombreuses industries de transformation relancent de nos jours les activités locales.

se promener

Il faut prendre le temps d'une visite approfondie pour découvrir les trésors de **Vienne romaine et chrétienne★★**.

Partir de la place St-Maurice.

Cathédrale St-Maurice★★

Construite du 12e au 16e s., elle apparaît comme une œuvre majeure réunissant des éléments romans et gothiques.

Les portails – La façade, avec ses trois portails flamboyants, est imposante et d'une grande complexité.

Si les guerres de Religion l'ont dépouillée des statues ornant les niches des piédroits et des tympans, la décoration ravissante des voussures est heureusement intacte.

Le **portail méridional** *(à droite)*, de la fin du 14e s., comprend deux voussures : des prophètes assis sous des dais à l'intérieur ; le rang extérieur ordonne des anges musiciens groupés par deux et très expressifs.

Le **portail central**, dont le gâble a été coupé, date de la fin du 15e s. Les sculptures se lisent horizontalement sur les trois voussures, mettant en relation un épisode de l'Ancien et du Nouveau Testament. Dans le tympan du portail, au-dessus des colonnes torses, s'inscrivent deux statues personnifiant, à droite, l'Église, à gauche, la Synagogue.

Le **portail septentrional** *(à gauche)*, du milieu du 15e s., est consacré à la Vierge. Au sommet de la niche centrale, deux anges, ailes repliées, apportent la couronne de la Vierge. La voussure intérieure représente des chérubins à six ailes ; sur la voussure extérieure, des anges musiciens accomplissent différentes fonctions liturgiques.

Intérieur – Long de 97 m, l'ample et lumineux vaisseau à trois nefs, dépourvu de transept, est harmonieux et élancé, malgré une construction échelonnée sur quatre siècles.

Enchâssées dans le vaisseau gothique, les sept premières travées présentent une ordonnance romane jusqu'au-dessus des grandes arcades ; survivance des souvenirs romains, les piliers sont flanqués de pilastres à l'antique

Pratique !

Quelques panneaux explicatifs, les « **visages de Vienne** », ont été judicieusement placés à proximité des éléments phares de la vieille ville et agrémenteront votre promenade.

Des visites commentées sont aussi régulièrement organisées pour faciliter la connaissance de cette « ville d'art et d'histoire ».

La superbe décoration des portails sublime l'harmonieuse façade de la cathédrale.

et de demi-colonnes cannelées ; cette campagne de construction, du début du 12e s., est contemporaine ou légèrement postérieure au pontificat de Gui de Bourgogne. Un banc de marbre garnit le pourtour de l'abside ; le trône de l'évêque *(cathedra)* est dressé dans l'axe de la nef. Au-dessus du banc, des colonnettes soutiennent une corniche sous laquelle court une frise de marbre à incrustation de ciment brun ; une seconde frise de même style règne au-dessus du triforium.

Venue d'Orient

Cette technique décorative, d'inspiration orientale - on en trouve le premier exemple à Ste-Sophie de Constantinople –, a gagné la vallée du Rhône par l'intermédiaire de l'Italie (St-Marc de Venise) ; elle caractérise l'art viennois-lyonnais : l'abside de la primatiale St-Jean à Lyon en témoigne.

Les **chapiteaux romans** constituent un ensemble décoratif étroitement inspiré de l'Antiquité. Ils présentent des scènes historiées *(collatéral droit)* ou des décors végétaux très denses.

À droite du maître-autel, le **mausolée** des archevêques Armand de Montmorin et Henri-Oswald de La Tour d'Auvergne (1747), dû à Michel-Ange Slodtz, figure parmi les meilleures œuvres du 18e s. en Dauphiné.

Autour du chœur, les **tapisseries des Flandres** représentent des scènes de la vie de saint Maurice (16e s.).

Une splendide verrière Renaissance, l'**Adoration des Mages**, éclaire le chevet du collatéral droit. Les vitraux des fenêtres hautes du chœur datent du 16e s. ; à la baie centrale, on reconnaît saint Maurice, cuirassé, et saint Pierre.

Le collatéral gauche conserve des sculptures intéressantes dont un grand bas-relief, du 13e s., représentant l'entrevue d'Hérode et des Rois Mages : remarquez les deux têtes grotesques encadrant Hérode dont l'une, tournée vers les Rois, paraît les écouter avec gravité ; l'autre, hors de leur vue, ricane.

La cathédrale communiquait avec l'ancien cloître, disparu, par un passage voûté. Au-dessus de l'arc d'entrée se déroule une frise de marbre blanc reproduisant les **signes du Zodiaque** ; ils ont été replacés, au 16e s., dans l'ordre nouveau de l'année fixé par l'Édit de Roussillon.

À l'intérieur du passage, une arcature gothique encadre trois statues romanes de facture archaïque : saint Pierre, saint Jean l'Évangéliste et saint Paul évoquent par leurs drapés l'art languedocien.

Sortir de la cathédrale par le passage voûté.

À l'extérieur, la décoration de la porte Nord mêle des éléments romans et gothiques à des fragments romains. Remarquez sous l'arc en ogive la délicate frise de griffons et de feuillages ornant le linteau. Sur la place St-Paul s'étendait le cloître, aujourd'hui disparu. La place du Pilori marque l'entrée dans le cœur de la cité médiévale.

Gagner la place du Palais.

On reste muet devant la beauté immuable du temple romain situé au centre de la place, qui contraste, sans heurter, avec les façades 18e s. des maisons qui encadrent la place, formant un bel oval.

Temple d'Auguste et de Livie**

Cet édifice rectangulaire de proportions harmonieuses ressemble étrangement à la Maison carrée de Nîmes. Une rangée de six colonnes corinthiennes supporte l'entablement, à la façade et sur les côtés ; l'ornementation sculptée est mieux conservée du côté Nord. La partie postérieure, la plus ancienne, date vraisemblablement de la fin du 1er s. av. J.-C. La façade, tournée vers l'Est, dominait le forum.

Divins

Le fronton triangulaire portait une inscription de bronze à la gloire d'Auguste et de Livie, son épouse, qui accède ici au rang de déesse. À l'intérieur se dressait la statue de l'empereur déifié.

Le temple a subi de nombreuses transformations. Au Moyen Âge, on en fit une église et l'on joignit toutes ses colonnes par un mur. Siège du club des Jacobins sous la Révolution, on y célébra le culte de la déesse Raison. Il fut utilisé ensuite comme tribunal, musée, bibliothèque ; ce n'est qu'au milieu du 19e s. que ce bel édifice, redécouvert par Prosper Mérimée, est dégagé des maçonneries malgracieuses qui l'enserraient.

La rue des Clercs, dont un passage, au n° 29, communique avec l'intérieur de l'hôtel de ville. mène à l'église St-André-le-Bas.

Église et cloître St-André-le-Bas★ *(voir « visiter »)*

Par la rue de la Table-Ronde, (ainsi nommée en souvenir d'une table de changeurs qui garantissait le droit d'asile aux commerçants en cas de litige), gagner la rue Marchande.

Au n° 32, beau portail à voussures et claveau sculpté. *S'avancer dans la rue des Orfèvres.*

Le n° 11 cache une cour intérieure des 15e et 16e s. ; au n° 9, belle façade Renaissance.

Faire demi-tour et prendre à droite la rue du Collège.

Église St-André-le-Haut

Anciennement chapelle du collège des jésuites, consacrée en 1725 à Saint Louis, elle possède une belle façade classique dans le style des églises baroques de Ste-Suzanne ou du Gésù, à Rome.

Conseil d'ami
Économisez votre souffle et n'hésitez pas à monter par étapes, la rue est très en pente et grimpe hardiment jusqu'au Théâtre antique.

Théâtre romain★ *(voir « visiter »)*

Par la rue des Célestes, la montée St-Marcel, puis la rue Victor-Hugo, gagner le jardin archéologique.

Jardin archéologique

Un espace vert très original, avec un coin réservé aux jeux pour les petits, et des ruines romaines qui donnent à ce Jardin de Cybèle une atmosphère de calme intemporel. Une double arcade en pierre blanche est le vestige d'un **portique** autrefois attribué à des thermes. À droite du portique se dresse un mur qui fermait au Nord un **théâtre** que l'on pensait réservé aux représentations des Mystères de Cybèle, hypothèse controversée à l'heure actuelle. Les décrochements de ce mur correspondent aux passages d'accès aux gradins.

Par les rues Chantelouve et Ponsard, gagner le musée des Beaux-Arts.

Musée des Beaux-Arts et d'Archéologie

Voir « visiter ».

Le cours Romestang, puis le boulevard de la République ramènent à la place St-Pierre.

visiter

Église St-André-le-Bas★

Visite guidée aux mêmes heures d'ouv. que le cloître.

Cette église, dans son ensemble, date du 12e s. Le grand mur pignon en pierre de taille est d'un effet décoratif original. L'ensemble de la décoration est remarquable : piliers et colonnettes des baies géminées, petites arcatures en festons retombant sur des consoles aux masques expressifs. La salle du patrimoine présente en permanence une **exposition sur les « Visages de Vienne »**.

Pénétrer dans l'étroite cour Sud, limitée d'un côté par la base du clocher.

Le premier masque que l'on aperçoit tire une langue énorme. La nef était primitivement couverte de charpente ; la restauration de 1152 consista à la surélever et à la voûter, ce qui nécessita la construction des arcs-boutants extérieurs et le renforcement des murs par des arcades et des piliers.

L'ensemble de la décoration des **pilastres cannelés** est attribué à Guillaume Martin qui a signé et daté son œuvre (1152) sur le socle du 2e pilier à droite.

Les deux superbes chapiteaux corinthiens, à l'entrée de l'abside, proviennent d'un monument romain. Une salle d'exposition aménagée en contrebas de l'église présente une grande statue de bois figurant saint André (17e s.), dont le visage est magnifique ; le panneau de bois peint, l'*Adoration des Bergers* (1543), est exposé au musée des Beaux-Arts.

Fantaisie du sculpteur roman
Les plus beaux des chapiteaux représentent Samson terrassant le lion *(2e pilier à gauche)* et Job grattant ses ulcères, à côté de sa femme qui exprime son dégoût *(3e pilier)*.

Cloître St-André-le-Bas★

Avr.-oct. : tlj sf lun. 9h30-13h, 14h-18h ; nov.-mars : tlj sf lun. 9h30-12h30, 14h-17h, dim. 14h-18h (théâtre : 13h30-17h30). Fermé 1er janv., 1er mai, 1er et 11 nov., 25 déc. 1,83€. ☎ 04 74 85 50 42.

VIENNE

Acqueducs (Ch^in des) ..... BY
Allmer (R.) ..... BZ 2
Allobroges (Pl. des) ..... AZ
Asiaticus (Bd) ..... AZ
Beaumur (Montée) ..... BCZ
Boson (R.) ..... AZ
Bourgogne (R. de) ..... BY
Brenier (R. J.) ..... BY
Briand (Pl. A.) ..... BY 3
Brillier (Cours) ..... ABZ
Capucins (Pl. des) ..... BCY
Célestes (R. des) ..... BY 4
Chantelouve (R.) ..... BY 5
Charité (R. de la) ..... BCY 6
Cirque (R. du) ..... BY 7
Clémentine (R.) ..... BY 8
Clercs (R. des) ..... BY 9
Collège (R. du) ..... BY 10
Coupe-Jarret (Montée) ..... BZ
Éperon (R. de l') ..... BY 12
France (Quai Anatole) ..... BCY
Gère (R. de) ..... CY
Jacquier (R. H.) ..... BY 14
Jaurès (Q. Jean) ..... AYZ
Jauret (Montée Coupe) ..... BZ
Jeu-de-Paume (Pl. du) ..... BY 15
Jouffray (Pl. C.) ..... AZ
Juiverie (R. de la) ..... BZ 16
Lattre-de-Tassigny (Pont de) ..... AY
Marchande (R.) ..... BY
Miremont (Pl. de) ..... BY 18
Mitterrand (Pl. F.) ..... BY 19
Orfèvres (R. des) ..... BY 20
Pajot (Quai) ..... BY
Palais (Pl. du) ..... BY 23

Ancienne Église St-Pierre .. AZ
Cathédrale St-Maurice .... BY
Cité gallo-romaine (Musée) ..... AY
Église et cloître St-André-le-Bas ..... BY
Église St-André-le-Haut ... CY
Église St-Martin ..... CY
Église de Ste-Colombe ... AY
Jardin Archéologique (Portique) ..... BY
Mont Pipet ..... CY
Musée des Beaux-Arts et d'Archéologie ..... BY M¹
Musée de la Draperie ..... AZ
Palais du Miroir ..... AY
Pont de Lattre de Tassigny ..... AY
Pont Suspendu ..... AY
Porte de l'Ambulance ..... CY N
Pyramide ..... AZ
Temple d'Auguste et de Livie ..... BY R
Théâtre Romain ..... CY
Tour-Philippe-de-Valois ... AY

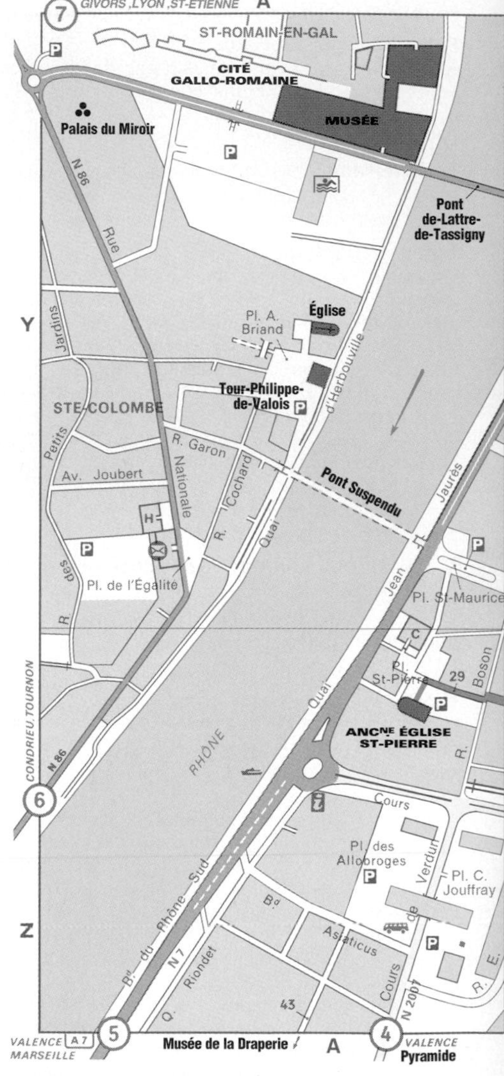

Lieu de paix et de sérénité, le cloître de St-André-le-Bas offre aussi de belles distractions avec ses chapiteaux historiés ou décorés d'animaux et de masques humains.

Ce petit cloître du 12e s., *(dont l'entrée se trouve au fond d'un jardin dominant le Rhône)*, présente une série d'arcatures en plein cintre, reposant alternativement sur des colonnettes géminées et des piliers délimitant les travées. L'ornementation des colonnettes de la galerie Sud témoigne d'une certaine fantaisie : cannelures en spirale, en zigzag, ou ornées de chapelets de perles, palmettes aux tiges nouées. Le cloître abrite une **importante collection d'épitaphes chrétiennes** – dont celle de Fœdula, Viennoise baptisée par saint Martin, remonte au début du 5e s. – et d'inscriptions médiévales couvrant les monuments funéraires. Dans l'angle Sud-Est sont rassemblés des fragments de chancel (clôture en pierre séparant le clergé des fidèles), à décor de tresses, de torsades et d'entrelacs (9e s.), ainsi qu'un autel en marbre blanc (11e s.) provenant de l'ancienne église St-Pierre.

De la terrasse, vue sur le Rhône et Ste-Colombe.

Peyron (R.) BZ 24
Pilori (Pl. du) BY 25
Pipet (R.) CY
Ponsard (R.) BY 28
Pont Suspendu AY
République (Bd et Pl.) ABZ 29
Rhône Sud (Bd du) AZ
Riondet (Quai) AZ
Rivoire (Pl. A.) CY
Romanet (R. E.) ABZ
Romestang (Cours) BZ
St-André-le-Haut (R.) CY 34
St-Louis (Pl.) BY
St-Marcel (Montée) CYZ
St-Maurice (Pl.) AY
St-Paul (Pl.) BY
St-Pierre (Pl.) AZ
Schneider (R.) CY 37
Sémard (Pl. P.) BZ
Table-Ronde (R. de la) BY 38
Thomas (R. A.) CY
Tupinières (Montée des) CZ
Ursulines (R. des) CY 39
Verdun (Cours de) AZ
Victor-Hugo (R.) BCYZ
11-Novembre (R. du) AZ 43

STE COLOMBE (Rhône)

Briand (Pl. A.) AY
Cochard (R.) AY
Égalité (Pl. de l') AY
Garon (R.) AY
Herbouville (Q. d') AY
Joubert (Av.) AY
Nationale (R.) AY
Petits-Jardins (R. des) AY

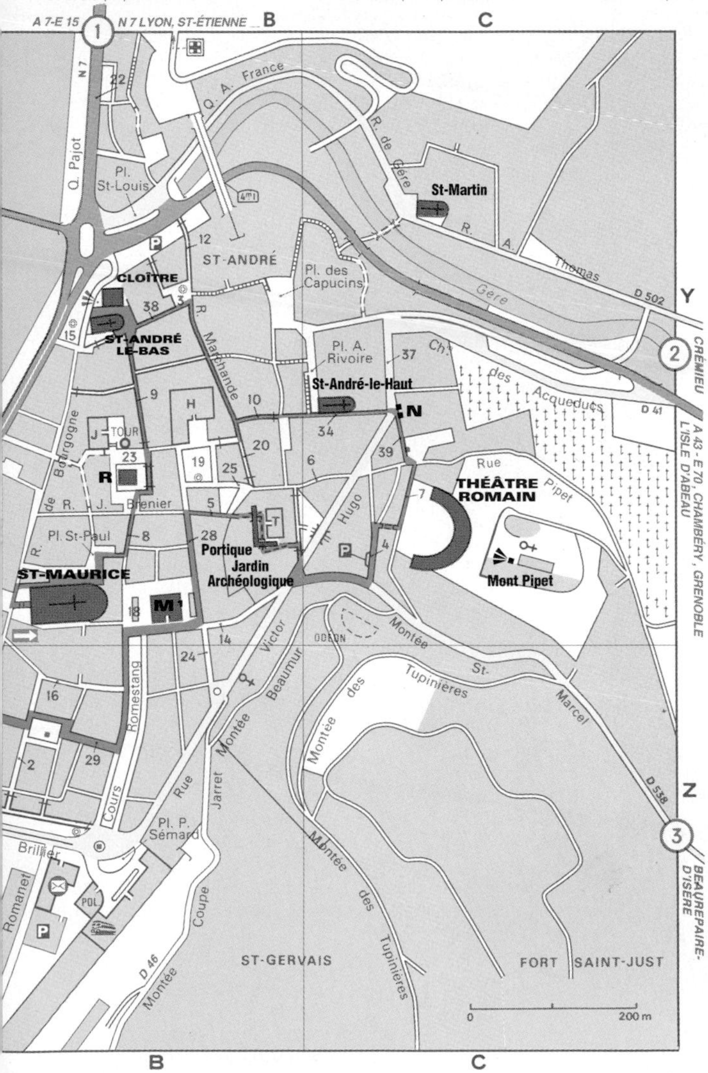

Théâtre romain★

Mêmes conditions de visite que le cloître.

Abandonné depuis l'empereur Constantin, au début du 4e s., il était, en 1922, lorsque commencèrent les fouilles, enfoui sous 80 000 m³ de terre ; son dégagement est aujourd'hui achevé. C'était l'un des plus vastes de la Gaule romaine ; son diamètre (131 m) dépasse celui du théâtre d'Orange, et n'est que d'un mètre inférieur à celui du grand théâtre de Marcellus à Rome.

Adossé au mont Pipet, il comptait 46 gradins établis sur une série de galeries de circulation voûtées, bien conservées. Près de 13 500 spectateurs pouvaient y prendre place. Les quatre gradins les plus proches de l'orchestre, réservés aux personnages officiels, étaient isolés des autres par une balustrade de marbre vert. Le sol de l'orchestre montre encore une partie de son dallage de marbre et le support antérieur du plancher de la scène

présente la copie d'une admirable frise d'animaux dont l'original en marbre blanc, se trouve au musée lapidaire. Enfin – disposition exceptionnelle – un temple couronnait le sommet des gradins.
Comme à Lyon, le grand théâtre se doublait d'un petit théâtre ou **odéon** *(on ne visite pas)*. Le grand théâtre sert, en été, de cadre au **festival de jazz**.

Musée des Beaux-Arts et d'Archéologie

Mêmes conditions de visite que le cloître.

À REMARQUER
L'**argenterie** romaine du 3e s. (coupes, plats finement ciselés à décor de scènes pastorales et de chasse) découverte fortuitement sur le site de l'actuelle place C.-Jouffray en 1984.

Aménagé au deuxième étage d'une halle du 19e s., il réunit plusieurs collections : antiquités préhistoriques et gallo-romaines, faïences françaises du 18e s. (Moustiers, Lyon, Roanne, Marseille, Rouen, Nevers), peintures des écoles européennes des 17e et 18e s. et des écoles lyonnaise, viennoise et dauphinoise ; œuvres de J. Bernard, sculpteur viennois (1866-1931).

Ancienne église St-Pierre★

Transformé en musée lapidaire, cet édifice, le plus vénérable de la Vienne chrétienne, remonte au 5e s., (fondée probablement par saint Mamert). L'église servit surtout de basilique funéraire, des évêques de Vienne y étaient inhumés. St-Pierre, bâtie « hors les murs », eut à souffrir des dévastations des Sarrasins, vers 725, puis de celles des princes carolingiens en 882.
Au 12e s., l'abbaye parvint au faîte de sa prospérité. C'est alors que fut élevé, sur plan rectangulaire, le beau clocher roman qui forme porche au rez-de-chaussée. Les baies de l'étage intermédiaire s'ouvrent sous des arcs trilobés, évoquant l'art du Velay. C'est à cette époque que la nef fut divisée en trois par de grandes arcades (restaurées au 19e s.).
Le **portail Sud** (12e s.) donnait autrefois sur le cloître de l'abbaye. Deux colonnettes octogonales supportent des chapiteaux symbolisant, à gauche, l'Humilité et l'Orgueil et, à droite, la Charité. L'inscription du tympan encadre une magnifique statue de saint Pierre. Il faut rapprocher cette œuvre des statues du porche Nord de St-Maurice, en ce qui concerne la technique des draperies.

Musée lapidaire – *Mêmes conditions de visite que le cloître.*
À gauche et en face de l'entrée sont exposées deux œuvres romaines : une tête de Junon et une belle statue de marbre, la *Tutela* ou déesse protectrice de la ville. Dans l'abside, à gauche, se trouve le **sarcophage** en marbre de saint Léonien, moine viennois du 6e s., au décor symbolique de paons becquetant des raisins. Remarquez, dans la chapelle à droite de l'abside, une **Vénus accroupie**, une collection d'amphores, des têtes d'empereurs et un bas-relief en marbre représentant une cérémonie de sacrifice.

L'église St-Pierre est également sous la protection de la belle Junon, dont la tête monumentale est un des fleurons du Musée lapidaire.

Église St-Martin

Lun. 9h30-11h, mar. 16h30-19h, mer. 9h30-11h, 15h-18h30, jeu. 9h30-11h.
Elle est décorée de fresques de Maurice Denis, et conserve un beau Christ ancien en bois sculpté.

Musée de la Draperie

Prendre la direction de la Pyramide (cours de Verdun) et continuer jusqu'à une ancienne caserne en cours de reconversion. ♿ *D'avr. à fin oct. : tlj sf lun. 14h-18h. Fermé 1er mai. 1,83€.* ☎ *04 74 85 50 42.*
On connaît la Vienne gallo-romaine, la Vienne médiévale, mais beaucoup moins la Vienne industrieuse célèbre pour la fabrication de draps et de toiles. D'anciennes machines (démonstrations), des documents et des échantillons rappellent ce passé pas si lointain.

découvrir

ST-ROMAIN-EN-GAL ET STE-COLOMBE

Visite : environ 3h. St-Romain-en-Gal et Ste-Colombe, sur la rive droite du Rhône, sont situés en face de Vienne : ces trois localités formaient un seul ensemble urbain

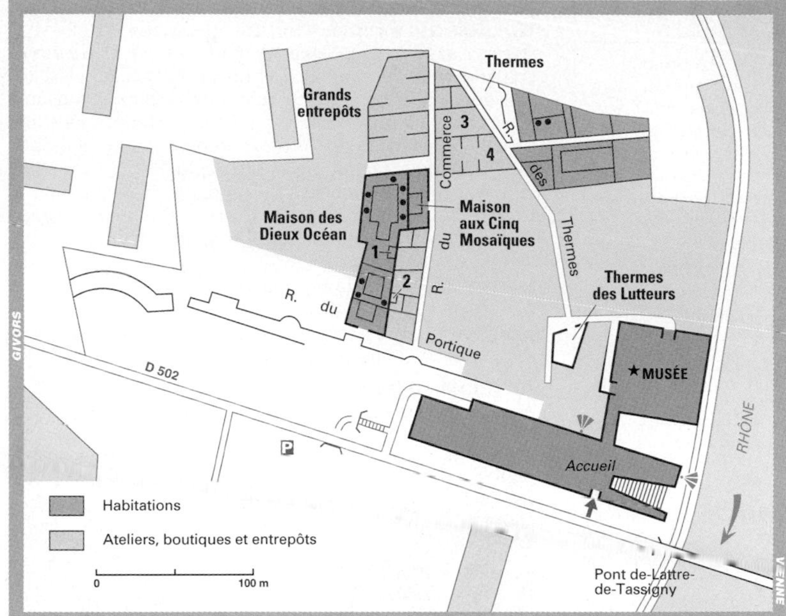

Cité gallo-romaine de St-Romain-en-Gal★★

Les fouilles pratiquées sur ce site, depuis 1967, ont mis au jour un quartier urbain, comprenant à la fois des villas somptueuses, des commerces, des ateliers d'artisans et des thermes. Les plus belles découvertes, essentiellement des mosaïques, sont présentées dans le musée.

Musée★

♿ *Mars-oct. : tlj sf lun. 10h-18h, nov.-mars : tlj sf lun. 10h-17h. Fermé 1er janv., 1er mai, 1er nov., 25 déc. 3,80€. ☎ 04 74 53 74 01.*

Ce musée a été conçu comme une immense vitrine qui présente le site archéologique d'un côté, le Rhône et la Vienne actuels de l'autre. La partie muséographique repose sur une structure à pilotis ancrée dans les murs de la **maison au Lion,** qui doit être fouillée au début du 21e s. L'ensemble du site est très riche et les nombreux ateliers d'artisans côtoient de somptueuses demeures dont la plus belle et la plus spacieuse est certainement la maison des Dieux Océan.

Belvédère

Juste avant l'entrée, un escalier conduit à une terrasse qui offre une vue panoramique sur la ville, le fleuve et les fouilles.

C'est donc logiquement la célèbre **mosaïque des Dieux Océan★**, devenue l'emblème du site, qui accueille le visiteur. Vienne a en effet connu son heure de gloire grâce à de fructueux échanges avec la civilisation romaine. Le Rhône était alors un vecteur primordial, même s'il coupait la ville de Vienne du quartier plus résidentiel de St-Romain-en-Gal. Ce dernier était cependant très animé comme en témoignent les riches **thermes des Lutteurs,** récemment dégagés, et une immense place de 80 000 m² qui était certainement la palestre (lieu public dédié aux sports) de ces thermes.

L'artisanat local était très prospère : poterie (remarquez le superbe four et les gigantesques *dolia* qui contenaient jusqu'à 1 000 l de vin), travail de l'os et du tissu (maquette du quartier artisanal de St-Romain).

Mais la principale richesse du site consiste en ces magnifiques **mosaïques de sol** qui rivalisent de beauté avec les pavements en *opus sectile*, composés de carreaux de marbre beaucoup plus importants. Les décors, souvent inspirés de la mythologie, mettaient en évidence les goûts ou les principes du propriétaire des lieux ; ainsi, la mosaïque d'Orphée illustre la prédominance de la culture sur la nature. L'**ornementation murale** était plutôt peinte ; l'exceptionnelle peinture des **Échassiers★** ou celle des **Lutteurs** révèle le goût et le degré de finesse de la décoration intérieure.

Omniprésence du fleuve

Les pilotis retrouvés dans le Rhône ou la reconstitution d'un bateau de commerce (d'après un modèle retrouvé à Toulon) rappellent l'importance du fleuve pour l'essor de la ville. Deux maquettes illustrent avec une profusion de détails l'activité des immenses entrepôts de Vienne (60 000 m²) et de St-Romain-en-Gal.

Reconnu internationalement
L'Atelier de restauration de mosaïques intervient sur les œuvres du musée mais aussi plus largement sur une ère géographique plus vaste

Une bonne partie du musée est consacrée à l'organisation des vastes demeures patriciennes qui s'étendaient souvent sur plus de 1 000 m² et dont les principales pièces sont l'entrée *(atrium)*, le jardin *(vividarium)*, la salle à manger *(triclinium)*, la chambre *(cubiculum)*. Plusieurs passerelles aident à mieux visualiser certaines de ces pièces soigneusement reconstituées. La magnifique mosaïque du **Châtiment de Lycurgue**★★ clôt en beauté ce voyage parmi les fastes de l'époque gallo-romaine. Des bornes informatiques et une salle audiovisuelle (5 films) permettent d'approfondir la connaissance de cette période ainsi que les techniques actuelles de recherche et de restauration.

Un incroyable ensemble de mosaïques, ici celle du canard, décorait les splendides demeures du quartier résidentiel de St-Romain-en-Gal.

Site★

Les vestiges actuellement dégagés sur plus de 3 ha attestent une occupation allant de la fin du 1er s. av. J.-C. au 3e s. ap. J.-C., mais la structure de ce quartier ne correspond pas au schéma habituellement adopté par les Romains (quadrillage de rues) : trois voies et deux ruelles déterminent cinq îlots irréguliers, progressivement mis au jour. La **rue du Portique**, orientée Est-Ouest, est facilement reconnaissable au portique qui la borde. La **rue des Thermes** et la **rue du Commerce** suivent approximativement une orientation Nord-Sud et se rejoignent au Nord du site.

Habitat

À l'entrée du site, la **maison des Dieux Océan** est une vaste demeure orientée Nord-Sud, qui s'inscrit dans un rectangle de 110 m de long et 24 m de large et qui, à part l'entrée située au Sud, ne comporte pas d'ouverture vers l'extérieur. Le sol du vestibule était revêtu d'une mosaïque comportant des têtes de dieux Océan barbus et chevelus et des motifs marins. Vient ensuite un petit jardin à péristyle cernant deux bassins : l'un en U, l'autre rectangulaire. Le grand jardin à portique, au Nord, occupant le tiers de la surface est légèrement désaxé par rapport aux autres pièces. À l'Ouest, on peut observer un système, restauré, de chauffage par **hypocauste** (**1**).

Au Nord de la maison des dieux Océan s'étend la **maison aux Cinq Mosaïques**, tirant son nom des différents pavements que l'on a découvert, entre autres, dans le péristyle, le *triclinium* et la salle de réception.

Au Nord-Est du site, au-delà de la rue des Thermes, se trouve une autre zone d'habitat avec des maisons et des **thermes** où l'on retrouve le plan classique adopté par les Romains. À proximité de l'entrée, d'autres thermes ont été dégagés à l'occasion de la construction des nouveaux bâtiments ; les belles peintures murales des **thermes des Lutteurs** ont rejoint les collections du musée, mais une fidèle réplique restitue la beauté des lieux.

Quand les Romains prenaient les eaux
Les thermes romains comportaient l'hypocauste, le *caldarium* (salle chaude), le *tepidarium* (salle tiède) et le *frigidarium* (salle froide).

Ateliers, boutiques et entrepôts

Ils sont irrégulièrement répartis sur le site. Entre la maison des Dieux Océan et la rue des Thermes s'étendent plusieurs salles dont l'une (**2**) montre un ingénieux dispositif pour la conservation des denrées périssables : des

amphores sphériques, soigneusement rangées, sont fichées en terre par le col, créant ainsi un vide sanitaire. Bordant la rue du Commerce, au Nord-Ouest, les **grands entrepôts**, ou *horrea*, s'étendent sur plus de 3 000 m². La façade Est est percée par une entrée unique, adaptée au passage des charrettes.
L'îlot triangulaire formé par les rues du Commerce et des Thermes est un **quartier artisanal** bordé à l'Est et à l'Ouest par des portiques. Les salles du bâtiment Nord recèlent un système de canalisations ; lui fait suite, au Sud, un atelier composé de neuf pièces s'ordonnant autour d'une cour. La présence de bassins dans certaines pièces signale une activité de foulons ou de **teinturiers** ▶ (**3**). La base du triangle, dite « **le marché** » (**4**), est occupée par des ateliers et des boutiques.

La découverte de produits colorants, à la jonction des rues du Commerce et des Thermes, atteste l'existence d'un petit atelier de teinturier.

Ste-Colombe
Ce faubourg était couvert à l'époque romaine de luxueuses résidences, décorées d'œuvres d'art et d'immenses mosaïques. Les découvertes les plus importantes ont été faites au **palais du Miroir**, vastes thermes appelés ainsi au 17e s. parce que l'on prenait l'une de ses piscines pour un miroir d'eau ; ses vestiges sont visibles à la limite de Ste-Colombe et de St-Romain-en-Gal.

Tour Philippe-de-Valois
Elle se dresse à proximité du Rhône. Philippe de Valois la fit construire en 1343, après l'annexion de Ste-Colombe au domaine royal.

Église
Cette ancienne chapelle mérite une visite pour son remarquable **groupe sculpté★** du 14e s., en marbre blanc : sainte Anne instruisant la Vierge *(à gauche en entrant)*.

alentours

Pyramide
Sortir au Sud par le cours de Verdun et prendre à droite le boulevard F.-Point.
Elle repose sur un petit portique carré. L'ensemble, haut d'une vingtaine de mètres, décorait le terre-plein central du vaste cirque de Vienne au 4e s.
Au Moyen Âge, on crut y reconnaître le tombeau de Ponce Pilate.

Selon la légende
Le procureur, ayant quitté Jérusalem pour Vienne, se serait, en proie au remords, jeté dans le Rhône. Le nom du massif du Pilat (une légende analogue court sur le mont Pilate, près de Lucerne, en Suisse) aurait pour origine cet événement.

Croisières en bateaux-mouches
Des possibilités sont offertes pour effectuer le parcours Vienne-Lyon dans les deux sens en saison.

Ternay
13 km. Quitter Vienne au Nord par la N 7, et tourner dans la D 150^E à gauche.
L'**église** (12e s.), perchée sur le rebord du coteau dominant le Rhône, est un intéressant témoin de l'école romane rhodanienne. Autrefois dédiée à saint Mayol, elle appartenait à un prieuré clunisien. À l'intérieur, la partie la plus attachante est l'abside principale, avec sa voûte en cul-de-four et son arcature à pilastres. Les sculptures des chapiteaux forment un ensemble intéressant.
Au Sud de l'église, voir les vestiges du cloître.

Beauvoir-de-Marc
19 km. Sortir de Vienne à l'Est par la D 502, et, à la Détourbe, prendre la D 53^B à gauche.
La petite **église** des 11e-14e s., avec son plafond en bois peint à 70 caissons, occupe un site perché d'où part un sentier menant au sommet de la butte – remarquez, dans le tuf des talus, les couches de cailloux roulés. Au pied de la statue de la Vierge (table d'orientation), **panorama★** sur les collines du Viennois, dominées à l'Ouest par la masse sombre du mont Pilat.

St-Mamert

13 km. Quitter Vienne au Sud par la N 7, et tourner à gauche dans la D 131A.

La **chapelle St-Mamert**, au clocher-mur du 11e s. et intérieur du 17e s., est construite sur une terrasse de galets d'où la vue s'étend sur le massif du Pilat.

Château de Septème

12 km à l'Est par les D 502 et D 75. D'avr. à fin oct. : visite guidée (1/4h) w.-end et j. fériés 14h-18h30. 5,80€ (enf. : 3€). ☎ 04 74 58 26 05.

Près du bourg de Septème (dont le nom évoque la septième borne milliaire de la voie romaine qui reliait Vienne à Milan), ce château est une ancienne ville forte formant un ensemble imposant avec ses remparts (13e s.), son vieux fort (11e s.) et son château.

Camp romain ?
L'origine de Septème est vraisemblablement l'établissement d'un camp militaire romain. De la ville féodale installée dans l'enceinte jusqu'au 19e s., il subsiste encore aujourd'hui une habitation qui fut, au 16e s., la conciergerie du château.

Le château comprend des bâtiments des 14e et 15e s., remaniés au 16e s., disposés en rectangle autour d'une cour intérieure. Dans cette cour, on peut admirer deux étages de loggias Renaissance, une galerie de portiques et un vieux puits monumental profond de 60 m.

Remparts – Longs d'environ un kilomètre, ils sont percés de nombreuses meurtrières. L'ancien chemin de ronde subsiste par endroits.

Château – Il offre un aspect imposant avec ses tours et ses hautes toitures ; l'ensemble des bâtiments, s'ordonnant autour d'une cour à loggia, a été largement remanié à la Renaissance. L'intérieur abrite des cheminées anciennes.

Flânerie
À l'extrémité Sud, sur la partie la plus élevée du coteau, l'enceinte se raccorde aux restes imposants du château fort primitif qui forme un beau belvédère sur le château actuel et son parc à la française où se promènent des paons en liberté.

La Vénus qui fait face au château de Septème n'enlève rien à sa rigueur, toute militaire.

Villars-les-Dombes

On connaît la Dombes pour ses étangs et ses poissons mais un peu moins pour son exceptionnelle diversité ornithologique. Ce territoire de pêche inépuisable attire en effet une multitude d'oiseaux migrateurs et sédentaires pour le plus grand bonheur des observateurs passionnés. Un parc et une réserve ont été créés pour les protéger et faciliter leur découverte.

La situation

Cartes Michelin nos 88 pli 8 ou 244 pli 4 – Schéma p. 145 – Ain (01). Villars-les-Dombes est une agréable cité fleurie bâtie sur la rive droite de la Chalaronne.

Les gens

4 190 Villardois. Il sont moins nombreux que leurs voisins volants qui peuplent la région : hérons gris et blancs, martins-pêcheurs, aigrettes-garzettes, milans noirs ont en effet reçu le renfort des nombreux pensionnaires du parc ornithologique.

Nouveau-nés
Dans la « maison des Oisillons » sont incubés et élevés dans des conditions dignes de la meilleure nursery les oisillons d'espèces variant selon la saison.

carnet pratique

Restauration

• *Valeur sûre*

Le Col Vert – *R. du Commerce - ☎ 04 74 98 00 33 - fermé 26 nov. au 31 déc., le soir sf sam. de nov. à fév., dim. soir, mar. soir et lun. - 15,24/41,92€.* Au cœur du village, ce petit restaurant tout simple a bonne réputation dans la région. Une cuisine bien tournée qui décline plats régionaux et traditionnels réalisés en famille vous y attend.

Hébergement

• *À bon compte*

Ribotel – *Rte de Lyon - ☎ 04 74 98 08 03 - P - 47 ch. : 39,64/47,26€ - ☕ 7,01€ - restaurant 14,48/31,25€.* À la sortie du village de Villars-les-Dombes, une adresse pratique pour ornithologues de passage. De construction moderne, cet hôtel est en effet bien tenu et propret : ses chambres sont fonctionnelles, de bonne taille, sans surprise mais très correctes.

Pratique

Un **petit train** propose le tour commenté des enclos et du grand étang. De la **terrasse** de la maison des Oiseaux (longues-vues), la vue embrasse l'ensemble du parc et permet de suivre les mouvements incessants des oiseaux.

visiter

Parc ornithologique*

1 km au Sud de Villars, sur la N 83. ♿ Mai-sept. : 10h-19h30 (dernière entrée 1h av. fermeture, juin-août : 10h-21h30) ; oct.-avr. : 10h-18h. 6€ (nov.-janv.), 7,5€ (fév.-avr. et sept.-oct.), 9€ (mai-août). ☎ 04 74 98 05 54.

Situé à proximité de la Réserve de la Dombes *(on ne visite pas)*, sur l'un des principaux axes de migration en Europe, le parc présente sur 23 ha, dont 10 en étangs, plus de 2 000 oiseaux appartenant à 400 espèces des cinq continents : de l'autruche africaine à l'oiseau-mouche sud-américain et au manchot des terres australes.

À l'entrée, la « **maison des Oiseaux** » héberge dans une atmosphère chaude et humide des oiseaux exotiques, rivalisant de couleurs : tangaras d'Amérique du Sud, gouras de Nouvelle-Guinée, toucans.

Aisément reconnaissable à la forme très spéciale de son bec, la spatule blanche semble très à l'aise dans le parc de Villars-les-Dombes.

Un autre bâtiment abrite les manchots-sauteurs des terres australes et un grand aquarium regroupant les principaux poissons qui peuplent les étangs de la Dombes. La halle d'exposition familiarise avec les différentes caractéristiques des oiseaux (plumage, vol, œuf). La visite se poursuit par une séries d'enclos, et après le tour du grand étang, une volière géante où vivent et se reproduisent les grands oiseaux de la Dombes : hérons cendrés, hérons bihoreaux...

Église

Cet édifice gothique, à nef lambrissée, présente une décoration flamboyante. Au fond de l'abside, à droite, remarquez une intéressante **Vierge à l'Enfant*** du 18e s.

Villefranche-sur-Saône

Villefranche, ou comment une charte peut changer le destin d'une ville. La ville doit en effet beaucoup à Guichard IV de Beaujeu qui en a fait la capitale du Beaujolais et l'a dotée de nombreux privilèges. On n'y vient pas pour un cœur historique ancien mais pour sa fameuse et interminable rue Nationale qui résume bien l'originalité de son urbanisme.

La situation

Cartes Michelin nos 88 pli 7 ou 244 plis 2, 3 – Schémas p. 116 et 145 – Rhône (69). À une demi-heure de Lyon par l'autoroute ou la N 6, Villefranche est la porte du Beaujolais.

🅸 *96 r. de la Sous-Préfecture, 69400 Villefranche-sur-Saône, ☎ 04 74 07 27 40.*

Le nom

Les sires de Beaujeu créèrent cette ville autour de la tour de péage de Limans, en 1140, pour faire pendant à la forteresse d'Anse appartenant aux archevêques de Lyon. Elle se développa rapidement et, en 1260, Guichard IV de Beaujeu accorda aux habitants une charte de libertés et franchises, d'où son nom de « Villefranche ».

Les gens

59 261 Caladois (agglomération). Autrefois, les commerçants avaient coutume de tenir marché sur le parvis de l'église qui était pavé de pierres plates appelées « calades ». « Aller à la calade » signifiait « aller à la ville », et le nom de « Caladois » est resté pour désigner les habitants de Villefranche.

La fin du service militaire annonce la fin des conscrits mais pas celui de la Vague qui se déroule encore avec tant de succès chaque année.

« La Vague »

Chaque année, le dernier dimanche de janvier a lieu la **Fête des conscrits** qui anime la ville vers 11h du matin par un défilé haut en couleur. Dans un décor de mimosas et d'œillets, les hommes de 20 à 80 ans, au coude à coude, forment « la vague » de l'amitié. Ils défilent dans la rue Nationale en costume noir, coiffés d'un gibus orné d'un ruban de couleur différente selon la décennie (20 ans, 30 ans, etc.).

se promener

Vieilles demeures caladoises

De juil. à fin août : visite guidée (2h) sam. à 9h30-16h. Dép. de l'Office de tourisme. 5,34€ (enf. : 3,05€).

Érigées et transformées entre le 15e et le 18e s., elles bordent, de part et d'autre, la **rue Nationale**. Elles doivent l'étroitesse de leurs façades à un article de la charte de 1260 prescrivant pour les nouveaux habitants, en contrepartie de la gratuité du terrain et des libertés et franchises accordées, une redevance annuelle de trois deniers par toise de largeur de façade (une toise équivalait à 1,95 m environ).

Côté impair – Remarquez les nos 375 (allée voûtée d'ogives), 401 (escalier à vis ajouré du 16e s. dans la cour) et, au n° 17 de la rue Grenette, la tourelle d'escalier à claires-voies. Dans la cour du n° 507, le puits est sur-

carnet pratique

Restauration

• *À bon compte*

Ferme-auberge La Bicheronne – *Le Bicheron - 01480 Fareins - 10 km au NE de Villefranche par D 44, puis à Beauregard dir. Château de Fléchères par D 933 et 2e rte à droite vers « Le Bicheron » - ☎ 04 74 67 81 01 - fermé janv., lun. et jeu. - ⊭ - réserv. conseillée - 10,50/15,50€.* Aux fourneaux, la propriétaire de cette ferme régale ses convives depuis plus de 20 ans. Ses poulets, coqs et pintades, fermiers bien sûr et généralement accompagnés d'un gratin dauphinois, sont bien connus des gens du coin qui apprécient sa table...

Hébergement

• *À bon compte*

Chambre d'hôte « Au milieu des vignes » – *Berne - 69460 Blacé - 12 km au NO de Villefranche par N 6, D 43 jusq. Blaceret, puis D 76 vers St-Julien (fléchage) - ☎ 04 74 67 59 69 - eric.encrenaz@wanadoo.fr - fermé fév. - ⊭ - 4 ch. : 38,17/47,33€.* Comme son nom l'indique, cette ancienne grange est au milieu des vignes... Réaménagée en chambres d'hôte confortables, elle est sobrement mais agréablement décorée. Vous y apprécierez aussi ses petits-déjeuners champêtres et la fraîcheur de sa piscine.

• *Valeur sûre*

Hôtel Plaisance – *96 av. de la Libération - ☎ 04 74 65 33 52 - fermé 24 déc. au 1er janv. - P - 68 ch. : 58,39/80,95€ - ☐ 6,40€.* En face de l'esplanade de la Libération, cet hôtel familial est impeccablement tenu. Certes, le décor du salon date un peu, mais ses chambres rénovées il y a peu, toutes dans un style différent, sont bien équipées et propres.

Rivage – *01190 Montmerle-sur-Saône - 13 km au N de Villefranche par N 6 jusq. St-Georges-de-Reneins, puis D 20 - ☎ 04 74 69 33 92 - fermé 1er au 15 mars, 24 oct. au 15 nov., dim. soir d'oct. à mai et lun. - 22 ch. : 44,21/60,98€ - ☐ 6,86€ - restaurant 19,06/48,78€.* Vous ne pouvez pas manquer cet hôtel-restaurant avec sa belle terrasse ombragée de tilleuls, juste avant le pont qui enjambe la Saône. Chambres bourgeoises et proprettes, salle à manger rénovée plutôt élégante, menus variés et bon accueil : vous y serez bien...

VILLEFRANCHE-SUR-SAÔNE

Carnot (Pl.) .... BZ 9
Faucon (R. du) .... BY 19
Fayettes (R. des) .... BZ 20
Grange-Blazet (R.) .... BZ 23
Nationale (R.) .... BYZ
République (R. de la) .... AZ 41
Savigny (R. J.-M.) .... AZ 47
Sous-Préfecture (Pl.) .... AZ 49
Sous-Préfecture (R.) .... AZ 50
Stalingrad (R. de) .... BZ 52

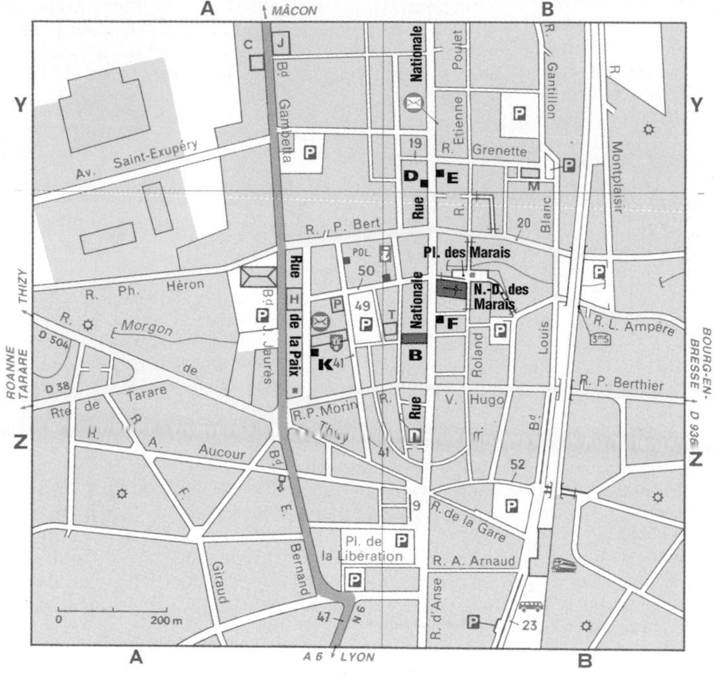

Ancien hôtel de ville .... BZ B
Auberge de la Coupe d'Or .... BY D
Hôtel Mignot de Bussy .... BY E
Maison Eymin .... BZ F
Niche du Pélican .... AZ K

monté d'un dais en coquille. Au n° 523, l'hôtel **Mignot de Bussy** forme un bel ensemble Renaissance avec son escalier à vis, ses fenêtres à meneaux et sa niche à coquille qui abrite une élégante statue.

Au n° 561, derrière la façade de 1760, une voûte d'ogives retombant sur des culots sculptés mène à une cour du 16e s., au crépi rose.

La **maison Eymin** au n° 761 présente une façade du 18e s. avec voûtes sur quatre niveaux dans la cour, armoiries martelées et élégante tourelle abritant un escalier à vis.

Au n° 793, l'ancienne demeure de la famille Roland de la Platière, signalée par un médaillon et une plaque commémorative, possède un escalier monumental pourvu d'une belle rampe en fer forgé.

Côté pair – Du n° 400, on a une bonne vue sur la tour polygonale et la balustrade en pierre sculptée de la maison Renaissance italienne située au n° 407, en face.

Au n° 476, à l'angle formé avec la rue du Faucon, se dresse une maison du 15e s. à encorbellement et pans de bois. Au n° 486, au fond de l'allée, à droite, un bas-relief Renaissance montre deux angelots joufflus présentant des armoiries avec la date de 1537.

L'**auberge de la Coupe d'Or**, au n° 528, transformée au 17e s., était la plus ancienne auberge de Villefranche (fin du 14e s.). À l'angle avec la rue Paul-Bert, au n° 596, deux jolies façades : celle de droite est de la fin du 15e s. avec ses gâbles en accolade ornés de choux frisés et de pinacles à crochets ; celle de gauche, Renaissance, présente des fenêtres moulurées à meneaux, où s'intercalent des médaillons.

Remarquez la niche d'angle, gothique, au n° 706.

Le passage, au n° 810, mène à une cour restaurée (puits, galerie et tourelle).

Symbole de la ville, la rue Nationale en est aussi l'artère vitale qui rassemble ses principaux monuments.

L'ancien **hôtel de ville** au n° 816, pillé en 1562 par les troupes du baron des Adrets, fut terminé en 1660. La façade, en pierres dorées de Jarnioux *(p. 121)*, possède un portail en chêne orné de clous forgés et d'une imposte à panneaux rayonnants. Au n° 834, la maison édifiée à la fin du 15e s. possède une jolie cour avec une haute tourelle à pans coupés logeant un escalier à vis. Le blason est aux armes de Pierre II de Bourbon et d'Anne de Beaujeu.

DRÔLES DE NUMÉROS
Le mode de numérotation des rues caladoises est fondé sur le système métrique qui prend en compte la distance depuis le début de la rue. La numérotation débute depuis la rue Nationale et depuis le Nord de la ville.

Rue de la Paix

Sur la façade du bâtiment jouxtant la poste au Sud a été rapportée de la rue Nationale la **niche du Pélican**, sculpture gothique décorée de fleurons et de pinacles. En retrait, à côté, également rapporté de la rue Nationale, se dresse un gracieux puits Renaissance.

Place des Marais

Jouxtant l'église au Nord-Est, cette place agrémentée d'une fontaine carrée est bordée de bâtiments modernes à arcades aux tons roses et ocre. Dans le prolongement de la place, à l'angle avec la rue Nationale, une inscription rappelle l'octroi, en 1260, de la charte de Villefranche. Au-dessus, une décoration en céramique représente Pierre II de Bourbon et Anne de Beaujeu, en orants, d'après le fameux triptyque du maître de Moulins.

Église N.-D.-des-Marais

MIRACLE !
Un jour, dans les marais qui entouraient Villefranche, des bergers trouvèrent une statue de la Vierge. On la transporta solennellement dans l'église Ste-Madeleine. Le lendemain elle avait disparu, elle était retournée dans le marais. Les habitants de Villefranche s'empressèrent alors de construire une chapelle à cet emplacement..

Seul subsiste de la chapelle primitive du 13e s. un petit clocher de style roman, au-dessus du chœur. L'église a subi de nombreux remaniements : la tour centrale est du 15e s., la somptueuse façade flamboyante du 16e s. a été offerte par Pierre II de Bourbon et Anne de Beaujeu, la flèche, détruite lors d'un incendie survenu en 1566, a été reconstruite en 1862. À l'intérieur, la nef surprend par son élévation ; jolie voûte ouvragée à clefs pendantes ; orgues de 1835, dues au facteur J. Callinet et belle **chaire en marbre** du 17e s. *(illustration p. 74)*. Sur la façade Nord, remarquez les gargouilles ; l'une d'elles représente la luxure.

alentours

Ars-sur-Formans

6 km à l'Est par la D 904. Ce petit village de la Dombes a eu pour curé **Jean-Marie Vianney** (1786-1859), originaire de Dardilly, canonisé le 31 mai 1925 par le pape Pie XI.

Le pèlerinage – La modeste église du village est maintenant soudée à une basilique élevée en 1862 sur les plans de Pierre Bossan. À l'intérieur, le corps du saint repose dans une magnifique châsse. À proximité s'allonge une crypte à demi souterraine de 55 m de longueur, en béton à nu, œuvre de l'un des architectes de la basilique St-Pie-X à Lourdes.

PÈLERINAGE
Depuis sa canonisation en 1925 le « **curé d'Ars** » est invoqué comme « patron des curés de l'univers », et le village est devenu un lieu de pèlerinage très fréquenté. Le plus important est celui qui se déroule chaque année le 4 août, jour anniversaire de la mort du curé d'Ars.

L'ancien **presbytère** a été conservé tel qu'il était à la mort du curé d'Ars. On y voit la cuisine, la chambre et de nombreux souvenirs du saint curé. Dans une salle proche du presbytère, un montage audiovisuel évoque la vie et le message du saint. Après la visite du presbytère, on ira voir la **chapelle du Cœur** qui contient le reliquaire où est conservé le cœur du curé d'Ars. La statue en marbre de Carrare représentant le prêtre en prière est une œuvre du sculpteur bressan Émilien Cabuchet (1819-1902). *Visites. Rens. accueil. Gratuit. ☎ 04 74 08 17 17.*

L'Historial – *Descendre la rue principale. ♿ Mars-oct. : 10h-12h, 14h-18h, lun. 14h-18h ; nov.-fév. : w.-end, vac. scol., j. fériés 14h-17h. Fermé 25 déc. 3,81€. ☎ 04 74 00 70 22.*

Ce musée complète heureusement la visite des lieux historiques encore marqués par le passage du saint curé. Dix-sept moments forts de sa vie ont été choisis pour illustrer son extraordinaire destin : naissance de sa vocation, prédication, mort... scènes saisissantes de réalisme, reconstituées avec 35 personnages de cire des ateliers du musée Grévin.

Villeneuve-de-Berg

Ancienne capitale du Bas-Vivarais, celle qui fut une « bastide royale » florissante a vu son rayonnement décliner brutalement avec la fin de la royauté à la Révolution. De son histoire prestigieuse la ville a gardé de nombreux monuments et quelques vestiges de ses anciens remparts du 14e s.

La situation

Cartes Michelin nos 80 pli 9 ou 246 plis 21, 22 – Ardèche (07). Contourné par une déviation de la N 102, Villeneuve-de-Berg est établi au Nord du plateau des Gras, entre Montélimar et Aubenas. *Hôtel de Malmazet, Grand-Rue, 07170 Villeneuve-de-Berg, ☎ 04 75 94 89 28.*

Les armes

Le blason de la ville, une crosse et les armes du roi (trois fleurs de lys) illustrent bien l'accord de « pariage » conclu en 1284 par Philippe le Hardi et l'abbaye de Mazan, propriétaire de la terre de Berg. Le traité prévoit la création d'une ville forte pourvue d'une charte avantageuse pour les habitants. Droits de propriété et de juridiction sont partagés entre les deux cosignataires. La ville, bâtie en six ans, resta capitale judiciaire du Bas-Vivarais jusqu'à la Révolution.

Gentilhomme huguenot originaire de la ville (1539-1619), Olivier de Serres s'est rendu célèbre par ses innovations en matière agricole.

Les gens

2 573 Villeneuvois. Les guerres de Religion furent particulièrement meurtrières dans la région, malgré les efforts d'apaisement prodigués par **Olivier de Serres**. Villeneuve-de-Berg est également la patrie d'**Antoine Court** (1695-1750) qui s'efforça après la guerre des Camisards de restaurer le protestantisme en Vivarais.

se promener

LA VIEILLE VILLE

Laisser la voiture sur la place Olivier-de-Serres, ou la place de l'Esplanade.

Point de vue

Du terre-plein, où est érigée la statue d'Olivier de Serres, on découvre un bel horizon, du mont Lozère au plateau du Coiron. La tour de Mirabel se détache au premier plan à droite.

Prendre en contrebas de la place Olivier-de-Serres la rue du Barry qui longe l'enceinte de l'ancienne bastide royale.

Secteur sauvegardé

La vieille ville vaut surtout par la physionomie du quartier qui s'étend au Sud de la N 102 : rues entières avec leurs alignements de portes cochères, d'hôtels à tourelle d'escalier Renaissance, à balcons ou impostes en fer forgé.

Porte de l'Hôpital

Du 14e s., elle montre un écusson aux armes fleurdelisées à côté de la crosse des abbés de Mazan.

Maison natale d'Olivier de Serres

Située à l'angle de la rue St-Louis et de la Grande-Rue, elle est ornée d'une statue de la Vierge abritée dans une niche.

Hôtel de Barruel

Au n° 4 de la Grande-Rue. Bâti au 15e s. par Charles des Astars, bailli du Vivarais, cet hôtel seigneurial abrita l'assemblée des États généraux de 1789.

Église St-Louis

L'édifice (13e s.) laisse apparaître, par ses lignes sobres, l'influence cistercienne de Mazan. À l'intérieur, deux retables baroques des 17e et 18e s. et une chaire en bois sculpté ornée à la base d'un magnifique aigle du 17e s.

alentours

Haute vallée de l'Ibie

12 km par la D 558, au Sud, qui suit la haute vallée de l'Ibie sur la bordure Ouest du plateau des Gras *(p. 123).*

St-Maurice-d'Ibie

Sobre **église** romane dont l'abside est décorée de curieux médaillons peints aux couleurs vives (17e-18e s.). *Dim. 9h-18h.*

Les Salelles

Village remarquable par l'ensemble de ses maisons montrant différents types de couradous *(voir p. 56)* qui comptent parmi les plus beaux du Vivarais.

Grottes de Montbrun

13 km, plus 3/4 h à pied AR. Quitter Villeneuve-de-Berg par la N 102, en direction de Viviers ; à St-Jean-le-Centenier, prendre à gauche la D 7 ; à environ 6 km, sur le plateau, s'embranche à droite la route d'accès aux balmes. Laisser la voiture à hauteur d'une ferme (panneau).

Pour découvrir ces mystérieuses grottes, descendez sur le flanc gauche du ravin par un sentier difficile. Sur ce versant se trouvent les balmes les plus curieuses, à deux étages ; la plus vaste s'ouvre sur un petit replat gazonné et montre, à l'intérieur, des banquettes taillées à même le roc.

Dans une végétation assez dense, les différentes ouvertures des grottes (balmes) de Montbrun dessinent curieusement une tête.

circuit

VILLAGES-BELVÉDÈRES DU COIRON

Circuit de 45 km – environ 2h1/2. Quitter Villeneuve-de-Berg par la D 258 en direction de Mirabel, et emprunter, à droite, la route du Pradel, D 458 et D 458A.

Le Pradel

Dans ce domaine, Olivier de Serres perfectionna des méthodes de culture qui allaient transformer l'agriculture française au début du 17e s. ; il abrite aujourd'hui un **espace culturel** et une ferme-école. Le mas a été reconstruit au 17e s. par Denis de Serres, fils d'Olivier. *De mi-juin. à fin août : visite guidée (1h1/2) tlj sf dim. 14h30-16h. 3€.* ☎ *04 75 36 76 56.*

Revenir sur la D 258 que l'on prend à droite en direction de Mirabel.

Mirabel★

Place forte qui commandait jadis la grande route du Rhône aux Cévennes, Mirabel joua un rôle stratégique important pendant les guerres de Religion. En 1628, le duc de Montmorency prit et démantela la forteresse.

AUX PREMIÈRES LOGES

Du rebord du plateau basaltique dominant le village, le **panorama★★** s'étend sur la dépression de l'Auzon, l'ensemble du Bas-Vivarais, la trouée de l'Ardèche et les crêtes du Tanargue. À droite, St-Laurent-sous-Coiron occupe une situation analogue à celle de Mirabel.

Sur la plate-forme basaltique qui domine Mirabel, s'élève la sombre silhouette du donjon rescapé des guerres de Religion.

Aujourd'hui seul subsiste, le donjon carré *(propriété privée)* construit en moellons de basalte sombre, aux chaînages d'angle en calcaire blanc.

Par la D 258, gagner ensuite le village de Darbres où l'on prend la direction de Lussas, puis, tout de suite à droite, une petite route, la D 324.

St-Laurent-sous-Coiron

Maisons de basalte noir. De la terrasse proche de l'église, on découvre, s'encadrant entre la tour de Mirabel, à gauche, et la montagne de Ste-Marguerite, à droite, une **vue★** superbe sur le bassin d'Aubenas dominé à l'arrière-plan par le Tanargue.

Retour à Villeneuve-de-Berg par Lussas et les D 259 et D 258.

Elles alternent les points de vue sur le Tanargue et les calottes basaltiques du Coiron.

Viviers★

C'est une vieille ville épiscopale, créée au 5e s., qui doit à son site, resserré entre la colline de la Joannade et le piton rocheux, qui porte la ville haute, d'avoir échappé au développement industriel. La ville ecclésiastique, construite au pied de sa cathédrale, domine l'entrée du Rhône dans le défilé de Donzère. Le contraste des falaises d'une rive à l'autre, les pitons détachés au milieu de la trouée, la puissance maîtrisée du fleuve en aval de la centrale de Châteauneuf composent un pittoresque tableau.

La situation

Cartes Michelin nos 80 pli 10 ou 246 pli 22 - Ardèche (07).

Coiffé d'une statue de la Vierge érigée en 1862, le sommet de la colline, dite la « Jouannade », qui doit son nom aux feux de la St-Jean, offre un beau **point de vue★** sur la cité. On y accède par un sentier qui s'amorce en face de l'évêché à l'Ouest de la RN 86 *(1/4h à pied AR)*. Au cours de la montée, retournez-vous pour admirer les vieilles maisons de Viviers serrées autour de la cathédrale et de la tour-clocher. Du sommet se découvre une ample **vue** sur la cité, puis de gauche à droite, sur les carrières de Lafarge, la centrale de Cruas, l'usine de Châteauneuf et le robinet de Donzère. *Pl. Riquet, 07220 Viviers, ☎ 04 75 52 77 00.*

PLAISANCE

Une magnifique allée de platanes mène au petit port de plaisance aménagé au confluent du Rhône et de l'Escoutay.

Le nom

D'où la *Vivarium* romaine tire-t-elle son nom ? Pour les uns, des viviers à poissons y auraient été installés ; pour d'autres, le nom viendrait du gaulois *beber*, allusion aux nombreux castors qu'on trouvait alors sur les rives du Rhône. Ce qui est sûr, c'est que Viviers a donné son nom à la région dont elle fut la capitale, le Vivarais.

Les gens

3 413 Vivarois. **Noël Albert**, commerçant enrichi dans le commerce du sel et la perception des impôts, charge alors fort lucrative, devint au 16e s. chef du parti protestant de la cité basse. Les esprits s'étant quelque peu échauffés, il prend d'assaut la cité ecclésiastique : la cathédrale est en partie ruinée, le cloître et les bâtiments canoniaux détruits. Arrêté, Noël Albert sera décapité.

comprendre

Un évêque fou
Au lendemain de Noël, Viviers organisait au Moyen Âge, une fort irrévérencieuse « fête des fous », mettant en scène des membres du clergé et un « évêque fou » qui « gouvernait » la cité pendant trois jours. Mais la fête s'accompagnait de tels excès (de libation, notamment) qu'elle fut interdite par le véritable évêque !

Un pouvoir temporel – Après qu'Alba, capitale romaine de l'Helvie, fut tombée en ruine, l'évêque Ausonne se fixe au confluent de l'Escoutay et du Rhône où la cité avait son port, Vivarium, au pied d'un rocher portant un castrum romain.

Une première cathédrale est bâtie sur le rocher et, dès le 5e s., la ville haute est fortifiée. En 1119, le pape Calixte III inaugure une nouvelle cathédrale romane. Un collège de chanoines s'installe au Château-Vieux, qui, ceint de remparts encore visibles, devient un quartier ecclésiastique. De nombreuses donations, une politique habile font peu à peu des évêques de Viviers les suzerains d'un immense domaine, sur la rive droite du Rhône : le Vivarais. Ils défendent âprement son indépendance contre le voisin du Sud, le comte de Toulouse, partageant avec lui la propriété des mines de Largentière et battant leur propre monnaie.

En 1248, Saint Louis, en partance pour la 7e croisade, est leur hôte au Château-Vieux, mais à la fin du 13e s., la monarchie française cherche à s'étendre dans la vallée du Rhône. Finalement, l'évêque de Viviers reconnaît, en 1308, la suzeraineté du roi de France : une grande partie du Vivarais devient terre de « Royaume », la rive gauche du Rhône demeurant terre d'« Empire », sous la lointaine tutelle des empereurs d'Allemagne.

Au pied du rocher, à l'intérieur d'un second système de remparts, s'était développée une cité médiévale. Des tours de défense et des principales portes ne subsiste que l'actuelle tour de l'Horloge, très remaniée au 19e s. En 1498, Claude de Tournon, devenu évêque de Viviers, fait détruire la cathédrale romane et élever un chœur gothique flamboyant.

Après l'assaut sanglant mené par les protestants conduits par Noël Albert, l'évêque quitte Viviers et il faudra attendre 1731 pour qu'il y revienne. Cette année-là, François Reynaud de Villeneuve entreprend la construction de l'actuel évêché sur les plans de l'architecte avignonnais J.-B. Franque.

Différentes mais complémentaires, la ville haute et la ville basse de Viviers forment un beau tableau.

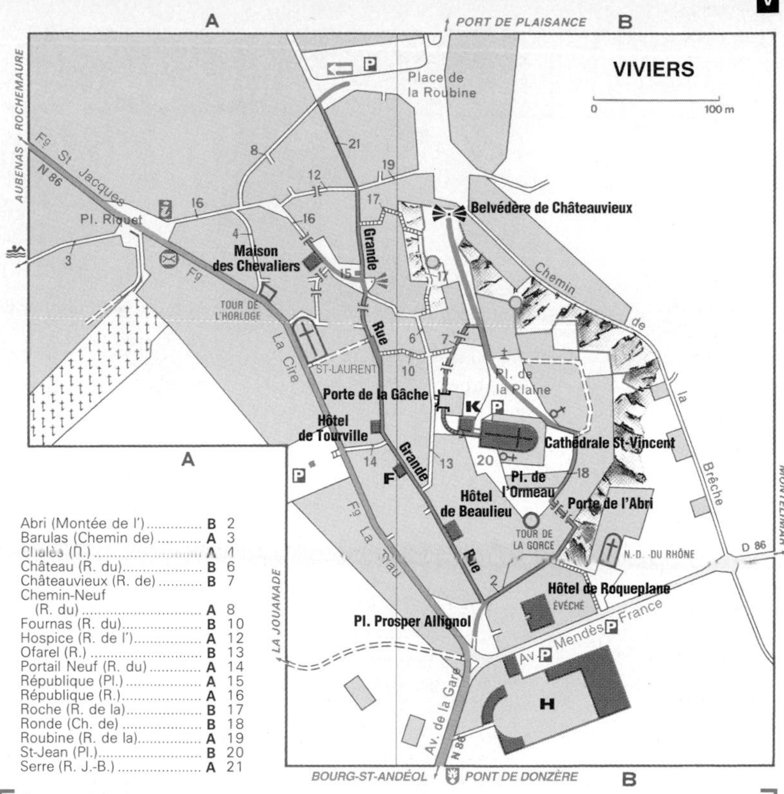

Demeure à fenêtres romanes géminées .... AB F

Hôtel de ville .... B H

Tour .... B K

se promener

LA VIEILLE VILLE*

La ville ecclésiastique est distincte de la ville basse massée au couchant sur le versant le moins abrupt du rocher. Elles communiquent par la **porte de la Gâche** à l'Ouest et la **porte de l'Abri** au Sud. Les maisons de la ville basse, serrées les unes contre les autres, sont couvertes de tuiles creuses ; leurs murs gouttereaux (ceux qui portent les gouttières) sont souvent couronnés de génoises ; parfois, les parois sont en moellons de calcaire avec quelques éléments de basalte. Elles comportent généralement deux étages au-dessus du rez-de-chaussée occupé par une cave haute ou une échoppe et composent un ensemble qui a gardé son aspect médiéval.

À l'inverse, les demeures de la ville ecclésiastique cachent leurs jardins et leurs cours derrière des murs nus où s'ouvrent des portes souvent en plein cintre, parfois surmontées de blasons.

Laisser la voiture sur la place de la Roubine. La rue J.-B.-Serre puis la Grande-Rue mènent à la place de la République.

Maison des Chevaliers

Dite aussi maison Noël-Albert (qui en fit construire la façade), elle fut élevée en 1546. Sur la belle façade Renaissance, observez les quatre personnages en haut-relief de la partie basse, séparés par des consoles décorées d'acanthe et des écussons armoriés surmontés chacun d'un heaume. Remarquez, au 1er étage, le riche encadrement des fenêtres constitué de colonnes et de pilastres cannelés aux chapiteaux ioniques ; aux linteaux, entre les consoles, des crânes de béliers et des guirlandes de feuillages. Au-dessus, deux bas-reliefs sculptés : à gauche, une chevauchée de cavaliers, à droite, un tournoi de chevalerie.

Détail de la somptueuse maison des Chevaliers où cette femme semble intéressée par ce qui se passe à l'extérieur !

Sur la droite, franchissant la rue de la République, un arceau percé de petites baies gothiques est décoré de plusieurs têtes sculptées.

Grande-Rue

Elle est bordée de façades soigneusement appareillées. Certaines possèdent des portails cossus surmontés de balcons en fer forgé comme les **hôtels de Tourville et de Beaulieu** (18e s.). Parfois, des détails pittoresques agrémentent les demeures comme les belles fenêtres romanes géminées réunies par une colonne à chapiteau. De la Grande-Rue part un réseau de ruelles transversales, étroites, coupées d'escaliers et souvent enjambées d'arceaux.

Passant l'emplacement de l'ancienne porte de la Trau, on débouche sur une place, plantée de platanes.

Place P.-Allignol

Elle est bordée par deux bâtiments élevés entre 1732 et 1738 par J.-B. Franque, qui, par leur symétrie classique et leur appareillage soigné, forment de beaux exemples de l'architecture du 18e s. à Viviers : l'ancien évêché, précédé d'un jardin, abrite l'**hôtel de ville** ; l'**hôtel de Roqueplane** est le siège de l'actuel évêché.

Prendre la montée de l'Abri, raide, qui débouche sur la place de l'Ormeau.

Elle procure une bonne vue sur l'entrée du défilé de Donzère et la chapelle N.-D. du Rhône, reconstruite par J.-B. Franque.

Place de l'Ormeau

Bordée d'anciennes maisons de chanoines du 17e s., elle doit son nom à un ormeau plusieurs fois centenaire, mais que remplace, depuis 1976, un nouveau sujet. De la place, on découvre la riche décoration flamboyante du chevet de la cathédrale.

Contourner la cathédrale par le chemin de Ronde ; de la place de la Plaine, un passage mène à une vaste terrasse.

Belvédère de Châteauvieux

Établi sur une acropole naturelle, autrefois battu par le Rhône en période de crue, il domine de 40 m la place de la Roubine. La **vue** s'étend d'Ouest en Est sur les vieux toits de la cité, la tour de l'Horloge, l'énorme entaille des carrières de Lafarge, les tours réfrigérantes de la centrale de Cruas, l'usine de Châteauneuf. Par beau temps se profilent les Trois-Becs et le col de la Chaudière, premiers contreforts du Vercors.

À l'angle Sud-Ouest de la terrasse se dresse une tour médiévale, en ruine.

Revenir sur ses pas et descendre à droite, par la rue de Châteauvieux, jusqu'à la porte de la Gâche.

Avec son pavement en galets roulés, ses passages couverts et ses arceaux, la rue de Châteauvieux a conservé un pittoresque cachet moyenâgeux.

Gravir les marches jusqu'à la tour.

Tour

Au 12e s., elle constituait la porte d'entrée de la ville haute. Seule la partie carrée de l'édifice existait alors avec, à l'étage, une chapelle romane dédiée à saint Michel. La tour, devenue le clocher de la cathédrale, est reliée à celle-ci par un portique quadrangulaire aux ouvertures ogivales.

C'EST UN CRI...
L'étage supérieur, du 14e s., octogonal, est recouvert d'une plate-forme dallée et surmontée d'une tourelle de guet, la « Bramardière », d'où le « brameur » pouvait donner l'alerte.

Cathédrale St-Vincent

De l'édifice roman du 12e s. subsistent le porche, la façade et la partie basse des murs de la nef. Le chœur, élevé à la fin du 15e s. par l'évêque Claude de Tournon, est remarquable par le **réseau★** des nervures flamboyantes de sa voûte et par le fenestrage de ses verrières. La nef, reconstruite au 18e s., présente une voûte plate de pierres soigneusement appareillées, due à J.-B. Franque.

À gauche de l'orgue, figure une **Annonciation** attribuée à Mignard.

Les nombreux belvédères de la ville haute offrent de beaux points de vue sur les toits très méridionaux de Viviers.

alentours

Belvédère de la chapelle N.-D. de Montcham★

Aménagé à droite de la chapelle, il offre une belle **vue** sur le mont Ventoux et, en contrebas, sur la trouée où se resserrent les trois voies routières N 7, A 7 et D 169.

Faire demi-tour.

Défilé de Donzère★★

Ce très beau passage encaissé marque l'entrée en Provence. Le Rhône fonce par la brèche ouverte : la paroi verticale de la rive gauche contraste avec l'aspect de la rive droite d'où se détachent des pitons isolés.

Les ponts qui franchissent le Rhône, à l'amont et à l'aval du défilé, offrent de beaux points de vue.

À HAUT RISQUE
Le piton le plus aigu du défilé porte à son sommet une statue de saint Michel, protecteur de ce passage jadis redouté des mariniers.

Arrêt conseillé à l'entrée des ponts, sur lesquels on se rendra à pied. Laisser la voiture après avoir franchi le premier pont, en vue de Viviers, et descendre au bord du Rhône par le chemin d'accès au camping (1/4h à pied AR).

Les eaux, divisées en amont par la dérivation, se rejoignent ici ; leur masse, le « souffle » de la course, les bouillonnements de la surface sont impressionnants.

Donzère

Au Sud par la N 86 et la D 486. Le bourg étagé sur les flancs d'une colline, au pied du château du 15e s., fit partie du fief des évêques de Viviers ; il conserve encore quelques vestiges médiévaux : église du 12e s., de style roman provençal, remaniée au 19e s., enceinte percée de portes, ruelles sous voûte. Remarquez dans la Grand-Rue, à un angle, sous un porche, des mesures à blé en pierre.

La Voulte-sur-Rhône

Petite cité au passé industriel posée sur la rive droite du Rhône, La Voulte a conservé un agréable centre ancien, fort animé aux beaux jours, constitué de ruelles bordées de vieilles demeures.

La situation

Cartes Michelin n°s 76 pli 20 ou 246 pli 20 - Ardèche (07). La Voulte est située, au Sud du confluent du Rhône et de l'Eyrieux, sur la N 86 qui suit la rive droite du Rhône, de Lyon à Pont-Saint-Esprit.

Pl. E.-Jargeot, 07800 La Voulte-sur-Rhône, ☎ 04 75 62 44 36.

Le nom

La *volta*, c'est en provençal ancien une courbe (même étymologie que le français voûte) qui évoque ici l'ancien méandre du Rhône près duquel la cité est née.

Les gens

5 168 Voultains. Il y a quelques années, lorsque le rugby, encore amateur, permettait aux équipes des petites villes de briller, celle de La Voulte connut son heure de gloire alors qu'elle était conduite par les frères Camberabero.

visiter

Château

De juil. à fin août. Se renseigner pour les h. 3,05€. ☎ 04 75 62 44 36.

Construit aux 15e et 16e s., ce château où siégeaient les États du Languedoc a été gravement endommagé pendant la dernière guerre mondiale. La cour d'honneur est bordée par une galerie à bossages et par une belle **chapelle** de style flamboyant.

Très expressive, cette gargouille de l'église de la Voulte semble surgie de nulle part.

Église

Elle abrite un bas-relief du 16e s. en marbre blanc, encastré dans le maître-autel et représentant une Descente de croix. Remarquez également un tableau du 17e s. ayant pour thème l'Assomption.

Musée paléontologique

Juil.-août : tlj sf sam. 10h-18h ; sept.-juin : tlj sf sam. 14h-18h. Fermé en janv., 1er mai, et 24-25 et 31 déc. 4€. ☎ 04 75 62 44 94.

Il y a 160 millions d'années, la région était recouverte par une mer tropicale peuplée de requins, langoustes et autres crustacés des mers chaudes. Lorsque la mer s'est retirée, la diatomite, roche faite d'algues fossilisées, a constitué un milieu de conservation idéal pour les animaux piégés : d'où le millier de fossiles présentés dans ce bâtiment en bordure du Rhône.Parmi les pièces exposées, remarquez le superbe **hipparion** gravide, un équidé proche de notre cheval (si ce n'est qu'il a trois doigts), et un couple de sangliers. Et, comme les animaux ne sont pas les seuls à bénéficier du privilège d'être fossilisés, une châtaigne, découverte en 1982. À l'étage, collection de fossiles provenant du monde entier.

Belle longévité pour la doyenne des pieuvres : contemporaine des dinosaures, elle a vécu voici 155 millions d'années !

Parc Walibi-Rhône-Alpes★

À l'heure où les parcs d'attractions connaissent un succès croissant en France, le parc Walibi-Rhône-Alpes tient bien sa place grâce à un développement régulier. De nouvelles attractions, des spectacles de qualité et un superbe espace aquatique en font un pôle touristique majeur de la région.

La situation

Cartes Michelin nos 74 pli 14 ou 244 pli 17 – Isère (38).
Desservi presque directement par l'A 43 qui relie Lyon à Chambéry, ce parc de 35 ha est établi sur la commune des Avenières, à quelques kilomètres au Sud de Morestel.

Le nom

Le parc Walibi-Rhône-Alpes est un des neuf parcs Walibi en Europe. Ces parcs d'attractions se développent depuis 1975 autour de l'image sympathique de leur mascotte, le kangourou australien Walibi.

HÉBERGEMENT
Vieille Maison – *38490 Aoste - 7 km au SE de Walibi par D 40 – ☎ 04 76 31 60 15 - fermé 10 sept. au 10 oct. et 23 déc. au 3 janv. - P - 17 ch. : 44,21/48,78€ - ☕ 6,40€ - restaurant 17,53/45,73€.* Cet ancien relais de diligence dans le cadre verdoyant d'un jardin abrite des chambres d'inspiration rustique. Charme provincial au restaurant : cheminée, poutres, chaises paillées et cuivres. Terrasse dans la cour plantée de beaux marronniers. Piscine couverte.

découvrir

Août : 10h-21h ; juil. et sept. : 10h-19h (sept. : w.-end), w.-end et j. fériés 10h-21h ; juin : 10h-17h, w.-end et j. fériés 10h-18h ; oct. : w.-end et j. fériés 11h-18h. 22,11€ (enf. : 11,28€, gratuit pour ceux dont la taille n'excède pas 1m). ☎ 04 74 33 71 80.
☺ Environné d'étangs, ce parc propose toute une gamme d'attractions et de spectacles pour satisfaire petits et grands plus ou moins téméraires.

Les amateurs de sensations fortes seront sans doute comblés par les trois loopings avant et arrière du **Boomerang★**, par les redoutables descentes du **Totem★** et de l'**Aquachute,** à moins qu'ils ne préfèrent une croisière mouvementée (pied marin recommandé) dans le traditionnel **Bateau pirate** ou un passage dans les terribles tentacules de la **Pieuvre**. La petite mais vive **Coccinelle** rouge vous invite à partager sa course folle, avant de partir à l'aventure sur les flots tumultueux de la **Radja river★** ou de tenter la descente de la **Rivière canadienne**. L'évasion est au rendez-vous avec **Tamtamtour**, balade exotique en bateau qui vous plonge au cœur de la jungle tropicale.

Les jeunes enfants ne sont pas oubliés et de nombreuses activités leur sont dédiées : vieux tacots, ranch à poneys, manèges ; on peut faire le tour du parc dans un petit train et parcourir l'étang à bord d'un bateau à roues.

La partie la plus courue du parc, à la belle saison, est sans doute son espace nautique **Aqualibi★** : la piscine à vagues, le Colorado (grands toboggans), et surtout le Rapido (torrent jalonné de tunnels et de trous d'eau) vous attendent dans une eau maintenue à 25°.

Parmi les spectacles qui rythment la vie du parc ne manquez pas le **Trésor du Pharaon★**, aisément reconnaissable à son décor macabre (tête de mort) et les incroyables cascades aquatiques **des Plongeurs d'Acapulco★** (*juil.-août*). Nombreuses possibilités de restauration sur place.

Mais quelle folie ! Oserez-vous tenter la terrible épreuve du Totem qui ne devrait être réservée qu'aux sorciers confirmés.

Yssingeaux

Autrefois languedocienne, aujourd'hui autant rhodanienne qu'auvergnate de cœur, Yssingeaux, une des plus vastes communes de France, est posée au cœur d'une région aux paysages originaux hérissés de sucs volcaniques et de monts boisés. Ce point de départ d'excursions et de randonnées est aussi une halte gourmande. Raison de plus pour s'arrêter au pays des « Copains » !

Hébergement et Restauration

Hôtel Le Bourbon – *5 pl. de la Victoire - ☎ 04 71 59 06 54 - fermé 3 au 30 janv., 2 juin au 3 juil., 8 au 20 nov., dim. soir et lun. - 11 ch. : 45,73/57,93€ - ☕ 7,62€ - restaurant 13,72/38,11€.* Hostellerie traditionnelle aux intérieurs très chatoyants, où chaque chambre porte le nom d'une fleur et propose un confort douillet. Le regard est fort sollicité dans la salle à manger, tant par ses couleurs vives que par les nombreux tableaux qui la décorent.

Les quelque 150 faïences d'Yssingeaux ont retrouvé leur place dans l'enceinte de l'hôpital où elles étaient utilisées.

La situation

Cartes Michelin nos 76 pli 8 ou 239 pli 35 - Schéma p. 173 - Haute-Loire (43). Au Nord-Est du Puy-en-Velay, Yssingeaux est la « capitale » du « pays des sucs » que domine et symbolise le mont Meygal.

Le nom

Issingeaux viendrait d'un nom d'homme germanique *Isingaud*, dérivé de *Is Walden* : le « Seigneur des glaces ».

Les gens

6 118 Yssingelais (qui, suivant l'humeur, peuvent aussi se prétendre Yssingeallois, Yssingeariers ou Yssingearais !). Ces gourmands ont accueilli avec enthousiasme l'installation de l'École internationale supérieure de pâtisserie dans les murs de leur bonne ville.

visiter

Hôtel de ville

Il est installé dans le château du 15e s., ancienne résidence d'été des évêques du Puy. Remarquez sur la façade les intéressants mâchicoulis trilobés.

Apothicairerie

Installées dans l'ancienne chapelle de l'hôpital, ses collections de faïences comptent parmi les plus importantes de France.

circuit

LE MASSIF DU MEYGAL* ET LE PAYS DES SUCS

Circuit de 57 km – environ 2h. Quitter Yssingeaux au Sud par la D 7, puis à 3 km prendre à droite la D 42.

La route longe sur la droite les sucs d'Ollières (alt. 1 186 m) et de Bellecombe (alt. 1 182 m) et à gauche le suc d'Achon (alt. 1 151 m).

Le massif du Meygal culmine au Grand Testavoyre (alt. 1 436 m), cône de roches phonolithiques aux pentes parsemées d'éboulis rocheux. Ce massif prolonge, au Nord, le Mézenc *(voir ci-dessous)* dont le sépare la haute vallée du Lignon vellave.

Forêt du Meygal

Ce manteau forestier de près de 1 200 ha a été constitué entre 1865 et 1880. Il s'accroche en partie aux flancs du Grand Testavoyre. Deux routes forestières traversent du Nord au Sud cette futaie de résineux où alternent pins sylvestres, sapins, épicéas.

Après la bifurcation d'Araules, prendre à droite la D 18 en direction de Queyrières, puis à gauche la première route forestière, balisée en rouge et bleu, s'engageant dans le sous-bois. À la bifurcation suivante, emprunter la route de gauche qui longe le flanc Est du Grand Testavoyre. Laisser la voiture sur l'aire de détente aménagée dans une clairière.

Grand Testavoyre** – *Emprunter la route forestière, face Est, et laisser la voiture au parking aménagé à 300 m de la maisonnette forestière.*

Le sentier *(1/2h à pied AR)* s'élève sous bois, puis serpente parmi bruyères et myrtilles. Du sommet, le **panorama** révèle un beau paysage volcanique. Au Nord, la région d'Yssingeaux et sa ceinture de sucs. À l'Est, le pic du Lizieux (1 388 m) domine l'horizon. Au Sud, on voit St-Front, face au Mézenc. Du Sud-Ouest au Nord-Ouest, les monts du Velay.

En redescendant du Grand Testavoyre, poursuivre la route forestière jusqu'à la sortie de la forêt.

La route Ouest passe devant la « **maison des Copains** », lieu rendu célèbre par le roman de Jules Romains.

La route forestière de gauche aboutit à la D 15.

Le circuit contourne le massif du Meygal par le Sud. Au cours de la longue descente vers St-Julien-Chapteuil, à travers un paysage montagnard., on traverse le hameau de **Boussoulet** aux habitations groupées, massives et recouvertes de lauzes en phonolithe. À gauche, on aperçoit le mont de la Tortue (alt. 1 327 m).

Dominées par le chocher de l'église, les maisons claires de St-Julien, couvertes de lauzes d'un bleu cendré ou de tuiles, contribuent à donner à la patrie de Jules Romains un aspect coloré.

St-Julien-Chapteuil

Au centre d'un bassin verdoyant arrosé par la Sumène et hérissé de pitons volcaniques, le village occupe un **site★** original. À l'Est, un rocher basaltique porte les vestiges du château féodal.

Église – *Juil.-août : possibilité de visite guidée mar. à 10h15. RV à l'Office de tourisme.*

Bien situé sur une plate-forme rocheuse, cet édifice roman a été largement remanié ; la façade et le clocher sont modernes. Remarquez dans l'abside quelques chapiteaux anciens.

De la terrasse proche du chevet, jolie vue sur les pitons voisins, en particulier le suc de Monac, belle falaise de trachyte et le suc de Chapteuil, reconnaissable à ses orgues basaltiques.

Musée Jules Romains – *Visite libre tlj sf w.-end : 10h30-11h30, 15h-18h (ouv. le w.-end pdt vac. scol.) 1,52€, visite guidée sur demande auprès de l'Office de tourisme. 1,83€. ☎ 04 71 08 77 70.*

Dans une salle de l'Office de tourisme sont rassemblés des documents et des objets évoquant la vie et l'œuvre de Louis Farigoule plus connu sous le nom de **Jules Romains**, né au hameau de la Chapuze au Nord du village.

À la sortie Nord de St-Julien, emprunter la D 26 en direction de St-Pierre-Eynac.

Jules Romains (1885-1972)

Romancier, dramaturge et essayiste, il est l'auteur de nombreux ouvrages dont *Knock ou le Triomphe de la médecine*, immortalisé par l'acteur Louis Jouvet, *Les Copains* et *Les hommes de bonne volonté*, vaste fresque sociale couvrant la période de 1908 à 1933.

St-Pierre-Eynac

Jolie petite **église** rurale à clocher-peigne et portail roman, sous un porche Renaissance.

Au cours de la montée vers Aupinhac, **vue★** à gauche, sur le bassin et Le Puy : on distingue la cathédrale, le rocher Corneille et St-Michel-d'Aiguilhe.

Poursuivre vers le village de St-Étienne par la D 26 en franchissant la N 88.

La D 71 remonte vers le Nord, en traversant un paysage jalonné de sucs. À la sortie de Malrevers, à gauche, le suc de Chauven (alt. 848 m).

Après Rosières, prendre à droite la D 7.

On longe successivement sur la gauche le suc de Jalore (alt. 1 076 m) et on distingue, en arrière-plan, le suc d'Émeral (alt. 1 081 m).

S'engager dans la première route à droite après un cimetière en direction de Mortesagne.

La route est dominée par le suc d'Eyme (alt. 1 137 m) que l'on aperçoit à gauche ; à Mortesagne, remarquez la maison forte du 16e s. La petite route revêtue à droite conduit au pied du suc de Glavenas (alt. 1 048 m). Au cours de la descente vers le village, belle **vue★** sur l'église perchée de **Glavenas** se détachant sur un étrange paysage.

Par la D 431 et la N 88 rejoindre Yssingeaux.

Maison de béate

À Bourgeneuf, sur la commune de Saint-Julien Chapteuil, on peut encore voir une ancienne maison de béate bien conservée. Elle illustre la vie des « béates », jeunes filles et femmes entièrement dévouées aux habitants des villages du Velay. *Renseignements à l'Office du tourisme de St-Julien, ☎ 04 71 08 77 70.*

Notes

Notes

Sources iconographiques

p.1 : J. Damase/MICHELIN
p.4 : J. Damase/MICHELIN
p.4 : J. Damase/MICHELIN
p.5 : J. Damase/MICHELIN
p.5 : Fr. Isler/MICHELIN
p.16-17 : M. Troncy/HOA QUI
p.17 : M. Troncy/HOA QUI
p.18 : Villes et pays d'Art et Histoire
p.18 : J. Damase/MICHELIN
p.19 : J. Damase/MICHELIN
p.19 : J. Damase/MICHELIN
p.20 : J. Damase/MICHELIN
p.21 : J. Damase/MICHELIN
p.21 : C. Moirenc/PHOTONONSTOP
p.25 : J. Damase/MICHELIN
p.26 : J. Damase/MICHELIN
p.27 : J. Damase/MICHELIN
p.28 : R. Lanaud/EXPLORER
p.29 : L.-Y. Loirat/EXPLORER
p.30 : J. Damase/MICHELIN
p.32 : J. Damase/MICHELIN
p.33 : Chemin de fer touristique de montagne
p.33 : J. Damase/MICHELIN
p.34 : J. Damase/MICHELIN
p.35 : J. Damase/MICHELIN
p.36 : J. Damase/MICHELIN
p.37 : J. Damase/MICHELIN
p.38 : J. Damase/MICHELIN
p.38 : J. Damase/MICHELIN
p.39 : J.-Ch. Gérard/PHOTONONSTOP
p.39 : J. Damase/MICHELIN
p.41 : E. Georges/SYGMA
p.42 : M. Cavalca/KR IMAGES DIFFUSION
p.42 : Fr. Isler/MICHELIN
p.42 : J.-L. Guerrier/CDT Rhône
p.44-45 : J. Damase/MICHELIN
p.45 : J. Damase/MICHELIN
p.46-47 : M. Tiziou/PHOTONONSTOP
p.46 : J. Damase/MICHELIN
p.47 : P. Abel/Musée d'Orange
p.48-49 : A. de Valroger/MICHELIN
p.48 : Fr. Isler/MICHELIN
p.49 : P. Gardin/KR IMAGES PRESSE
p.49 : Fr. Isler/MICHELIN
p.50-51 : J. Damase/MICHELIN
p.50 : J. Damase/MICHELIN
p.50 : Fr. Isler/MICHELIN
p.51 : J. Damase/MICHELIN
p.51 : J. Damase/MICHELIN
p.52 : J. Damase/MICHELIN
p.52 : C. Moirenc/PHOTONONSTOP
p.54-55 : J. Damase/MICHELIN
p.54 : J.-P. Petit/Aven d'Orgnac
p.54 : J. Damase/MICHELIN
p.54 : J.-P. Petit/Aven d'Orgnac
p.55 : J. Damase/MICHELIN
p.55 : J.-M. André/Aven d'Orgnac
p.56-57 : D. Faure/PHOTONONSTOP
p.56 : J. Damase/MICHELIN
p.56 : A. de Valroger/MICHELIN
p.57 : J. Damase/MICHELIN
p.57 : J. Damase/MICHELIN
p.58-59 : P. Somelet/PHOTONONSTOP
p.58 : J. Damase/MICHELIN
p.59 : J. Damase/MICHELIN
p.59 : P. Somelet/PHOTONONSTOP
p.60 : J. Damase/MICHELIN
p.61 : Fr. Isler/MICHELIN
p.61 : J. Damase/MICHELIN
p.61 : J.-D. Sudres/PHOTONONSTOP
p.61 : J. Damase/MICHELIN
p.61 : J. Damase/MICHELIN
p.62-63 : J.-D. Sudres/PHOTONONSTOP
p.62 : J.-Ch. Gérard/PHOTONONSTOP
p.62 : J.-D. Sudres/PHOTONONSTOP
p.63 : C. Valentin/HOA QUI
p.63 : Ch. Fleurent/TOP
p.64-65 : J. Damase/MICHELIN
p.64-65 : J. Sierpinski/SCOPE
p.66-67 : P. Somelet/PHOTONONSTOP
p.66 : B. Régent/PHOTONONSTOP
p.66 : B. Régent/PHOTONONSTOP
p.67 : B. Régent/PHOTONONSTOP
p.67 : B. Régent/PHOTONONSTOP
p.67 : Basset/Musée des Tissus, Lyon
p.66-67 : Basset/Musée des Tissus, Lyon
p.68-69 : Basset/Musée des Beaux-Arts, Lyon
p.68 : Pratto/ICONOS
p.69 : S. Van Poucke/Musée de Tournon
p.70 : LAUROS-GIRAUDON
p.70 : J.-L. Charmet/CHARMET
p.71 : KEYSTONE
p.72 : R. Corbel/MICHELIN
p.73 : R. Corbel/MICHELIN
p.74 : R. Corbel/MICHELIN
p.75 : R. Corbel/MICHELIN
p.76 : R. Corbel/MICHELIN
p.77 : R. Corbel/MICHELIN
p.78-79 : J. Damase/MICHELIN
p.78 : A. de Valroger/MICHELIN
p.79 : G. Biollay/PHOTONONSTOP
p.79 : J. Damase/MICHELIN
p.80 : J. Damase/MICHELIN
p.80 : J. Damase/MICHELIN
p.81 : R.-G. Ojeda/RMN
p.81 : E. Saillet/Aéroport Lyon-Saint-Exupéry
p.82-83 : J. Damase/MICHELIN
p.83 : J. Damase/MICHELIN
p.84 : J. Damase/MICHELIN
p.85 : Ph. Fournier/MEDIALP
p.86 : Fr. Isler/MICHELIN
p.89 : J. Damase/MICHELIN
p.90 : J. Damase/MICHELIN
p.92-93 : J. Damase/MICHELIN
p.94 : J. Damase/MICHELIN
p.95 : J. Damase/MICHELIN
p.95 : B. Kaufmann/TOP
p.98 : J.-P. Garcin/PHOTONONSTOP
p.100 : Y. Travert/PHOTONONSTOP
p.101 : J. Damase/MICHELIN
p.103 : J. Damase/MICHELIN
p.104 : Ph. Fournier/MEDIALP
p.105 : J. Damase/MICHELIN
p.106 : J.-P. Garcin/PHOTONONSTOP
p.108 : B. Kaufmann/TOP
p.108 : J. Damase/MICHELIN
p.110 : J. Damase/MICHELIN
p.111 : P. Somelet/PHOTONONSTOP
p.111 : J. Damase/MICHELIN
p.112 : M. Troncy/HOA QUI
p.114 : J. Damase/MICHELIN
p.114 : M. Carbonare/NEROPTIK
p.117 : J. Damase/MICHELIN
p.118 : J. Damase/MICHELIN
p.119 : M. Carbonare/NEROPTIK
p.120 : J. Damase/MICHELIN
p.121 : J. Damase/MICHELIN
p.122 : J. Damase/MICHELIN
p.123 : J. Damase/MICHELIN
p.124 : J. Damase/MICHELIN
p.126 : J. Damase/MICHELIN
p.127 : J. Damase/MICHELIN
p.128 : G. Rose/Musée du chapeau
p.130 : P. Somelet/PHOTONONSTOP
p.131 : J.-L. Charmet/CHARMET
p.133 : A. de Valroger/MICHELIN
p.136 : R. Delon/CASTELET
p.137 : Bourcieu/Maison du Patrimoine de l'Île Crémieu
p.138 : J. Damase/MICHELIN
p.140 : J. Damase/MICHELIN
p.141 : J. Damase/MICHELIN
p.142 : J. Damase/MICHELIN
p.144 : R. Mazin/PHOTONONSTOP
p.145 : J. Damase/MICHELIN
p.146 : A. de Valroger/MICHELIN
p.147 : J.-J. Arcis/RAPHO
p.148 : Ph. Fournier/MEDIALP
p.148 : A. de Valroger/MICHELIN
p.149 : Ph. Fournier/MEDIALP
p.152 : J. Damase/MICHELIN
p.152 : J. Damase/MICHELIN
p.153 : J. Damase/MICHELIN
p.154 : J. Damase/MICHELIN
p.154 : Parc naturel régional du Livradois-Forez
p.155 : A. de Valroger/MICHELIN
p.157 : J. Damase/MEDIALP
p.158 : J. Damase/MICHELIN
p.159 : J. Damase/MICHELIN
p.161 : A. de Valroger/MICHELIN
p.161 : A. de Valroger/MICHELIN
p.162 : J. Damase/MICHELIN
p.163 : M. Rauch/BIOS
p.165 : J. Damase/MICHELIN
p.166 : J. Damase/MICHELIN
p.166 : J. Damase/MICHELIN
p.168 : C. Valentin/HOA QUI
p.169 : J. Damase/MICHELIN
p.170 : J. Damase/MICHELIN
p.171 : J. Damase/MICHELIN
p.172 : B. Kaufmann/MICHELIN
p.174 : B. Kaufmann/MICHELIN
p.176 : J. Damase/MICHELIN
p.178 : J. Damase/MICHELIN
p.178-179 : P. Somelet/PHOTONONSTOP
p.180 : A. de Valroger/MICHELIN
p.181 : L'ILLUSTRATION/KEYSTONE
p.181 : J. Damase/MICHELIN
p.182 : Ph. Renault/HOA QUI
p.186 : M. Carbonare/NEROPTIK © Adagp, Paris 2000
p.187 : J. Damase/MICHELIN
p.189 : J.-D. Sudres/PHOTONONSTOP
p.190 : J. Damase/MICHELIN
p.191 : Voisin
p.191 : J. Damase/MICHELIN
p.193 : J. Damase/MICHELIN
p.194 : A. de Valroger/MICHELIN
p.195 : J.-D. Sudres/PHOTONONSTOP
p.195 : A. de Valroger/MICHELIN
p.196 : J. Damase/MICHELIN
p.197 : E. Baret
p.198 : J. Damase/MICHELIN
p.199 : J. Damase/MICHELIN
p.201 : J. Damase/MICHELIN
p.201 : A. de Valroger/MICHELIN
p.202 : J. Damase/MICHELIN
p.203 : A. de Valroger/MICHELIN
p.203 : J. Damase/MICHELIN
p.204 : Ch. Thioc/Musée de la Civilisation gallo-romaine, Lyon
p.206 : J. Damase/MICHELIN
p.206 : J.-D. Sudres/PHOTONONSTOP
p.207 : A. de Valroger/MICHELIN
p.207 : A. de Valroger/MICHELIN
p.210 : J. Damase/MICHELIN
p.211 : B. Régent/PHOTONONSTOP
p.213 : B. Régent/PHOTONONSTOP
p.214 : A. de Valroger/MICHELIN
p.215 : Basset/Musée des Tissus, Lyon
p.215 : G. Rigoulet/HOA QUI
p.216 : Musée Guimet, Lyon

p.216 : KEYSTONE
p.217 : A. de Valroger/MICHELIN
p.218 : J. Damase/MICHELIN
p.219 : J. Damase/MICHELIN
p.220 : Porcher/SUNSET
p.221 : M. Cavalca/TNP
p.222 : P. Ageneau/Château de la poupée, Lyon
p.223 : Musée de l'Automobile Henri-Malartre, Rochetaillée-sur-Saône
p.225 : M. Troncy/HOA QUI
p.226 : S. Farissier/ICONOS
p.228 : J. Damase/MICHELIN
p.229 : B. Kaufmann/TOP
p.230 : J. Damase/MICHELIN
p.231 : J. Damase/MICHELIN
p.232 : J. Damase/MICHELIN
p.233 : C. Essertel/MICHELIN
p.234 : C. Essertel/MICHELIN
p.237 : J. Damase/MICHELIN
p.238 : J. Damase/MICHELIN
p.239 : J. Damase/MICHELIN
p.240 : R. Pratta/ICONOS
p.242 : J. Damase/MICHELIN
p.244 : D. Dupont/Musée de la Miniature, Montélimar
p.246 : J. Damase/MICHELIN
p.246 : J. Damase/MICHELIN
p.247 : J. Damase/MICHELIN
p.249 : R. Hemon/MEDIALP
p.249 : B. Pambour/MEDIALP
p.251 : J. Damase/MICHELIN
p.252 : B. Pambour/MEDIALP
p.253 : B. Gouilloux/MEDIALP
p.254 : B. Kaufmann/MICHELIN
p.255 : F. Berthillier/ PHOTONONSTOP
p.256 : F. Berthillier/ PHOTONONSTOP
p.259 : J. Damase/MICHELIN
p.259 : Parc naturel régional du Pilat
p.262 : J. Damase/MICHELIN
p.263 : Ph. Fournier/MEDIALP
p.264 : J. Damase/MICHELIN
p.265 : G. Sioen/RAPHO
p.266-267 : J. Damase/MICHELIN
p.269 : J. Damase/MICHELIN
p.271 : J. Damase/MICHELIN
p.272 : A. de Valroger/MICHELIN
p.274 : J. Damase/MICHELIN
p.275 : A. de Valroger/MICHELIN
p.277 : J. Damase/MICHELIN
p.278 : J. Damase/MICHELIN
p.278 : J. Damase/MICHELIN
p.279 : J. Damase/MICHELIN
p.281 : J. Damase/MICHELIN
p.282 : J. Damase/MICHELIN
p.282 : C. Essertel/MICHELIN
p.283 : J. Damase/MICHELIN
p.285 : B. Pambour/MEDIALP
p.287 : J. Damase/MICHELIN
p.288 : Delpal/ICONOS
p.289 : J. Damase/MICHELIN
p.291 : J. Damase/MICHELIN
p.293 : J. Damase/MICHELIN
p.293 : J.-P. Garcin/ PHOTONONSTOP
p.294 : R. Hemon/MEDIALP
p.295 : J. Damase/MICHELIN
p.297 : B. Kaufmann/MICHELIN
p.297 : J. Damase/MICHELIN
p.298 : J. Damase/MICHELIN
p.301 : Musée international Pétanques et Boules
p.302 : Écomusée d'Usson-en-Forez
p.303 : B. Kaufmann/MICHELIN
p.304 : Musée Victor-Charreton, Bourgoin-Jallien © Adagp, Paris 2000
p.305 : B. Gouilloux/Château de Moidière
p.305 : J. Damase/MICHELIN
p.306 : A. de Valroger/MICHELIN
p.307 : C. Essertel/MICHELIN
p.308 : Musée d'Art Moderne, St-Etienne © Adagp, Paris 2000
p.309 : Musée d'Art Moderne, St-Etienne © Adagp, Paris 2000
p.312 : C. Essertel/MICHELIN
p.312 : A. de Valroger/MICHELIN
p.313 : J. Damase/MICHELIN
p.315 : J. Damase/MICHELIN
p.317 : J. Damase/MICHELIN
p.318 : A. de Valroger/ MICHELIN
p.320 : R. Hemon/MEDIALP
p.321 : J.-D. Sudres/ PHOTONONSTOP
p.323 : J. Damase/MICHELIN
p.324 : J. Damase/MICHELIN
p.326 : J. Damase/MICHELIN
p.328 : J.-D. Sudres/ PHOTONONSTOP
p.329 : J. Damase/MICHELIN
p.329 : J. Damase/MICHELIN
p.331 : A. de Valroger/MICHELIN
p.334 : J. Damase/MICHELIN
p.335 : J. Damase/MICHELIN
p.337 : J. Damase/MICHELIN
p.339 : J. Damase/MICHELIN
p.340 : P. Gardin/KR IMAGES PRESSE
p.341 : J. Damase/MICHELIN
p.344 : B. Kaufmann/MICHELIN
p.345 : J. Damase/MICHELIN
p.346 : J. Damase/MICHELIN
p.347 : D. Faure/ PHOTONONSTOP
p.348 : J. Damase/MICHELIN
p.349 : J. Damase/MICHELIN
p.349 : J. Damase/MICHELIN
p.350 : J.-D. Sudres/ PHOTONONSTOP
p.351 : J. Damase/MICHELIN
p.352 : J. Damase/MICHELIN
p.353 : J. Damase/MICHELIN
p.355 : J. Damase/MICHELIN
p.357 : R. Hemon/MEDIALP
p.358 : Le Henanff/ICONOS
p.359 : B. Kaufmann/MICHELIN
p.362 : J. Damase/MICHELIN
p.364 : J. Damase/MICHELIN
p.366 : J. Damase/MICHELIN
p.368 : J. Damase/MICHELIN
p.369 : J. Damase/MICHELIN
p.370 : J. Damase/MICHELIN
p.371 : Ph. Fournier/MEDIALP
p.373 : J. Damase/MICHELIN
p.374 : J. Damase/MICHELIN
p.375 : J. Damase/MICHELIN
p.376 : J.-P. Garcin/ PHOTONONSTOP
p.378 : J. Damase/MICHELIN
p.379 : J. Sierpinski/ PHOTONONSTOP
p.380 : J. Damase/MICHELIN
p.380 : J. Damase/MICHELIN
p.381 : Walibi–Rhône-Alpes
p.382 : Photosser/Musée d'Yssingeaux
p.383 : J. Damase/MICHELIN

Index

Aubenas ....Villes, sites et régions touristiques.
Jacquard (Joseph-Marie)....................Noms historiques et termes faisant l'objet d'une explication.
Les sites isolés (châteaux, abbayes, grottes...) sont répertoriés à leur propre nom.

LE GUIDE VERT a changé, aidez-nous à toujours mieux répondre à vos attentes en complétant ce questionnaire.

Merci de renvoyer ce questionnaire à l'adresse suivante :
Michelin Éditions des Voyages / Questionnaire Marketing G. V.
46, avenue de Breteuil – 75324 Paris Cedex 07

1. Est-ce la première fois que vous achetez LE GUIDE VERT ? oui non
Si oui, passez à la question n° 3. Si non, répondez à la question n° 2

2. Si vous connaissiez déjà LE GUIDE VERT, quelle est votre appréciation sur les changements apportés ?

	Nettement moins bien	Moins bien	Égal	Mieux	Beaucoup mieux
La couverture					
Les cartes du début du guide Les plus beaux sites Circuits de découverte Lieux de séjour					
La lisibilité des plans Villes, sites, monuments.					
Les adresses					
La clarté de la mise en pages					
Le style rédactionnel					
Les photos					
La rubrique Informations pratiques en début de guide					

3. Pensez-vous que LE GUIDE VERT propose un nombre suffisant d'adresses ?

HÔTELS :	Pas assez	Suffisamment	Trop
Toutes gammes confondues			
À bon compte			
Valeur sûre			
Une petite folie			
RESTAURANTS :	**Pas assez**	**Suffisamment**	**Trop**
Toutes gammes confondues			
À bon compte			
Valeur sûre			
Une petite folie			

4. Dans LE GUIDE VERT, le classement des villes et des sites par ordre alphabétique est, d'après vous une solution :

Très mauvaise	Mauvaise	Moyenne	Bonne	Très bonne

5. Que recherchez-vous prioritairement dans un guide de voyage ? Classez les critères suivants par ordre d'importance (de 1 à 12).

6. Sur ces mêmes critères, pouvez-vous attribuer une note entre 1 et 10 à votre guide.

	5. Par ordre d'importance	6. Note entre 1 et 10
Les plans de ville		
Les cartes de régions ou de pays		
Les conseils d'itinéraire		
La description des villes et des sites		
La notation par étoile des sites		
Les informations historiques et culturelles		
Les anecdotes sur les sites		
Le format du guide		
Les adresses d'hôtels et de restaurants		
Les adresses de magasins, de bars, de discothèques...		
Les photos, les illustrations		
Autre (spécifier)		

7. La date de parution du guide est-elle importante pour vous ? oui non

8. Notez sur 20 votre guide :

9. Vos souhaits, vos suggestions d'amélioration :

Vous êtes : Homme Femme Âge

Agriculteurs exploitants	Employés
Artisans, commerçants, chefs d'entreprise	Ouvriers
Cadres et professions libérales	Préretraités
Enseignants	Autres personnes sans activité professionnelle
Professions intermédiaires	

Nom et prénom :

Adresse :

Titre acheté :

Ces informations sont exclusivement destinées aux services internes de Michelin.
Elles peuvent être utilisées à toute fin d'étude, selon la loi informatique et liberté du 06/01/78.
Droits d'accès et de rectification garantis.